梅祖麟语言学论文集

梅祖麟 著

商务印书馆
2007年·北京

图书在版编目(CIP)数据

梅祖麟语言学论文集/梅祖麟著. - 北京：商务印书馆，2000
 ISBN 7-100-03061-7

Ⅰ.梅… Ⅱ.梅… Ⅲ.①梅祖麟-文集②语言学-文集 Ⅳ.HO-53

中国版本图书馆 CIP 数据核字（2000）第 43503 号

所有权利保留。
未经许可，不得以任何方式使用。

MÉIZǓLÍN YǓYÁNXUÉ LÙNWÉNJÍ
梅祖麟语言学论文集
梅 祖 麟 著

商 务 印 书 馆 出 版
（北京王府井大街36号 邮政编码100710）
商 务 印 书 馆 发 行
民 族 印 刷 厂 印 刷
ISBN 7-100-03061-7/H·775

2000年11月第1版　开本 850×1168 1/32
2007年8月北京第2次印刷　印张 17¼

定价：30.00元

序

不时有朋友告诉我,"读你的文章可真不容易。某某学报上发表的文章一直没读到,能不能给我寄一份?"这话一点不假。我的文章散见各学报,美国、中国大陆和台湾的都有,给同行带来不便。

1996年8月我到北京来开会,蒋绍愚先生怂恿我出本论文集,又主动介绍我和商务印书馆联系。蒋先生的话可真是"先得吾心"。快到退休的年龄了,也该给自己做个总结。于是乘今年重访北大的机会,把文稿带来,校对、统一体例后交给商务。现在和读者见面的就是蒋先生促成的《梅祖麟语言学论文集》,或许能让朋友们更容易读到我的文章。

记得刚出道的时候,杨联陞先生对我说:"学问没什么定论。一篇文章发表二十年后还值得重读,就算不错了。"自己的文章有几篇二十年后还值得读? 自己拿不准,希望入选的文章还不太离谱。《从语言史看几本元杂剧宾白的写作时期》(1984)自己已经有十年没读了,当然不期望别人现在去读。《唐宋处置式的来源》(1990),我把问题写偏了,本来不想收入。后来读到同行的文章,他们还在认真地讨论这篇文章的观点,就软了心,把它收入。还有篇讨论十六世纪官话调值和连读变调的英文文章(1977),可取之处别人已经说过,剩下来的只有谬论,也没选入。《内部拟构汉语三例》(1988),我现在明明知道里面有几条复声母演变规律是站不住的,还是把它选入,原因是那篇探讨上古形态的路线是对的,值得继续往那个方向走。诸如此类的考虑不一一交待。好在"当局

1

者迷,旁观者清"。论文集出版后请朋友们告诉我,哪几篇该删,哪几篇该添入。

《访梅祖麟教授》那篇访问录里我曾经介绍过我的几个研究领域,这里不赘。访问录是1991年写的。1991年以后我做了吴语音韵的比较研究,越发觉得方言语法史要跟方言音韵史一起探讨。还有和梅维恒合写的《梵文诗律和文病论对齐梁声律形成的影响》(英文),前前后后花了五年工夫。那篇有长短两种论述(1991,1992),这里收的是短的。

访问录里我曾经说,"写的时候想念我的几个老师,大部分都故去了,到现在才有机会谈到我受他们的教诲"。编论文集时想到的良师益友更多,这里没法一一表示饮水思源之情。

不过有一位非提不可。论文集里收得最多的是关于近代语法史和方言语法史的文章,而且是1983年以后写的。1983年朱德熙先生约我到北大讲课,鼓励我研究近代语法史和方言语法史。回美国以后,每写文章,脑海里就浮出北大中文系和语言研究所那帮朋友。虽隔远洋,切磋的对象却是以他们为主。编完了论文集,很想请朱先生写序,可惜他已经不在了。怎样表示怀念的心意?就是继续做他期望我们做的工作。

梅 祖 麟

1999年4月于北大勺园

目 录

现代汉语选择问句法的来源……………………………… 3
《三朝北盟会编》里的白话资料 ………………………… 28
现代汉语完成貌句式和词尾的来源 ……………………… 62
关于近代汉语指代词
　　——读吕著《近代汉语指代词》……………………… 83
唐、五代"这、那"不单用作主语………………………… 107
词尾"底"、"的"的来源 ………………………………… 112
北方方言中第一人称代词复数包括式和
　　排除式对立的来源………………………………… 150
汉语方言里虚词"著"字三种用法的来源……………… 155
唐宋处置式的来源………………………………………… 188
从汉代的"动、杀"、"动、死"来看动补结构的发展
　　——兼论中古时期起词的施受关系的中立化……… 222
唐代、宋代共同语的语法和现代方言的语法…………… 247
几个闽语语法成分的时间层次…………………………… 286

四声别义中的时间层次…………………………………… 306
说上声……………………………………………………… 340
内部拟构汉语三例………………………………………… 352
汉藏语的"岁、越"、"还(旋)、圜"及其相关问题 …… 377
方言本字研究的两种方法………………………………… 403

Tones and Prosody in Middle Chinese and the Origin of
   the Rising Tone ·· 423
The Austroasiatics in Ancient South China: Some Lexical
   Evidence ·· 459
The Sanskrit Origins of Recent Style Prosody ················ 498
More on the Aspect Marker *tsɿ* in Wu Dialects ············ 510

访梅祖麟教授·· 527

附:梅祖麟先生论著目录··· 545

现代汉语选择问句法的来源*

1. 本文打算讨论汉语选择问句法从五世纪到十二世纪的历史,主要结论是现代选择问的句法在五世纪已经成型,以后发生若干词汇的变化,在十二世纪产生"是……还是"这类现代选择问的句子。现在先谈古代和现代句法的不同。

先秦两汉的选择问,两小句句末几乎必用"与"、"乎"、"邪"之类的疑问语气词,如此两小句每句单独已是疑问句,并列就可形成选择问,但大多数另嵌入"抑"、"意"、"将"、"且"、"其"、"妄其"之类的关系词:[①]

1.1 上古选择问

1.1.1 滕,小国也,间于齐楚。事齐乎?事楚乎?(《孟·梁惠王下》)

1.1.2 然即国都不相攻伐,人家不相乱贼,此天下之害与,天下之利与?(《墨·兼爱下》)

1.1.3 子禽问于子贡曰:夫子至于是邦也,必闻其政,求之与?抑与之与?(《论·学而》)

1.1.4 将以穷无穷逐无极与?意亦有所止之与?(《荀·修身》)

1.1.5 子以秦为将救韩乎?其不乎?(《战国策·韩策》)

1.1.6 岂吾相不当侯邪?且固命也?(《史·李将军传》)

1.1.7 知其巧奸而用之邪?将以为贤也?(《汉·京房传》)

1.1.8 先生老悖与?妄其楚国妖与?(《新序·杂事》)

---

* 本文原载《中央研究院历史语言研究所集刊》第四十九本第一分,1978年。

现代汉语的选择问有时只是把两个选择并列,例如1.2.1,但更普通的则是另加"是"或"还是":

1.2　现代选择问

1.2.1　你　吃饭　　吃面?
1.2.2　你　吃饭　是吃面?
1.2.3　你　是吃饭　是吃面?
1.2.4　你　吃饭还是吃面?
1.2.5　你还是吃饭还是吃面?
1.2.6　你　是吃饭还是吃面?

相较之下,可见现代句法有三个特征。[②] 第一,在半句末和全句末两处可用语气词"呢"或"啊",但也可不用;即使用,所用的也不是疑问语气词"吗"、"么"。第二,作为选择问记号的"是"、"还是"就是用作系词的"是"字。第三,上古选择问记号"抑"、"且"、"将"等一句询问句只能用一个,现代的"是"和"还是"可以单独出现,也可以成双出现。以下就要说明具有这三种特征的现代选择问的来源。

2. 现代选择问的几个句式,在五世纪差不多都已经出现。[③]

2.1　$N_1 VP_1$　为$(N_2)VP_2 \begin{Bmatrix} 乎 \\ 也 \end{Bmatrix}$ [④]

2.1.1　不知孚为琼之别名,为别有伍孚也?(《三国志·魏书·董二袁刘传》,裴松之(372-451)注)

2.1.2　岂薪樐之道未弘,为网罗之目尚简?(《文选·永明十一年策秀才文》)

2.1.3　问望之立意,当趣如管晏而止,为欲恢廓其道,日昃不食,追周召之迹然后已乎?(《汉书·萧望之传》,颜师古(581-645)注)

2.2　N_1 为 $VP_1 \begin{Bmatrix} 也 \\ 耶 \end{Bmatrix}$　为 $VP_2 \begin{Bmatrix} 乎 \\ 耶 \end{Bmatrix}$

2.2.1 王问,汝为如形像作也,为使好乎?(《众经撰杂譬喻》(401-413),《大正藏》,Ⅳ,542a)

2.2.2 宏曰:卿为欲朕和亲,为欲不和?(《南齐书·魏虏传》)

2.2.3 夫得道者,为在家得,为出家得乎?(《杂宝藏经》(472),《大正藏》,Ⅳ,492c)

2.2.4 如王宫中有菴婆罗树上菓,为甜为醋?(同上,Ⅳ,493b)

2.2.5 今我欲问,身中之事,我为常无常?(同上,Ⅳ,493b)(比较:未审心与性,为别不别。(《祖堂集》,Ⅰ—121))

2.2.6 又尝讥玄学植不进曰:为尘务经心,为天分有限邪?(《晋书·王凝之妻谢氏传》;比较 3.1.3)⑤

2.2.7 以何等故事不宜尔,为以姓望,为以财货耶?(东晋·僧伽提婆译《增壹阿含经》(四世纪末),《大正藏》,Ⅱ,660a)

2.2.8 修摩提女为满富城中满财长者所求。为可与,为不可与乎?(同上,Ⅱ,660b)

2.2.9 人问言:为黑牛系白牛,为白牛系黑牛?(刘宋·求那跋陀罗译《杂阿含经》,《大正藏》,Ⅱ,60b)

2.2.10 质多罗长者问尼犍若提子,为信在前耶?为智在前耶?(同上,Ⅱ,152c)

2.2.11 如是耳声鼻香舌味身触意法,为意系法耶,法系意耶?(同上,Ⅱ,152a,3-4 行)

2.2.12 如是耳声鼻香舌味身触意法,为意系法耶,为法系意耶?(同上,Ⅱ,152a,9-10 行)

以上引的例子有三点值得注意。第一,"为"字用作选择问的记号。"为"字在这时期也是系词,⑥以后"是"字在口语里淘汰"为"字作系词的位置,只是一个系词替代另一个系词,结果使"是"字变成选择问的记号。例如 2.2.9"为黑牛系白牛,为白牛系黑牛?",把"为"换成"是",就变成现代汉语的选择问;"是黑牛系白牛,是白牛系黑牛?"。第二,2.2 的例子都是"为"字成对出现,这也是现代选择问的特征之一,是上古汉语没有的。第三,以上的例子,除了用"为"或"为……为"作选择问记号之外,大多数还在句尾

5

另加"也"、"乎"之类疑问语气词,有的在句首用询问词"岂"(2.1.2)。这是上古和近古过渡之间的现象,而唐代写的《晋书》(2.2.6)则不用疑问语气词,2.2.9出自刘宋时期的译经,也不用。2.2.5首句用"为",不合2.2体例,但只此一例,不另列。

两小句并列而不另加记号的选择问也在这个时期出现。

2.3 $N_1VP_1(N_2)VP_2$⑦

  2.3.1 兄今在天上,福多,苦多?(《幽明录》)

  2.3.2 便问人云:此为茶,为茗?(《世说·纰漏》)

  2.3.3 问左右曰:今年男婚多,女嫁多?(《宋书·王王殷沈传》)

  2.3.4 助教顾良戏之曰:汝姓何,是荷叶之荷,为河水之河?妥应声答曰:先生姓顾,是眷顾之顾,为新故之故?(《北史·何妥传》)

以上这些句子句尾没有疑问语气词,是中古新兴的句型,也是现代选择问一种句型的先趋(比较1.2.1)。2.3.2和2.3.4虽然用"为",但这个"为"字是句子的主要动词,而非主要动词之外另加的选择问记号,所以归入以上的一型。

句末不用疑问语气词、用系词作选择问记号、选择问记号可以成双出现,这三点是现代选择问的特征,观察以上所举的例,这些特征在南北朝都已出现,换言之,现代选择问的句法在五世纪已经具型。

另外还有一型,虽然以后被淘汰,也值得提出讨论。

2.4 N 为 VP Neg⑧

  2.4.1 汝意云何,为欲归不?(竺佛念(312-385)译《出曜经》,《大正藏》,Ⅳ,691a)

  2.4.2 汝食我肉,为得活不?(鸠摩罗什译《大庄严论经》,《大正藏》,Ⅳ,322a)

  2.4.3 若遣老人,乘于瘦马,复无粮食,为可达不?(《杂宝藏经》,Ⅳ,493b)

  2.4.4 此中应有黄色之山,汝为见未?(《贤愚经》(五世纪),Ⅳ,

2.4.5 此前应有白色之山,汝为见不?(同上,Ⅳ,412b)

选择问和反复问("你去不去?")的关系很近,差别只在前者是选择甲跟乙,后者是选择甲跟非甲;2.2.5"身中之事,我为常不常?"是介乎两者之间,再省略次句的动词,就变成"N 为 V Neg"。我们现在提出这个句型,是准备以后解释禅宗语录里常见的"还 V 也无?"的来源。

以上的讨论是往后看,解释中古和现代选择问的承继关系,现在要往前看,解释为什么"为"字在中古会变成选择问的记号。我们认为这个转变和"为"用作假设词有关,周法高先生曾经举出一些"为"用作"如其"的例,⑨现在转引。

2.5 "为"用作假设词

2.5.1 臣之御庶子鞅,愿王以国听之也。为不能听,勿使出境。(《吕氏春秋·长见》,《魏策》同)

2.5.2 王甚喜人之掩口也。为见王,必掩口。(《韩非子·内储说下》,《楚策》同)

2.5.3 是楚与三国谋出秦兵矣,秦为知之,必不救也。(《战国策·秦策》)

2.5.4 中国无事于秦,则秦且烧焫获君之国;中国为有事于秦,则秦且轻使重币而事国之君也。(《秦策》二)

2.5.5 今诚得治国,国治,身死不恨;为死终不得治,不如去。(《史记·宋世家》)

2.5.6 孙叔敖戒其子曰:为我死,王则封女,女必无受利地。(《列子·说符》)

选择问是把两种假设的情况并列,让对方选择;"为"字既已用作假设词,再加引申就可以变成选择问的记号。从引的例句的出现的先后看,大致也还说得通;以上所引的"为"用作假设词的例,大多数是战国末年和秦汉,最晚的是魏晋时代的《列子》,但2.5.6 的句法又不太清楚,而用"为"字的选择问是五世纪的现象;前后衔接得似乎不够紧;但从以下所引的3.1.1,可见东汉已用"为是"作选择问记号,在时间上正可承接2.5.5《史记》的例。

另一方面,古代选择问在汉代用"将"、"且"作关系词(1.1.6跟1.1.7),而"将"、"且"又是表达将来的语词。将来和假设的关系古今中外都很密切,例如现代汉语的"要"和"要是":"天要下雨了","要是天下雨,我不去";有些现代方言用"……的时候"表达假设;德文的 wenn 相当于英文的 if 跟 when。所以"为"字用作假设词后,因为意义相近,很容易填补"将"、"且"的空,结果形成单用"为"的2.1,再两句并用,就形成2.2的"为……为"。

3. 下一步的演变,是"为"字复词化产生"为是"、"为复"、"为当"。这些复词单用或双用所构成的选择问流行在南北朝和唐代,尾声一直延续到南宋。这种句法早被研究敦煌文献的几位学者指出,⑩我们又收集了一些晚出的例,以便决定这些语辞出现时期的下限。

3.1 为是

3.1.1 (平子怅然问〔髑髅〕曰:……)为是上智,为是下愚?为是女人,为是丈夫?(张衡(?)《髑髅赋》)

3.1.2 昨夜光明,殊倍于常,为是帝释梵天四天王乎? 二十八部鬼神大将也?(吴·支谦译《撰集百缘经》,Ⅳ,230b;比较 3.1.7)

3.1.3 王江洲夫人语谢遏曰:汝何以都不复进,为是尘务经心,天分有限?(《世说·贤媛篇》;比较 2.2.6)

3.1.4 汝既姓何,是荷叶之荷,为是河水之河?(《隋书·何妥传》;比较 2.3.4)

3.1.5 远法师问,为是比量见,为是现量见?(神会《菩提达摩南宗定是非论》下,胡适《神会和尚遗集》,277)

3.1.6 未审此禅门者有相传付嘱,为是得说,只没说?(同上,281)

3.1.7 □□光明倍寻常,照耀竹林及禅房,为是上界天帝释,为是

梵众四天王,□□佛会禅林内,能令夜分现祯祥?(《敦煌变文集》,768;比较 3.1.2)

3.1.8 今又古,是楚对凡亡,为是凡亡楚?(刘辰翁(1231-1294)《摸鱼儿》词)

3.2 为复

3.2.1 君家少室西,为复少室东?(王维(701-761)《问寇校书双溪》诗)

3.2.2 年不甚幼,近学何书?拟应明经,为复有文?(《唐摭言》卷五,《切磋篇·李元宾书》)

3.2.3 和尚等今在此深山,绝无人家,今当亦无船往密州。夜头住宿否?为复寻村里行?(圆仁《入唐求法巡礼行记》(838-847),开成四年四月五日条)

3.2.4 近日恰似改形容,何故忧其情不乐?为复诸天相恼乱?为复宫中有不安?为复忧其国境事?为复忧念诸女身?(《敦煌变文集》,350)

3.2.5 为复是四大违和?为复是教化疲倦?(《敦煌》,578)

3.2.6 又问:一切人佛性,为复一种?为复有别?(《祖堂集》,Ⅰ—127)

3.2.7 萧扈、吴湛带去圣旨,不知是有文字,为复只是口说?(沈括《乙卯入国奏请》(1075),胡道静《梦溪笔谈校证》50页引)

3.2.8 两国相重,书状往还,写得真楷是厚意,惟复写得诺笔是厚意?(《三朝北盟会编》15.5,《燕云奉使录》(1125))

3.2.9 又如举手、动足、着衣、吃面,当如何体究?为复只看话头?为复别有体究?(《大慧书(1089-1163)·答吕郎中书》;荒木见悟编译《大慧书》,131)

3.2.10 所谓穷理,不知是反己求之于心,惟复是逐物而求之于物?(《朱子语类》卷一二一,台湾影印明成化版,4760)

3.2.11 不知山与楼争长,为复楼随山月却移?(杨万里(1127-1206)《寄题王国华环秀楼》诗)

3.3 为当

3.3.1 未知即是《通俗文》,为当有异?(《颜氏家训·书证》)
3.3.2 《太誓》之注不解"五至"……不知为一日五来,为当异日也?(《诗·周颂·思文》孔颖达疏)
3.3.3 将军为当要贫道身,为当要贫道业?(《敦煌》,172)
3.3.4 因何行李苾苾,轻身单骑,为当欲谋社稷?为复别有情怀?(《敦煌》,373)
3.3.5 凡修心地之法,为当悟心即了,为当别有行门?(《祖堂集》,Ⅱ—44)
3.3.6 师曰:为当求佛?为复问道?(《祖堂集》,Ⅰ—132)

这三个语辞出现的次序是"为是"最先,"为当"其次,"为复"最后,而其湮没也是照着这个次序。《敦煌变文集》有《口语语汇索引》,《祖堂集》也有,⑪统计这几个语辞出现的次数,可以帮助我们了解其兴衰消息:

	为复	为当	为是
《敦煌》	25	17	2
《祖堂集》	25	14	0

《敦煌变文集》里,"为是"只出现在一篇(《频婆娑罗王后……变》),就是3.1.7所引的例,这篇变文以《撰集百缘经·功德意供养塔生天缘》做底本,而"为是"一词出现于原文(3.1.2),所以可以说,《神会语录》以后,"为是"差不多完全绝迹。照胡适先生的说法,《菩提达摩南宗定是非论》写定在天宝(742-755)年间,⑫所以"为是"的寿命是二世纪(?)到八世纪末,南宋虽然偶尔遇见"为是"(3.1.8),但已不是流行于口语的语辞了。"为复"的流行时期是八世纪到十二世纪末。"为当"出生在六世纪,在《祖堂集》所代表的九世纪还颇健旺,终年不易确定。

"为"字变成复词,是顺着当时语言的潮流,四、五世纪左右,"是"字普遍地附加在其他的字之后,产生"～是"型的复词,例如"非是"、"犹是"、"即是"、"皆是"、"亦是"、"若是"等。"复"、"当"也变成后加词,例如《世说新语》里的"故复"、"谁复",《游仙窟》里的"虽复"、"又复"、"时复"、"乃复"、"岂复";《世说新语》里的"正当"、"自当"、"终当"、"必当"、"故当"、"唯当"。[13]这些复词,有些两个成素各有本身的意义,有些第二个字只是把单音节的词变成双音节,缓和语气,原义保留不变。"为"字变成"为是"、"为复"、"为当"是第二种,也是汉语复音节化的一般趋势的产品。

4. "还"字最初用作选择问记号是在《祖堂集》,现在先说这本书的时代和来历。[14]

《祖堂集》是现存最古的禅宗史之一,书成于南唐保大十年(952),编者是泉州招庆寺静筠二位禅德,这本书北宋还在流行,景德年间(1004-1007)《传灯录》刊行以后,渐受淘汰,终于失传,一直到二十世纪初年才在韩国发现1245年开雕的二十卷的全部版本。太田辰夫先生首先注意到这本书在研究口语方面的价值,他写的《中国语历史文法》把《祖堂集》用作主要资料之一,还编成《〈祖堂集〉口语语汇索引》。以前治语法史的学者大多数看重《景德传灯录》,原因是《祖堂集》不容易看到,现在《祖堂集》有了影印本,这本书实在可以替代晚出而经过删改的《景德传灯录》。

《祖堂集》的编汇工作,在写序(952)的二十年前已经开始,书中所记的禅师大多数是九世纪的人,所以把《祖堂集》看作九世纪语言的纪录,大概不会太差。

在讨论"还"字用作选择问记号之前,先说一下"还"字更早的一般的用法。"还,返也"这个意义先秦就有了,一直沿用,例如《诗·小雅·何人斯》:"尔还而入"。"还"字用作副词比较晚出,唐初有"既……还"型的连词:"既伤千里目,还惊九折魂"(魏征《述怀》)。此外八世纪中叶"还"、"还是"也用作"仍旧":

4.1 "还"、"还是"="仍旧"

4.1.1 信宿渔人还泛泛。(杜甫诗)

11

4.1.2 还是昂藏一丈夫。(李颀(?—751?)诗)
4.1.3 玉郎还是不还家。(顾夐词)
4.1.4 还是不知消息。(同上)

《祖堂集》询问句用"还"字最多的一型是"还 VP 也无"或"还 VP 也不",这种句型在其他禅宗著作也常见。

4.2　还 VP 也 $\begin{Bmatrix}无\\不\end{Bmatrix}$

4.2.1 除得一翳底人,还称得向上人也无?(《祖》,Ⅰ—98)
4.2.2 和尚在曹溪时,还识和尚不?(《祖》,Ⅰ—149)
4.2.3 有一人不受戒而远生死,阿你还知也无?(《祖》,Ⅰ—182)
4.2.4 师初参夹山,夹山而问:汝是什么处人?对曰:闽中人。夹山云:还识老僧不?对曰:还识学人不?(《祖》,Ⅲ—12)
4.2.5 正当方寸扰扰时,谩提撕举觉看,还觉静也无?还觉得力也无?(《大慧书》,《答富枢密第三书》,荒木本,57)
4.2.6 汝等还护惜也无?(《碧岩录》第二则,(圜悟(1063-1135)著)《评唱》,岩波文库版,上 58)

以上"还"字的用法,从上下文来看,不是"仍旧"的意思;4.2.4 引得比较长,正可以看出是黄山("师")初见夹山的对话,以前两个人没打过交道。这种句型的来源,可以追溯到五、六世纪"为"字询问句的一型,现在再引 2.4 的几句,以资比较。

2.4.1 汝意云何,为欲归不?(《出曜经》)
2.4.2 汝食我肉,为得活不?(《大庄严论经》)
2.4.3 若遭老人,乘于瘦马,复无粮食,为可达不?(《杂宝藏经》)

把"还"字换成"为"字,句法就从南北朝的"为 VP Neg"变成唐末的"还 VP 也无"。此外还有一点不同,禅宗用"也无",南北朝只用一个否定词"不"或"未";中唐以后反复问句末用"无"字,同时也出现"也无"、"也不"、"也未"、"以否"、"已否",[15]再往上推,"也"、"以"、"已"都可能是"邪"的变读,《颜氏家训·音辞篇》说:

"邪"者未定之词,……《汉书》云:"是邪,非邪?"之类是也。而北人即呼为"也"字,亦为误矣。

据此,"还知也无?"本来就是"还知邪无?"

总结以上,"还知也无?"这类的句法的来源是:"为知邪?不知邪?"由于省略和紧缩变成"为知邪不?"此后"邪"换成"也","不"换成"无"(比较4.2.1和4.2.2),"为"换成"还",就变成"还知也无?"

《祖堂集》首次出现"还"字用作选择问记号,只有3个例。

4.3　N 还 VP$_1$ VP$_2$
　　　N VP$_1$ 还 VP$_2$

　　4.3.1　古人还扶入门,不扶入门?(《祖》,Ⅲ—84)
　　4.3.2　秀才唯独一身,还别有眷属不?(《祖》,Ⅳ—74)
　　4.3.3　祖意与教意,还同别?(《祖》,Ⅴ—106)

有两点可以说明这是新兴的句法。(1)《〈敦煌变文集〉口语语汇索引》不列"还"字。(2)《祖堂集》还有其他选择问的记号:"为……为"、"为复……为复"、"为当……为当",出现的次数都比用"还"字的选择问多。

《祖堂集》里"还 VP 也无"和"还 VP 不"式的句子一共出现17次,句型已经成熟,再比较上面4.3所引的例句,可知差别只在是否省略次句的谓语;省略则是*"古人还扶入门不?",不省略则是4.3.1"古人还扶入门,不扶入门?"。可见产生这新兴的选择问是由于把"还"字的场合从"省略句"推广到"非省略句"。4.3 所引的例句的选择是介乎"甲与乙"和"甲与非甲"之间,只能算现代选择问的雏形。

现在再谈一个有关的问题。张相《诗词曲语辞汇释》(126页)指出在晚唐和宋元,"还"字也是个假设词,意思是"如其"。

4.4　"还"="如其"

4.4.1 僧还相访来,山药煮可掘。(韩愈《送文畅师北游》诗)
4.4.2 君还知道相思苦,怎忍抛奴去?(苏轼《虞美人》词)
4.4.3 名缰利锁,天还知道,和天也瘦?(秦观《水龙吟》词)
4.4.4 盗跖倘名丘,孔子还名跖,跖圣丘愚直至今,美恶无真实。(辛弃疾《卜算子》词)

4.4.1 韩愈的例,"还"字可能是"复"义,整句读成"僧复相访来",其他诸例不成问题。以前已经讨论过"为"字差不多同时用作假设词和选择问记号(2.5 以下),"还"字用作"如其"是历史重演。

以上看到在两种场合下"还"字替代"为"字,一种是"为"字独用作选择问记号,一种是假设词,以后还会看到"还是"替代"为是",我们不禁要问这项替代到底是什么性质。

一般说来,替代有两种,一种是两个不同的语词之间的替代,例如古代用"为",现代用"是";古代用"行",现代用"走"。另一种是同一个语词两种不同的读法和写法,例如古"欲"今"要",古"作"今"做"。至于"还"替代"为",我们认为后者的可能性比较大,但是证据不足,只能作初步的考察。

普通语"还"字有两种念法,"复"义念 huan,选择问记号念 hai,无鼻音,《广韵》跟《中原音韵》都没有无鼻音的一读,所以这个读音的来历不明,是个问题。"为"、"还"声母的差别倒容易解释,"为"*gwj->jw-,"还"*gw->ɣu-,如果某个中古方言保存"为"字的舌根声母,结果中古是匣母,和"还"字相同;另外也可以设想在"王"、"黄"不分的方言中(例如现代吴语),"为"、"还"也是声母相混。所以我们目前的假设是在某个中古方言中"还"字失落鼻尾音,声母和"为"相同,因而用"还"写以前用"为"来写的字。

5.《朱子语类》里,现代汉语用的各种选择问都已齐备,此外另有单用"还"字(不用复词"还是")的例。

5.1 《朱子语类》里的选择问

5.1.1 尝有一僧云:好捉倒剥去衣服,寻看他禅,是在左胁下,是在右胁下?(《语类》卷一二四,4819;《辑略》,220)⑯

5.1.2 不知要就此处学子路"未之能行,惟恐有闻",还只要求子路不是处?(《语类》,29:1227)

5.1.3 天地之心亦灵否?还只是漠然无为?(《语类》,1:69;《辑略》,2)

5.1.4 祭祀之理,还是有其诚则有其神,无其诚则无其神否?(《语类》,3:139;《辑略》,17)

5.1.5 大钧播物,还是一去便休也,还有去而复来之理?(《语类》,6:75)

5.1.6 道之形体……只反诸吾求之,是实有这个道理,还是无这个道理?(《语类》,111:4110)

5.1.7 且如人而今做事,还是做目前事,还是做后面事?(《语类》,29:1249)

再看以下一大段。

5.1.8 又曰:如今人也须先立个志趣始得,还当自家要做什么人?是要做圣贤?是只要苟简做个人?……闲时也须思量着,圣贤还是元与自家一般?还是有两般?天地交付许多与人,不独厚于圣贤而薄于自家,是有这四端?是无这四端?只管在尘俗里面衮,还曾见四端头面?还不曾见四端头面?(《语类》,121:4766;《辑略》,214)

以上大量引《朱子语类》的例句,一则是现代选择问的诸型,到十二世纪末完全出现,以后只是承继既有的句型,这是值得大书特书的一件事。二则是以往关于汉语语法史的专著给人不少错误的印象,Gerty Kallgren 专门研究朱熹语言的论文,⑰ 以为朱熹用"还"字不多,选择问例句只引了 5.1.2 和 5.1.3,根本没有注意到"还是"的出现,也没有和其他选择问句型连起来讨论。太田辰夫的《中国语历史文法》(322 页)认为选择问用两个"还是"是现代的句法,引例中最早的是《红楼梦》,其实"还……还"、"是……是"、"还是……还是"、"是……还是"早已在《朱子语类》里出现了。

从唐末到南宋一大变化是"还"变成"还是",以前已经说过附加"是"字是汉语一种趋势,例如"若是"、"非是"、"即是"、"亦是"。另一方面,"还是"在中唐以后用作"仍旧",也可以说这个原有的语词添了一个新的用法。

总结以上,五世纪出现用"为"字的选择问,重复形成"为……为",此后"还"替代"为","还"再变成"还是",这就是现代选择问一型的来源。

现在该讨论现代选择问的另一特征,就是用系动词"是"字作记号。在一句原有的动词之外另加"是"字,这种句法在五世纪早已出现。

5.2　(Adv.)是 VP[18]

5.2.1　又夷俗长踞,法与华异,翘左跋右,全是蹲踞。(《南齐书·顾欢传》)

5.2.2　吴中高士便是求死不得。(《世说·栖逸》,注引《续晋阳秋》)

5.2.3　卿视吾是守江东而已邪?(《南齐书·垣崇祖传》)

5.2.2"吴中高士求死不得"已是完整的句子,有自己的动词,所以"(便)是"是另加的系动词。

"是"字用作选择问记号("是吃饭,是吃面?")相当晚,"为是"是一个语词,不能算用"是"字,比《朱子语类》更早的资料,似乎只有禅宗的《碧岩录》,其中圜悟(1063-1135)所撰的《评唱》有这类的例子。

5.3　《碧岩录》用"是"字的选择问

5.3.1　这僧是会来问不会来问?(《碧岩录》,73 则,岩波文库版,下,14)

5.3.2　且道:是肯他,是不肯他?是杀,是活?(同上,71 则,下,6)

此外,从唐末到南宋,还有若干过渡性的句型,有些以前已经引过。

5.4.1 为移(复)是四大违和？为复是教化疲倦？(《敦煌》,578;前引3.2.5)

5.4.2 萧扈、吴湛带去圣旨,不知是有文字,为复只是口说？(沈括《乙卯入国奏请》,50;3.2.7)

5.4.3 章敬道,是,是。南泉云,不是,不是。为复是同是别？(《碧岩录》,31则,《评唱》,中,8)

(比较:"未审心与性,为别不别？"(《祖堂集》,Ⅰ-121))

5.4.4 所谓穷理,不知是反已求之于心,憔复是逐物而求之于物？(《朱子语类》,121:4760)

5.4.5 不知魏公是有此梦,还复一时用兵,托为此说？(《语类》,3:146;《辑略》,20)

所谓过渡时期的构造有几种,一种是用"为复是";一种是前半用"是",后半用"为复"或"为复是";5.4.5最有趣,前半用"是",后半用"还复","还复"这个词虽早已存在,但这里是因为"为"字普遍地被"还"字替代,所以"为复"也就变成"还复"。而5.4.4却写成"憔复"。

"是"字变成选择问记号,不外乎两个原因,先有了用"为"字的选择问,然后"是"字普遍地替代"为"字。另一个原因是五世纪就有了在原有动词外另加系动词的句型,这种句型把领域扩充到询问句来,也促进"是"字变为选择问记号。

6. 本文的题目是"现代汉语选择问句法的来源",顾名思义,应该讨论现代汉语各种方言的选择问。限于学力,只能谈粤语选择问的来源。

粤语有个比较特殊的选择问记号,就是"定"字。

6.1.1 你定食饭定食面呀？
6.1.2 你　食饭定食面呀？
(你吃饭还是吃面呀？)

这种句法,在唐代已经出现。张相《诗词曲语辞汇释》(303页)举了4个例,以下转引。

6.2.1 闻汝依山寺,杭州定越州?(杜甫《第五弟丰独在江左》诗)
6.2.2 不知西阁意,肯别定留人?(杜甫《不离西阁》诗)
6.2.3 要得长随二三友,不知由我定由天?(杨万里《中秋前两日别刘彦纯、彭仲庄》诗)
6.2.4 余日知安在,南村定北村?(敖陶孙《上郑参政》诗)

张相也指出"定"字在另一种疑问句的意思是"究竟",例如"联骑定何如,予今颜已老"(韦应物《寒食寄诸弟》诗),这种用法在唐宋诗中屡见,比用作选择问记号的频率高。我们猜想选择问的用法是从究竟义转来的。

以上的引例出自三个作家。杨万里(1124-1206)是江西吉水人,所谓江西派的中坚,敖陶孙(1154-1227)是闽北福清人,都是广东的邻省,和他们同时的朱熹(1130-1200)用"是……还是"等,不用(或罕用)"定"作选择问记号,可见南宋"定"字已是方言词,和"是……还是"的分布地区对立,不过当时"定"字的通行地带比现在更北。

至于唐代,"定"字也是方言词,杜甫两首一首写在四川,一首是想念在江南的五弟,而全集仅此2例;其他诗人有引得容易翻检的,如李白、李贺、韩愈、王维都不用这种句法,《祖堂集》和《敦煌变文集》也不见,可知选择问的"定"字自唐代以来一直都只流行在偏南地带。

7. 总结以上,现代汉语选择问的来源是:(1)古代选择问在秦汉用"将"、"且"作关系词,同时"为"也用作假设词,在这种情形下,五世纪产生"为"和"为……为"式的选择问,同时也产生两小句并列而不带疑问语气词的新兴句型。(2)"为"字复词化,产生"为复"、"为是"、"为当",由这些复词单用或双用而构成的选择问盛行于唐宋。(3)"还"字替代"为"字,产生用"还"字的选择问,以后

"还"字附加"是"字变成"还是"。同一时期也出现"还 VP 也无"以及用"还"字的假设句。(4)"是"替代"为","N 是 VP"扩充到询问句,于是产生用"是"或"是……是"的选择问。(5)《朱子语类》里,现代选择问的种种句子都已出现。

本文的题目,以前研究汉语语法史的学者似乎都没注意到,这一方面固然是以前资料缺乏,另一方面我们能作比较完整的全面观,是借重了不少前人的成果。尤其是吕叔湘先生对汉语语法所作的结构分析,Gurevich 发现佛经里有相当多的"为……为"式,太田辰夫先生对《祖堂集》的研究,以及中、日学者对敦煌口语语汇的收集整理,都替本文做了开山辟路的工作。

同时我们不免感觉到研究语法史在方法上需要改进。从刘淇的《助字辨略》和王引之的《经传释词》到现在,以虚词作研究重点是汉语语法史的基本传统,所以历史文法的书,无论是描写某代历史阶段,或是贯穿前后探究渊源,一般的体例是列举虚字,然后在每个虚字下排列例句,这种工作固然是建立汉语语法史过程中不可少的基本步骤,但其本身有两个盲点。

第一,为什么某个虚词会有不同的用法?为什么某些个虚词会有同一或类似的用法?以前的语法书很少讨论这两个问题。固然如果以整个文言作范围,一个虚词的各种用法可能在不同的时代或不同的场合下产生,我们也不必去追寻其中不存在的关系,但如果把时间范围缩小,就往往发现某个虚词有几个用法并不只是偶合,其中自有线索可寻。例如"还"和"为"先后都在同一个时期不但用作"如其",而且也用作选择问的记号;"将"、"且"、"为"相继从表示将来或假设转为选择问记号。虚词语意的引申、用法的转变,以及几个义近的虚词之间的兴衰替代,这些都是语言史的一部分,是值得我们注意的。从语义转变的通例着眼,或许能帮我们从"知其然"进入"知其所以然"的境界。

第二，以虚词作研究重点的语法史只注意某个虚词的出现，而忽略句型的出现。以本文的题目为例，"现代汉语的选择问在什么时候出现？"，这个问题有两个答案：以具体的虚词作研究重点就会去找用"是"及"还是"的询问句，结果答案是宋代，或许可以推到唐末；如果把现代选择问的特征定为以系词作记号，每句选择问可单用或双用这记号，两小句句尾可以不用疑问语气词，结果答案是五世纪。这两种答案的差别是后者把语法分析为两部分，句型是个框子，个别虚词是填框子的实体。五世纪产生了新的句型，此后句型不变，只是填框子的词汇经过种种变化。句型和词汇的分别，研究现代汉语的学者已经常用，但在语法史方面应用的还少，所以特别提出来讨论。

附录：韩愈古文不合周秦两汉文法例证

《马氏文通》的序里有段触目的话："愚故罔揣固陋，取四书、三传、史、汉、韩文为历代文词升降之宗，兼及诸子、语、策为之字栉句比，繁称博引……皆有以得其会通，辑为一书，名曰'文通'。"这段话所以触目，是因为只有韩文是唐代，其他都是周秦两汉的文献。至于为什么韩文被列入"历代文词升降之宗"，说来话长，简而言之，是后代给古文运动的一种解释。韩愈自己说过："非三代两汉之书不敢观，非圣人之志不敢存"，古文运动经过欧阳修那批人提倡，到宋代变为一时风尚，于是大家又认为韩愈的文章完全合乎三代两汉的规范，堪列为唐宋八大家之首。在这种气氛下，有些文法学家认为古文有个一致的、系统化的文法；无论是韩柳的文章，或是周秦两汉的典籍，反正都是古文，文法一致，拿来"繁称博引"，无妨大体。马伯通固然是接受这套观念，即是近年来研究"文言法"、"古代汉语"、"古代语法"的学者，恐怕也还没出这个圈套。

这套观念是经不住考验的。任何人无论怎样仿古,都不免渗入后期的语言。韩愈的文章里就有一些例子,因为牵涉到选择问的句法,所以列为本文附录,以便和正文参照。

附1.1 呜呼!其真无马乎?其真不知马乎?(《杂说·世有伯乐》,万有文库本《韩愈文》,17)

附1.2 汝其知也邪?其不知也邪?(《祭十二郎文》,144)

附1.3 今贺父名晋肃,贺举进士,为犯二名律乎?为犯嫌名律乎?(《讳辩》,32)

附1.4 贺举进士,为可邪?为不可邪?(《讳辩》,33)

这四句选择问都不合先秦两汉文法,上古可以用"其"作关系词,但只可以用1个,韩愈却用了2个(附1.1,附1.2),这是模仿后代句法的拟构。附1.3、附1.4用"为……为",最早的例出现于五世纪(正文2.2),和韩愈同时的《祖堂集》"为……为"凡八见,可能还是唐代的口语。

附2 然而圣主不加诛,宰臣不见斥,非其幸欤?(《进学解》,22)

"宰臣不见斥"的意思不是"宰臣不被斥",而是"不被宰臣所斥"。先秦"见"字作虚词用时只表被动,所以马伯通碰到这句就束手无策,因为一个一致的文法系统里怎么能有个虚字表示被动,同时又表示主动呢?他说:"然韩文《进学解》云:'然而圣主不加诛,宰臣不见斥,非其幸欤?'其意盖谓不为宰臣所斥也,则'见斥'二字反用矣,未解。"(《马氏文通》卷四之二)。这个悬案一直到吕叔湘才解决,他指出这种"见"的用法是魏晋南北朝新兴的句法(《汉语语法论文集》(1955),46-50),时代不同,用法自可不同。这是用历史眼光研究文言的先声,无怪乎牛岛德次特别用吕氏的论文来说明研究中古汉语的方法(《汉语文法论(中古编)·绪论》,3)。

附3.1 有文字来,谁不为文……(《答刘正夫书》,81)

21

杨伯峻指出(《列子集释》(明伦,台北,1960),224-227),先秦用"以来"、"而来",不单用"来",前面用"自"、"由",例如《孟子》里的"自生民以来"、"由周而来"。到了汉朝,一般仍然沿用这个格式,但偶尔也省略"自"、"由",例如《史记》的"臣迁仅记高祖以来至太初诸侯"、《汉书》的"故汉得天下以求欲常善治"。《世说新语》有这么一句:

> 附3.2 顾长康画,有苍生来所无。(《巧艺》)

"有苍生来"正跟"有文字来"句法相同,是这种格式最早的例。

> 附4.1 吾于书,读不过三遍,终身不忘也。(《张中丞传后叙》,40)

"三遍"是动量词,这整个词类先秦两汉都没有,魏晋南北朝才兴起(刘世儒《魏晋南北朝量词研究》(中华,北京,1965),7—9,249-276)。

《孟子·公孙丑下》:

> 附4.2 子之持戟之士一日而三失伍,则去之否乎?曰,不待三。

按照这个例,韩愈若是要完全仿古,就该说:"读不过三。"

我们的意思倒并不是说韩愈应该只用先秦两汉的文法,因为这是任何人都办不到的。这段附录的用意只是要指明,上古有上古的语法,魏晋南北朝有魏晋南北朝的语法,唐代有唐代的语法。把资料的时代划分清楚,汉语历史文法的研究才能有进展。

附 注

① 例句转引自吕叔湘《中国文法要略》(商务,上海,1956),289页;高名凯《汉语语法论》(修订本,科学出版社,1957),451-452页。本文对上古选择问的刻画是循依吕叔湘,289页。

② 吕叔湘《中国文法要略》288页举出现代选择问的两个特征(即本文第一、第三两项),但忽略了用系动词那项。

③ 例句 2.1 转引自张相《诗词曲语辞汇释》，266 页；张永言《读〈敦煌变文字义通释〉偶记》，《中国语文》1964 年第 3 期，239 页；刘淇《助字辨略》(中华，北京，1958)，卷一，24-25 页。2.2 转引自 Gurevich, *Ocherk Grammatiki Kitaiskogo Iazyka* (Moscow, 1974), 231-232(书名中译是《汉语语法纲要》，是用四至六世纪翻译的佛经作主要资料)；牛岛德次《汉语文法论》(中古编)(大修馆，东京，1971)，346 页。

④ 本文用的语法分析符号：N，名词；VP，动词组(谓语)；Adv.，副词；Neg，否定词；(X)，X 可有可无；$\begin{Bmatrix}X\\Y\end{Bmatrix}$，X 与 Y 两者之中择一。详见杭士基(Chomsky)原著，王士元、陆孝栋编译，《变换语法理论》(香港大学出版社，1966)。

⑤ 刘淇《助字辨略》(1711 年初刻)最早发现"为"字用作抑辞，就引这句为证，此后杨树达批评刘氏对此句的解释：

《晋书·谢道韫传》："尝讥谢玄学植不进曰：'为尘务经心，为天分有限耶？'"二"为"字与"因"同，而刘氏乃云："二'为'字并是抑辞"。(刘淇《助字辨略》(中华书局，北京，1954)，308 页，杨树达跋)

此句《世说》作"汝何以都不复进，为是尘务经心，天分有限？"(本文3.1.3 引)，"为是"绝对是抑辞；"为……为"在同时的文献又有如此多作抑辞的例；显然刘淇本来解释对了，杨树达反而弄错了。由此也可见佛经资料的重要性。

⑥ 本文的 2.1.1、2.3.2、2.3.4 就是"为"字用作系词的例；2.3.4"为""是"对文，用例最明确。纵使"为"不能完全算作系词，只要"为"、"是"两字义近易混，就足够支持我们的理论。

⑦ 例句转引自牛岛德次《汉语文法论》(中古编)，346 页；太田辰夫《中国语历史文法》(江南书院，东京，1958)，407 页。

⑧ 例句转引自 Gurevich 前引书，230-231 页。

⑨ 周法高《中国古代语法〈造句编〉》(史语所，台北，1961)，212 213 页；杨树达《词诠》(中华，北京，1954)，554 页。

⑩ 例句有些转引张永言前引文；蒋礼鸿《敦煌变文字义通释》(增订本，古亭书屋，台北，1975)，175 页；张相前引书，266 页。

⑪ 入矢义高《〈敦煌变文集〉口语语汇索引》(京都，1961)；太田辰夫《〈祖堂集〉口语语汇索引》(京都，1962)。两本都是私人油印出版。1975 年

旅日,入矢先生赐借影印一份,谨此志谢。

⑫ 胡适《新校定的敦煌写本神会和尚遗著》,《神会和尚遗集附胡先生晚年的研究》(胡适纪念馆,台北,1970),365-370页。原文载在《史语所集刊》29本(1958)。

⑬ 吉川幸次郎《世説新語の文章》,《中国散文論》(筑摩書房,東京,1966),93页;志村良治《中古漢語の語法と語彙》,《中国文化丛书,1,言語》(牛島德次、香坂順一、藤堂明保編集,大修館書店,東京,1967),287页。《世说》有高桥清编的《世説新語索引》(广岛大学文学部,中国文学研究室,1959)可助查检。

⑭ 关于《祖堂集》的时代和来历参看柳田圣山编译《世界の名著·續3·禪語録》(中央公論社,東京,1974),74-77。《祖堂集》(广文书局,台北,1972),附柳田先生的短序;此书另有日本版(中文出版社,京都,1972),序比较详细。

⑮ 志村良治前引文,264页。

⑯ 宋黎靖德编《朱子语类》(正中书局,台北,1962;影印明成化九年江西藩司覆刊,宋咸淳六年导江黎氏本)。清张伯行编《朱子语类辑略》(丛书集成初编本,商务,上海,1936)。

⑰ Gerty Kallgren, Studies of Song colloquial Chinese as revealed in Chu Xi's Zuanshu (《〈朱子全书〉内所见之宋代口语》), *BMFEA* 30. 1—166 (1958)。

⑱ 参看刘世儒《略论魏晋南北朝系动词"是"字的用法》,《中国语文》,1957年12月号(总第66期),20页。

THE ORIGIN OF THE DISJUNCTIVE QUESTION IN MODERN CHINESE

(Abstract)

The disjunctive question (DQ) in Modern Chinese is characterized by three features. (1) The forms 是 *shih* and 还是 *hai. shih* serve as the DQ-marker. The copula *shih* is identical with one of these markers, and is a constituent of the other. (2) A Modern DQ may use a single marker or a pair of markers; it can also dispense with it altogether. In contrast, the DQ-markers of Old Chinese and Han Chinese cannot occur twice in a disjunctive question. (3) The DQ of Old Chinese and Han Chinese almost always ends in an interrogative particle, e. g., 乎 *hu*, 邪 *yeh*, or 与 *yü*. The Modern DQ does not follow this rule. The interrogative particle 吗, 么 .*ma* does not occur in a Modern DQ, and the forms which do occur, such as 啊 .*a* or 呢 .*ne*, are not interrogative particles.

The present paper traces the origin of the Modern DQ, as characterized above, to the 5th century A. D. The main sources used consist of the Buddhist texts of Early Middle Chinese (4th to 6th C.), the Tun-huang 敦煌 manuscripts, the *Tsu-t'ang chi* 祖堂集 (952 A. D., the earliest comprehensive history of Zen Buddhism) and the *Chu-tzu yü-lei* 朱子语类(1170—1200).

Disjunctive questions without a sentence-final interrogative particle already occurred during the 5th century. This accounts for feature (3).

Also in the 5th C., the particle 为 *wei* began to be used as a DQ-marker, either singly or in a pair, yielding a new type of DQ with the form

$N_1 \quad VP_1$ *wei* $(N_2) VP_2$

or N_1 *wei* VP_1 *wei* $(N_2) VP_2$.

The word *wei* meant 'to act, to serve as' in OC. But in Early Middle Chinese, it began to be used as a copula. When *wei* was replaced by another copula *shih* 是, the word *shih* also became a DQ-marker.

25

The Modern DQ-marker *hai. shih* has a more complicated history. (1) In Early Middle Chinese, there occurred a general process of di-syllabification. One favorite device was to suffix a syllable-filler 当 *tang*, 是 *shih*, or 复 *fu* to an already existing monosyllabic form. As a result of di-syllabification, the DQ-marker *wei* became 为当 *wei-tang*, 为是 *wei-shih*, or 为复 *wei-fu*. Disjunctive questions containing these new di-syllabic DQ-markers occurred frequently in Middle Chinese. (2) Lexical substitution of *wei* 为 by *hai* 还 in the context of disjunctive questions yielded a new DQ-marker *hai* during the 9th C. With the suffixing of 是 *shih* to *hai*, Early Modern Chinese acquired the DQ-marker *hai. shih*. This DQ-marker has two other sources, one involving the semantic shift of *hai. shih* from 'still' to 'whether, or', and the other resulting from the substitution of *hai* for *wei* in the context of 为是 *wei-shih*.

The entire set of Modern DQ forms can be found in the *Chu-tzu yü-lei*. It is also shown that the Cantonese DQ-marker 定 *dihng* first occurred in the 8th C., in two poems by Tu Fu, and that during the 12th C. It was already a dialect word used only in South China.

Two methodological remarks conclude this paper. (1) In studying historical syntax, one should make a distinction between the frame and the filler. The structural frame of the Modern DQ already existed in the 5th C. The specific Modern DQ-markers *shih* and *hai. shih*, which serve as fillers, did not occur in that capacity until the 12th C. They came about through a complicated process of di-syllabification and lexical replacement. But throughout that process, the structural frame remained intact. (2) In the Appendix the author points out that Han Yü's 韩愈 prose contains several post-Han grammatical constructions, including Middle Chinese forms for the disjunctive question. He draws the conclusion that literary Chinese, which includes Pre-Ts'in prose as well as the writing of Han Yü, is too heterogenous a corpus to be studied scientifically.

《三朝北盟会编》里的白话资料[*]

《三朝北盟会编》不仅保存着不少基本的史料，而且其中所转录宋人和金人口头谈判的记载，又是研究北宋1120年左右口语的珍贵语料。本文的目的是讨论这类语料的性质，主要论点有四：(1)宋人管口头谈判的记录叫"语录"，是使者谈判之后写的记录，为了回国以后给皇帝或其他上司作报告时有所凭藉。这些使者的"奉使录"是回朝以后写的书面报告，例如赵良嗣《燕云奉使录》、郑望之《靖康城下奉使录》、王绘《绍兴甲寅通和录》等(马扩《茅斋自叙》性质稍微不同)，原书不传，但《三朝》里有整段整段的节录，保留下来这些书的原来面目。我们可以想像这些使者写"奉使录"时，十九是直接抄录手头已有的语录。所以这些语料的传流经过是"语录"→"奉使录"→《三朝北盟会编》。(2)此后有宋杨仲良的《续资治通鉴长编纪事本末》，某些部分也是以《燕云奉使录》和《茅斋自叙》为底本。拿《三朝》和《纪事本末》比对，可见《纪事本末》把某些白话的词句改写成文言。(3)《燕云奉使录》里金人说的话比宋人白话成分较多。《三朝》节录的《采石战胜录》，其中有一段虞允文激励士兵的话用的是白话，而在朝廷上和皇帝宰相讨论却是纯粹文言。最合理的假设是人人都说当时的白话，而金人是由女真话翻译成口语，所不同的是写下来时有的变成了文言。宋元明的戏曲小说往往也有以文言白话的差别来显示身份、背景或性格的差别，其渊

---

[*] 本文原载《中国书目季刊》十四卷二期。

源也许导于北宋的史录。(4)完成貌的"了"在唐代的词序是"动词+宾语+了",现代的词序是"动+了+宾"。《敦煌变文集》里主要的词序是"动+宾+了",但已有"了"字开始往前搬的迹象,而《燕云奉使录》里"动+了+宾"大量出现。由此可知这个词序的变化开始于十世纪末,而完成于十二世纪初。固然不同地域的官话方言不可一概而论。

一　汉语语法史资料汇编

进入正文之前,还有一些关于汉语语法史的看法想说一说。经过五六十年中外学者共同的努力,汉语音韵史已有飞跃的进展,而语法史还滞留在半原始的状态。要建立汉语语法史,第一步就是收集并选择有代表性的各期的语料,这种开山辟路的工作,开始于吕叔湘,吕氏《汉语语法论文集》所附的书目其实就是语法史资料学的简明的介绍。太田辰夫《中国语历史文法》的书目主要是承继吕叔湘,也添补了一些有价值的资料。而吕、太田二氏研究早期白话时也都引用过《三朝》。

然而这两个书目还有一些可以改进的地方,以唐宋元三代为例。(1)所列的书没有一本附有准确的年代,有些书例如《清平山堂话本》本身就是二十多种著作年代不同的话本的总汇,两个书目列在"宋、元"或"宋、元(明)"之下。而我们研究语法史的目的之一,就是希望先找出各种语法结构的出现年代,然后回过来考订各种早期白话小说的著作年代。此外从语法演变的一般过程来看,往往是某种语法先变,然后激发另一种语法的变化。换言之,要决定语法变化的原因,各种语法结构出现的先后次序是一个关键。由于以上两项的考虑,我们应该把年代不明或内部年代差别太大的材料暂时搁下不用,而可考订年代的材料,尽量要把年代附在书后。考订年代固然是越准确越好,但是从语言史的观点来看,如果能把一宗材料订在某年,前后容许相差三十年,总还说得过去,因为一个八十岁的祖父和他二十岁的孙子的语言是相通的。此外当然也要考虑到文献成立的年代不一定就是其所代表的语言的年代。

(2) 诗词的语言往往与散文和口语不同。因此一种语法结构如果出现在诗词里,我们还要费一番手续在散文或者可以代表口语的材料里找到同样的结构,否则不禁要怀疑这种语法也许是受了诗词格律的影响才产生的畸形。此外,诗词的语言本身就是一大课题,诗语跟散文或口语的关系又是一个待研究的问题,我们该采取的步骤是先分而后合。因此《全唐诗》、《宋六十家名词》不能算作语法史的基本材料。可以作为例外的是变文和元曲里的唱词和韵文,因为唱的部分可以用讲的或是对白的部分核对。

(3) 有些材料实在浩瀚得令人望洋兴叹。例如《全唐诗》、《敦煌变文集》、《太平广记》、《宋六十家名词》、《朱子语类》等。处理这些材料我觉得该采取以下的办法:(a)一种工作就是把同时期同类的语料分别整理研究。马伯乐、高名凯对于早期禅宗语录的研究,高歌蒂(Gerty Kallgren)的《朱子全书》,都是属于此类。(b)以上是横的历史语法。纵的研究可以拿吕叔湘《论底地之辨及底字的由来》、《与动词后得与不有关之词序问题》作代表,更可以作为典范的是叶斯柏生(Jesperson)的 A modern English grammar on historical principles。西洋结构语言学一直认为描写语言学和历史语言学要严密地分开,而非要把一代一代的语言先各别地做了横断的描写分析后才能做纵贯的研究。但孳生语法论(generative grammar)兴起之后,我们不但要描写某一时期语法的表面结构,而又要进一步探求其基层结构,这种基层结构往往和更早一期语言的表面结构关连。例如:现代英语的基层元音系统酷似近古英文的表面元音系统(Chomsky and Halle, 1968:P.249ff),现代汉语的能性式(V得、V得C)和既成貌(V了O)的基层结构又是晚唐、宋初的表面结构(Mei, 1975),因此同期的研究和异代的研究两者之间的关系并不能分得很清楚,至少我们不必把结构语言学的方法论当作教条。要做纵贯的语法史的研究,势必要把这些汗牛充栋的语料分成主要和次要两类,还有一些材料太不集中,用起来实在不方便,例如《三朝北盟会编》,全书文海出版社的版本有1600页之多,其中可以用作口语语料的部分不到五分之一,散见在各卷之中,这些材料应该选择摘录下来另成一集。

综合以上,我心目中有个"中古汉语语法史资料汇编",这是一套年代准确、以散文口语为主、高度集中的语料。另外一个尺度是每个世纪有他代表性的文献。从《世说新语》(刘义庆403—444)到《朱子语类》(朱熹1130—1200)约有八百年,假如以三百页代表一世纪,这本书该是2400页。核刊、标点、注释这类工作当然要做,其他就是引得,最理想是又有断代的引得,又有综合的引得。

此外每宗资料需要一个简短的序,说明资料的地域、时期、性质。所谓"性质"就是这种语法在何种情形下产生的,原来是做什么用的,反映口语的程度如何。《三朝北盟会编》四十年前就有陈乐素详密的考证,是从史学观点写的序。以下的论证是以语言学为出发点,算是序《三朝》长篇的初稿。

二 口头谈判与书面谈判

宋金两方屡次和谈,方式不外乎书面及口头。书面是致对方的国书,最重要的甚至于是皇帝亲笔。但两方都不太愿意把立场用文字写明,原因很简单,所谓谈判就是讨价还价,让步太多,如果写在国书里,以后不易更改,所以使者任务之一是口头传达皇帝或朝廷的意思，以及为本朝的立场作口头上的辩护，这样赢了希望能变成正式书面的协定，输了反正没有国书作证，以后还可以变通。而朝廷当然想知道口头谈判到底说了些什么话，使者回朝也愿意写详尽的报告，以便邀功，结果促使语录及奉使录发展成一种近于白话的文体。以下举例说明书面和口头两种谈判方式的运用。

(1) 熙宁八年乙卯(1075)沈括奉命为"回谢辽国使"，起先辽使肖禧带了国书，要求两国以分水岭为界，而且到了汴京就赖在使馆里不肯走，一直到宋廷派了沈括使辽，准备和辽国国主直接交涉，肖禧怕自己被撇开才将划界文书收下来。而肖禧既然收下文件，宋廷认为谈判结果已经圆满，沈括改用"回谢辽国使"名义出行，使命只是到辽国去肯定肖禧已经接受的协定，同时答礼回谢。辽国不答应，要求改用"审行商议"名义，结果宋廷认为沈括已经派定，而且人也到了边境，这样沈括仍用原衔出使。

宋廷的政策是限制沈括的职权，一方面是官衔用"回谢辽国使"，另一方面不给沈括带任何新的书面文件。辽国的对策是要求改官衔为"审行商议"，另一方面逼迫沈括交出新的文件，否则只是招待沈括开辩论会而已，得不到实利。下面引的三条是沈括到了辽国永安山（今河北平泉南一百九十里）以后，辽人千方百计地要求沈括交出不存在的新文件。辽方代表是杨遵勖，字益戒。

> 益戒云："地界未了，侍读、馆使必须别带得南朝圣旨来。此起须要了当，今是圣旨宣问，不可隐藏，况前来文事，尽言差来审行商议，兼令将带照证文字来北朝理辨，必须带得照据文字来。"臣括答云："南朝元差审行商议，后来改作回谢，累有公文关报。北朝照据文字，元曾承受得，后来改作回谢，朝廷却尽取去也，今来只是回谢。"益戒又云："侍读、馆使虽用回谢，离南朝后，北朝再有牒去言鸿和尔大山等处地界未了，且令使人审行商议，恐到关推故不肯商量，文字到后，南朝别有指挥。"臣括答云："都不知北朝再有文字。到雄州后，续领得本朝圣旨，内坐却据雄州奏到北朝涿州牒，却欲令括等审行商议后，面奉圣旨，沈括等元只是回谢，已

起发前去讫,难为更令商议,并劄下雄州令牒涿州闻达,不知曾见此文字否?"益戒云:"也见。"括云:"此便是圣旨也,更有何隐藏?况两朝通和,南朝臣僚到北朝,便与北朝臣僚一般,岂敢对圣旨不实?……"(李焘《续资治通鉴长编》卷二六五引沈括《乙卯入国奏请》)

以上的事情发生在乙卯六月一日。而五月二十九日辽国皇帝和皇子还化装来探听内情,下面引的是跟随沈括到辽国去的王纯的状:

> 书表司殿中丞知雍邱县事王纯状称:"五月二十九日,北朝皇帝与皇子各变服来帐前,称太师及小太尉相次。皇帝至侍读安下帐前,书表司王纯、鲍忻,职员张履,御厨李回,指使王宣等同与皇帝相揖后,地上列坐。时皇子亦在。吃茶罢,王纯谓皇帝曰:"今日天凉,太师可饮京酒一两杯。"皇帝曰:"好。"遂具酒果相次。皇帝先发问曰:"地界还如何了当?"张履云:"地界事已了,萧琳雅已受了擗拨文字,别无未了。"(李焘,同上引)

以后又谈论了一阵,不得要领而去。四天以后辽国又派人来:

> 书表司王纯状:"今月初三日午时后,有馆中勾当萧太尉名呼图克台,体问得北朝太后帐前人;又一裹头巾着驼毛衫人,称姓刘呼司徒一被发人,是昨日来者浑子太保,皆是北朝皇帝处人,将酒一注子来纯帐中,请御厨李回,书表鲍忻,职员张履云:"昨来祗候不易,今日无事,特来劝好酒盏。"……〔其被发人〕又低语谓〔纯〕曰:"昨日来者太师,官瞰近上,朝廷最信凭他语言,交我问书表,若有文字,国信使副因甚不且将来看过便了也。"纯答:"南朝应副北朝事已了当,别无可理会。今只差使副来回谢,更不带文字随行。北朝自有当年往回文字案检,可以照证,何须更要南朝文字?但交太师自去检看,管不差错。"饮罢起。(李焘,同上引)

(2) 有的时候朝廷内部意见不一致,皇帝的意见也只可由使臣口头转达,以下所引的出自宋人笔记,不一定是信史,但是可见一般。

> 宋淳熙(1174—1189)中,范至能使北,孝宗令口奏金主,谓河南乃宋朝陵寝所在,愿受侵地,至能奏曰:"兹事须与宰相商量,臣乞以圣意谕

之,议定乃行。"上首肯,既而宰相力以为未可,而圣意坚不回。至能遂自为一书,述圣语,至房庭,纳之袖中,既跪进国书,伏地不起,时金主乃葛王也,性宽慈,传宣问:"使人何故不起?"至能徐出袖中书奏曰:"臣来时,大宋皇帝别有圣旨,难载国书,令臣口奏,臣今谨以书述,乞赐圣览。"书既上,殿上观者皆失色,至能犹伏地,再传宣曰:"书词已见,使人可就馆。"至能再拜而退,房中群臣或不平,议羁留使人,而房主不可,至能将回,又奏曰:"口奏之事乞与国书中明报,仍先宣示,庶使臣不堕欺罔之罪。"房主许之,报书曰:"口奏之说,殊骇观听,事须审处,邦乃孚休。"既还,上甚嘉其不辱命,由是超擢以至大用。(罗大经(fl.1224)《鹤林玉露》卷四)

(3) 口头谈判获得对方允诺,载入下次致对方的书面文件,以期变为今后谈判的根据,这种外交手法,可由《燕云奉使录》窥其大概。赵良嗣归附宋朝后,第一次使金,目的是探听口气,当面谈判;"元奉密旨令面议,别不赍文字"(《三朝》卷四,页三)。宣和二年(1120)三月二十六日到达金国后,不久就和金国国王阿骨打见面,照赵良嗣的说法,曾经有如此的对话:

> 良嗣问阿骨打燕京一带旧汉地,汉州则并西京是也。阿骨打云:"西京地本不要,止为去拿阿适须索一到〔原注:阿适,天祚小字也〕,若拿了阿适,也待与南朝。"(卷四,页五)

赵良嗣归国后,金人七月十八日派习鲁等来宋朝继续谈判,八月二十日将回金国,宋朝派马政、马扩父子,持国书及事目随习鲁前去报聘,国书是冠冕堂皇的文言,综述协议大纲,事目更分条列举尚需商谈事项,以下引事目开始一节:

> 事目:枢密院奉圣旨已差马政同来使赍书往大金国,所有到日合行体会议约事节,若不具录,虑彼别无据凭,今开列于后,一、昨来赵良嗣等到上京计议,燕京一带以来州城自是包括西京在内,面奉大金皇帝指挥言:"我本不要西京,只为就彼拿阿适去,且留着将来拿了阿适都与南朝。"(卷四,页九至十)

比较上引两节,可知赵良嗣回国后,将口头谈判经过奏知朝廷,然后枢密院根据报告把阿骨打所说的话写入事目劄子。

马政到金国后"阿骨打不认所许西京之语"(卷四,页十),这件事情可能是阿骨打抵赖,也可能是赵良嗣说谎,孰是孰非,不易决定。但当时朝廷大概并不认为赵良嗣说谎,因为赵虽是归朝官,经过这番挫折后,继续录用,下次金人派使臣来议,宋朝派使节团随金人前去,赵是主任使臣,衔头是国信臣,马政、马扩分任同送伴和国信副使(卷九,页九)。

比较上引两节还可以帮助我们了解宋代"去"字的用法。现代汉语用方向动词"来"、"去"表达目的,有三种方式:(i)"我去看朋友";(ii)"我看朋友去";(iii)"我去看朋友去"。(i)、(ii)两式至晚北宋1120年已经存在,而且互相通用,因为以上"止为去拿阿适"和"只为就彼拿阿适去"是一句话的两种说法。

(4)《燕云奉使录》里又有一段可笑可泣的谈判,赵良嗣等为了要求金人交还自辽人手中所夺去的燕地及西京(山西大同),又去与金人商议代价。

> 兀室云:"贵朝国书内既言别交银绢以代税赋,必有定数,请分明说破。"良嗣出御笔十万言之。兀室云:"十分未有一分,燕地税赋共收六百万贯,且如旧与契丹银绢五十万贯,尚有五百五十万贯,奉圣旨于内留四百万贯,养赡军民,只收一百万贯。"良嗣又以第二项御笔二十万之数许之。兀室云:"二十万之数尚不及前项之半,更要西京,如何了得?"再三辩论,久之,遂除下西京,坚执如故,不免以第三项御笔二万绫数许之。(《三朝》卷十二,页七下)

综合以上,可见有种种原因使口头谈判成为使臣最重要的任务,因而谈判的语录也成为使臣交卸责任表扬自己的工具。《燕云奉使录》及《茅斋自叙》在宋代受人重视另外还有一个原因,北宋联金攻辽是国策,结果辽亡之后,金人日益强大,终于迫使宋室南渡,而这个国策早期的执行者就是《茅斋自叙》作者马扩的父亲马政以及赵良嗣,徽、钦二帝被虏之后,宋人痛定思痛,追寻国难的原因,又不得不读这两本最原始的资料。《三朝北盟会编》就是在这种心理状态下写成的巨著,其副作用之一是给我们保存了宋代白话的资料。

三 口头谈判记录的名称及功用

宋人管口头谈判的记录叫"语录",所以除了禅宗语录及宋代道学家语录之外,"语录"另有一指。其功用有二,谈判中发生了问题,可以把语录呈上朝廷,听候指示;另外是使臣的备忘录,等到谈判结束之后,去见皇帝或上司时可以按照记录报告谈判经过。

> 是日午刻有旨召对内殿,上问劳,圣语温厚,良臣等皆至感泣,上问过界事,皆如语录对。(卷一六三,页八;Ⅲ,246;王绘《甲寅通和录》)

王绘是1134年宋朝派去和金人和谈的使臣,以上是他记载回到朝廷后给皇帝作报告的经过。更早,《三朝》宣和六年(1124)下引:

> 《茅斋自叙》曰马扩归到太原府宣抚司,以往来所历事节答,语录呈,〔童〕贯大惊曰:"金人国中初定,些小人马在边上怎敢便做许大事!"(卷二三,页二;Ⅰ,161)

以下一条是记宣和五年正月宋朝派赵良嗣、周武仲充国信使,马扩充计议使,到金人军前去谈判,金国国王阿骨打就以即日巡边作藉口,限期要宋朝接受金人的要求:

> 阿骨打云:"我已言定岁添一百万贯,一字不依,更休来商量……我欲二月初十日巡边,使人疾去,应期复来,不得碍我举军。"良嗣云:"此去京师三十程,正月已终,何以往还,臣等欲只至雄州,入递缴奏,等候回降却来,庶可相及。"阿骨打从允,次晚南还到雄州,作语录,入递待报。(卷一四,页三;Ⅰ,102;马扩《茅斋自叙》)

由上可见,语录不一定是当时做的记录,而是谈判以后补做的。

赵良嗣,本来的使命,是谈判收回金人从辽人手中所夺来的燕地,包括燕京,金人出的代价是每年一百万贯,赵良嗣等做语录呈上皇帝,等候回音。结果宋朝答应了,但同时又指示赵良嗣交涉收回金人从辽人手中所夺来的西京(这是金人的叫法,今大同),于是赵良嗣、马扩又要作一番新的谈判,两人所写的奉使录有所出入,下面是马扩的说法。

> 兀室云:"西京路前在奉圣州时曾许,龙图〔赵良嗣的官名〕言不要,后来所以只言燕京事,今更不须再言也"……良嗣等怒仆不合理会山后,必致坏却山前,仆答"山前后相为表里,阙一则不可守,兼御笔令力争,岂可不尽心理会。"兀室三日不至,良嗣仓皇云:"某本不欲理会西京事,公必欲为言,必连山前事坏了。"仆曰:"御笔令力争,安得不言?"良嗣曰:"但归日语录中载力争之言,数段足矣。"仆曰:"臣事君以忠,何可伪也?"(卷一四,页七;Ⅰ,104;马扩《茅斋自叙》)

以上一段提出语录有伪作的可能,这个问题可以分为历史的真实性和语言的真实性两方面来讨论。《燕云奉使录》有一段赵良嗣和兀室力争山后(西京)的辩论,即使这段事情是假造的,其语言和其他谈判记录一致,并不妨害其作语料的价值,况且有一部分其他的语录已经呈上朝廷,列入档案,不可能再作假。换言之,如果要把史事作假,语言一定要能乱真。

至于历史的真实性,在本文范围之外,只想约略地说几句。(1)赵良嗣是文官,后人把他算作主和派,马扩是武官,属于主战派,两人基本观点不同(派个军人作副使,一方面可以探看对方军情,一方面可以代表朝廷里另外一派的意见)。并且宣和四年(1122)十月至十一月那次到金国去谈判,阿骨打要求留一个做人质,以防人马北上过关时受阻,结果赵良嗣把马扩留下来了,因此两个人之间早就结上私怨。(2)以上所引一段,马扩虽说赵良嗣没有力争西京,而紧接下面一段马扩也承认"赵良嗣相与辩论久之"(《三朝》卷一四,页八;马扩《茅斋自叙》)。所不同的地方只是马扩认为赵良嗣最初懦弱,不敢照御笔所示力争西京,等到兀室三日不至,就埋怨马扩,甚至于要在语录里作假,又想和金方代表单独讨论,等到马扩威胁他"若龙图一面与李靖画断,即他日御史台公事有所在矣"(卷一四,页七),赵良嗣才敢在兀室下一次出现时"辩论久之"。而照赵良嗣的说法,他一开始就在争西京,只是马扩说话太爽直,激怒了兀室,赵良嗣还要替他解释(卷一四,页五至六;《燕云》)。两个记录都有争西京的一段,只是次序不同而已。(3)靖康城下之盟后,朝廷里追究责任,靖康元年(1126)诛赵良嗣于彬州(卷四四,页七)。《燕云奉使录》最后一段记的是宣和五年(1123)三月,所以《燕云》成书年代,不出 1123—1126 年。马扩在赵死后还是很活跃,绍兴四年五年(1134—1135)历任种种重要官职,所以《茅斋自叙》有晚出的可能,而且是副使写的自叙,只能算一家之言。(4)此后宋代杨仲良《纪事本末》写这段历史,主要是根据蔡絛《北征纪实》,对赵良嗣并不同情,结论还是怀疑马扩的赵良嗣更易语录之说:"……至如良嗣之为奸利则一也。……按蔡絛所记颇与马扩不同,扩《自序》不可全信,故于此仍存絛说,良嗣更易语录,今扩《自序》亦不见此。"(《纪事本末》卷一四三,页一八)

四 《三朝》所载对话记录里文白之别

《三朝》所转录的奉使录等,叙事几乎一律用文言,可以撇开不论。对话部分白话成分较多,而内部另有文白之别,其决定因素大致如下:奉使录等既是史录性的文件,碰到关键性的谈论,特别用白话记载。用语言学的观念来说,文言是普通的文体(unmarked),白话是特殊的文体(marked),用白话就等于说:"我现在把他说的话一字不差地记录下来,请您特别注意啊!",其作用是造成信实的印象。细分则又可得以下几种：

(1) 金人用白话，宋人用文言

> 阿骨打令译者言云："契丹无道，我已杀败，应是契丹州域全是我家田地，为感南朝皇帝好意，及燕京本是汉地，特许燕云与南朝，候两三日便引兵去。"良嗣对云："契丹无道，运尽数穷，南北夹攻，不亡何待？贵国兵马去西京甚好。……"(《三朝》卷四，页四；《燕云奉使录》)

杨仲良《续资治通鉴长编纪事本末》把阿骨打的话改写成文言，由此可知以上引的是白话(参看本文附录)。一般说来，赵良嗣和马扩自己说的话记载用文言，如以上所引，但若要证明自己争辩认真，也改用白话。金人说的话最重要，语录用白话以求信实；另外一个因素是大汉族主义，认为文化落后的蕃邦代表不可能懂文言，以下一条显示这种心理。

> 其后从于阗国求大玉，一日，忽有国使奉表至，故事学士院召译者出表语，而后为答诏，其表有云："日出东方，赫赫火光，照见西方五百国，五百国条贯主师子黑汗王表上。日出东方，赫赫火光，照见四天下，四天下条贯主阿舅大官家：你前时要者玉，自家甚是用心，只为难得似你尺寸底，自家已令人两河寻访，才得似你尺寸底，便奉上也。"当时传以为笑……(赵彦卫《云麓漫钞》卷一五)

于阗的奏表，也可以译成曲雅的文言，不过这样就不会"传以为笑"了。

(2) 对方用白话，自己用文言

宋人自己之间对话，也有文白程度不同的差别。

> 马扩……以往来所劾事节咨，语录呈，贠大惊曰："金人国中初定，些小人马在边上怎敢便做诈人事！"仆曰："某去年云中回便以此事覆大王，劝大王三路摘十万兵，分统以压助常胜军，乃是预知此意，在任邱县论金人已擒天祚事，保州所申乞急备边，于京师又劝大王提十万兵出压境，计议交割，皆某预知此贼深怀张觉之憾为契丹亡国之臣，激发必生不测之变，大王皆不信之。……"(《三朝》，卷二三，页三；《茅斋

39

自叙》)

以上童贯仓皇失色的情貌,用白话成分较多的语言记载,马扩记自己的话,文言成分较多,显出自己深谋远虑。

(3) 对士兵用白话,对宰相用文言

《三朝》节录国史院编修官员兴宗《采石战胜录》,记载虞允文在1161年采石大捷前几天激励将士的话:

> 虞侯曰:"我今日只办两眼随你濭,成得功大,与你填大底官诰,立得功小,填小底官诰,若死于此,则当同死于此,若你濭走,我亦随你去。"(《三朝》卷二四三,页四)

前一页虞允文未到采石之前,在朝廷里和高宗及宰相的对话,却是纯粹文言。

> 虞侯见事急,知二将必退回,遂率四五侍从,又同白宰相说:"王权退师已临江口必败国事"……二十一日陛辞,上慰劳甚渥云:"卿本词臣,不当遣,以卿谙军事故也。"(同卷,页二)

虞允文是采石大捷的主角,未到采石之前,宋军主将王权望风先逃,兵士心灰意懒,一无斗志,虞允文到采石之后,宣布朝廷已另派李显忠做主将,同时招集将士讲话。这段讲话是转移军心的关键,国史院编修官写战史时特别用白话,以凸显其重要性。

现在把话题转到文学方面。白话小说之兴起在南宋之后,从近五十年来的白话文学史来看,我们知道用一种新的文体写小说并非易事,锻炼语言,发展叙事、描绘、对话、种种技巧,都需要长时期的尝试,积累经验,才能做到运用自如的地步。于是我们不免想到历史和小说两者既同是叙事文字,移花接木是很可能的事。从时间先后看,北宋各种史录和南宋以后小说的发展,其间应有密切的关系。现在这不过是个大胆的假设,小心的论证还在将来。

更具体地说,白话小说对时空的观念极为注意,这点和文言小说形成强烈对照,从《水浒传》、《金瓶梅》一类长篇作品中,都可排算出冗长的记事年表,许多白话作品中,都有把所有时间交代清楚的做法,以上是韩能(Patrick Hanan)的说法。而我们读沈括《乙卯入国别录》或是赵良嗣《燕云奉使录》都可以知道某年某月某日在某处说了些什么话。《宣和遗事》一部分像小说,是《水浒传》的前身,整个架子和其他部分又是编年式的历史,其中"金使来议攻辽"、"金国遣使誓为兄弟国,议灭辽以燕南归宋"等节,又显然是抄史录,因此《宣和遗事》实在是历史与小说之间过渡性的作品。

另外常常有人指出,白话小说的人物有特色,"每人的言语都尽可能代表其个性,而在中国文言文中则甚难如此"(韩能,12页)。至于文言小说是否真如此还值得考虑,用白话使语言代表个性,赵良嗣已是能手:

> 阿骨打与良嗣把盏酬酢曰:"契丹煞大国土被我杀败,我如今煞是大皇帝,昨来契丹要通和,只为不著'兄'字,以至领兵讨伐,自家、南朝是天地齐生底国王、皇帝,有道有德,将来只恁地好相待通好,更不争要做兄弟。这个事是天教做,不恁地后,怎生隔着个恁大海便往来得?我从生来不会说脱空,今日既将燕京许与南朝,便如我自取得,亦与南朝。"(卷四,页七)

阿骨打新破契丹,沾沾自喜,不可一世的神态,活跃在纸上,而这段诺言,和以后金人背盟南下比较,照金圣叹的批法,可算是千里伏笔。以下是赵良嗣、马扩和粘罕谈判岁币。

> 马扩言:"郎君们岂不知契丹银绢从初厮杀了数年,后因讲和,方才与了三十万,后来又因河西家兵契丹说谕得都称臣,添了二十万。"粘罕且笑且言:"贵国与契丹家厮杀多年,直候敌不得方与银绢,莫且自家们如今把这事放着一边,厮杀则个,得你败时,多与银绢,我败时都不要一两一匹,不知何如?"(卷一四,页六)

粘罕之词锋犀利,应对敏捷,真不愧是宋人的外交劲敌。固然弱国无外交,强国不必外交,铁骑胜于雄辩,粘罕咄咄逼人的个性,还是凸显在语辞之中。

写奉使录总希望读者相信记载是事实,小说的作者也是如此,不同的地方只是奉使录的读者主要是皇帝和朝廷大臣,而小说的读者则是一般市民。而奉使录既是历史,受事实束缚较多,用对话传示个性,是无意的或次要的成就,从这个观点来看,本节最初所引对话中文白有别的例子,最合理的解释是重要部分用白话,使人特别注意。

〔夏济安指出:〕《三国演义》中的张飞的说话用白话(或者较粗俗的话)的。其余各人,说话大多冠冕堂皇,只好用"浅近文言"。京戏和苏州说书,碰到正派人(正生、正旦、正净或大花面、花旦、小生)也是用"浅近文言"说话的;只有丑、彩旦、花旦、二花面(副净)才是用"白话"说话的。《水浒传》里,宋江、吴用、卢俊义等的说话都比较"文",和鲁达、李逵等显然不同。(夏志清,1965:22)

用文白之别来显示个性、身份的不同,是小说戏曲中后来的发展,又需要对语言有一番新的自觉和体会;但能用白话来表达一种个性是用文白之别来表达两种个性的先决条件,这种技巧的养成,我们暂时假设是孕育于北宋的史录。

五 《三朝》和《纪事本末》的文白对照

我们研究汉语语法史,常会想到传流下来的资料是否真能代表当时的口语。这个问题从某个角度是可以解答的,但彻底解答却是不太可能。白话文学运动兴起之后,一般写文章是尽量用白话,然而白话和口语到底还是有一段距离,无论中英文,很少有人能把文章写得跟说话完全一样。循此推论,宋代的语体文和口语也不免有一段距离。从另一方面说,我们探讨宋人的口语,唯一的资料是文字的记载，超越文字直接听宋人的谈话是办不到的。此外是拿宋代语录为出发点，再用一套汉语史的规律，来证明这些语录的语言可以变为今日的口语，但目前我们对汉语史规律的知识还不足以做这类的论证。所以以上的问题既无法彻底解决，也暂时不必彻底解决。

换言之，文言、白话、口语三者之间只有程度上的差别。古代的口语状况是我们研究的终点，目前的资料只限于文言和白话两种，于是我们研究的重心就该放在两者的比较，目的是要看文言和白话的差别在哪些地方。这就是本文要比较《三朝北盟会编》和《续资治通鉴长编纪事本末》的原因。

前人在这方面的研究有两类。一类是文学批评家研究早期白话小说，着重点在文言小说和白话小说表现方法的比较，并且也牵涉到"话本"的性质。资料是一文一白成对的小说，例如：冯梦龙同时编汇文言及白话小说，而冯编的《情史》中若干小说显然又是仿《三言》小说写成的。韩能(Patrick Hanan)泛论白话小说和文言小说之别就是以冯梦龙的文白小说为基础，同时指出清代的《醒梦骈言》里收了十二个以白话文写成的《聊斋志异》。捷克学者蒲卢石(J. Prušek)也做过这方面的研究。不过这宗资料时代比较晚，而观点也以小说描绘和叙事方法为主，所以和目前所讨论的问题关系不太密切。

高歌蒂的《从〈朱子全书〉来看宋代白话》(Studies in Sung time colloquial as revealed in Chu Hi's Ts'uanshu)和本文的关系最深。《朱子全书》是康熙年间把《朱子语类》次序改换编成的书，其中也另加入一些《朱子文集》的资料；所以全书里的白话根本就是《语类》。高歌蒂书的最后一章把《全书》"为学之方"这项以下的《语类》和《文集》的资料作比较，结论是《语类》里白话成分比《文集》多。此外马伯乐在1914年就提出他对宋代理学家语录的看法，认为一般的语录只是文言中渗入少量的白话成分,而《朱子语类》比其他语录更接近白话,而高歌蒂以为《朱子文集》里已有不少白话成分,而《语类》则反映十二世纪的口语。我是比较同意高歌蒂的看法,不过这只是我主观的见解,高歌蒂所提出的证据并不能支持她的结论。第一,"为学之方"以下《语类》和《文集》的资料只是题材大致相同,内容还有差别。第二,高歌蒂以词汇为辨别文言和白话标准之一,原文141页举出"分晓"、"许多"、"快活"、"裏裡"、"零碎"、"搜寻"、"通透"、"理会",认为是《语类》中白话的语词;接着又说"物事"现在已不用,只用"东西"(其实吴语用"物事")。"道理"、"天下"、"将来"、"节目"、"自然"是"周代语言里已有的复词,而历代沿用以至于今",高氏把这些词归于周朝,实在难以令人置信。

总结以上,前人文白比较所用的资料,只是题材大致相同,所作的比较也只是一宗语料(文言)和另一宗语料(白话)的整体比较。

《三朝北盟会编》材料的可贵处,就是可以供我们做一段一段的、一行一行的比较。马扩《茅斋自叙》和赵良嗣《燕云奉使录》已经是一件事的两种不同的记载。《燕云奉使录》详尽而接近白话,《茅斋自叙》简略而接近文言。此外杨仲良《续资治通鉴长编纪事本末》又是以《燕云》和《茅斋》为底本。拿《纪事本末》和《三朝》比较,可见《纪事本末》把《燕云》和《茅斋》某些白话的词句改写成文言。这种一行一行比较的好处是可以看清楚文言和白话具体的差别;而且断定哪些词句是白话,不必凭我们现代人的眼光,宋人改换词句时已经间接地指出某些词句是白话。

改写成文言的原因是《三朝》和《纪事本末》体例不同。《三朝》是"提纲转录体",一件事情立个纲目,作扼要的叙述,然后就是一字不改地抄录原始资料,《三朝》作者徐梦莘主要的任务是编纂,书名叫《三朝北盟会编》。《纪事本末》是"叙事体",把李焘《续资治通鉴长编》及赵良嗣《三朝北盟会编》里已有的资料简单扼要地叙述一遍,有一部分是抄录和改编,为了使文词统一起见,就把《三朝》里触目的白话改写成文言。

《纪事本末》主要是抄录改写《燕云奉使录》,原因大概是《燕云》最详尽,保留的原始资料最多。恰巧《燕云》白话成分颇多,拿两者比较,正可凸现文言白话的差别。逐行比较因为篇幅太多,放在附录。下面把一些有规律性的现象归纳成几条,举例列出,以示一般,左面引的是《燕云奉使录》,右面是《续资治通鉴长编纪事本末》。

(1) 文言不用"是"字

"应是契丹州域全是我家田地"="其土疆皆我有"
"及燕京本是汉地"="且燕京皆汉地"
"除是将燕京与南朝可以和也"="亦须以燕京方许和"
"去年不遣使,乃是失信"="去年不遣使,以为失信"

(2) 文言不用完成式"了"字

"滞了军期"="已误出师期会"
"不先下了燕京"="若不得燕京"

(3) 白话时间性后可加"来"字,文言删

"一昨来赵良嗣等到上京计议"="一昨赵良嗣等到上京计议"
"恰来皇帝有朝旨"="适皇帝有旨"

按:"来"字是近时貌词尾,演变成北京话的"来着"。杨联陞(1971:182):"不过注意,《定山三怪》还有'相公道:一夜你不归,那里去来?忧杀了妈妈!'(这个'来'现在也说'来着'……)。"

(4) "要"="须"

"我本不要西京"="我本不须西京"

(5) "到"="至"

"只是使副到南朝奏知皇帝"="使副至南朝奏皇帝"

(6)"都"="悉"

"且留着将来拿了阿适都与南朝"="将来悉与南朝"

(7)"许多"="如是之多"

"不如此怎生肯与许多银绢"="不然安得与银绢如是之多"

六 "动+宾+了"变成"动+了+宾"的时代

以下要用《敦煌变文集》和《燕云奉使录》来证明"动+宾+了"到"动+了+宾"这个词序的变化在北部完成于十二世纪初年。首先要说明这个"了"是完成貌的"了"。

国语有两个"了","他吃了饭了"前面的是完成貌的"了",是动词的词尾,表示一件动作的完成;后面的"了"是发生貌的"了",是整个句子的助词(particle),意思是新的情况的开始。

完成貌的"了"在现代汉语的词序是如果一句句子有动词和宾语,"了"一定要出现在动宾之间。有两种略微不同的情形,一种是上面引的一个独立的句子,"他吃了饭了",最近"他吃了饭了"也可以独立成句了;另一种是条件式,"他吃了饭就去",前一半是条件,意思是某个动作完成以后,再进行另一个动作,这种句子"了"也必须出现于动宾之间,"他吃饭了就去"在现代汉语是不合语法的。

"小明吃饭了"是独立的"动+宾+了"的句子,可是这句的"了"是发生貌,意思是小明以前只能吃奶,现在能吃饭了,或者小明生病的时候医生只许他进液体的养料,现在病好了可以吃饭;所以这句的"了"是新的情况的发生。

因为两种"了"容易混乱,下面取材的标准是例句同时有动词有宾语,而且最好是条件式,表示两件事情一前一后。

(1)《敦煌变文集》(850—1015?)

"了"在《敦煌变文集》出现的次数在170—200之间,以"动+宾+了"和"动+了+宾"比较,前者占绝对大多数,而"动+宾+了"的"了",意思是"了结"、"完了",和主要动词的"了"无别:

  子胥解梦了,见吴王嗔之。(26)
  受三归五戒了,更欲广说无边。(471)
  便令候脉,候脉了,其人云……(577)
  目连剃除须发了,将身便即入深山。(716)

动宾两词和"了"之间还可以加"已"、"犹未"之类的副词。

  卢绾报哀已了,却共王陵到于汉界。(46)
  于是贫仕蒙诏,跪拜大王已了。叉手又说寒温,直下令人失笑。(792)
  地上筑境(坟)犹未了,泉下惟闻叫哭声。(105)

"动+了+宾"只出现2次

  见了师兄便入来。(396)
  唱喏走入,拜了起居,再拜走出。(211)

  我们假定早期的词序是"动+宾+了",《敦煌变文集》中显示"了"开始向前搬的迹象。我们把敦煌变文的时期定在850—1015年是比较保守的态度,1015年是大多数学者公认石室封闭的年代,其实敦煌变文是代表九、十世纪唐代西北方言。

(2) 早期禅宗语录和圆仁《入唐求法巡礼行记》(850)

  敦煌的资料已经足够证明早期完成式的词序是"动+宾+了",现在我们故意画蛇添足,再提出两宗旁证,预先要声明的,是由旁证所得的结论不一定可靠。所谓"早期禅宗语录"是高名凯认为850—900年的语录,一共有八九种,有一部分是马伯乐讨论过的。这些材料是宋人所编辑的,戴密微认为不足以代表唐代的语言。圆仁我只作过初步的分析,不免疏漏。

  早期禅宗语录里"了"字出现次数不多,只有"动+宾+了"式的词序。

> 有一般瞎秃子，饱吃饭了，便坐禅观行。（《真际大师语录》）
> 举前因缘了，便道……（《筠州悟本大师语录》）
> 画人卢玲看壁了，明日下手。（《六祖坛经》，敦煌卷）

圆仁（793—864）在838年到达扬州，847年离开中国，《入唐求法巡礼行记》在某些方面代表850年左右唐代的语言。似乎也是只有"动+宾+了"的词序。

> 次读斋叹之文；读斋文了，唱念尺迦牟尼佛。（三年，十一月廿四日）
> 斋后，前画昭藏曼荼罗一铺五副了，但未彩色耳。（四年，三月五日）
> 读申稍久，诸人不坐，读诏书了，使君已下诸人再拜。（五年，三月五日）
> 天晴，吃粥了，向〔西〕行山谷廿里。（五年，四月廿六日）
> 众僧等吃斋了，行水汤口。（五年，五月五日）

禅宗语录和圆仁《入唐求法巡礼行记》都是由后人传写编纂，其中窜改笔误，在所不免，然而既是传流地域系统不同，而且没有理由要改写语法，所以我们大致可以相信"动+宾+了"词序确实代表850年唐代的语言。

(3)《燕云奉使录》(1124)

赵良嗣死在1126年，《燕云奉使录》最后一节记宣和三年（1123）三月，成书当在1123到1126年之间。他是燕人，早年事辽，后来归附宋朝，语言背景虽然和一般汉人不完全相同，但《燕云奉使录》是使臣写的报告，方言词汇和语法不会太多，否则别人会看不懂或者误解。

《燕云奉使录》"了"字出现次数颇多，而且大多数是"动+了+宾"，由此可见早期的"动+宾+了"十二世纪初在汴京、燕京一带已经变成"动+了+宾"。

> (i) 并承谕如本朝已取了燕京，自依今来已许，如未取了，贵国取得亦与本朝。（卷一二，页二）

(ii)〔赵良嗣〕对以"两朝既是通好如一家,已许了地土,乃是信义人情……"(卷一四,页五)

(iii)兀室云:"与了地土,更要人户,却待着个什么道理?……"(同上)

(iv)不先下了燕京,不惟为金国之患,亦恐由南朝作过,皇帝已定亲去收燕京,候收燕京了,却来商量。(卷一一,页六至七)

(v)又闻契丹旧酋走入夏国,借得人马,过黄河,夺了西京以西州军,占了地土不少。(卷九,页七)

(vi)致他死后,便是恁懑不肯推戴,故杀了他。(《三朝》卷八三,页八引《中兴遗史》)

以上(i)"如本朝已取了燕京",照晚唐的词序该是"如本朝取燕京已了",比较《敦煌变文集》"卢绾报哀已了"(46)、"跪拜大王已了"(792)。(vi)"故杀了他"晚唐的词序该是"故杀他了",比较"诛陵老母妻子了手,所司奏表于王"(94);"了手"是《李陵变文》及《秋胡变文》里的特殊语汇,和保留下来的"动手"、"着了"结构相同,位置和"了"相等。

"动+宾+了"在《燕云奉使录》也出现,例如(iv)的末句,可是次数不多。

(4)《朱子语类》(1175—1200)

《朱子语类》是朱熹(1130—1200)弟子的语录纂集而成的。明成化九年江西藩覆刊宋成淳六年(1270)导江黎氏本(正中书局影印)附有《朱子语录姓氏》,列举姓名,籍贯及纪录年代,最早是癸巳(1173),此时朱熹四十四岁,一直到朱熹去世前一年,而以己酉(1129)年朱熹六十岁以后居多。《朱子语类》和《燕云奉使录》相差半个世纪,赵良嗣死时(1126),朱熹还没有出生。

以前说过《朱子全书》的白话资料相当于《朱子语类》,而高歌蒂(Gerty Kallgren)研究《朱子全书》,结论是(1)"了"字至少出现1500次,(2)49—50页她说:

上一节我们已经看到大部分的句子在"动词＋了"之后没有宾语或其他的补语。唯一的例外是例句17—19、25—27。由例句29—36可以推论如果一句句子含有宾语，朱熹总喜欢把它放在动词和"了"之间。显然地，这些句子都表示达到目的或完成动作。现代汉语不是把"了"放在动词紧后就是用两个"了"。

From cases 29—36 it may be inferred that, when the clause has an object, Chu Hi prefers to insert this between the principal verb and liao. It is evident that an achieved result or a completed action is expressed in all these sentences. The modern language would either have the liao immediately after the verb or in some cases have two liao...

换言之，照高歌蒂的看法，《朱子语录》里完成貌主要词序是"动＋宾＋了"，而"动＋了＋宾"只占少数。

然而把高文的例句审核一番，会发现其中颇有问题。现在我把她所举的例连带原来的号码抄录如下，(29)—(36)再补入例句的上下文。

动＋了＋宾

(17) 某平生也费了些精神。(《全书》55:2a)
(18) 你若不从他，他便杀了你。(17:12b)
(19) 若离了仁义，便是无道理了。(46:3b)
(25) 杨墨只是差了些子。(20:80a)
(27) 先须去了许多恶根。(7:24a)

高歌蒂给(17)—(19)下的评语是"这里'动词＋了'以后有宾语，和现代汉语相同。可是把宾语放在'动词＋了'之后在朱熹的白话里是反常的"。

所谓"动＋宾＋了"

(29) 古人自入小学时，已自知许多事了。(1:1b)

(30) 虽未便到圣贤地位,已是入圣贤路了。(1:12a)
(31) 曰:是是,但说太多了。(2:16b)
(32) 譬如富人积财,积得多了,自无不如意。(3:30a)
(33) 其人一面去捉,捉来捉去,捉不着,遂不见狮子了。(4:5b)
(34) 事无大小,皆有义利,今做好底事了,其间更包得有多少利私在。(4:25b)
(35) 欧公直将作大忠,说得太好了。(6:64b)
(36) 分别善恶了,然后致其谨独之功。(8:13a)

以上八个例,(31)、(32)、(35)动词之后只有副词补语,没有宾语。(29)、(30)、(33)介乎完成貌与发生貌之间,至少不是纯粹的完成貌,(33)用现代汉语来说是"就不再看见狮子了","了"字既不往前搬,也不用两个"了"字,与高歌蒂的说法不符。剩下只有(34)和(36)两个例列入"动+宾+了"不成问题。

我目前没有把《朱子语类》仔细分析过,高歌蒂的结论又是证据不足,所以对《朱子语类》为代表的1175—1200年间的南宋语言只好阙如。

将来可能得到的结论不外乎以下几种:(1)《朱子语类》"动+了+宾"居绝对多数,这样晚唐、五代、北宋、南宋直线发展,晚唐以前语序是"动+宾+了","了"字在晚唐开始往前搬,而这个变化,大致完成于南宋末年。(2)《朱子语类》"动+宾+了",居多数,假使《朱子语类》真能代表比较偏南的普通话,则这个词序的变化先发生在以汴京、燕京为中心的中原及华北,渐渐传播到江南。

现在想讨论一下历史语言学的理论。这门学问在十九世纪德国、丹麦等地最初创立之时,少壮语言学家(Neo-grammarians)的口号是"音韵规律没有例外",原因是语言学既是一门科学,就应该像其他科学一样,找出所研究的现象的规律,如果有例外,就应该修正规律,或找出另一条辅助规律。然而音变不免受语法、成语、词汇等影响,于是这项口号几乎是个定义:如果能找出完全没有例外的规律,那么这种变化是纯粹音韵变化,否则另当别论。

把规律的范围限止到纯粹音韵变化,问题还不能完全解决。我们不禁要问,完成一个变化到底要多久,是几个月,几年,还是几个世纪? 在过渡时期,有些词素还没有到达彼岸,算不算例外? 由于这些考虑,王士元(William Wang)曾经提出"词汇散播"的原则,主要的论点是语言变化以字和词为基本单位,一条历史音韵规律的形成,最初只是由词汇里的几个词担任先锋,其他的词逐渐归队。先锋和殿军之间可以相差几百年,而一个音律规律从一个地区散播到另一个地区也是由字和词担任种子。此外,从甲音到乙音是顿变,一个词或是说成甲音或是说成乙音,不能兼乎两者之间,但是本来说成甲音的那些词是个词汇集团,而这个集团的变化是渐变,集团的成员有的先变有的后变,于是音变不但是个质的观念,而且是个由时间及地区决定的量的观念。

语法变化也是遵照"词汇散播"这类的原则,现代汉语的既成貌"了"在 850 年左右的词序是"动 + 宾 + 了",900—1000 年"了"字开始往前搬,主要证据是敦煌变文,而到了 1125 年的《燕云奉使录》则"动 + 了 + 宾"占多数,照我们目前的估计,这个变化在中原及华北前后经过一百五十年到两百年才完成。传播到江南的官话地区也许还要五十到一百年,这要等到严密分析《朱子语类》过后才能决定。

语法变化从质的观念转到量的观念有两个好处。(1)这样更忠实地反映语法变化的过程。(2)用语法的标准来考订文献的著作年代,目前只是希望而已,要真正实现这个计划,必须考虑到具体的问题。

一个作品的写作年代,在中古和近古期,前后往往可以断定在两三百年之间,超过这个限度,就有版本、书志、内容等其他绳准可以运用。假如一种语法变化要两百年才能完成,而我们用的观念只是"规律"和"例外",结果差误总要在两百年左右,于是语法对考订年代无济于事。量的观念可以弥补这个缺点,以"了"字为例,出现频率本身是一个尺度,"动+宾+了"和"动+了+宾"之间的比例又是一个可以数量化的标准,等到我们对于这些指数有了精密的统计,再回来考订写作年代,差误希望可以减到一百年以下。

最后总结汉语语法史的重要性。(1)现在我们只有音韵史,在没有语法史、词汇史之前,我们对自己语言的历史只有片面的认识。(2)语法史建立之后,在考订文献年代,了解文学渊流种种方面都会起影响。(3)中国文献历史悠久,疆土辽远,有了这些独特的优点,我们对于一个语法变化的传播的年代和地域,可以得到精确的了解,进而修正一般语言学的若干基本观念。

近人论著

太田辰夫(Ota Tatsuo),1957,《中国语历史文法》。

吕叔湘,1955,《汉语语法论文集》。

沈起炜,1958,《宋金战争史略》。

高名凯,1948,《唐代禅宗语录所见语法成分》,《燕京学报》34。

夏志清,1965,《夏济安对中国俗文学的看法》,《现代文学》25。

张家驹,1962,《沈括》。

陈乐素,1934,《徐梦莘考》,《国学季刊》第四卷,第三期,又《宋史研究集》,第二辑。

陈乐素,1936—1937,《三朝北盟会编考》(上、下),《史语所集刊》第六本。

杨联陞,1971,《汉语否定词杂谈》,《清华学报》第九卷,第一、二期合刊。

Chomsky and Halle, 1968, *Sound Patterns of English*. (杭士基、哈力,《英语音韵规律》)

P. Demiéville, 1950, Archaïsmes de prononciation en Chinois vulgaire, *T'oung Pao* 40.1—59. (戴密微,《中国俗语里存留的古音》)

Maspero, Henri, 1914, Sur quelques textes anciens du chinois parlé, *Bulletin de l'École française d'Extrême-Orient* 14. (马伯乐,《中国中古白话文献考》)

Mei, Tsu-Lin, 1975, Potentials and perfectives in Chinese; generative semantics and diachronic syntax (unpublished). (梅祖麟,《汉语能性式与完成式》,《孳生语意学与历史语法》(未刊))

Wang, William S. Y., 1969, Competing change as a cause of residue, *Language* 45. (王士元,《几种不同变化互相竞争所造成的剩余》)

后记:一九五四到一九五六年董同龢先生在哈佛大学做访问学人,那时我大学刚毕业,进哈佛数学系做研究生,董先生和张光直、高友工同住牧人街,我常去串门,这两年间跟董先生的接触影响了我一生,终于使我走向汉语语言学的路。

最后一次见面是一九六二年八月底第九届国际语言学者大会在美国剑桥开会,那时印第安那大学有意思请董先生去教书,我也可能去,就问董先生事情决定了没有,因为我想乘机会正式跟董先生学汉语音韵史。董先生的回答是国内还摆着一个摊子,一时收不起来。过几个月就听到董先生去世的消息。

考订整理基本资料是董先生对音韵史的贡献之一,早年《〈切韵指掌图〉中的几个问题》纠正了高本汉的错误。到台湾后又领导全盘整理的工作。我们纪念一位上一代在工作岗位倒下去的老师,难免想到我们这一代汉语工作者的责任,这篇论文粗浅地讨论语法的资料,聊以表示饮水思源之心。

附录 《三朝北盟会编》和《纪事本末》的文白对照

《三朝北盟会编》 （另附文海版页数）	《续资治通鉴长编纪事本末》 （另附文海版页数）
阿骨打令译者言云： "契丹无道，我已杀败， 应是契丹州域全是我家田地。 为感南朝皇帝好意， 及燕京本是汉地， 特许燕、云与南朝， 候两三日便引兵去。" 良嗣对云："契丹无道， 运尽数穷，南北夹攻， 不亡何待？贵国兵马去西京甚好， 自今日议约既定， 只是不可与契丹议讲和。" 阿骨打云："自家既已通好，契丹 甚闲事，怎生和得？便来乞和， 须说与已共南朝约定与了燕京， 除是持燕京与南朝 可以和也。"…… 良嗣问阿骨打： "燕京一带旧汉地，	阿骨打命译者曰： "契丹无道， 其土疆皆我有，尚何言， 顾南朝方通欢， 且燕京皆汉地， 当特与南朝。" 良嗣曰： "今日约定， 不可与契丹复和也。" 阿骨打曰： "有如契丹乞和 亦烦以燕京与尔家 方许和。"…… 良嗣问阿骨打：比〔此〕议： "燕京一带旧汉地，

55

汉州则并西京是也。" 汉州则并西京是也。"
阿骨打云:"西京地本不要, 阿骨打曰:"西京我安用,
止为去拿阿适须索一到, 止为拿阿适须一临耳,
〔原注:阿适,天祚小字也〕 (阿适,天祚小字也),
若拿了阿适,也待与南朝。" 事竟亦与汝家。"(卷一四二,
(卷四,页五;p.40a) 页九 a;p.4297)

粘罕、兀室云:"…… 黏罕兀室云:
只是使副到南朝奏知皇帝 "使副至南朝奏皇帝,
不要似前番一般,中间里断绝了 勿如前时中绝也。"
……"
…… ……

谓良嗣曰: 谓良嗣曰:
"此是契丹儿媳, 此契丹儿妇也,今作奴婢,
且教与自家劝酒, 为使人欢。"(同卷,页九 a;p.4
要见自家两国欢好。"(同卷,页六; 298)
p.41a)

事目枢密院奉圣旨已差马政同来使 乃别降枢密院劄目,付马政
赍书往大金国,所有到日合行体会议 差马政之子扩从行,事目曰:
约事节,若不具录,虑彼别无据凭,
今开列于后:
一昨来赵良嗣等到上京计议, 一昨赵良嗣等到上京计议,
燕京一带以来州城, 燕京所统州城,
自是包括西京在内, 自是包括西京在内,
面奉大金皇帝指挥言: 面得大金皇帝指挥言:
"我本不要西京, "我本不须西京,
只为就彼拿阿适去, 止为就彼拿阿适,
且留着,

56

候将来拿了阿适,都与南朝。"……
一今来国书内已尽许
旧日所与契丹五十万银绢之数,

……便知西京亦在内地
不如此则怎生肯与许多银绢?
(卷四,页八至九;42b—43a)
燕云奉使录曰:是日阿骨打令赵良嗣与蒲结奴议事,

蒲结奴云:
"去年本国专遣使臣理会
恁大国情公事,
屯着人马,专地等候回使相报
打灭契丹,却留我使人,
一住半年,滞了军期,
更不遣回使,只得空书,
令军人送过海来,
已是断绝之意。……
本国自去年十一月出兵,
今年正月到中京,三月到西京,
已是半年,受了千辛万苦,
贵朝才于五月出兵,
慢慢地占稳占打,
更说甚火忧?
此一段亦休说,
皇帝有指挥

将来悉与南朝。"……
一今来国书内已尽许
旧日所与契丹五十万银绢之数,

……即并西京在内,
不然安得许与银绢如是之多?
(同卷,页十b至十一a;4300—4301)
金国主令其弟国相蒲奴相温
及二太子斡离不等来计事
……

蒲结云:
"去年本国尝遣人议,
如许大事,
时屯兵候使回,

望之半年,已误出师期会,
复不遣报使,止以咫尺之书,
数卒送使人归,
岂非断绝乎?"……
"本国自去年十一月出兵

暴露半年有余,
贵朝方于五月驻雄州,
突然射利,
夹攻者固如是乎?

适皇帝有指挥

57

去年不遣使，乃是失信， 今年虽出兵，亦不如约， 便画断休说， 而今特将已收下西京一路州县 与南朝，请先交割， 外为契丹昏主犹领残兵， 不先下了燕京， 不惟为金国之患， 亦恐去南朝作过， 皇帝已定亲去收燕京， 候收燕京了，却来商量， 或与或不与在临时，……" （卷一一，页六至七；p.85）	去年不遣使，以为失信， 今年虽出兵，亦不如约， 前议当且置之勿复言也。" 今欲得以新取西京一路 与南朝 缘天祚尚在， 若不得燕京， 恐为后患， 皇帝已卜日亲往燕京， 或与南朝不可知" （卷一四三，页三至四；p.4314—4315）
〔原注：当时缘郭药师已降， 刘延庆已逼燕， 故有割云中之意。〕 良嗣错愕失词答云： "元议割还燕地， 若燕京不得，即西京亦不要。" 斡离不云："燕京为未了， 且言临时商量， 西京是已了，割与贵朝， 却言不要，不成刚强与得？" （卷一一，页十；p.87；《茆斋自叙》）	盖时我兵已下涿易， 刘延庆军次卢沟，恐不测入燕， 所以有此语。 良嗣错愕答云： "元议割还燕地， 若不得燕京，则西京亦不要。" 斡离不云："燕京为未了， 且言临时商量， 今既言不要西京，不敢强与。" （卷一四三，页四；p.4315，紧接上段，中间不断）

58

参考文献

《入唐求法巡礼行记》(838—847),圆仁;小野胜行,《入唐求法巡禮行記の研究》译注本,1964。

《六祖坛经》(敦煌卷,830—860), P. Yampolsky, *The Platform Sutra of the Sixth Patriarch*, 1967.

《筠州洞山悟本禅师语录》(？—866),《大正新修大藏经》第47册。

《真际大师语录》(？—897)《古尊宿语录》卷一三至一四。

《敦煌变文集》(850—1015),王重民等编,1957。

《乙卯入国别录》(1075),沈括;李焘,《续资治通鉴长编》卷二六五引;胡道静《梦溪笔谈校证》,1957,上册31—57页标点转引。

《三朝北盟会编》,徐梦莘(1124—1205)编著,文海出版社,1962。

《燕云奉使录》(1125),赵良嗣。

《茅斋自叙》(？),马扩。

《甲寅通和录》(1134),王绘。

《采石战胜录》(1161),员兴宗。

《朱子语类》(1175—1200),正中书局,1962;《朱子全书》,1713(康熙五十二年)。

《云麓漫钞》,赵彦卫(fl.1195)。

《鹤林玉露》,罗大经(fl.1225)。

《续资治通鉴长编纪事本末》(1253年初次刻印),杨仲良。

Vernacular Dialogues Preserved in the *San-ch'ao Pei-meng Hui-pien*

Hsü Meng-hsin's (1124—1205) *San-ch'ao pei-meng hui-pien* (1194) is a history of the diplomatic and military relation between the Sung and the Chin (Jurchen) from 1117—1162. Because it cites long passages from reports by various Sung envoys who recorded diplomatic discussions, mostly in the vernacular, it is also a valuable source for the study of Early Modern Chinese. The present paper concentrates on one of the texts cited, Chao Liang-ssu's *Yen-yün feng-shih lu* (1125), and attempts to make the following points.

Oral negotiation had an intrinsic advantage over written document because the former permitted flexibility. As such, it played an important role in diplomatic dealings. Immediately after the discussion took place, the envoy would set down what had been said. Such records of dialogues, *yü-lu* in Chinese, served several functions. The envoy would consult them when making an oral presentation to the emperor or other superiors upon his return. In a prolonged negotiation, the envoy would send the records of discussions by messenger to the Sung court and ask for further instructions. The Sung court also included the Chin emperor's oral promises verbatim, as reported by its envoy, in the next written communication, and thus to secure an advantage. Such records of dialogues, it was argued, were copied into the envoys' written reports, where were cited intact in the *San-ch'ao*.

Some speeches were recorded in the vernacular and some in the classical. In several texts the same person would "speak" in both these language, on different occasions. The hypothesis was advanced that the authors of these texts often had a personal interest in creating an impression of historical veracity, and that the most important speeches, especially those by the opposite party, were recorded in the vernacular, whereas the less important speeches and the narrative portion were written in classcial Chinese. Through a further development, the selective use of vernacular and classical Chinese became, in later popular fiction and drama, the means to depict differences in class status, social context, and individual personality.

Yang Chung-liang's *Hsü tzu-chih t'ung-chien ch'ang-pien chi-shih pen-mo*, first printed in 1233, used the *Yen-yün feng-shih lu* as one of its sources. By means of a line by line comparison of the two texts, it was shown that Yang systematically changed the obstrusive vernacular sections into classical Chinese. Some of the changes in grammar and in diction were presented in a list.

The perfective aspect has the form V-*le* o in Modern Chinese. It was shown that around 850, the word order was V o *liao*. Shortly afterwards, the perfective *liao* began to be fronted, and the change in word order was almost completed around 1150. The case study on the perfect aspect is intended as confirmative evidence for William Wang's theory of lexical diffusion. The texts examined, with varying degrees of thoroughness, were Ennin's Diary (838—847), Recorded Sayings of Zen Masters (850—900), *Tun-huang pien-wen chi* (85—1015), *Yen-yün feng-shih lu* (1125), and *Chu-tzu yü-lei* (1175—1200).

现代汉语完成貌句式和词尾的来源[*]

一 解 题

本文讨论现代汉语完成貌的历史。

第一个问题是"动+宾+了"的来源。在南北朝时期,"动+宾+完成动词"这种结构已经出现,但是那时期用"毕、讫、已、竟"这些动词来表示完成。到了唐朝,"了"字变成最常用的表示完成的动词,形成"动+宾+了"这种结构。唐宋之际,"了"字开始往前挪,出现于动词和宾语之间,这就形成了现代汉语完成貌的句式。所以完成貌词尾从南北朝到现在的历史可以分成两段:前一段,结构不变,词汇发生变化;后一段,词汇不变,词序发生变化。

第二个问题是"动+宾+了"这词序为什么会发生变化。我们认为那时"动+结果补语+宾"这种结构已经很普遍,结果补语也表示完成貌,这是促成"了"字改变词序的主要原因之一。此外我们还将讨论唐宋时期一些类似的词序变化。

---

[*] 本文原载《语言研究》创刊号,1981年8月。

二　敦煌变文中的"了"字

敦煌变文中"了"字的用法，王力先生早在1958年做过研究，近年张洪年、赵金铭二氏曾做过详细的分析。下面大部分是抄录赵文的资料，例句后注出《敦煌变文集》(人民文学出版社1957年版)的页数。

1. 动+宾+了

子胥解梦了，见吴王嗔之，遂从殿上褰衣而下。(26)
作此语了，遂即南行。(8)
领吾言了便须行，更莫推辞问疾去。(602)
有一处士名医，急令人召到，便令候脉，候脉了，其人云……(577)
目连剃除须发了，将身便即入深山。(716)

这些句子的"了"和现代汉语完成貌的"了"有两点相像：(1)它们都表示完成。(2)现代的"我吃了饭就去"这种句子，是表示某件事完成于另一件事之前，完成貌的"了"总是用在前面的小句里；唐代的"了"字也是这样用法。唯一不同的是词序，现代汉语完成貌出现于动词和宾语之间，唐代的"了"出现于动宾短语之后。下面会看到，南北朝的"毕、讫、已、竟"也具有(1)、(2)这两种特性，跟唐代"了"字的用法和意义相同。

2. 动+(宾)+副+了

拜舞既了，遂拣细马百疋(匹)。(205)
布金既了情瞻仰，火急衔诣伽蓝样。(372)
悲歌以(已)了，行至江边远盼。(12)
升坐已了，先念偈，焚香，称诸佛菩萨名。(460)
地上筑境(坟)犹未了，泉下惟闻叫哭声。(105)
今受罪由(犹)自未了，朕即如何归得生路？(209)
直至黄昏，收兵不了。(85)

这种"了"可以受副词"已、未、既"的修饰。可见"了"还是动词。最后一句值得注意,赵氏(1979,65页)认为"了"字是动词,受"不"字修饰;我们认为"了"字是补语,"收兵不了"的意思是"收不了兵"、"不能收兵"。这问题留到第五节再谈。

3．动＋了

群臣见了面含羞。(318)
军官食了,便即渡江。(20)
寡人饮了也莫端正。(197)
心中道了,又怕世尊嗔责。(398)
夫人闻了,又自悲伤。(774)

4．动＋了＋宾

说了夫人及大王,两情相顾又恛惶。(《欢喜国》,774)
见了师兄便入来。(《难陁》,396)
切怕门徒起妄猜,迷了菩提多谏断。(《维摩诘》,521)
唱喏走入,拜了起居,再拜走出。(《唐太宗》,211)

据我们所知,"动＋了＋宾"句式的例子,《敦煌变文集》里一共只有上列4句。敦煌变文各篇的写成年代很难确定,不能用它们来考察"动＋了＋宾"句式形成的时代。王力(1958,306页)认为真正词尾"了"字在南唐已经出现了,例如:

林花谢了春红,太匆匆。(李煜《乌夜啼》)

太田辰夫(1958,226页)举了几个更早的例,下面《六祖坛经》的例句是我们添的:

将军破了单于阵,更把兵书仔细看。(沈传师《寄大府兄侍史》,《全唐诗》,中华书局1960年版,5304页)[①]

几时献了相如赋,共向嵩山采茯苓。(张乔《赠友人》,7328)
如今得了迎(递)代流行,得遇坛经,如见吾亲授。(敦煌本《六祖坛经》[830—860?]）[2]

若道不传,早传了不传之路。(《祖堂集》[952],卷四,78)

这样看来,"动+了+宾"这种句式在九世纪已经出现,但还不常用。

此外,我们知道"动+了+宾"比"动+宾+了"出现得晚。"动+宾+了"这种句式在中唐以后常见。在《祖堂集》和《敦煌变文集》里,后一种句式出现的次数远远超过前一种。《祖堂集》是现存最古的禅宗史之一[3],书成于南唐保大十年(952),北宋用这书的资料编成《景德传灯录》(1004—1007)以后,《祖堂集》渐受淘汰,终于失传,一直到二十世纪初年才在朝鲜发现1245年开雕的二十卷全部版本。《祖堂集》里"了"字出现150多次,只有两句是"动+了+宾",上面引了一句。后蜀赵崇祚编的《花间集》(940年左右),"了"字出现5次,都是"完毕、终了"的意思,只有一句是"动+了+宾"(参考青山宏1974年编的索引):

绣阁数行题了壁,晓屏一枕酒醒山。(孙光宪《浣溪沙》)

很明显,"动+了+宾"是九、十世纪新兴的句式,进入各方言的速度大概也不尽相同。

再谈"了"字早期的历史,王力(1958,305页)以为"终了、了结"的意义的"了"字在汉代已经出现了,他引王褒《僮约》"晨起早扫,食了洗涤",《广雅·释诂四》"了,讫也",又引:

仪常规画分部,筹度粮谷,不稽思虑,斯须便了。(陈寿《三国志·蜀志》)

官事未易了也。(《晋书·傅咸传》)

且有小市井事不了。(《晋书·庾纯传》)

《世说新语》是研究南北朝语言最重要的资料,"了"字的用例是:"了不"5次,"了无"5次,"了了"3次。"了不"意思是"完全不",''了无"是"完全没有",''了了"是"伶俐"(周一良,1963,397页),这些"了"字都不是动词。用作动词的"了"字 7 次,4 次意思是"了解":"而心了其故"(《雅量》),"了其意"(《贤媛》),"不了麴蘖事"(《任诞》),"太傅既了己之不知"(《纰漏》)。只有 3 次意思是"终了、了结":

> 吾久欲注,尚未了。(《文学》)
> 便足了一生。(《任诞》)
> 可将当轴,了其此处。(《雅量》)

《世说》的用例有两点值得注意:(1)这时还没有"动+宾+了"的句式,(2)"终了、了结"意义的"了"字在南北朝还相当罕见。这就使我们怀疑王力的说法。王褒《僮约》的年代真伪可疑,《晋书》写成于唐代。设若"终了、了结"义的"了"字汉代已经出现,从王褒(卒于公元 50 年以前)到刘义庆(403—444)的四百年之间,可引的实例只有 3 个,不免令人费解。

森野繁夫(1974)用东晋僧伽提婆翻译的《增壹阿含经》(《大正新修大藏经》〔简称《大正藏》〕第 Ⅱ 册)来研究当时的语法,他认为下列各例中的"了"字是用作"助动词":

> 言论辩了,而无疑滞。(《大正藏》,Ⅱ,557 中)
> 智慧无穷,决了诸疑。(又,557 中)
> 观了身本,所谓头那比丘是。(又,558 下)
> 非世人所能晓了。(又,742 下)
> 以其觉了愚法慧法,故名为觉。(又,802 中)
> 我今观畜生众生,皆悉明了。(又,811 下)
> 如来所说禁戒,我悉解了。(又,813 中)

森野氏特别用这些例句来反对太田氏(1958,226 页)关于助动词"了"字起于宋代之说。太田氏引的例是:

> 因便入衙,杀了蕃王所差使长。(张齐贤《洛阳搢绅旧闻记》卷一)

等闲妨了绣工夫。(欧阳修《南歌子》)

"助动词"的意思是动词词尾,用作助动词的"了"是"终了、了结"义的"了"字变来的。我们认为森野氏引的例句,"了"字都是"了解、明了"的意思,跟太田氏以及我们所讨论的问题无关。

总起来说,我们还是拿《世说新语》作为根据,认为南北朝时代"终了、了结"义的"了"字虽然已经出现,但不常用,而且绝对没有"动+宾+了"句式。下面再解释唐代的这种句式是怎么来的。

三　南北朝的完成动词

现在要考察"毕、讫、已、竟"这几个字从南北朝到唐代的某些用法。这几个字是同义词,都表示"终了、完毕",例如,《广雅·释诂四》:"了,阕,已,讫也。"《易·损》"已事遄往"注:"已,竟也。"《吕氏春秋·知分》"则今是已"注:"已,竟也。"《礼记·檀弓》"吾得正而毙焉斯已矣"孔颖达疏:"已,犹了也。"《战国策·齐策》"言未已"注:"已,毕也。"为行文方便,我们管"毕、讫、竟、已、了"叫"完成动词",有时也简称为"完"。下面用的资料有几种属于南北朝或者更早的[①]。

1. 动+宾+完成动词

竟:谢公与人围棋,俄而谢玄淮上信至,看书竟,默然无言。(《世说新语·雅量》,239)

[张季鹰]作数曲竟,抚琴曰……(《世说新语·伤逝》,402)

白已立字竟,各还所在。(《增壹》,Ⅱ,727上)

讫:尔时世尊以说法讫,即从坐起,还诣所在。(又,Ⅱ,665上)

俱乞食讫,还至世尊所。(∇,Ⅱ,701中)

诸子闻说时,已得三车讫。(《神会》,胡适本,437)

今既发四弘誓愿讫,与善知识无相忏悔,[灭]三世罪障。(《六祖坛经》)

拜舞谢帝讫,收在怀中。(《敦煌》,210)

已:佛说此经已,结加趺坐…。(《妙法》,Ⅸ,2 中)
作是念已,即勅有司,令诸马群,分布与人。(《大庄严》,Ⅳ,346 下)
时长者妇,在于树上,见斯事已,即便微笑。(又,Ⅳ,346 上)
是时世尊说此偈已,便从座起而去。(《增壹》,Ⅱ,637 下)
善惠说法已,必却归大雪山南面。(《敦煌》,820)
便令入火堆,入火已。其火坑,世尊以慈火照,变作清凉之池。(又,295)

毕:王饮酒毕,因得自解去。(《世说新语·方正》,218)
谢与王叙寒温数语毕,还与王谈赏。(《世说新语·雅量》,243)
神秀上座题此偈毕,归房卧,并无人见。(《六祖坛经》)

2. 动+(宾)+副+完成动词

既毕:叙情既毕,便深自陈结。(《世说新语·言语》,60)
须达买园既毕,遂与太子却归。(《敦煌》,372)

不已:既还,知母憾之不已,因跪前请死。(《世说新语·德行》,9)
六师闻言笑不已。(《敦煌》,373)

已竟:践谷已竟,驱牛还主。(《贤愚》,Ⅳ,428 中)
我作齐书已竟,赞云……(《南史》卷三〇,788,中华书局,1975)

已讫:严办已讫,于是欲发。(《贤愚》,Ⅳ,412 上)
饮食已讫,出外广行宣令。(又,411 下)
葬送已讫,诸臣责师子曰……(《出曜》,Ⅳ,720 上)
巡看已讫,更到余寺看礼舍钱。(《入唐求法》,开成四年八月十五条下)
卢绾辞王已讫,走出军门。(《敦煌》,44)

3. 动+完成动词

毕:《世说》:言毕(148),食毕(111),哭毕(400),看毕(448),弄毕(476),读毕(529)
《敦煌》:天福十五年岁当己酉朱明蕤宾之日粪生十四叶写毕记。(135)

竟:《世说》:食竟(111),讲竟(154),看竟(156),谈竟(297),视竟(371)

讫:《世说》:听讫(306),饮讫(521),视讫(555),拜讫(563)

《敦煌》:汉使吊讫,当即便迴。(106)

目连言讫,更往前行。(728)

已:《增壹》:诸比丘从如来闻已,便当受持。(Ⅱ,554上)

《太子须大拏》:其人食已,呕吐于地。(Ⅲ,424上)

《佛说鹿母》:鹿母说已,便舍而去。(Ⅲ,454中)

《敦煌》:太子闻已,欢喜非常。(338)

其心净已,则一切功德清净。(562)

上面引的例句说明两点:(1)"动+宾+完"这种结构在南北朝已经出现,"动+宾+竟/讫/已/毕"这些句式南北朝在用,唐代也在用;(2)"竟、讫、毕、已"在南北朝的用法和唐代变文中的"了"字相同,唯一不同就是没有"动+完+宾"这种结构。

结论是:从南北朝到唐代,"动+宾+完"这个结构的框子没变,填框子的词汇发生变化;"了"字在这框子里替代了其他词汇,变成最常用的完成动词;"竟、讫、已、毕"唐代还在用,但已渐被"了"字淘汰。这样就形成了变文和其他唐代文献中的"动+宾+了"。

以前也有人讨论过"动+宾+了"的来源。赵金铭(1979,65页)说:

"动+宾+了"这种格式和"动+宾+副+了"相比较,只差有无一个副词,但这个差别很重要。因为,没有副词,"了"字主要动词身份就没有保证,"了"已向虚词化跨出第一步。

这段话似乎有两个意思:(1)"动+宾+了"的结构和"动+了+宾"最接近。我们完全赞成。(2)"动+宾+副+了"是"动+宾+了"的历史上的来源。我们不能同意。上面看到的文献资料里,"动+宾+副+完"和"动+宾+完"这两种结构,南北朝和唐代都有;在这两个时期,这两种结构都是同时的关系,看不出什么先后

69

演变的痕迹。

张洪年认为句式形成过程中受了梵文的影响,他说(1977,66页):

> 这里想提出个意见,"了、已、讫"用在句末来表示完成貌是受了梵文的影响。梵文的动形词(gerundial verb)的完成貌用词尾 tva 来表示。因为梵文的词序是把动词放在句末,所以完成貌词尾总是出现于由动形词构成的句子的尾端。碰到这种句子,译者会有意或无意地在汉语里也在句尾放个虚词。

张氏文中(66页)还说汉语受梵文影响是在唐代,也就是产生变文的时代。上面看到"竟、毕、已、讫"用在句末表示完成貌的句型在四、五世纪已经出现,所以如果要引进梵文来作解释,时间至少要往前推三四个世纪。总起来说,赵、张二位把"动+宾+了"的来源当作唐代语法史的问题,本文则把问题推到南北朝,这是我和他们看法不同的地方。

南北朝的"动+宾+完"是怎么来的?这问题目前不能回答。因为我们不知道这种句式最早出现的年代,也就没法讨论形成过程中是否受过梵文的影响。

有个初步的看法想提一下。《诗·风雨》"鸡鸣不已",《诗·南山有台》"德音不已",《战国策·齐策》"言未已"——这些句子中,名词、名动短语和动词("言")都可以做动词"已"字的主语。和南北朝的"动+宾+完"相比较,差别只是完成动词的主语的结构更复杂。张洪年(1977,65页)问的问题是:在有动词和宾语的句子后面,为什么可以再加个完成动词?这个问题可以换种问法:完成动词的前面,上古只能放简单的短语,为什么到了南北朝,或者更早,可以放个主、动、宾俱全的完整的句子?上古时期,如果句子要用作主语或宾语,需要预先在这句子的主语和谓语之间加个"之"字,把句子变成仂语化的名词(王力,1958,395—398页)。到了南北

朝,作主语或宾语的句子不必仂语化。例如:

　　《论语·子罕》:岁寒,然后知松柏之后凋也。
　　　　皇侃(488—545)《论语义疏》:"而此云岁寒然后知松柏后凋者也。"
　　《论语·述而》:丘之祷之久矣。
　　　　〔汉〕孔安国注:"故曰丘祷之久矣。"
　　　　皇侃《论语义疏》:"丘祷久矣。"

此外,表示不可能的"不得",也可以放在一个完整句子的后面,如:

　　"今壹受诏如此,且使妾摇手不得。"(《汉书·外戚传下》)

　　我们提出这几个句式,是因为他们和"动+宾+完"的结构相同。请看下表。汉语既能产生"妾摇手不得"和"丘祷之久矣"这样的句子,看来不靠外来的影响,也能产生"动+宾+完"这种句式。

妾	摇	手	不得	(《汉书》)
丘	祷	之	久	(孔安国注)
	看	书	竟	(《世说新语》)
王	饮	酒	毕	(《世说新语》)
主	动	宾		
主		谓	谓	
		主	谓	

四　词汇兴替和结构变化

　　上面看到,从南北朝到晚唐,单靠词汇中的兴代就能解释"动+宾+了"的来源。现在想用完成貌的历史做例子,说明词汇兴替和结构变化在语法演变中起什么作用。

现代完成貌的前身在什么时候出现?如果着重"了"字,把变文中的"动+宾+了"看作前身,答案是唐代。如果着重句式,认清"动+宾+完成动词"是前身,答案是五世纪,或者更早。

句法结构不变,词汇中的新陈代谢就像接力赛跑,一个运动员跑累了,另一个接棒跑下去。汉语语法史常有这种现象,所以有些现代汉语句型的渊源,一直可以追溯到五世纪,完成貌就是明显的例子。

但是这里应该指出:完成貌至晚在五世纪形成"动+宾+完"这种结构,单靠词汇兴替,只能把演变史带到唐代"动+宾+了"这阶段,以后再发生结构变化,才能形成现代的"动+了+宾"。

五 现代汉语完成貌句式的形成

1. 现在要解释现代汉语完成貌的词序是怎样形成的。上古和中古根本没有情貌动词词尾这个词类,也没有放在动词和宾语之间的完成貌词尾。上面说过,十世纪才出现"动+了+宾",这种新兴结构的形成过程需要解释。

以前讨论这问题时总有人说"了"字开始虚化,"了"字从动宾短语的后面挪到宾语的前面。"虚化"和"挪前"是描写,是很正确的描写,但不是解释。所谓解释,一则是要把需要解释的现象和其他的类似的现象连贯起来,二则是要说明以前没有的结构怎么会在那时期产生。要解释完成貌的形成,按理想应该考虑到从晚唐到宋代整个动词组里面的变化。这在目前做不到。下面所说的只能算是初步的解释。

吕叔湘(1955,59—68页)指出,表示可能的"得"和"不得",在唐宋之际可以放在动宾短语的后面,也可以放在动词和宾语之间;从现代的观点去看,动宾短语后的"得"和"不得"往前挪了。王力

(1958,406—407页)指出,唐代的结果补语可以放在动宾短语的后面,也可以放在动词和宾语之间;从现代的观点去看,动宾短语后的结果补语也是往前挪了。为行文方便,下面有时用"补"代表结果补语。太田辰夫(1958,206—208、231—234页)又举了不少例句,把这两个现象的年代推得更早。下面打算用他们三位的研究成果来解释完成貌词序的形成。

2.1 现在比较动补结构和完成貌。唐代的结果补语可以放在两个位置:

(甲)动+宾+结果补语

当打汝口破。(刘义庆《幽明录》)
今当打汝前两齿折。(《贤愚经》,Ⅳ,429上)
吹欢〔情人〕罗裳开,动侬含笑容。(《子夜四时歌·夏歌》)
复吹霾瞖散,虚觉神灵聚。(杜甫《雷》,2337)
长绳百尺拽碑倒,粗砂大石相磨治。(李商隐《韩碑》,6154)
谁能拆笼破,从放快飞鸣。(白居易《鹦鹉》,4916)
列士抱石而行,遂即打其齿落。(《敦煌》,12)

(乙)动+结果补语+宾

复于地取内口中,嚼破即吐之。(《世说新语·忿狷》)
时亢旱,春杂宝异香为屑,使数百人于楼上吹散之,名曰芳尘。(《拾遗记》)
无令长相思,折断绿杨枝。(李白《宣城送刘副使入秦》,1810)
今日压倒元白矣。(《唐摭言》)

这两种结构形成的过程不同,(乙)式大家晓得,最初是他动词加使动词,如"匠人斲而小之"(《孟子·梁惠王下》),省略"而"字,变成"斲小",这就是动补结构的雏型。(甲)式是递系式,例如"拆笼破"是"拆笼而笼破",紧缩省略其中的一个名词("笼"字),就形成"动+宾+补"的结构。

比较(甲)式"动+宾+补"和"动+宾+了",这两个句式里各成分之间的语意关系并不平行。"拆笼破"的意思是"拆笼而笼破","子胥解梦了"的意思不是"解梦而梦了",而是子胥解梦这整件事情完成了,第三节说过,后者的结构是:主||谓|谓。

但是"了"表示完成貌,结果补语也表示完成貌。都表示完成貌,而语法结构则又同又不同:结果补语不但可以放在动宾短语之后,也可以放在动词和宾语之间;相较之下,"了"字在这时只能放在动宾短语之后。因为完成貌和结果补语的语意功用相同,但语法结构只有一半相同,所以结果补语既有的两种词序便促使"了"字挪到动词和宾语之间。

上面只是说说大意,现在要一步一步地论证。

2.2 "结果补语也是表示完成貌",这句话凭什么根据?从语意的角度去看,这句话是很合理的;一件事总要完成后才能有结果,所以结果补语既表示结果,也必得同时表示完成。例如"折断绿杨枝","断"是结果补语,表示"折"的结果,"折断"这件事完成后,才能有"绿杨枝断了"的结果。

但我们不愿意单凭语意分析的方法论证上面的说法,所以还要找语法方面的证据。

从现代汉语的角度去看,结果补语和完成貌所表示的语法意义确实很相近。第一,现代汉语根本就用"了"字做结果补语,例如"吃得了"、"吃不了"。第二,现代汉语完成貌的否定式用"没"或"没有",例如"吃了饭"的反面是"没吃饭"。动补式动词的否定式也用"没",例如"打破(了)"、"没打破"。用"没"字来否定的动词一共有三种:一种带完成貌,一种是动补式动词,一种带情貌词尾"过",例如"我没吃过西餐"。这三种动词所表示的体貌都是过去完成或经历过的事情。正因为动补式动词和完成貌的否定式都用"没",所以我们可以说动补结构的结果补语也表示完成貌。

2.3 上面的论证是用现代动补结构的四个典型,如:

  实现式   可能式
 打破 没打破 打得破 打不破

下面想说明唐宋时代的四式是:

  打破 打未破 打得破 打不破

如果这说法能成立,我们就可以用唐宋时代的语法现象,来证明动补结构的结果补语含有完成貌的语法意义。

附带解释一下,"没"字用来否定动词大概是元明时代才开始(太田,1958,302 页),在这以前用"未"、"未曾"或"不曾"。所以现代汉语可以用"没"来判别某种动词是否含有完成貌,更早则要用"未"字。

前面已经举过肯定的实现式例句,现在只举其他三种。

(丙) 动 + 得 + 补(肯定的可能式)

 若使火云烧得动。(来鹄《题庐山双剑峰》,7358)
 惊蛙跳得过。(王贞白《芦苇》,8056)
 将谓岭头闲得了。(成彦雄《松》,8627)
 瞑鸟飞不到,野风吹得开。(曹松《夏云》,8225)
 松鹤认名呼得下。(方干《题长洲陈明府小亭》,7465)
 深水有鱼衔得出。(杜荀鹤《鸬鹚》,7982)
 若也无人弹得破,却还老僧。(《祖堂集》卷二,85)
 大庾岭头趁得及,为什摩提不起。(又,39)
 未过得一两日,念得彻。(又,50)

(丁) 动 + 不 + 补(否定的可能式)

 碑楼功绩大,卒拽不倒。(《李相国论事集》卷一)
 瞑鸟飞不到,野风吹得开。(曹松《夏云》,8225)
 红尘飘不到(裴度《溪居》,3756)
 长风翦不断(卢仝《新蝉》,4372)
 气清瘵不着(皮日休《三宿神景宫》,7037)

大牛六十头挽不动。(《法苑珠林》,《太平广记》卷一一四引)
自冬历夏,搬运不了。(《谭宾录》,《太平广记》卷二三九引)
野火烧不尽,春风吹又生。(白居易《赋得古草原送别》,4836)
春风吹不落。(白居易《落花》,4979)
几度野火来,风迴烧不着。(白居易《有木诗》,4686)

(戊)动+未+补(否定的实现式)

巧儿旧来镌未得,画匠迎生摸不成。(张鷟《游仙窟》)
天边老人归未得。(杜甫《天边行》,2312)
深夜欲眠眠未着,一丛寒木一猿声。(杜荀鹤《宿村舍》,7982)
溅石进泉听未足,亚窗红果卧堪攀。(方干《郭中山居》,7487)
却是偶然行未到,元来有路上寥天。(方干《题赠李校书》,7489)
夷言听未惯。(韩愈《县斋有怀》,3776)
呼奴扫地铺未了。(韩愈《郑群赠簟》,3795)
公年已四十,书读未通,才坐便说别人事。(《朱子语类辑略》〔丛书集成初编本〕,214)
命数兵耘草……有一兵逐根拔去,耘得甚不多,其他所耘处,一齐毕,先生见耘未了者,问诸生曰:……(又,215)

上面引的例句有几点值得注意:第一,动补结构的实现式和可能式,最早出现于中唐和晚唐,这段时期正是动宾短语后的"了"字要往前挪、但还没有往前挪的时期;第二,"动+未+补"就是现代的"没+动+补",例如"眠未着"是"没睡着","听未足"是"没听够","听未惯"是"没听惯","读未通"是"没读通";第三,"了"字用作结果补语的结构有三种:

肯定的可能式:"将谓岭头闲得了"

否定的可能式:"搬运不了"

否定的实现式:"耘未了";"铺未了"

第二节里引了变文中的一句:

其时兇(匈)奴落节,输汉便宜,直到黄昏,收兵不了。(《敦煌》,85)

"收兵不了"的语法和"搬运不了"平行,意思是"收不了兵"、"不能收兵",所以我们认为这句的"了"字不是动词,而是补语。

动补结构的补语,既然要用"未"字来否定,这就说明结果补语的语法意义是完成貌。

这样看来,在唐代"了"字没往前挪以前,动词和宾语之间,已经有了个表示完成貌的成分,但这成分是许许多多用作结果补语的动词或形容词,如前所引"啮破"的"破","吹散"的"散","折断"的"断"。因为动补式的动词是可以不断创造的,结果补语没法一一列举。正因为在动词和宾语之间,已经可以插入一个表示完成貌,只是没有专词来担任这个角色,所以当"了"字占据这位置时,并不是无中生有,而是把以前用"破"、"断"、"散"等等结果补语来表示的完成貌,集中在一个唯我独尊的"了"字身上。

此外结果补语在唐代可以放在两个位置:

动 + 宾 + 补:"复吹霾翳散"

动 + 补 + 宾:"吹散之"

第一种形式后来消灭了,这也可以看作补语往前挪。消灭的原因,是动补式动词数量多,创造力强,压倒了"动 + 宾 + 补"这种异型。上面说过,"动 + 宾 + 了"和"动 + 宾 + 补"在语意和结构方面都有相同的地方,所以补语"挪前",也间接促使"了"字挪前。

3.1 现在比较"动 + 宾 + (不)得"和"动 + 宾 + 了"。

这两个句式里各成分之间的语意关系是平行的,例如:

妾	摇 手	不得
胃	解 梦	了
主	谓	谓

子句的主谓结构说一件事情,然后母句的谓语说明这件事情的体貌("了")或者情态("不得")[⑤]。从语法意义的角度来看,体貌词

和情态词放在同一个位置是颇合理。这种"(主,谓),谓"的结构,吕叔湘(1958,210页)已经指出,后来张洪年(1977,60页)和赵金铭(1979,65页)对"动+宾+了"也作了同样的分析。

表示可能性的"得"和"不得",在唐代可以放在两个位置:动宾短语之后,或者动词和宾语之间。

(己)动+宾+(不)得(太田,1958,231—232页)

今壹受诏如此,且使妾摇手不得。(《汉书·外戚传下》)
余时把著手子,忍心不得。(张鷟《游仙窟》)
一日近暮,风雪暴至,学童悉归家不得。(赵璘《因话录》)
太原兵敌回鹘不得。(李德裕《会昌一品集》卷一四)
畏只对相公不得。(《历代法宝记》下)
吾不自知,代汝迷不得;汝若自见,代得吾迷。(《六祖坛经》)
一字三匹绢,更减五分钱不得。(高彦休《唐阙史》,又见于《太平广记》卷二四四)
逆贼梦衣袖长,是出手不得也。(李德裕《次柳氏旧闻》)
若立身于矮屋中,使人抬头不得。(王仁裕《开元天宝遗事》)
隐密全生时,人知有道得,大省无辜时,人知有道不得(《祖堂集》卷三,109页。吕叔湘[1955,63页]引《传灯录》卷一一,8页:"隐密全真时,人知有道不得;大省无辜时,人知有道得。")

(庚)动+得+宾

谁言寸草心,报得三春晖?(孟郊《游子吟》,4179)
城高遮得贼。(元稹《古筑城曲五解》,4611)
除得此患,众各思报恩矣。([唐]裴铏《传奇》;《太平广记》卷四四一)

到了宋代,表示不可能的"不得"才出现于动词和宾语之间。

(辛)动+不得+宾

在古虽大恶在上,一面诛杀,亦断不得人议论,今便都无异者。(《河南程氏遗书》卷二下)

禁止不得泪,忍管不得闷。(黄山谷词)

器远前夜说:"敬当不得小学。"(《朱子语类辑略》,39页)

表示不可能的"不得",在唐代只能放在动宾短语之后,宋代以后可以放在动词和宾语之间,"不得"往前挪了。挪前的原因,第一,上面说过,唐代已经有了"动+不+补"的结构,由于类比作用,促成"动+不得"的兴起;第二,肯定式的"动+得+宾"在唐代已经出现,也是由于类比作用,使"不得"挪到动词和宾语之间的位置。

也许有人会问,类比作用既然可以使"不得"挪前,为什么同样的作用不能使动宾之间的"得"字挪后,使"动+宾+(不)得"变成现代表示可能性的典型句式?我们的回答是:"动+宾+得"这种句式在唐代相当罕见,原因大概是在句末放个和前面牵连的单音节成分,会引起节奏不完整的感觉。因为"动+宾+得"这类的句子数目不多,也就产生不了使其他句式向他看齐的类比作用。

回来看完成貌。从唐到宋,"动+宾+不得"既然改换词序,变成"动+不得+宾",而前者和"动+宾+了"结构相同,这也是使"了"字挪前的一个因素。

现在把上面所说的话总括起来,用个笼统的公式表示:

(壬) 动+宾+"(不)得"/结果补语/"了"→动+"(不)得"/结果补语/"了"+宾

这公式其实是表示两种不同的现象。就"(不)得"和结果补语来说,上式表示词序的一致化;唐代"(不)得"和结果补语可以放在两个位置——宾语后面或宾语前面,现代只能放在宾语前面。就完成动词来说,上式表示"了"字往前挪了。

六 结 论

本文主要的意思是说,现代汉语完成貌的形成可以分成两个阶段：

从南北朝到中唐，"动+宾+完成动词"这个句式早已形成，但南北朝表示完成主要是用"讫、毕、已、竟"，后来词汇发生变化，形成唐代的"动+宾+了"。

从中唐到宋代，完成貌"了"字挪到动词和宾语之间的位置，挪前的原因有二：(1)动宾短语后面的"(不)得"和结果补语同时也往前挪；(2)放在动宾之间的结果补语早就表示完成貌。

附 注

① 本文引唐人的诗句，除注出作者、篇名外，都注出《全唐诗》中华书局1960年版的页数。

② 敦煌本《六祖坛经》，我们用的版本是：

The Platform Sutra of the Sixth Patriarch; the text of the Tun-huang manuscript, translated, with notes, by Phillip Yampolsky, Columbia University Press, New York, 1967.

③ 关于《祖堂集》的时代和来历，请参看柳田圣山编译《世界の名著・續3・禅語録》，中央公论社，东京，1974，74—77。《祖堂集》（台北，广文书局，1972）附有柳田氏的短序；这书另有日本版（京都，中文出版社，1972），序比较详细。

④《世说新语》，刘宋，刘义庆（403—444）著。

《大庄严经》，后秦，鸠摩罗什译。（《大正藏》，Ⅳ，257—348）

《妙法莲华经》(406?)，同人译。（又，Ⅸ，1—62）

《出曜经》，后秦，竺佛念译。（又，Ⅳ，718—776）

《增壹阿含经》，东晋，僧伽提婆译。（又，Ⅱ，549—830）

《贤愚经》，北魏，慧觉等译。（又，Ⅳ，349—445）

《佛说鹿母经》，西晋，竺法护译。（又，Ⅲ，454—456）

《太子须大拏经》，西秦，圣坚译。（又，Ⅲ，418—424）

《世说新语》有日本广岛大学高桥清（1959）编的引得，审核例句时可利用。为了方便一些读者，本文注出《世说新语》台湾艺文印书馆1964年影印金泽文库所藏宋本的页数。下面引翻译佛典时用下例的格式："《大庄严》，

Ⅳ,346中"。意思是:"《大庄严经》。《大正藏》第Ⅳ册,第346页中栏"。翻译佛经一般口语成分较多,但语法可能受梵文或巴利文的影响(周一良,1963,357页),需要和《世说新语》或其他直接用汉文写的资料配搭着用。

属于唐代的资料有以下几项:

李延寿等著《南史》(北京,中华书局,1960)

《神会和尚语录》(用胡适校敦煌唐写本《神会和尚遗集》,台湾,胡适纪念馆,1970)

圆仁《入唐求法巡礼行记》(《大日本佛教全书》,《游方传丛书》,1931)

《六祖坛经》(敦煌本)

《敦煌变文集》(人民文学出版社,1957),下面简称《敦煌》

南北朝的例句大部分抄自牛岛德次(1971)、苏联学者古罗维次[Gurevich](1974)、森野繁夫(1974)。森野氏从《增壹阿含经》里举的例颇有启发性。

⑤《世说新语》还有"动+宾+在+处所"的句式,如"顾长康画谢幼舆在岩石里"(《巧艺》),"独留女在后"(《假谲》)。带"在"字的补语,是表示动作的结果,也放在动宾短语之后,和"了"、"(不)得"的位置相同。

参考文献

吕叔湘　1955:《汉语语法论文集》,北京,科学出版社;特别是该书59—68页的《与动词后"得"与"不"有关之词序问题》。

王力　1958:《汉语史稿》中册,北京,科学出版社。

太田辰夫　1958:《中国語歴史文法》,東京,江南書院。

高橋清　1959:《世説新語索引》,広島,広島大学文学部中国文学研究室。

周一良　1963:《魏晋南北朝史论集》,北京,中华书局。

柯罗斯(Elizabeth Closs)　1965:Diachronic syntax and generative grammar(《历史句法与转换生成语法学》),*Language*,41,402—415.

志村良治　1967:《中古漢語の語法と語彙》,《中国文化叢書,1,言語》(牛島徳次・香坂順一・藤堂明保編集),東京,大修館書店。

牛島徳次　1971:《漢語文法論(中古編)》,東京,大修館書店。

青山宏　1974:《花間集索引》,東京,東京大學東洋文化研究所附属東洋學文献センター。

森野繁夫　1974:《六朝訳経の語法》,《広島大学文学部紀要》(33),253—273。

古罗维次(Gurevich)　1974: *Ocerk Grammatiki Kitaiskogo Iazyka*（《汉语语法纲要》）,莫斯科,1974(引者注:这书用的资料是四至六世纪翻译的佛经)。

张洪年(Samuel Hung-nin Cheung)　1977: Perfective particles in the Bian Wen language (《变文中的完成貌虚词》, *Journal of Chinese Linguitics*, 5, 1, 55—74.

梅祖麟　1978:《现代汉语选择问句法的来源》,《史语所集刊》,49, 1, 15—36页。

赵金铭　1979:《敦煌变文中所见的"了"和"着"》,《中国语文》1979年第1期,65—69页。

关于近代汉语指代词[*]
——读吕著《近代汉语指代词》[**]

1. 吕叔湘先生从四十年代起就开始研究近代汉语语法史。早期的文章大部分收入《汉语语法论文集》(1955),其中讨论指代词的最多,例如《说们》(1949),《说代词语尾家》(1949),《这、那考原》(1947),《非领格的其》。另外还有两篇最早发表的文章——《释您,俺,咱,喒,附论们字》(1940),《说汉语第三身代词》(英文,1940)——也是讨论指代词的,没有收入《论文集》的初版,后来收入增订本(1984)。吕先生本来想写一部近代汉语历史语法,1947—1948年他把收集的材料里面关于指代词的部分分类排比,略加贯串,写成初稿,作为近代汉语历史语法的一部分。后来因为工作有了改变,就把稿子搁了下来。1983年取出旧稿,先由江蓝生同志整理一遍,补充了一部分材料,再经吕先生亲自调整,写成《近代汉语指代词》一书(下文简称《指代词》)。书分十章:1.三身代词,2.们和家,3.谁,4.什么,5.这、那,6.哪,7.这么、那么,8.怎么,9.几、多少、多(么)、大小、早晚,10.些和点。其中1、2、5这三章是作者以前讨论过的题目;3、4、6、7、8这五章的题目其他语法著作也讨论过(王力1958,太田辰夫1958),但没有本书讲得那么详细;9、10两章则是本书

---

[*] 本文原载《中国语文》1986年第6期。
[**] 吕叔湘著,江蓝生补,上海学林出版社,1985。

开拓的新领域。

无论从内容看,还是从方法看,《指代词》都是汉语语言学的一个里程碑。语法史的领域里出了这么一部书,实在是值得庆幸的事情。具体地说,这本书有以下四个优点。

第一,以往语法著作讨论某一个时期的语法,几乎都是从指代词开始。周法高《中国古代语法》(1959—1962)的第一本《称代篇》(1959)是讲指代词,詹秀慧《世说新语语法探究》(1973)的第一编(1—314页)是讲指代词,志村良治《中国中世语法史研究》(1984)也差不多有一半是讨论指代词。跟这些书比较,《指代词》的优点是组织严密,从目录就可以看出近代汉语指代词的整个体系。1—3章是人称指代词,4—6章是名词性、定语性指代词,6—8章是状语性指代词,9—10章是数量指代词。

第二,本书每个指代词都举例说明它的各种用法。这是吕先生独特的学风:描写语法同时要注意虚词的用法和语义,而且要从实例着手。结构学派兴起以后,语法著作对语义就不怎么注意了。最近以理论为中心的各种新兴的语法学派似乎更是和实际语言现象脱节。这些学派虽然也曾提出一些新的问题,新的观点,但是语言学归根结底是以事实为根据的一种学科。脱离实际语言现象,一切都成了空中楼阁。

第三,尤其是指代词部分,语法史不得不牵涉到语源问题。以前的学者在这方面也做了不少工作,例如章炳麟《新方言》(1915),唐钺《国故新探》(1926),张相《诗词曲语辞汇释》(1954),蒋礼鸿《敦煌变文字义通释》(增订本1981)。张、蒋两书虽然不是专门探究语源的书,但讨论语源时,胜义叠见。这两本书共同的不足之处是缺乏语法观念。而且张书碰到同一个指代词有几种不同的用法时,只会分类排比,不会辨别来龙去脉,引征的例证也不全按时间先后排列。《新方言》算是一部讨论语源的著作,其中有精辟的见解,也有穿凿附会的说法,最大的毛病是只说结论,不摆证据。并且,若干重要的敦煌文献是章、唐两位著书以后发现的,他们当然不会利用这些资料。

《指代词》在讨论语源方面,完全是采取现代语言学的论证方法,把资料按照时代先后排列,再从用法和音韵两方面去考察先后两个语词是否有语源关系。结果是搜出大部分近代汉语指代词的根,例如你、他、咱、喒、您、那、哪、什么、怎么。另外有些语词的来源,作者的解释未必能完全令人信服,例如辈＞们,者＞这,其＞渠。不过作者已经把他所见到的材料井井有条地摆了出来,理由也写了下来,后人可以补充一些资料或理由,或者另辟途径。跟以前的著作相比,这是一个很大的进步。

吕先生所以能在语源方面有这么大的成就,一方面是因为他肯采纳别人的意见,一方面是因为他不轻易用"一声之转"之说,不轻易说甲词的用法是从乙词转来的,而且几十年来一直在反复思考这些问题。举例而言,《说们》已经说明您、恁是你们的合音,本书 37 页更进一步引用王力先生(《中国语法理论》下册 21,并注 34)的说法,说明尊称您字是你老的合音,不是从复数您字转来的。128 页以下说明什么的语源是是物,是物是是何物之省,何物的物解作"等类、色样",129 页和 179 页注 3、注 4 又继续论证是物的是字是个句子头上赘加的语词,302 页注 7 又说明"官岂少此物辈耶!"(魏文帝诏)的此物作"此等"讲,跟何物作"何等"讲平行。那字的语源是若,《这、那考原》已经说过;本书 246 页指出,有别择作用的疑问代词哪也是从若字变来的,最初出现的形式是若箇。260 页又指出,哪还有一个用处,就是用来询问事理,特别是用于意在否定的反诘。这种用法的哪字,出现时代比远指词那要早,比若箇、若为也要早,例如"那可尔?"(《魏志》14 刘晔),"偷那得行礼?"(《世说》1.12)。因此这种(写作那的)哪字很可能是若何的合音,不是若变来的;远指词那,抉择疑问代词哪也不是反诘疑问代词哪变来的。336页说明,在怎字(<作物)形成以前,唐、五代的诗文里已经有个争字,争的用法只有一部分跟怎相似,而且争字和怎字声、韵、调三者无一相同,所以这两个语词来源不同。

第四,《指代词》写得娓娓动听,引人入胜。如185页引:

> 刘贡父饯客,子瞻有事,欲先起。刘调之曰:"幸早里,且从容。"子瞻曰:"奈这事,须当归。"各以三果一药为对。(宋·阙名《朝野遗记》,《郭》29.18)

这谐蔗,蔗去声。用这例来说明这在宋代已经是去声。又如42页举例说明唐宋时代确实是口语里自称名字,不只是文籍里的程式。

> 石参政中立在中书时,盛文肃度禁林当直,撰张文节公知白神碑,进御罢,呈中书。石急问:"是谁撰?"盛卒对曰:"度撰。"对讫方悟,满堂大笑。(《湘山野录》,上16;"度"谐"杜")

盛度是确确实实说了自己的名字,才会招的满堂大笑。《指代词》举的例子不但本身有趣,作者同时指出,因为礼貌的关系忌用或少用三身代词,汉语的"他"字又是男女无别,指人指物都可,在这方面和西文不同,结果就是比西方语言少用代词。

《指代词》既然给后人留下扎实的基础,我们不免要问:今后在这个范围里还有什么问题需要研究?《指代词》出增订本时有什么地方可以改进?底下提出两方面的意见,一方面是关于全书格局的,一方面是关于个别问题的。

2.《指代词》缺少一章通论。通论是否可以包括如下一些内容。

2.1 就语源可以确定的语词来说,指代词的音韵演变都不怎么合乎普通话音变的规律(语源不明的虚词另当别论)。为了说明指代词音变的不规律性,下面一部分用同源词作比较,如"你"和"尔"等;一部分用《广韵》里同音(不同调)的语词作比较,如"我"和"鹅"等。

(1) 我五可切 ngâ＞(ng)uâ＞wǒ(/uə/)
　　鹅五何切 ngâ＞(ng)â＞é(/ə/)
(2) 谁视隹切 zjwi＞sei＞shéi
　　谁视隹切 zjwi＞suəi＞shuí
(3) 你乃理切 njiě＞nĭ＞nī
　　尔儿氏切 njiě＞nji＞ěr
(4) 底都礼切 *tjəg＞tiei＞di(/ti/)
　　之止而切 *tjəg＞tśi＞zhī
(5) 他託何切 thâ＞thâ＞tā(/tha/)
　　他託何切,其他 thâ＞thao＞tō(/thuə/)
　　拖託何切 thâ＞thao＞tō
(6) 若而灼切 *njak＞那奴箇切 nâ＞na＞nù
　　　　　　　挪诺何切 nâ＞nao＞nuó
(7) 若 njak＋何 ɣâ＞njâ＞那(哪)奴可切 nâ＞nǎ

(1)(2)是一对,口语里"我"读合口,"谁"读开口,都不合规律。(3)(4)是一对,"你""底"把颚化三等介音-j-换成不颚化的四等介音-i-或者失落-j-;"底"是官话方言的后附成分,也是唐代江南方言的指示词。(5)(6)(7)变化相同,口语的"他""那""哪"把后低元音â(/ɑ/)换成前低元音a(/a/);"这""那"变成去声大概是因为经常跟去声的"个"一起出现。"哪"变成上声大概是受了上声询问词"几""谁"的影响。

至于音变不规律的原因,过去有两种解释。一种是方言混杂,但一直没说出到底是哪些方言。近来对于北京话的形成历史和内部分歧讨论得很热烈(胡明扬 1983,林焘 1985、1986),也许在这方

87

面会有新的进展。

另一种解释有先后两种说法。戴密微(Demiéville, 1950)利用高名凯(1948)的资料,写过一篇文章,把这种现象叫做"汉语口语中保存的古音"。后来司徒修(Stimson, 1971)重新讨论这个现象,他认为虚词在普通话里不规则的变化不能用方言混杂来解释,最合理的说法是王士元(1969、1982)的"词汇扩散论":一种音变逐渐在词汇里散播,先影响某些语词,再影响其他语词,先后受影响的两批语词本来可能完全同音;也可能还没影响到全部合乎演变条件的语词,这种音变就已经衰退,或者在竞争过程中被另一种音变挤掉;一种音变经过长久一段时期影响到所有合乎演变条件的语词,这就是传统历史音韵学里所说的"绝无例外的音变"。司徒修同时指出,虚词在文言和白话里的分化,有些发生在《广韵》以前,如尔和你、之和底,有些在《广韵》以后,如第三身的他和其他的他、亦和也。上面主要是转述司徒修的例证,同时把他的标音法改成李方桂(1980)的写法。但是目前不知道北京话里到底有多少语词的音变不合常例,属于几个时间层次,也不知道是否因为指代词是常用词,所以音变特殊。因此,词汇扩散论看起来相当合理,但是我们也不敢说这是唯一的解释。

这里应该指出,指代词的音韵演变虽然不完全合乎规律,但是在不规律中还有规律。这种不规律中的规律可以帮助我们审核其他虚字的语源。

另外有些指代词是由两个词素拼成,下字的声母往往会影响到上字的韵尾。

(8) 自疾二切(dzji＞)tsji + 家古牙切 ka＞咱 tsa

(9) 咱 tsa + 们 mn＞偺 tsam＞tsan

(10) 我(ng)a + 们 mən＞(ng)am＞俺(ng)an

(11) 你 ni + 们 nən＞您、恁 nim

(12) 你 ni + 老 lao > 您 nil > nin
(13) 是承纸切 źje + 物文弗切 mjuət > 甚常枕切什 źjəm
(14) (是)物 mjuət > 没莫勃切 muət > 没《集韵》母果切摩莫婆切 mua
(15) 作则落切 tsak + 物 mjuət > tsam > 怎《字汇》子沈切 tsəm
(16) 尔儿氏切 ńźjē + 摩 mua > 任如鸩切、恁如林切 ńźjəm + 摩 mua[①]

上面(10)我们合音形成俺,一定是我还没有变成 wo(/uə/)以前产生的,否则俺会读成*uan。官话方言主要元音的偏前偏后是跟着后面的音素走(郑锦全 C.C.Cheng, 1973),例如安 an(/an/)、昂âng(/ɑng/)。们的声母偏前,结果把我(ng)â 的元音拉前。

2.2 从南北朝到五代这段时间,指代词另一个显著的演变是复音化,例如:

(17) 阿X:阿你(5 页)、阿侬(13 页)、阿奴(13 页)、阿谁(104 页)、阿没"什么"(123 页)、阿堵"这"(241 页)、阿那(247 页)

(18) X物、X没、X摩:是物(123 页)、只没(298 页)、与摩(229 页)、异没(299 页)、作没生(310 页)、作摩(309 页)、任摩(299 页)

(19) X底、X的:甚底(125 页)、遮底(227 页)、这底(227 页)、兀底(241 页)、阿的(241 页)、恁的(267 页)

这里又有三种情形。(甲)有些个指代词只有单音节的一种形式,例如我、他。(乙)有些指代词单音节、双音节两种形式都有,例如你/阿你,谁/阿谁;近指词和远指词用作定语时,这/这底,那/那底(见下)。(丙)有些指代词只有双音节的形式。(i)例如在甚字出现以前,唐代询问事物时说阿没处(123 页)、是没物(124 页)、什摩人(124 页),相当于上古的何处、何物、何人。这个疑问词在敦煌写卷里也有单写作没或莽的用例,但单音节的没字只用作定语(《变》,733、433、377),或者在缘没这个熟词中出现(123 页);单用莽字作为定语只有一例(123 页)。就是在甚字出现以后,这个单音节的疑问词只能加在名词前面,如甚人(125 页)、甚事(125

89

页),或者用作宾语,如"且道拍板唤作甚"(125页)。在主语的位置只能说"是勿是生灭"(123页),不能说"*甚是生灭"。(ii)又如作勿生、作摩、怎么(第8章)这些表示"怎么"的疑问词都是复音词。跟动词连接在一起的状语可以单用怎(304页),或者单用争(334—335页),作谓语却不能单用怎或争,只能用复音节的形式,例如322页举的例:"我道毗卢不点头,你作摩生?"(《祖》11.224),"问明年此会怎生?"(《樵歌》,中7),原因大概是单音节的语词不能放在句子的末位。另外值得注意的是唐朝、五代这、那不能单用作为主语。这个问题将单独成文,此处从略。指代词词汇的发展见下页表:

这个简单的表说明:(1)新兴的指代词大多数最早出现于唐代;唐代是古代和近代的分水岭。(2)近代指代词的一个特征是三身代词区别单数和复数,复数用语尾们字。(3)另一个特征是实体性指代词这、那加了么字语尾就形成性状性指代词这么、那么(270页)。怎么是性状性疑问词,什么也是性状性疑问词(116页)。么字的来源是物,本来的意思是"等类、色样"(128页),所以后来会变成标志性状性的语尾。

3. 现在对个别问题提出一些意见。

他　8页说明他从别人转为第三身代词,时间最早的两个例句是:

(20)如彼愚人,被他打头,不知避去,乃至伤破,反谓他痴。(《百喻》,上5)

(21)世间之人亦复如是。见他头陀苦行……便强将来,于其家中,种种供养。毁他善法,使道果不成。(又,上21)

作者认为每例"第一个他字是别人,第二个他字就是那个人＝他了"。

上面两句每句里面的两个他字都可以读作别的、别人:"被别

	我	你	他	我们	你们	他们		人家	自己	谁	这	那
上 古	我	爾	(其)(之)				上 古	人	己(自)	谁	孰此之是	若彼
南北朝	我吾	爾汝	伊渠	我辈	尔辈	此辈	南北朝	人家	己(自)	谁	此阿堵	如尔
唐五代	我	爾	也	我弭	你每	他懑	唐五代	他家	自家	自家谁	这	那
宋 朝	我	你	也	我懑	你懑	他懑	宋 朝	人家	自己	自家谁	这	那
元 朝	我	你	他	我每	你每	他每	元 朝	人家	自己	自家谁	这	那

	哪选择	哪反诘	什么	奚		这么	那么	怎么		
上 古	孰(若)	(若何)何	何物	奚	上 古			怎么	如何	
南北朝	孰	那(哪)	是物	何	南北朝	能	如此		如何	
唐五代	阿那	那	甚(么)	甚底	唐五代	宁	尔罄		作勿生	
宋 朝	那	那	甚(么)	甚的	宋 朝	只没	与摩		怎生	
元 朝	那	那			元 朝	怎(么)	怎地		怎么	
						这般	那般	那们	怎地	

人打头……反而说别人发神经病","看见别的头陀苦行……毁坏别人的善法"。郭锡良先生(1980:84)说:"我们全面考察《搜神记》、《法显传》、《百喻经》使用第三人称代词的情况,都是用'其'与'之',无一例外。"郭文附有《百喻经》里所有他字的用例。我赞成郭先生的读法:这些他字只是用来表示别的或别人,连上面引的两句在内,都不是第三身代词。

他字用作第三身代词,最早的用例大概是:

(22) 尝大会,温〔桓温〕使司马刁彝嘲之。彝谓博〔韩博〕曰:"君是韩卢后邪?"博曰:"卿是韩卢后。"温笑曰:"刁以君姓韩,故相问焉。他自姓刁,那得韩卢后邪!"(《晋书》卷八六《张轨传》后附《张天锡传》)

他指刁彝,是以前说过的一个人。《晋书》成于唐初,可能是根据更早的史料。这句杨树达《高等国文法》(1939年商务版,66页)引过。

他字从别的变成第三身代词,当中经过别人这个阶段。周法高先生(1959:115)曾经引过署名东汉安世高(公元二世纪)译的《佛说罪业应报教化地狱经》(《大正藏》卷一七)里的资料。

(23) 以前世时坐为针灸医师,针人身体,不能差病,诳他取财,徒受苦痛,令他苦恼,故获斯罪。(《大正藏》卷一七,451中)
(24) 自誉己物,毁呰他财。(又,451下)
(25) 复有众生,少小孤寒,无有父母兄弟,为他作使,辛苦活命。(又,452上)
(26) 虽附亲人〔原作虽亲附人〕,人不在意。若他作罪,横罹其殃。(又,452上)

上面这几个他都作别人讲。郭文(82页)也曾引这本译经里的例句,并且指出,安世高所译的别的佛经,用他字时,没有作别人讲的。《大正藏》里标题东汉翻译的佛经,有些是后代伪托的。荷兰佛学专家朱赫(E. Zürcher, 1977)开过一张目录,列举29种他认为真正是东汉翻译的佛经。朱赫先生立的标准太宽,目录里也有汉代以后的译经。②但《佛说罪业应报教化地狱经》不在这尺度颇宽的目录之内,加上郭锡良先生所说的理由,我们疑心这部佛经不是安世高译的。因此,据目前所知,他字作别人讲是从魏晋开始,和《指代词》所说的一样。

其、渠 14 页说"渠字跟其字该是同源"。太田辰夫先生(1958:101)也采取吕先生在《非领格的其》里已经说过的说法。

这种说法值得商榷。第一,其之部,渠鱼部,之部怎么会变成鱼部一直没有明确的解释。第二,吾五乎切、汝人渚切、渠强鱼切这三个表示第一、第二、第三人称代词的语词都是鱼部,整整齐齐,像是同一时期的产品。这三个字都可能有藏文、缅文的同源词。

	我	你	他
汉语	*ŋagx＞ŋuo 吾	*njag＞ńźjwo 汝	*khwjiag＞khjwo 渠③
藏文	ŋa	——	kho, kho-ŋ
缅文	ŋa	na-ŋ	——

藏缅语系的第三身代词内部分歧很大(参看李永燧 1985),至于渠是否有非汉语的同源词目前还没有一致的看法,这里只是说有这种可能。第三,无论从文献上看,还是从现代方言去看,渠是个南方的方言词。可能上古以前就有渠字,这个字在北方方言里失落,保存在南方方言里,一直到魏晋时代才在文字记录中出现。第四,其字最早是表示领属关系的名词语尾,跟藏文的 gji 同源。俞敏先生(1949)早就揭出这个意见,笔者(梅祖麟 1983a)也曾写过文章,这里不赘。

按照上面这种说法,其字本来是个名词语尾,渠是个"自古有之"的第三身代词,互不相干。

儞 50 页注 4 说:"禅宗语录里的你有作'儞'的,如'儞问,我与儞语'(《云门》571b;又《临济语录》、《洞山语录》都有这种写法),

是唐朝人就这样写的呢,还是原来作'你',宋代初刻时改写的呢,无从决定。"

唐代的禅宗语录里有你作"儞"的。斯坦因 S5475 号敦煌本《南宗顿教最上大乘摩诃般若波罗蜜经六祖惠能大师于韶州大梵寺施法坛经》(通称《六祖坛经》;郭朋校释《坛经校释》,15 页)有以下一句:

(27) 童子答能曰:"儞不知大师言,生死事大原本事作是……"

们、咱、俺　54 页以下讨论们字的语源以及含有们字的复数人称代词。这里有个没有完全解决的问题。们字的前身在唐代是不带-n 尾的弭绵婢切、弥武移切、伟于鬼切。北宋用懑,南宋用门,都带-n 尾。元代用每,不带-n 尾。作者认为这些字的语源是辈(59—61 页),这种说法也许是对的,目前没有更好的语源。不过-n 尾是怎么来的始终没有合理的解释。而且,如果先有带-n 尾的,再有不带-n 尾的,比较容易解释。文献上显示的历史发展正相反,是先有不带-n 尾的,再有带-n 尾的。下面讨论两个相关的问题,再说明-n 尾是从阿尔泰语借来的。

北方官话第一身复数分辨排除式和包括式,北京话说我们和咱们,其他华北方言说俺和偺(们)(85 页)。这个区别古代没有,最早区别排除式和包括式的文献是《刘知远诸宫调》。[①]按照吕叔湘先生(1984a:36)的分析,《刘知远》里面俺字出现 34 次,其中 8 次表示第一身单数,4 次表示领位的第一身单数,22 次表示第一身复数排除式;咱字出现 10 次,都是表示第一身复数包括式。很明显,排除式和包括式在《刘知远》里是对立的,前者用俺(＜我们),不用其他语词;后者用咱(＜自家),不用其他语词。《董西厢》也是这样,排除式出现 2 次,都用俺;包括式出现 11 次,都用咱。元代的白话文献,如《元代白话碑集录》、《元刊杂剧三十种》、《老乞大》、

《朴通事》以及高明《琵琶记》等也都分辨排除式和包括式。这就是北京话咱们、我们这种区别的来源。

阿尔泰语系从西到东可分为三大支：突厥语系（包括维吾尔语）、蒙古语系、满洲—通古斯语系。蒙古、满洲这两个语系都有包括式和排除式的区别，某些突厥语系的语言也有，可能是受了蒙古语的影响。⑤

	满文	锡伯	蒙文	突厥(奇瓦语 Khiva)
包括式	muse	məsə	bida	bizlär
排除式	be	boo	ba	biz

至于更早的语言，辽代契丹属于蒙古语系，金代女真属于满洲—通古斯语系。包括式和排除式的区别既然普遍地存在于满蒙两系的各种语言，我们可以假设契丹语和女真语也有这个区别。

原本《刘知远》是在西夏黑水城发现的，一般认为在 1227 年成吉思汗攻克黑水城以前刊印，写作时期更早。北方官话里排除式和包括式的区别不见得会是无中生有，罗杰瑞和我认为是受了阿尔泰语的影响。《刘知远》在金代写成，那时汉人和蒙古人还没有直接接触。这样看来，借给汉语这个区别的阿尔泰语不是女真语，就是契丹语，也可能是积累这两种语言的影响。

这种影响的方式是旧瓶装新酒。俺（＜我们）、咱（＜自家）语汇的原料是汉语本身的，至少大部分是如此。排除式和包括式这种语法范畴中的对立却是外来的。

现在再谈一个问题。本书 103 页注 8 说：

> 在某些北方方言里，可以在动物名词后边加们，甚至在植物以至非生物名词后边加们，还可以在指代词谁、这个、那个后边加们，详见杨耐思等《〔河北〕藁城方言里的"们"》（《中国语文》1958.6）；黄伯荣等《兰州方言概况》（《甘肃师范大学学报》1960.1）。

67 页指出，《老乞大》、《朴通事》里有动物名词后边用们表示复数的例子，如头口们、马们、驴骡们。66页指出，《刘知远》、《董西厢》里有这懑、那每；因为蒙古语没有他字，借用这字，元代对译蒙文的文件里就有这的每、那的每。《老乞大》、《朴通事》里有蒙古语法的成分在内，是大家公认的。同时我们知道阿尔泰语里的复数词尾是可以加在任何名词后边的。把这些事实放在一起看，我们可以说，把们字加在动物名词后面，把们字加在这个、那个、这、那、这的、那的后面等等，都表示汉语受了阿尔泰语的影响。

现在回来讨论门、们、懑尾的来源。波普先生(Poppe 1955：175—177)指出：1.共同蒙古语里的 *-n、*-s、*-d 这三个复数词尾在共同阿尔泰语已经有了。2.语根收 *i 尾，或者收以 *i 居末位的二合元音，加复数词尾时加 *-n。例如《蒙古秘史》里的 noqai "狗", noqan "狗们"；《华夷译语》里的 qulaɣai "贼", qulaɣan "贼们"；八思巴文 ėlč'i "信使", ėlč'in "信使们"；蒙文 moritai "骑士, 有马者", moritan "骑士们"。北宋时代宋辽对峙，华北一部分在契丹人控制之下，那里兼操汉语和契丹语的人相当多，他们把弭、伟、每看作收 i 尾的语词，于是再加上-n 尾，变成写作懑、门、们的复数词尾。因此，们字是个双料货的词尾，-n 属于阿尔泰语，məi 每的部分属于汉语，都表示复数。弭、伟表示的词素就是每表示的词素，时代比懑、门等早。

自家、自己　87页以下讨论代词语尾家以及加家的代词，包括谁家、我家、你家、他家、人家、自家。但是《指代词》没有讨论自己，也没有讨论上古的副词自字怎么会变成代词自己和自家，下面补充一些材料。

自己至晚在五代已经出现了(太田1958：14)。

(28) 自己尚似怨家。(《祖》4.15)
(29) 魔王自己欣欢。(《维摩诘》,《变》,621)
(30) 大王自己是万乘之尊。(《妙法》,《变》,493)

自家在中唐已经出现(94页)。《祖堂集》里自己比自家用得多,看来是自家跟自己的形成时代差不多。

自在上古是个副词,在动词前边出现。谁家、我家、你家、人家这些代词,家字前面的成分在上古都是名词性的代词。副词自字怎么会变成名词兼副词性质的自己和自家?吕先生(《读三国志》,《语文杂记》23)指出,从魏晋开始,自字用作领格代词。按着这个线索,我们又找到一些例句:

(31)〔张〕辽被甲持戟……大呼自名,冲垒入,至〔孙〕权麾下。(《三国志》卷一七《张辽传》)

(32)即自割髀肉秤之,令与鸽重等。鸽踰自重,自割如斯。(吴·康僧会译《六度集经》,《大正藏》卷三,1下)

(33)此子乃是我自身肉之所赎得。(北魏·佛陀扇多译《银色女经》,3.450中)

(34)送佛到于自境界已……归于本宫。(隋·阇那崛多译《佛本行集经》,3.664下)

(35)汝等人辈,慎莫放逸,随意所去,速诣父母及自眷属,还归本乡。 (又,3.881上)

(36)然后乃将菩萨归于自宫,于自宫中有一大殿。(唐·地婆诃罗译《方广大庄严经》,3.556上)

谁家、我家、你家、他家最初是"我的家"、"谁的家"等等,家字前面的代词用作领格(87页)。自字用作领格之后和这些代词用法平行。而且,自和他在南北朝、唐朝经常相对(8—9页),他字变作第二身代词以前常用作领格,意思是"别人的"。因此,自字用作领格后先产生自家,意思是"自己的家",然后当谁家、我家、你家、他家中的谁、我、你、他从领格用法变作非领格用法的时候(89页),自家的家也变成代词语尾。

现代汉语的自己可以复指近距离的名词,也可以复指远距离的名词,例如:

(37) 老张以为〔S 老王在骗自己〕。
(38) 老张以为〔S 老王上了〔NP 自己的当〕〕。

这两句都有歧义。(37)的自己可以指老王,这是近距离的、同一个子句里的名词;也可以指老张,这是远距离的、整个句子的名词主语。(38)的自己可以指老王,也可以指老张。英语可造不出同样含有歧义的句子。

(39a) John believes Tom is deceiving himself.
(39b) John believes Tom is deceiving him.

(39a)用 himself"他自己",这个语词只能指近距离的、在同一个子句里的 Tom;这句相当于"老张以为老王在骗(老王)自己"。(39b)用 him"他",可以指远距离的 John,或者 John 和 Tom 以外的第三者,就是不能指近距离的 Tom;这句相当于"老张以为老王在骗(老张)自己"。(38)译成英语,有两种说法。

(40a) John believes Tom has fallen into his trap.
(40b) John believes Tom has fallen into his own trap.

在乔姆斯基(N. Chomsky)的"支配和约束理论"(theory of government and binding)里,英语的指代词分成两类,一类是指代词(pronominal NP),如英语的你、我、他等,这种语词可以直接指示语言以外的人、物、事,也可以替代语言里面在前边已经提过的成分。另一类是纯粹代词(anaphor),要靠先行成分才能知道这种代词所指的是什么,例如 each other "彼此",反身代词 myself, ourselves, yourself, yourselves "我自己""我们自己""你自己""你们自己"等等。至于反身代词的用法,乔氏创立了一套非常复杂的理论,其中有界限理论(bounding theory)、支配理论(government theory)、约束理论(binding theory)等等,最近徐烈炯(1984)、赵世开(1986)都曾介绍乔氏的所谓"普遍语法"(universal grammar)。

乔氏的理论不太好懂,比较容易懂的部分是说英语的反身代词只能替代短距离的名词,用乔氏的术语要说:"纯粹代词在支配范畴内(如 S, NP)受约束"。按照我们初步的观察,汉语的自己可以替代近距离的名词,也可以替代远距离的名词,不受上面这条"约束原则"的约束。这里有很复杂的问题值得探讨,读者请参看徐、赵两位的文章以及他们所引的文章。

底 240—241 页说:"唐刘知几《史通》卷 17:'渠、们(伊?)、底、箇,江左彼此之词;乃、若、君、卿,中朝汝我之义。'……根据我们现在已经找到的资料,唐以前没有用底做指示代词的例子……。"

周法高先生《颜之推还冤记考证》(《中国语文论丛》,1963:333)指出,《还冤记》张祚条中有以下一段:

(41) 瓘后数见祚来,部从铠甲,举手指瓘云:"底奴要当截汝头。"

底作"这"、"此"解。颜之推(531—约 590 以后)世居金陵,先仕于梁,梁末归北齐。这句正是南朝末年江南底做指示词的例子。

102 页注 5 重申吕先生四十多年以前的意见,认为《史通》"渠、们"是"渠、伊"之误,理由是宋代以前没有们字。我赞成这种说法。有了吕、周两位的考证,刘知几这句话应该读作"渠、伊、底、箇,江左彼此之词",渠、伊是"彼",底、箇是"此"。

只没、没 298 页讨论只没时说:"此外还有单用'没'一个字的。"下面举了一个例子:

(42) 慈亲到没艰辛地,魂魄于时早已消。 (《大目连》,《变》,725)

蒋礼鸿先生(1981:369)也认为这句的"没"等于"只没",意思是"这么"、"如此"。这句解作"慈母到如此艰辛的境地"。

入矢义高(1959)在蒋书初版的书评里认为这句的"没"字读"陷没"的本义,不是虚字。因为只有上面的孤例,他还认为敦煌文献里根本没有单用"没"来表示"如此、这么"的例。我赞成入矢先生的说法。

《指代词》298页认为只没表示"这么"、"那么",301页注6又说:"只麼有时应该拆开来讲,只是'仅只'的意思,麼是'如此'、'这么'的意思。"蒋礼鸿先生(1981:370)也是这样讲。但是入矢义高先生(1974)认为唐代禅宗语录里的只没都应该拆开来讲,意思是"仅只如此",不是"这么"、"那么";后来受了与摩"那么"的影响,只没才在唐末变成"这么"的意思。《指代词》298—299页引作"这么"、"那么"讲的(43),以及《指代词》没有引的(44),入矢先生都把只没读作"仅只如此":

(43) 问:心定俱无,若为得道?答曰:道只没道,亦无若为道。问:既无"若为道",何处得"只没道"?答:今言"只没道",为有"若为道"。若无"若为","只没"亦不存。(《南阳和尚问答杂征义》,《刘澄集》,《史语所集刊》外编第四种14)

(44) 有一人高埠阜上立。有数人同伴路行。遥见高处人立,递相语言,"此人必失畜生"。有一人云"失伴"。有一人云"采风凉"。三人共诤不定。来至问埠上人"失畜生否?"答云"不失"。又问"失伴?"云"亦不失伴"。又问"采风凉否?"云"亦不采风凉"。"既总无,缘何高立埠上?"答"只没立"。(《历代法宝记》,柳田圣山编译《初期の禅史Ⅱ》,304)

从诠释的观点看,两种读法都可以。(44)的只没解作"仅只如此"好些,(43)的几个只没解作"这么"好些。从语言史的观点看,读作"这么"比较合理。1.《神会语录》、《历代法宝记》都有异没,意思是"那么",同时也有只没,只没的一种意思似乎应该是跟异没相对的"这么"。2.福州话的近指指示代词跟只字同音,例如"这个"说"只只","这些"说"只滴仔","这儿"说"只 nœ^{31}","这边"说"只边","这么"说"只 maŋ^{31}"(疑是敦煌文献里的"莽"字)(《汉语方言词汇》,410—414页)。这两项理由虽不能完全证明唐代只没也有"这么"的意思,我还是倾向这种看法。(43)这句应该按《指代词》的读法。

这　这字的语源一直是个谜。"這"字字形的来源我们知道是"適"字草体楷化的结果(《指代词》,244 页)。我们也知道在晚唐五代这个指示词写作"這"、"者"、"遮"(184 页)。至于这字的语源,过去有两种说法。

1. 王力先生(1958:284)认为是从上古近指词之来的,但没有解释上古之部中古之韵的之怎么会变成上古鱼部中古麻、马韵的遮、者、這。

2.《指代词》185 页说:"这这个语词的'本字'大概就是'者'字。"王力先生(1958:284)曾经提出一个问题:"但是,'者'字一向是被饰代词……,怎么能够忽然掉换了一个相反的位置,变为定语呢?"这个问题《指代词》似乎没有回答。

《指代词》241 页说明《世说新语》里的阿堵是个近指指代词:

(45) 明公何有壁间著阿堵辈。(《世说·雅量》;"阿堵辈",此指卫士)

(46) 王夷甫雅尚玄远,常嫉其妇贪浊,口未尝言"钱"字。妇欲试之,令婢以钱绕床不得行。夷甫晨起,见钱阁行,呼婢曰:"举却阿堵物!"(又,《规箴》)。

阿堵的堵字《广韵》一读当古切,一读章也切,后者和"者"同音。但阿堵是五世纪江南的语词,這、遮、者所代表的"这"字要到八世纪末才在北方方言里出现,相隔四世纪,中间不见痕迹。我赞成《指代词》240 页的说法,认为阿堵是"仅仅通行于某个历史时期或某一方域的近指指示代词",跟这字没有直接关系。至于《指代词》241 页所说的"宋元时代的阿底和兀底就是晋宋时代的阿堵",我觉得当中相差八世纪,没有其他文献的支持,也很难说是不是直系相承的同一个语词。

《指代词》300 页讨论"祗麼"、"只没"时说:"'只'、'祗'可能跟这有关系。"受了这句话的启示,底下打算提出一个假设:这的前身是只者。

1. 上面看到只没在《神会语录》、《历代法宝记》里可以读作"这么",只用作近指指示词;福州话现在还是用"只"字作近指词。蒋礼鸿先生(1981:369)指出,"只言知了尽悲伤"(《变》,774)里的只言是"这言"。后来写作"这"字的近指词最早的用例大概是底下一句,字写作赭:

(47) 赭回好好,更看去也。(《历代法宝记》,柳田本,129)。

其他在《敦煌变文集》、《祖堂集》等文献里出现的者、這、遮时代不会早过 800 年。神会(670—762)是盛唐人,石井本《敦煌出土神会语录》写卷尾有贞元八年(792)的题记,《历代法宝记》作于 780 年左右,只没在这两种写卷中出现,时代比写作者、這、遮的"这"字要早。

2. 这、那在北方从晚唐、五代开始就不能单用作为主语,一定要跟语尾个或底结合。依此类推,只没的只如果要扩充范围,变作一般性的可以用作主语的近指词,也需要跟一个语尾结合。

3. 这个语尾是者字。(i)宋代有这底、那底,再往上推,来源是*这者、*那者。更早此者、彼者、何者、谁者屡见不鲜。(ii)潮州话"这个"说"者者"ᶜtsia ᶜtsia(《汉语方言词汇》,410 页)。

按照这个假设,"仅只"义的只字,先和没字结合,形成只没,意思是"仅只如此",然后词义改变,成为"这么"。在只字意思变成"这"以后,再跟者字结合,形成双音节的近指代词只者。

下一步有两个可能,一个是只者产生合音词,还写作"者",有时也写作"這、赭、遮"。另一个可能是只者失落只字,剩下来的者字承继只者原有的意义。

如果这个假设可以成立,晚唐、五代的文献里应该有只者、只這意思跟这一样的例子。换句话说,只者的只像个赘加的成分。

(48) 师问安和尚:只这一片田地合着什么人好? 安和尚曰:好着个无相佛。(《祖》5.104)

(49) 头上缘何白发多,只这个是无常抛暗号。(《无常经》,《变》,667)

(48) 的只字说不出有什么意思,只这一片的结构很像遮个一场(《灯录》,19.13;《指代词》,199页)。(49)的只这个其实就是这个;《无常经讲经文》同卷有"那磨时"(《变》,667)、"只磨贪婪没尽期"(《变》,668),那磨、只磨的意思是"那么"、"这么";只这的只意思似乎也该是"这",但只这中已有这字,只字就像是个赘加成分。但是这两个例句中只这的只字,别的读者也许会解作"仅只、就是"。目前没有更明确的例证。因此,我们的说法只能算是一个没有证实的假设。

《指代词》卷首有吕叔湘先生的一帧近照,以及简要的履历,给这本书锦上添花。42页3—6行是引文,左边该空三格;在其他方面本书校对仔细,排印精良,一本旁征博引的讲语言学的书能做到几乎一字不错实在不容易。美中不足的是卷尾缺少索引。这本引征了大量白话资料,索引可以作为今后研究近代虚词史的基础,也可以使这本书用起来更方便。做索引的工作不该由作者负责,出版社似乎也可以出一些人力。此外这书由学林出版社出版,排的是三十字一行,商务印书馆出版的《语言学论丛》也是三十字一行。市面上常见的稿纸不是二十字一行,就是二十五字一行。如果有三十字一行的稿纸,跟出版社的版面配合,根据文稿就可以编索引,也许会增加编索引的效率。

附 注

① 指代词恁字的来源请参看梅祖麟1983b:46—47。

② 例如朱赫文188页引:

诸过去佛悉那中浴,是故现瑞应。(后汉·支娄迦谶译《文殊师利问菩萨署经》,《大正藏》卷一四,440下)朱赫先生认为此经确实是支娄迦谶所译,而且特别在注里指出,这句说明远指词那在后汉已经出现,比一般说的唐代要早五百年。我们不相信远指词那会在后汉出现一次,然后潜伏五百年。与其说这句证明远指那字早出,不如说此经是后人伪托,或者有后代窜入的成分。

③ 龚煌城(1980:484)举了几个上古汉语鱼部跟藏文元音对应的例:

汉语	*gwjag 于	*gwjag 芋	*gwag 户	*kwjak 攫	*gwjag 羽
藏文	'gro	gro-ma	sgo	'gog	'sgro

汉语"渠" *khwjiag 和藏文 kho、kho-ŋ 的音韵对应关系跟以上几个例平行,上古汉语的声母都是圆唇舌根音;于的意思是"去"。"渠"在藏文里有同源词,"吾"、"汝"、"渠"同属鱼部,时代相同,这些想法是罗杰瑞告诉我的。

④ 1983年北大同学刘一之写毕业论文时发现《刘知远》里排除式用俺,包括式用咱。后来我读到《汉语语法论文集》(增订本,1984)里《释您,俺,咱,喒,附论们字》(1940),才知道吕叔湘先生四十年以前已经发现了这件事实。刘一之的论文将在《语言学论丛》里发表。本文下面谈到《元代白话碑集录》、《老乞大》、《朴通事》、《琵琶记》等也区分排除式和包括式是根据她的论文。罗杰瑞1975年告诉我,汉语里排除式和包括式的区别,北方官话借自阿尔泰语,闽语借自某种东南亚语言;《语言学论丛》将发表我谈这个问题的一篇文章。

⑤ Benzing 1965:1055—57,♯126;Poppe 1965:192。锡伯语的例是根据罗杰瑞的记录。

参考文献

高名凯　1948:《汉语语法论》。

郭　朋　1983:《坛经校释》,北京,中华书局。

郭锡良　1980:《汉语第三人称代词的起源和发展》,《语言学论丛》6.64—93。

《汉语方言词汇》　1964,北大中国语文系教研室编。

胡明扬　1983:《关于北京话语音、语汇的五项调查》,《中国语言学报》1.82—90。

蒋礼鸿　1981:《敦煌变文字义通释》(增订本),上海古籍出版社。

李方桂　1980:《上古音研究》,北京,商务印书馆。
李永燧　1985:《汉语藏缅语人称代词探源》,《中国语言学报》2.271—287。
林　焘　1985:《北京话去声连读变调新探》,《中国语文》1985.99—104。
——1986:《北京话的范围》,Conference on Languages and Dialects of China, Oakland, California(中国语言和方言学术讨论会),待刊。
柳田圣山　1976:《初期の禅史Ⅱ—历代法宝记》(《禅の语录》3),东京,筑摩书房。
吕叔湘　1955:《汉语语法论文集》。
——1984a:《汉语语法论文集》(增订本)。
——1984b:《语文杂记》,上海,上海教育出版社。
梅祖麟　1983a:《跟见系字谐声的照三系字》,《中国语言学报》1.114—126。
——1983b:《敦煌变文里的"熠没"和"厾(举)"字》,《中国语文》1983.44—50。
入矢义高　1959:书评(蒋礼鸿《敦煌变文字义通释》),《中国文学报》11.175—180(日本,京都)。
——1974:《禅语つれづれ(三)·只没と与没》(《禅语随笔(三)·"只没"和"与没"》)《讲座禅》,月报,昭和49年(1974)3月,东京,筑摩书房。
太田辰夫　1958:《中国语历史文法》,东京,江南书院。
唐　钺　1926:《国故新探》,上海,商务印书馆。
王　力　1944—45:《中国语法理论》。
——1958:《汉语史稿》(中)。
徐烈炯　1984:《管辖和约束理论》,《国外语言学》,1984.2.1—5。
杨树达　1939:《高等国文法》。
俞　敏　1949:《汉语的"其"跟藏语的 gji》,《燕京学报》37.75—94。
詹秀慧　1973:《世说新语语法探究》,台北,学生书局。
章炳麟　1915:《新方言》,《章氏丛书》。
张　相　1954:《诗词曲语辞汇释》。
赵世开　1986:《语言结构中的虚范畴》,《中国语文》1986.24—30。
志村良治　1984:《中国中世语法史研究》,东京,三冬社。

周法高　1959:《中国古代语法(称代编)》,台北,史语所。
───　1963:《中国语文论丛》,台北,正中书局。

Benzing, J.　1955: Die Tungusischen Sprachen, Versuch einer vergleichenden Grammatik (Abhandlungen der Geiste-und Sozialwissentschaftlichen klass Jahrgang 1955, NR 11).

Cheng C. C.　1973: *Synchronic Mandarin phonology*.

Demiéville, P.　1950: Archaïsmes de prononciation en chinois vulgaire, *T'oung Pao* 40.1—50.

Gong, Hwang-cherng　1980: A comparative study of the Chinese, Tibetan, and Burmese vowel systems,《史语所集刊》,51.3.455—490。

Jesperson O.　1909—49: *A Modern English grammar on historical principles*.

Poppe, N.　1955: *Introduction to Mongolian studies*.
───　1965: *Introduction to Altaic linguistics*.

Stimson, H.　1971: More on Peking archaisms, *T'oung Pao* 58.172—189.

Wang, William S. Y.　1969: Competing changes as a cause of residue, *Language* 45.9—29.
───　1982:《语言变化的词汇透视》,《语言研究》(武汉),1982.2.34—48。

Zürcher, E.　1977: Late Han vernacular elements in the earliest Buddhist translations, *Journal of the Chinese Language Teacher's Association* 12.177—203.

唐、五代"这、那"不单用作主语

我们在《关于近代汉语指代词》(《中国语文》1986 年第 6 期)一文中曾经指出,唐朝、五代这、那不能单用作为主语。这就是说,现代的"这是我哥哥"、"那是什么",晚唐、五代要说"这个是某甲兄"、"那个是是没物"。吕叔湘先生的《近代汉语指代词》(下文简称《指代词》)221—227 页讨论直接称代时已经说明:

> 指物的这、那用作主语,也是作是字的主语的最常见,早期多带个,现代不带个字的较多。(223)
> 指事的这、那带个不带个的情形和指物的一样。(224)

底下想把这两段话的意思说得清楚一点。

第一,志村良治(1984:112—152)讨论早期这和那的用法,举了上百个这字的用例,三十多个那字的用例。单用这或那作为主语的只有以下五句,其中(1)、(2)、(4)、(5)在韵文里出现,(3)最早的是宋版,不能代表晚唐、五代的情况。

(1) 夏天将作衫,冬天将作被,冬夏递互用,长年祇这是。(寒山诗)
(2) 孔雀毛衣应者是。(齐己《对菊》)
(3) 這有四念,便见佛在虚空中住,言,善哉善哉。(《文殊帅利问善萨署经》,《大正藏》卷一四;這字宋元明三本及宫内省寮本作適。)
(4) 那是阎浮堤内,五天印土之中。(《难陁出家缘起》,《变》,400)
(5) 只那施为一分时,时时往往虚抛契。(《无常经讲经文》,《变》,

---

* 本文原载《中国语文》1987 年第 3 期。

晚唐时代,"只这个是"已经变成口头禅,《祖堂集》里屡见不鲜(2.14,2.122,2.149,3.63,4.26,4.90),但不用"只这是"。寒山和齐己都和禅师来往频繁,(1)、(2)的"祇这是"、"应者是"脱胎于"只这个是";《指代词》223 页也引了寒山诗的例。(3)是這字字形来源的出处,但没有宋代以前的版本。(4)出现于《难陁出家缘起》,同卷另有单用那字的例:"释迦如来亲弟,那是娍〔娍?〕母所生"(《变》,400)。这卷还有"见了师兄便入来"(《变》,396),整本《敦煌变文集》只有两句"动了宾",另一句是"拜了起居"(《唐太宗》,《变》,211),我们疑心《难陁出家缘起》晚出。

第二,《祖堂集》里面"这个是……"不胜枚举,"那个是……"也常见。去查《祖堂集索引》,没有＊"这是……"、＊"遮是……"、＊"者是……"、＊"那是……",也没有其他单用这、那作为主语的例。

《指代词》222—224 页说明,这个用作主语可以指人、指事、指物,底下各转引一句:

(6) 这个是某甲兄,欲投师出家,还得也无?(《祖》,1.175)
(7) 阿娘上树摘桃,树下多埋恶刺,刺他两脚成疮,这个是阿谁不是?(《舜子》,《变》,130)
(8) 头上缘何白发多?只这个是无常抛暗号。(《无常经》,《变》,667)

这种情形在北方延续到元朝。五代以后,除了这个、那个可以用作主语以外,还添了这的、那的、阿的,也是双音节的指代词。这、那还是不能单用作为主语。① 这在《老乞大谚解》、《朴通事谚解》里各出现一百多次,那字分别出现 57 次和 101 次,这、那都只用作定语,唯一的例外是"这不是烧子的甚么"(《朴》,301)。贯云石(1308)的情形和《老》、《朴》一样。《元刊杂剧三十种》里这字出现 856 次,用作定语 845 次,用作主语 11 次,其中曲词 10 次,宾白

1次,见于曲词。用作主语的这、那出现于《魔合罗》(9次)、《看财奴》(1次)、《汗衫记》(1次,白)、《贬夜郎》(1次),只是元刊杂剧三十种里的四种。这种情形在北方只是维持到元朝末年,到了明初,这、那也可以单用作为主语了。

这的、那的在元代用作主语的例子不胜枚举,底下《老》、《朴》里指事、指物、指地的各举一例:

(9) 你用心下功夫打。这的你不须说。(《朴》,35)
(10) 这的是真陕西地面里来的。(《朴》,131;这的指缎子)
(11) 那的有四个小车儿。(《朴》,29)

《老》、《朴》里指人的主语不用这的、那的,用这个、那个,例如"这个姓金"(《老》,27)。《指代词》66页说:"因为蒙古语没有他字,借用这字,元代对译蒙文的文件里这的每尤其常见,也有那的每。"下面就引了一句用作主语的例:

(12) 那的每这令旨听了已后骚扰呵……(《元碑》,32)

那的每指人。关汉卿《关大王单刀会》第二折有类似的用法:"这的每安排着筵宴不寻常。"《老》、《朴》不用这的(每)、那的(每)指人,可能是元初语言多受蒙古语影响和元末语言少受影响的差别。

这的、那的最早的用例是《指代词》227页引的这几句,(15)、(16)是我们添的。

(13) 师云:"遮底不生死。"(《灯录》,6.9)
(14) 老僧只管看这底。(《汾阳》,598a)
(15) 此是楼板、云内两寨接界处照证,这底且休,且未理会,此中更别有照据在。(沈括《乙卯入国奏请》;胡道静《梦溪笔谈校证》,48)
(16) 这底只是我怕你们不知,又怕皇帝位高职大后不记得也。(《绍兴甲寅通和录》,《三朝北盟会编》,卷一六二,10)
(17) 那底甚般礼道? 不成为新妻便把旧妻忘了?(《刘知远》,12)
(18) 那的是良工绝妙,厚薄相称,周旋无偏。(《太平》,9.38)

109

从元代再往上推,金代的《董西厢》、《刘知远》也是这、那只用作定语,不用作主语;主语用这底、那底、这个、那个。

以上说的是北方的情形。《朱子语类》(1170—1200)是南宋江南的产品,这部书里这底、那底、这、那都可以用作主语:

(19) 如真见得这底是我合为,则自有不可已者矣。(《语类》卷一八)

(20) 那底在人,工夫却在致中和。(又,卷二六)

(21) 这是说天地无心处。(《辑略》,3)

(22) 那是做人的样子。(《语类》卷七)

北宋的情形不太清楚,我们猜想也是这、那不能单用作主语。

因此,这、那的用法也许可以这么样说:这、那两个指代词在唐代产生以后,一直只能用作定语,不能用作主语,这是这、那和彼、此很大的一个差别。要用指代词作为主语的时候,晚唐五代用这个、那个。后来在宋代产生这底、那底,也可以用作主语。这种情形在北方一直维持到元末。在江南变化发生得较早,在《朱子语类》里这、那已经可以用作主语。明初以后,北方官话和南方官话这、那都可以用作主语,这就是《指代词》(223页)所说的"现代不带个字的较多"。

现代汉语方言里面,广东话和客家话还是不能用单音节的近指词或远指词作为主语——虽然所用的指代词不是这、那。广州话、梅县话都用俚个、个个(《汉语方言词汇》,410页),这种不单用指代词作为主语的语法规律是继承唐代北方方言的遗风。

《指代词》199页举了三个很有意思的例句:

(23) 遮个一场狼藉不是小事。(《灯录》,19.13;《云门语录》552a作"这个是一场狼藉不少也")

(24) 三人同行,一人解语,一人不解语,那个一人是什么?(《洞山》,517b)

(25) 三十六路,阿那个一路最妙?(《灯录》,20.12)

198页说:这个、那个的个字"与其说是量词(即"一个"、"两个"的"个"),不如说是性质更近于一个语尾"。这三个例子说明,个字和遮、那、阿那粘得很紧,个是个语尾,功用是把这、那变作复音词,这样才能用作主语。因为粘得紧,这个、那个也在一字前面出现。《老乞大》里有类似的现象:

(26) 这的三个藁荐与你铺。(277)
(27) 这的一百个钱。(296)
(28) 这的五分银子。(303)
(29) 我这一百零五两,该多少牙税钱?(319)
(30) 这三个火伴,两个是买马的客人。(312)
(31) 这一张弓为甚么不桦了?(328)

因为这的是熟语,在"数词+量词"前面,用这也行,用这的也行。

附 注

① 这、那在晚唐、五代不能单用作主语这个看法是北大研究生叶友文1983年最初提出来的。这、那在《老乞大》、《朴通事》里不能单用作主语是杨联陞先生(1957)发现的。我有一篇文章(1984)讨论元代的情形,请参看。

参考文献

梅祖麟　1984:《从语言史看几本元杂剧宾白的写作时期》,《语言学论丛》13.111—153。

杨联陞　1957:《〈老乞大〉〈朴通事〉里的语法语汇》,《史语所集刊》29 197—208。

志村良治　1984:《中国中世语法史研究》,东京,二冬社。

《汉语方言词汇》　1964,北京大学中文系语言学教研室编。

词尾"底"、"的"的来源[*]

本文认为"底"的来源是"之",不是"者",于是要解释为什么介词"之"字只能用在语中,变成"底"后却既能用在语中(如"饮水吃草底汉"),又能用在语末(如"问底")。

音韵部分说明"之"字文读保存-j-介音仍旧是"之",白读失落-j-而变成"底";同时也说明"者"字不能变作"底"。

语法部份说明产生"底"字语末用法的两条途径。(1)由于汉代〔名+数+量〕>〔数+量+名〕这个语序变化,先秦的〔S+VO者〕就变成〔VO者+S〕(如"定殷者将吏")。此后又产生了〔V者O〕、〔N者N〕$_N$这两种结构。在这三种结构中,"之"、"者"可以互易。"之"变成"底"以后,"底"、"者"继续在语中的位置互易。受了"者"字语末用法的沾染,"底"字也逐渐能用在语末。(2)从南北朝末年开始,出现了一种新兴的结构〔重词组+之者〕。本文假设〔之者>底者>底底>底〕,结果使〔动词组+之者〕变成〔动词组+底〕。

研究汉语音韵学,不仅是研究它的语音情形,我想与语法这门学问也有相当的关系。……例如我们普通常用的语助词"的",是怎么样来的? 从前是什么音,后来又是什么音? 还有我们常用的人称代名词"你",是怎么来的? 我们知道,"你"的古字是"尔"字,"的"的古字是"之"字。……这种字往往是语助字或人称代名词,在许多语言里例如英语或国语时常读成轻声字。那么,是不是这些轻声字在古代就有,而到现在演变不同,所以使"尔"变成"你",

---

[*] 本文原载《中央研究院历史研究所集刊》第五十九本第一分,1988年。

"之"变成"的"这类情形？如果是这样,我们必需能找到相当一定的规矩来,说明为什么这样演变的。可能这种规矩不仅只是一个时期可用。譬如说可用于上古到中古,也同样可以用在中古到现代这个时期。依我现在想像这类字是从前三等字有个-j-,在轻读时-j-丢掉了,所以在读"尔"字时,没有了-j-就变成"你";读"之"字时,没有了-j-就变成了"的"。这种想法,我想值得诸位更进一步去作成系统的研究。

——李方桂——

以上是李方桂先生1974年在史语所演讲里的一段话,[1]对我非常有启发性。这段话意思非常简单,一说就能懂,而且把语法和音韵联在一起看。我以前找吴语"吃仔饭哉"的"仔"字的语源(Mei 1979),就发现"著"字在吴语、官话里音韵演变的时间层次不同,用法也不同。似乎一个语助词在音韵走上了另一条轨道,用法往往也会产生演变。"之"变成"的"可能是这类演变的另一个实例。这种想法在心里存了若干年,现在写出一些初步的意见,来纪念李先生。

一 引 言

词尾"底"字在晚唐、五代出现。这时期有两种用法,一种用在以名词为中心语的名词性结构的中间部分,例如《祖堂集》[2](952年序)里的:

(甲) 不安底上座(2.54)　咋来底后生(1.152)　德山落底头(2.34)　饮水吃草底汉(4.111)

另一种用在名词性结构的末位,例如同书里的:

(乙) 汝底与阿谁去也?(2.10)　背后底是什摩?(1.171)

觅一个痴钝底不可得。(4.107) 即今问底在阿那个头?(5.34) 只解寻得有纵迹底。(2.120)

现代汉语的词尾"的"字和晚唐的"底"一样,也是既可以用在名词性结构的中间部分,又可以用在末位。十三世纪"的"字替代"底"字,这就是词尾"的"字的来源。

至于词尾"底"字的来源,以前有三种看法。(一)"底"字的来源一部分是"之",一部分是"者"。章炳麟在《新方言》(1915)里说:"今人言'底'言'的',凡有三义:在语中者,'的'即'之'字;在语末者,若有所指,如云'冷的、热的','的'即'者'字……"(《章氏丛书》(1917—1919),17a)。章氏所说的"语中者"是上面的(甲)类,"语末者"是(乙)类。③(二)吕叔湘在《论底、地之辨及底字的由来》(1943)里认为,语中和语末的"底"来源都是"者"字。主要理由是"底"、"的"可以在语中和语末出现,介词"之"字只可以在语中出现,"者"字从汉代开始在语中和语末都可以出现。例如《史记》、《汉书》里就有语中用"者"的例:

> 农家者流。(《汉书·艺文志》)
> 项王怒,将诛定殷者将士。(《史记·陈丞相世家》)
> 何太子之遭往而不返者竖子也?(又,《刺客列传·荆轲》)
> 因厚币用事者臣靳尚。(又,《屈原传》)

吕先生这篇文章很有影响。④本文节录,附在篇末。(三)语中和语末的"底",来源都是"之"字。⑤王力在《汉语史稿》(中)(1958)320—321页先从音韵的角度说明"底"是从"之"变来的:

> 一向大家都认为"底"字是从"之"字来的。这是可以相信的。"之"字的上古音是 $ţiə$,后来在文言中的演变情形是 $ţiə > tɕiə > tɕi > tʂɿ$。在白话里的演变情形是 $ţiə > ti$。这样就构成一种骈词:"之"和"底"并存。

接着举了几个宋代语末用"底"的例,然后又说:

有些学者以为这种"底"(的)字是从"者"字来的。这种说法遭遇三重困难:第一、"者"字在上古音属鱼部,在中古属麻韵上声,它怎样演变成"底"〔ti〕音,很难得到一个满意的解释;第二、"底"(的)字显然是形容词的词尾和定语的语尾,"冷的水"和"冷的"里面的"的"显然是同一性质的,说成两个来源,很难有说服的力量;第三、人称代词后面的"底"(的),如"你底"(你的)、"谁底"(谁的),并不能译成古文的"汝者"、"谁者"等。我们以为这种"底"(的)字仍旧是来自古代的"之"字。由于发展的结果,它由介词变为词尾;最后这些带词尾"底"(的)的形容词和定语都可以名物化。

以前的争论说明,"底"字来源的症结在于音韵和语法之间的矛盾。就音韵来说,中古"底"字的主要元音是个高的 i 或中的 e,"之"字上古主要元音是 ə,变成"底"比较容易解释。"者"字上古主要元音是 a,不太可能变成"底"。但是从"之"、"者"、"底"的出现范围来看,"底"来自"者"这种说法又颇有吸引力。

		名__名(表领属)	动—名_名	形__	动—名__
之	先秦	秦人之弟(《孟》)⑥	执戟之士(《孟》)		
者	先秦			老者	始作俑者(《孟》)
者	汉代		定殷者将吏(《史》)	老者	窃钩者(《史》)
底	唐宋	我底学问(《陆语》)	吃草底汉(《祖》)	老底	有纵迹底(《祖》)

先秦"之"、"者"出现范围互补,"底"是这两种范围的总合。汉代"者"字范围扩大,比"之"字更像唐宋时代"底"字的用法,于是有些学者认为"底"的来源全部或有一部分是"者"。

上面的比较也大致可以说明"底(的)"和"之"、"者"在语法方面的异同。( )我们管"底(的)"叫名词词尾,意思是说"底"是个造成名词性结构的词尾,不是说"底"只能加在名词后面。在目前讨论的范围中,〔X 底 N〕是个名词性结构,〔X 底 N〕里的〔X 底〕也是个可以独用的(free)名词性结构;〔X 底〕和〔N〕这两个成分之间的关系是同位修饰。⑦(二)〔X 者 N〕里的〔X 者〕也是个可以独用的名词性结构;〔X 者〕和〔N〕之间的关系也是同位修饰。〔X 者〕、〔X 者 N〕的语法基本上和〔X 底〕、〔X 底 N〕相同。(三)〔X 之 N〕是个名词性结构。〔X 之 N〕里的〔X 之〕只能连用(bound),不能独用。"之"不是个词尾。用传统的术语来说,"之"是个介词,"底(的)"不是介词。(四)因为〔X 者〕、〔X 底〕都是可以独用的名词性结构,所以"者"和"底"都可以用在语末。"者"和"底"也可以用在语中,造成〔〔X 底〕$_N$N〕或〔〔X 者〕$_N$N〕这样的结构。因为"之"字是介词,所以只能出现于语中〔X ＿ N〕这样的空档。

另一方面,从"之"、"者"演变到"底",汉语名词组中的修饰关系产生了个结构变化。唐以前属于古老形式,唐以后属于近代形式,隋唐、五代是过渡时期。差别在于:(一)古代"之"、"者"分工,近代合并为"底(的)",(二)古代的介词"之"被近代的词尾"底"替代。我们探讨"底"字的来源,也不得不注意这个划时代演变的前因后果。

本文重新讨论"底"字的来源,主要是因为从音韵史的角度去看,"底"只可能是从"之"变来的,但这结论以往一直没有贯彻到语法史的论证。文分六节,除了第一节《引言》、第六节《结语》以外,第二节说明词尾"底"字在八、九世纪出现,最早的例子多半用在语中。第三节说明(甲)从"之"到"底"的音韵演变是:"之" *tjəg＞tjei＞tɛi＞"底"tei。(乙)四等字"底"中古没有-i-介音。(丙)从晚唐五代的藏译汉音和当时白话文献里的异文别字来看,"者"变成"底"不太可能。第四节说明"定殷者将吏"(《史记》)这种结构的来源,并且指出,在这种和其他结构里"之"、"者"可以互易,是后来"底"字语末用法的来源之一。第五节说明,"堕水溺死之者"(北魏译《贤愚经》,《大正藏》,IV, 422 中)这样的结构,通过〔之者＞底者＞底底＞底〕的程序,会变成"堕水溺死底"。这是"底"字语末用法的第二个来源。

二 出现年代

以下两例,太田辰夫(1958:354)引过:

> 定知帏帽底,仪容似大哥。(张鷟(660?—740?)《朝野佥载》卷四,《太平广记》卷二五四引)
>
> 崔湜之为中书令,河东公张嘉贞为舍人,湜轻之,常呼"张底"……〔湜〕谓同官曰:"知无?张底乃我辈一般人,此终是其坐处。"湜死十余载,河东公竟为中书焉。(刘𫗧《隋唐嘉话》下)

刘𫗧是史学家刘知几的儿子,所记张嘉贞(666—729)任中书事当在 720 年以后,崔湜(670—712)死后十余年。但《隋唐嘉话》的版本流传尚有可疑之处。《朝野佥载》主要是记载武后一朝昏暗事迹,当作在武后朝(684—705)之后。这书今不传,六卷本全据明代谈刻本的《太平广记》辑录。⑧ 这两本书的资料不尽可靠,而且只有两个用例。至于高名凯(1944,1948)用晚唐禅宗语来考订词尾"底"的出现年代,可惜他所用的《大正藏》的版本,是根据十六、七世纪的刊本(太田辰夫 1958:410;入矢义高 1951),不足为凭。所以下面要用敦煌文献和《祖堂集》再来考察词尾"底"的出现年代。

《敦煌变文集》(下面简称《变》)词尾"底"字凡 12 见,⑨ 9 次用在语中:

> 大将军后底火来,如何勉(免)死?(《李陵》,《变》,86)
> 烧却前头草,后底火来他自定。前头火着,后底火灭。(同上,86)
> 佛把诸人修底川(行),校量多少唱看看。(《妙法莲华经》,502)
> 相劝直论好底事。(《无常经》,660)
> 欲说当本修佂(低=底)因。(《目连》,759)
> 解说昨夜见底光。(《频婆娑罗》,768)
> 汝等昨夜见底光。(同上,769)

为说前生修底因。(《丑女缘起》,800)

3次用在语末,都在同一篇出现:

弟(第)一昱(旦)道上头底(底),弟二东头底,弟三更道西头底。(《不知名变文》,817)

这七篇变文,抄写年代可考的只有《频婆娑罗王后……因缘变》,篇末题"维大周广顺叁年癸丑岁(953)……法保自手写记"。此外《目连变文》虽然抄写年代不可考,同性质的《大目乾连冥间救母变文并图一卷并序》(《变》,714—744)是在924年抄写的。

至于敦煌变文的写作时代,王重民先生(1982(1957):304—305)说得最好:

敦煌所出变文绝大多数都是九世纪中间的作品,如《维摩诘经》、《添品妙法莲华经》、《弥勒上生经》等讲经文,《王昭君》、《王陵》、《季布》、《燕子赋》等变文,我疑猜都是第九世纪上半叶的作品;其他有事迹可考者,如《张义潮》、《张淮深》等变文,则均作于第九世纪下半叶。此外,根据写本年月和使用年月,还有许多是作于第十世纪上半叶,但这时候,话本已经产生,对话体的合生已较盛行,变文已经进入衰微时期。

另外还有几种年代可考的晚唐白话文献:

胡适校,敦煌唐写本《神会和尚遗集》(这书378页、412页胡适先生说明石井本钞在贞元七、八年(791—792),神会(670—762)死后三十年)。

敦煌本《六祖坛经》(斯5475),一般认为作于780—800年间。

敦煌本《历代法宝记》(伯2125,伯3715,斯516,斯1611等),作于780年左右,有柳田圣山(1976)的合校本。

圆仁《入唐求法巡礼行记》(收入《大日本佛教全书》,《游方传丛书》;圆仁(794—864)在中国的时间是838—847年)。

以上四种都没有词尾"底"字。

《祖堂集》里词尾"底"字出现245次。如第一节的引例所示,

语中的和语末的两种都有。曹广顺(1986:194)做过比较详细的分析,结论如下:

《祖堂集》中四类"底(地)"字结构里,除 D 类〔副词+底(地)〕外,A、B、C 三类在构成体词性结构时,应有下列六种格式:

    A. 名+底+名   A′. 名+底
    B. 形+底+名   B′. 形+底
    C. 动+底+名   C′. 动+底

但从上面的描写中可以看到,实际出现的只有 A′、B′、C′、C 和一例 B。用例中 C 和 C′最多,B′其次(四十余例),A′不足十分之一。这种情况表明,《祖堂集》中"底(地)"字结构的结构类型尚不完备,各类的使用频率差别很大。

《祖堂集》的序写在南唐保大十年(952)。但英国的亚瑟·韦理(Waley,1968)曾经指出,书中"慧忠国师"的传里有宋代的资料:"禅师曰:广南漕溪山有一善知识,唤作六祖,广六百众,你去那里出家。"(1.114)"广南"是宋路名,淳化(990—995)间置,"广六百众"和"三处住持三十来年,匡(匡)八百众矣"(3.38)末句相似,"匡"是"匡正"的意思。不用"匡"用"广"是避宋太祖赵匡胤的讳,因此"慧忠国师"那段至早作于十世纪末。《祖堂集》基本是禅宗南法的传法系谱,书中若干著名的禅师如临济义玄(?—866)、洞山良价(807—869)、曹山本寂(840—901)、云峰义存(822—908)、云门文偃(864—949)都是九、十世纪的人。因此我们认为《祖堂集》是根据九、十世纪原有的资料,陆续编成,在 952 年写成序以后,还添入一些晚出的资料。

综上所述,词尾"底"字可能八世纪已经在文字记载中出现,九世纪肯定已出现,十世纪激趋普遍。

另外还有两点值得注意。第一、无论从写成经过来看,或是从词尾"底"字的出现频率来看,敦煌变文的写作年代(800—950)要比《祖堂集》(850—1000)早半个世纪以上。换句话说,敦煌变文代表"底"字的萌芽时期,《祖堂集》代表成长时期。

第二、在这萌芽时期,绝大多数的"底"字用在语中,共 9 次,在七篇中出现。至于用在语末的"底"字,连《朝野金载》、《隋唐嘉话》也算上,只在三篇中出现,共 6 次。而用在语中〔(S)V 底 O〕型的"诸人修底行"、"昨夜见底光"等,译成文言,当作"诸人修之行"、"昨夜见之光"。译成"诸人修者行"、"昨夜见者光"固然也行,但颇勉强,而且晚唐以前〔(S)V 者 O〕的用例不多(见下)。就是〔Adj.(形容词)底 N〕型的"后底火"、"好底事"等,文言也应该作"后之火"、"好之事"。[10]从这个角度去看,也可知"之"字先变成"底"字,用在语中,然后蔓延到"者"字语末的位置。[11]

三 音韵演变

"之"字止而切,中古照三之韵,上古之部。"者"字章也切,中古照三麻韵上声,上古鱼部。"底"字都礼切,中古齐韵上声,上古脂部。这节要说明,"之"字在中古能变成和"底"字声韵俱同的字,"者"字不能。论证主要是用李方桂先生《上古音研究》(1971a)的拟音。李先生的系统当然也是一家之言,不免会起争论,我们下面也会稍加修改。但是各家拟音异中有同的地方在于:"者"字从上古到晚唐一直是低的主要元音 a,"之"和"底"主要元音一直都不是 a。所以从纯音韵的角度来看,"者"变成"底",或"者"、"之"合流的可能性很小。

		上古	两汉	魏晋	南北朝	隋唐
之		tjəg	tjəg	tjəi	tjɛi	tśi → tɛi
底	本文	til			tei	tei
	李氏	tid	tiəd	tiəi	tiei	tiei
者		tjiag	tjiaï	tjia	tja	tja

（一）"之"的音韵演变

（甲）甲骨文"止"字作ᕙ，"之"字一种写法作ᕑ，是"止"下加"一"（陈梦家 1956:98）。这两个字形常常通用，在甲骨文里"止"、"之"作声符或偏旁也互相通假。"寺"字金文"止"声；"特"字"寺"声，之部入声。跟入声-k 同声符的阴声字（包括"之"字）上古有-g尾。（乙）李方桂先生（Li Fang-kuei, 1971b）指出，贵州独山的台语-k尾变成不圆唇后高韵尾-ï，进而推论汉语也有类似的演变 *-g＞-ï。例如"硋"（碍）*ngəg 跟藏文'gegs-pa 同源（龚煌城 Gong 1980:476），而"硋"字的声符"亥"*gəg 字又是十二地支之一，借入台语后在台语方言中的变化可以说明"亥"字韵尾在汉语里的演变是-g＞-ï＞-i(Li Fang-kuei 1971b:198；丁邦新 1979:730)：

亥 *gəg＞*gəï＞共同台语 *gaï—Dioi kaeu(= kai)
　　　　　　　　　　　　　　　　　　Lü kai
　　　　　　　　　　　　　　　　　　Ahom keu

据此，"之"字的韵母-əg 也是在魏晋时代变成-əï（Ting Pang-hsin 1975:238）。（丙）以后"之"字的主要元音向前移-jəï＞-jəi＞-jɛi，当tj-颚化变 tśj-后，"之"就变成 tśï。

（二）"底"的中古音

"底"是四等字，中古荠韵，等于齐韵上声，按照李方桂先生的系统，"底"字中古音拟作 tiei。这样一来，要解释"之"字怎样变成"底"字，就需要假设南北朝"之"tjɛi 字里的-j-变成-i-。但是这种颚化-j-＞非颚化-ɪ-的音变实在找不出平行的例，正好李荣先生（1956:111—113）早就说过中古一、二、四等全没有前颚介音，三等字有前颚介音。接着他又补充了一点证据来说明中古四等字的主要元音是 e(114—115)：

法显到地婆诃罗梵文字母"e"的对音如下：

东晋法显(417年)　　　　　咽(乌前、乌见二反)
北凉昙无谶(414—421年)　　䐃(《集韵》咽或作䐃)
刘宋慧严等(424—432?年)　䐃
梁僧伽婆罗(518年)　　　　䃅(乌鸡、於计二反)
隋阇那崛多(587—591年)　　䐃
唐玄应(649?年)　　　　　　鷖(乌鸡反,原注乌奚反)
唐地婆诃罗(683年)　　　　 翳(乌鸡、於计二反)

括弧中反语除引《集韵》跟"原注"外,全据宋跋本。他们全用四等字去对梵文字母"e"。《大唐西域记》卷三"阿缚卢枳低湿伐罗菩萨像"注云:"唐言观自在。合字连声,梵语如上。分文散音,即阿缚卢枳多,译曰观;伊湿伐罗,译曰自在。"(原注:《大正藏》卷五十一,883)阿缚卢枳多是 avalokita,伊湿伐罗是 iśvara,合字连声 ta+i=te,用低字去对,低字当嵇反,是四等字。从法显(417)到地婆诃罗(683)二百六十多年当中,译梵文字母的人一直用四等字对"e",《西域记》注又特别说明"多 ta+伊 i=低 te",这证据是强有力的。每一种韵尾都只有一类四等韵:

摄	韵尾	四声 平上去入	摄	韵尾	四声 平上去入
蟹	i	齐荠霁	山	n	先铣霰
效	u	萧篠啸		t	屑
咸	m	添忝㮇	梗	ŋ	青迥径
	p	帖		k	锡

这些韵跟声母配合的情形又是相同的,可以说它们的主要元音全是[e]。据此,"底"的中古音是 tei。上引文特别说明"低"字对梵文 te。"低"齐韵,"底"荠韵,韵母相同,声调不同。这也可以说明"底"字中古没有-i-介音,音值是 tei。

(三)"底"的上古音和演变

(甲)"底"字上古脂部,李方桂先生拟作 *tidx,在这个系统里韵的演变是 *-id>-bəd>-iəi>-iei(Ting Pang-hsin 1975:240)。我们既然取消了中古四等字的-i-介音,就需要假设 *-id>-ei,也就是主要元音从高的 *i 变成中的 e(Baxter 1977:379)。正好脂、真、佳、耕这四个以 i 为主要元音的韵部,都没有一等韵,所以李氏系统中 *-iX＞-ieY 的演变,重新写作 **-iX＞-eY 即可。(乙)李氏系统里,*-id 的 *-d 元音化就变成-i。"底"、"低"的同源词是藏文 mthil "bottom, lowest part",缅文 mre A＜ *mliy "earth, ground, soil"(龚煌城 Gong 1980:470),按着藏文的线索,我们暂且把"底"的上古音拟作 **til。-d 和-l 发音部位都在舌尖。*-d＞-i 说得通,**-l＞-i 也说得通。所以我们认为"底"字从上古到中古的演变是 **til＞tei。

(四)从"之"到"底"

"之"字南北朝读 tjɛi,失落-j-介音,舌尖音声母不颚化,tjɛi＞tɛi 后就和"底"tei 字合流。这类失落-j-介音而产生文白两读的现象常见,下面根据前人的研究(丁声树 1935:996;戴密微 Demiéville 1950;周法高 1953;司徒修 Stimson 1971;吕叔湘 1985),略举几个实例,论证请看附录二。

(1) 尔 *njir(?)＞njiě＞ńźjiě＞ěr
    你(儞)njiě＞niě＞nǐ
(2) 尔 njiě＞ěr
    聻(呢)njiě＞ni＞.nə
(3) 若 *njak＞ńźjak＞ruò
    那 *njag＞nja＞nâ＞nà
(4) 若(箬) *njak＞ńźjak＞ruò
    哪 nja＞nâ＞nǎ
(5) 却 klıjak＞ch'üeh
    可 khja＞khâ＞k'ǒ
(6) *pjət(弗)＞fət(广州),fu(北平)——字写作"弗"
    *pjət(弗)＞pət＞pɐt(广州),pu(北平)——字写作"不"
    *pjəg(不)＞pjəu(不)＞fau(广州),fou(北平)——字写作

123

"否"

(7) 是物～是勿～是没～什摩～甚麽

mjuət(物)＞vət＞wù

mjuət＞muət(没莫勃切)＞? muâ 摩莫婆切

(8) 未 *mjəd＞mjwěi＞vei＞wèi

mjwěi＞muei 没《集韵》,莫佩切＞méi

以上文白异读的例有几点值得注意。第一,保存-j-或失落-j-都同时影响声母和韵母的演变。在声母方面,-j-介音使声母颚化,或者使重唇变成轻唇(pj-＞f-, mj-＞v-);失落-j-介音,声母就保存原状。在韵母方面,有-j-无-j-表现在元音的不同。第二,(1)"尔/你"、(2)"尔/聻"、(3)"若/那"、(4)"若/哪"、(7)"是物/是没"这五项演变都发生在五世纪到九世纪之间,和"之"到"底"的演变同时。第三,这些例子都只牵涉到失落-j-介音,而据我们目前所知,-j-换成-i-的实例一个也没有。如果"底"字中古音拟作 tiei,我们不得不假设"之" tjei 字中的-j-会换成-i-。这也就是我们采取李荣先生四等字无-i-介音之说的原因。

综上所述,"之"字变成"底"字的过程是:

之 *tjəg＞tjei＞tɛi＞底 tei

现在再看"之"、"者"之间的音韵关系。

第一,罗常培先生(1933)用四种晚唐五代藏译汉音的资料来推测当时的西北方音,20 页的藏音选录如下:

	之	者	诸	也	持
《大乘中宗见解》	ci, tsi	ja	cu, 'cu	ya, ts'ya	c'i
《阿弥陀经》	ci	ca	ci	—	ji
《金刚经》	ci	ca	ci	ya	ji
中古音	tśi	tśja	tśjwo	jia	ḋi
反切	止而	章也	章鱼	羊者	直之
声韵类别	照三之韵	照三麻韵	照三鱼韵	喻四麻韵	澄母之韵

很明显的,之韵"之"、"持"两字藏译元音是 i,麻韵"者"、"也"两字元音是 a,绝不相混。只有鱼韵才可能和之韵相混。

第二,邵荣芬(1963)给敦煌俗文学里的异文别字作了全面的分析。邵先生关于阴声韵结论的小目如下(202—207 页):(1)止摄各韵不分,(2)鱼虞一部分字不分,(3)鱼虞和止摄各韵相混,(4)止摄和齐韵的关系,(5)霁、祭不分,(6)哈灰和泰相混,(7)皆和佳的关系,(8)佳和麻二等混,(9)尤幽不分,尤韵唇音并入虞韵,(10)宵萧的关系。

"者"字麻三,"之"字止摄之韵。邵文罗列了种种阴声韵相混的现象,从上面引的小目,可知其中没有麻三和之韵相混的例,也没有麻三和止摄相混的例。为了清楚起见,下面再转录邵文(203—204 页)中所有"之"、"者"异文别字的例。"者"字根本无例,"之"字如下:

本字　　知　　之　　之　　至　　之　　诸
别字　　之　　支　　知　　之　　诸　　之[12]

"知/之"、"之/支"等前四项是上引小目中第(1)条止摄各韵不分的例,后两项是第(3)条鱼、虞和止摄各韵相混的例。"之"写作"诸"、"诸"写作"之"都是之鱼相混,正好和藏译汉音中"之"、"诸"藏音都作 ci 的现象互相印证。

第三,观察《六祖坛经》里的异文别字也可以得到同样的结论。邵文用的是敦煌俗文学的资料,以《敦煌变文集》为主,不包括早期禅宗文献。《六祖坛经》最古的两本,一是敦煌本斯坦因 5475,一是以北宋写本为根据的日本兴圣寺的刻本。下面用杨普而斯基(Yampolsky, 1967)的合校本来作比较,主本是敦煌写本,圆括弧里是兴圣寺的异文,方括弧是意校,圆括号里的数目字是指杨氏合校本的页数。

  知支＝之之 灯是光知(之)体(6) 恶知〔之〕与善(11) 邪见之人摩〔魔〕

  在舍,正见知(之)人佛则过(28)

  之之＝知支 吾问(闻)即之(知)(21) 即之(知)大师不永住世(25)

  诸鱼＝之之 大师灭度诸(之)日(29)

  诸鱼＝知支 善诸(知)识(7) 令诸(知)蜜(密)意(30)

以上是《坛经》里"之"字所有的异文别字。《坛经》和其他敦煌文献一样,鱼、虞和止摄各韵相混,除了"之"、"知"、"诸"相混以外,"衣"、"依"、"於"相混,"起"、"去"相混也是属于这型;此外就是止摄各韵不分。但是《坛经》里没有"者"字或其他麻三字和止摄或齐韵相混的例。

  我们用了三宗不同的资料,发现唐代西北方言和本题有关的特征是:止摄各韵不分,鱼、虞和止摄各韵相混,麻三和止摄互不相混,麻三和("底"字所属的)齐荠霁韵互不相混。从1943年吕先生提出"者"变成"底"的假设以来,似乎没有人能举出任何一个音韵上平行的例。因此,我们认为以下两种以前考虑过的演变都不太可能:

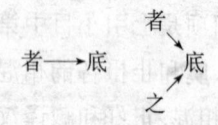

$$\text{者} \longrightarrow \text{底} \qquad \text{者} \searrow\\ \text{之} \nearrow \text{底}$$

  最后应该提一下声调问题。以前有人说过(吕叔湘1943),"底"和"者"都是上声字,"之"是平声字,上声字容易变成上声字,平声字较难。这种说法值得商榷。第一,作为词尾,写作"底"字的语助词最初是什么声调很难确定,"的"字读作去声可能是元明时代的事。[⑬]第二,写作上声"底"字的词尾在敦煌文献也写作平声"低"字。"欲说当本修伍因"(《目连变文》,《变》,759)和"为说前生修底因"(《丑女缘起》,《变》,800)后三字相似,可知"伍"是"低",和"底"字表示同一个词尾。用"低"、"之"同是平声来推断"低"的前身是"之"缺乏说服力,用"者"、"底"同是上声来推断"底"的前身是"者"也缺乏说服力。总之,"之"、"底"不同调这件事实不足以摇动词尾"底"字来自"之"字这个结论。

四 〔动词组+者+名词〕由来和流变

先秦如果要用动词性谓语来修饰主语,一种方式是在谓语后面加"者"使它名词化,然后放在主语后面,例如:

臣弑其君者有之,子弑其父者有之。(《孟·滕文公下》)
南门之外有黄犊食苗道左者。(《礼记·檀弓下》)
原(源)浊者流不清。(《墨·修身》)

先秦〔〔S〕〔VP者〕〕这种名词组一般只出现在句首或句末,而且S和VP本身的结构也比较简单。到了汉代,〔S+VP者〕在句首、句中、句末都可以出现,而且S和VP的内部结构也变得比较复杂,例如《史记》里就有以下的句子(宋绍年 1983:165;何乐士 1985:11—14;杨树达 1954(1928)):

〔〔S〕$_N$〔VP者〕$_N$〕$_N$
佗小渠披山通道者,不可胜言。(《河渠书》)
天下吏士趋势利者,皆去魏其归武安。(《魏其武安侯》)
诸侯叛殷会周者八百。(《殷本纪》)
请益其车骑壮士可为足下辅翼者。(《刺客传》)
高乃与公子胡亥丞相斯阴谋,破去始皇所封书赐公子扶苏者。(《秦始皇纪》)
今大王慢而少礼,士廉节者不来。(《陈丞相世家》)
当其时,巫行视小家女好者,云是当为河伯妇,即娉取。(《滑稽列传补》)

《汉书》里也有:

呼韩邪单于归庭数月,罢兵使各归故地,乃收其兄呼屠吾斯在民间者,立为左谷蠡王。(《匈奴传》)
单于以径路刀金留犁挠酒,以老上单于所破月氏王头为饮器者共饮血盟。(同上)

以上"VP者"里的动词性谓语(VP),大多数是动宾结构,〔S+VP者〕也可写作〔S+VO者〕,少数如"浊"、"好"、"廉节"是形容词。

汉代另一种用动词性谓语来修饰主语的方式,是把谓语加"者",放在主语前面,例如《史记》里的(宋绍年 1983:165;何乐士 1985:14;吕叔湘 1943):

〔〔VP 者〕$_N$〔S〕$_N$〕$_N$
项王怒,将诛定殷者将吏。(《陈丞相世家》)
何太子之遣往而不返者竖子也。(《刺客列传·荆轲》)
汉有善骑射者楼烦。(《项羽》)
臣客屠者朱亥可与俱。(《魏公子》)
于是平原君乃斩笑躄者美人头。(《平原君》)
因厚币用事者臣靳尚。(《屈原传》)

这里把"定殷者将吏"的"定殷者"分析作同位性定语,〔〔VP 者〕$_N$〔S〕$_N$〕$_N$一部分就是表示这种语法关系。周法高先生(1959:419,注一)已经指出《史记》"'项王怒'句《汉书·陈平传》作'项王怒,将诛定殷者',则以'定殷者'为名语",下面又接着说"定殷者"和"将吏"同位,"往而不返者"和"竖子"同位。以后宋绍年(1983:165)也采取这种分析法。

上面看到的〔〔VP 者〕〔S〕〕和〔〔S〕〔VP 者〕〕两种结构(其实也是〔〔VO 者〕〔S〕〕和〔〔S〕〔VO 者〕〕),内部都是同位修饰,但是语序不同。"定殷者将吏"定语在前,中心语在后;"诸侯叛殷会周者"正相反。现在就要解释汉代怎么会产生"定殷者将吏"这样的语序。我们认为和量词语法的变迁有关,下面转述前人(王力 1958:240—241;黄盛璋 1961;刘世儒 1965:44—48)关于量词的研究。

最初,〔数+量〕表明名词的数量,大多数放在名词后面,例如:

> 子光赏贝二朋,子曰贝佳廿。(《三代吉金文存》13.24.2—3)
> 孚人万三千八十一人,孚马口匹,孚车卅两,孚牛三百五十五牛,羊卅八羊。(《小盂鼎》)
> 冉子与之粟五秉。(《论·雍也》)
> 陈文子有马十乘。(《论·公冶长》)

春秋以后,〔数+量〕才逐渐出现前置,但条件很有限制,一般只限于度量衡或表容量的量词,如"一箪食,一瓢饮"(《论·雍也》)、"一钩金与一舆羽"(《孟·告子下》),数量兼带天然单位词则是后置,先秦只说"马十匹",不说"十匹马",只说"幄幕九张",不说"九张幄幕"。到了汉代前置的用例才渐渐多起来,不但表度量衡或表容量的量词可以前置,天然单位词也可以前置,例如:

> 陆地……千足羊,泽中千足彘。(《史记·货殖列传》)
> 安邑千树枣,燕秦千树栗……(同上)
> 越使诸发以一枝梅遗梁王。(《说苑》)

但是在汉代〔数+量〕仍是可以前置,也可以后置,而且以后置的居多,以《史记·大宛列传》中的量词"匹"为例:后置的凡4见,如"汉军取其善马数十匹,中马以下牡牝三千余匹"、"军入玉门者万余人,军马千余匹"、"天子以为然,拜骞为中郎将,将三百人,马各二匹";前置的2见,如"乌孙以千匹马聘汉女"、"其富人至有四五千匹马"。到了南北朝,〔数+量+名〕这种前置式才成为通常的词序。

这两种词序演变息息相关,因为:

(1) 〔〔数+量〕+名〕、〔名+〔数+量〕〕中的〔数+量〕是〔名〕的同位定语;〔〔VP 者〕+S〕、〔S+〔VP 者〕〕中的〔VP 者〕

129

也是〔S〕的同位定语。

(2) 〔数+量〕可以单用承前,如"凡亭燧皮官廿八……其十三枚受庭,十五枚亭所作"(《居延汉简》,359)、"诸有奴婢者,率一口出钱三千六百"(《汉书·王莽传》)。〔(S)VP者〕也可以单用承前,如"商贾大者积贮倍息,小者坐列贩卖"(晁错《论贵粟疏》)、"天下之游士冯轼结靷西入秦者无不欲强秦而弱齐,冯轼结靷东入齐者无不欲强齐而弱秦"(《史记·孟尝君列传》)。

(3) 〔名+〔数+量〕〕>〔〔数+量〕+名〕这个词序演变从汉代开始,〔S+〔VP者〕〕>〔〔VP者〕+S〕这个词序演变也是从汉代开始。就出现频率来看,带〔数+量〕的名词组当然比带〔VP者〕的名词组要多。此外,在汉代〔数+量〕和〔VP者〕这两种同位定语,都还是以后置的居多。

因此,我们认为量词的词序演变促成了〔〔VP者〕+名〕这种词序的名词性结构的产生。

〔〔VO者〕〔S〕〕这种结构很值得注意,比较下面两句:

因厚币用事者臣靳尚。(《史记·屈原传》)
使人使荆,重币用事之臣,明赵之所以欺秦者。(《韩非子·存韩》)

《史记》那句上面引过。"用事者臣"和"用事之臣"意思一样。前者是〔〔VO者〕_N〔S〕_N〕型的同位结构;后者是〔VO之S〕,用介词"之"表示〔VO〕和〔S〕之间的修饰关系。这样,在〔VO__S〕的框子里,"者"和"之"可以互易,这就创造了以后"底"和"者"互换的第一种条件。

我们上面引的《史记》、《汉书》里的〔VP者+N〕的例,以及吕叔湘(1943)引的先秦两汉的例,其中字句可靠、语法明确的都是〔〔V(O)者〕+S〕型的,如"定殷者将吏"等等;其中没有〔〔S〕V者

O]型的。在先秦两汉,"者"和"所"分工。以〔SVO〕为出发点,可以衍生的名词性结构主要有两种。〔VO者〕、〔V者〕所指代的是〔V(O)〕的施事者或主体;〔所V〕、〔所V者〕指代行为〔V〕的对象。因为〔VO者〕和〔S〕都是指施事者或主体,这两个成分正可以构成〔〔VO者〕〔S〕〕(如"定殷者将吏")或〔〔S〕〔VO者〕〕(如"诸侯叛殷者")这样的同位结构。跟〔O〕构成同位结构需要用"所",如"所居之室"、"所食之粟"(《孟·滕文公下》)、"光不敢以图国事,〔〔所善〕。〔荆轲〕o〕可使也"(《史记·刺客列传》)。据目前所知,先秦两汉没有〔V者O〕这种结构。

现代汉语的"V的"兼有"V者"和"所V"这两种功能。"看见的"可以指"看见"的施事者,如"这桩事很惨,看见的都会掉眼泪",古文作"见者"。"看见的"也可以指"看见"的对象,如"看见的(事情)就该写下来",古文作"所见"或"所见者"。⑭下面的"V者N"和"V者"都是指〔V〕的对象。从某个角度来看,可以算是指对象的"V的"的前身。

〔〔V者〕o(O)〕

(1) 有先天地生者物邪?(《庄·知北游》)

(2) 十二月生者豚,一宿蒸之。(《齐民要术·养猪》)

(3) 拟冬坐者殿一向暖,拟夏坐者殿一向凉,拟于春秋二时坐者,其殿调适。(《佛本行集经》,Ⅲ,707上)

(4) 适来诵者,是何言偈?(敦煌本《六祖坛经》)

(5) 公骤拜之,遂环坐,曰:煮者何肉?曰:羊肉,计已熟矣。(《虬髯客传》,《唐人小说》(中华,1958),179)

(6) 西边是捕来者贱奴念经声。(《庐山远公话》,《变》,175)

(7) 有一僧在房内念经。师隔窗:阇梨念者是什么经?刘曰:维摩经。(《景德传灯录》,卷一七)

施事者/受事者的区别,在上古是相当严密的。中古七、八世纪这个区别消失,⑮表现这种演变的一种现象就是"所"字失去指代动

131

词对象的功能,如:

> 嫌所生母所为非理,不向拜跪。(北魏译《杂宝藏经》,Ⅳ,447中)
> 一切城内,所怀妊者,安隐得生。(《佛本行集经》,Ⅲ,702上)

"所生母"就是"生母","所怀妊者"就是"怀妊者"。从普通文言的角度去看,不该加"所"时加"所",结果该加"所"时也可以不加。于是"所煮者"、"所掳来者"就变成了"煮者"、"掳来者"。上面列在〔〔V 者〕。(O)〕型下的例句有些结构不易分析。例(1)、例(2)用"生"字。"生"字有及物和不及物两种用法;前者如"道生一,一生二,二生三"(《老子》),后者如"庄公寤生"(《左·隐元年》)、"人生不能无群"(《荀·王制》)。例(1)中的"生者物"不一定是〔V 者 O〕,例(2)的"生者豚"却像是〔V 者 O〕。例(3)句读不明;"拟夏坐者殿一向凉"如果中间不点断,"坐者殿"则是〔V 者 O〕;如果在"者"后点断,"坐者"是指代"坐"的对象,也是新兴语法。

此外吕叔湘先生(1943)还举过几个〔N 者 N〕型的例,其中〔N 者〕在定语位置上:

> 闻弦者音烈而高飞。(《战国策》)
> 农家者流。(《汉书·艺文志》)
> 射手叛者斩,亡身及家长者家口没奚官。(《南齐书·张融传》)

这类的例在宋代以前的文献中罕见。

上面看到〔VO 者 S〕最先出现,以后又有〔V 者 O〕,最后出现用"者"字表示领属关系的〔N 者 N〕。在这些环境中,"者"、"之"可以互易。当"之"在八、九世纪变成"底"后,〔VO 底 S〕、〔V 底 O〕、〔N 底 N〕继续和〔VO 者 S〕、〔V 者 O〕、〔N 者 N〕通用。〔VO 者〕和〔V 者〕既然可以在语末,〔VO 底〕和〔V 底〕受了这种语末用法的沾染,也逐渐用在语末。同时因为〔V 者〕在中古既可以指代动作的施事者，又可以指代动作的对象，〔V底〕在这种影响之下也成为可以兼指施事者和对象的名词性结构。以上是产生"底"字语末用法的第一条途径。

五 〔动词组+之者〕及其他

蒋礼鸿(1981:6—8(1955))首先注意到敦煌变文里〔动词组+之者〕这种名物化的结构。他指出"之"字前面必是两个字；这类结构可以指人，也可以指物；这里"者"字的用法像"人"，也像"物"。除了变文中的例以外，他又举了若干唐宋时代的例。我们发现这种结构在南北朝末年已经出现，可能是"底"字语末用法的前身之一。下面举的例一部分是转抄蒋氏的《敦煌变文字义通释》(增订本)。

〔动词组+之者〕

其中有得一道二道三道之者。(北魏·慧觉等译《贤愚经》，《大正藏》，Ⅳ，398下)

或有堕水溺死之者。(又，422中)

或三宝中，兴供养者，出家在家，持齐〔斋〕戒者，烧香燃灯礼拜之者，皆得在彼三会之中。(又，435下)

设有他来打骂禁系杀害之者，皆须忍受。(隋·阇那崛多译《佛本行集经》，《大正藏》，Ⅲ，668上)

谁养育者，即是摄受射著之者。(又，705下)

诸微尘等，二千大千世界之内，所有之者。(又，710中)

时彼场内所有人民，观看之者，悉唱呼呼叫唤之声。(又，712上)

所有女名树木之者，还令以女璎珞之具而庄严之。(又，722中)

圣子若欲往诣园林观看善地游戏之者，此非其时。(又，730中)

外方邻邦亦无侵夺，欲共圣子斗战之者。(又，730中)

彼门所有守门诸将，或有执捉关钥之者。(又，731下)

我等二人，俱是出家修道之者。(又，831下)

无有一人能解如是议论之者。(又,833上)

以上是唐代以前的例。下面是《敦煌变文集》里的例:

在此国内之人,更无剃头之者。(《降魔》,《变》,380)

寻问监园之者。(同上,又,368)

非但此金,世间一切伏藏未出之者,我能尽见。(《祇园》,又,405)

南边之者,以况新来,北伴(畔)之徒,拟将似我。(《佛说阿弥陀经》,又,456;"南边"是名词)

福微之者遂蔬食,福盛之人皆上味。(《维摩诘》,又,572)

我闻修行之者,不逆人情,菩萨之人,巧随根器。(《维摩诘》,又,628)

将施贫乏之者。(《目连》,又,701)

还有其他唐代的例:

有罪之者,据轻重罚钱,亦无刑戮。(唐·释慧超《往五天竺传》;收入罗振玉《敦煌石室遗书》)

其牛总白,万头之内,希有一头赤黑之者。(同上)

遍历五天,不见有醉人相打之者。纵有饮者,得气得力而已,不见有歌舞作剧饮宴之者。(同上)

作刘弘传,雕印数千本,以寄中朝及四海精心烧炼之者。(唐·范摅《云溪友议》卷十)

僕隶,《说文》云:"给事之者。"(慧琳《一切经音义》卷六,《大般若波罗蜜多经》第五○九卷《音义》;蒋礼鸿原按:"说文'僕'字的说解是'给事者'。")

二君固明智之者。(李固言《续玄怪录》卷一,辛平公上仙条)

《搜神记》:"蛇千年则断复续"……隋炀帝遣人于岭南,边海穷山,求此蛇数四,而至洛下。所得之者,长可三尺。(焦潞《穷神秘苑》;《太平广记》卷四五七引)

及主者并引就戮,亮身在其中。唱者皆死,唯无亮姓名。主典之者皆坐罚。(《太平广记》卷一○二,杜之亮条,引唐人卢永《金刚经报应记》)

一切天人之间,无有如是智慧之者。(《法苑珠林》卷六,《日月篇》第

三之一引《大集经》）

下面是《祖堂集》里的例:

> 得道之者若恒河沙。(1.92)
> 问:饭百千诸佛不如饭一无修无证之者,未审百千诸佛有何过?(2.59)
> 此回渐证实际之者。(5.133)
> 此篇所明渐证实际之者。(5.136)

以上"之者"的用例,上起南北朝末年,下迄五代。在"底"字兴起以前,〔动词组 + 之者〕已经流行,"底"字兴起以后逐渐消失。北宋还有零星的用例(蒋礼鸿 1981:8),大概是古老形式在书面语言里的遗留。

〔动词组 + 之者〕里面"之者"后来在口语里面的变化我们认为是这样的:

之者＞底者 = tei ta＞tei tei＞底 tei

用这个公式,可以推演以下的演变:

"之者"前面的成分是:	用 例	比较《祖堂集》里的:
方位词	南边之者＞南边底	师云:背后底是什摩(1.171)
动 词	观看之者＞观看底	即今问底在阿那个头(5.34)
动名结构	有罪之者＞有罪底	只解寻得有纵迹底(2.120)
形容词	赤黑之者＞赤黑底	觅一个痴钝底不可得(4.107)

这样就可以解释《祖堂集》里"底"字语末用法几个主要类型的由来。

上面的公式做了两个假设,现在解释。第一,"者"字读 ta。"者"字南北朝音 tja。跟"之"字的演变一样,失落-j-介音就变成 ta。湖南双峰话照三声母和端系合流,"者"字就是读 ta (袁家骅 1960:118—119)。第二,上面假设两个虚词连用,声母双声,后面的虚词韵母会被前面的同化,然后二合为一。现代汉语句末的

"了"就是这样变来的,下面说明。

要是有人问:"您吃了饭了吗?",我们可以说"吃了饭了",也可以说"吃了"。为什么不说"吃了了"?那是因为"重复音省略法"(haplology)避免同一个音节的重复(赵元任著,丁邦新译 1980:133)。"吃了饭了"有两个"了",前面的是个词尾,后面的是个语助词。根据前人的研究(赵著丁译 1980:133;杨联陞 1957;俞光中 1985),我们知道 10—16 世纪句末的"来"有些和现代语助词"了"相当。甚至于可以说,语助词"了"的来源之一就是"来"字。特别值得注意的是句末"了来"连用:

〔……了来〕
我有一个火伴落后了来。(《老乞大》,奎章阁丛书版,1)
有一坐桥塌了来。(又,18)
趁船的三个都是我家亲眷,衣食父母,请他归去吃碗板刀面了来。(《水浒全传》,37 回)
如在前阿勒坛忽察儿二人将自说的言语违了,后如何了来?(《元朝秘史》卷一三)

还有:

〔V 了 O 来〕
王公道:"你到去首了我来!"(《醒世恒言》卷三四)

这些例句里的"了"是词尾,表示动作的完成,和现代的词尾"了"相当。"来"是个语助词,表示新的情况,和现代的语助词"了"相当。现在说"我有个伴儿遏下了"、"有一座桥塌了"、"后来怎么了",句末只用一个"了"字,不用"了来"。因此,历史上的变化是:

$$了来 = liao\ lai > .lə\ lai > .lə\ .lə = 了了 > 了$$

这个演变和我们拟构的〔之者>底〕平行,而且"的"(.tə)和"了"(.lə)都因为是轻声,韵母变成-ə。

据上所述,〔X 之者〕是〔X 底〕的前身之一。这是"底"字语末用法的第二条途径。

词尾"的"字最早的用例恐怕是出现在 1238 年凤翔长春观公据碑(蔡美彪 1955:5),这篇蒙古时代的白话碑里有这样的一段:

> 破坏了的房舍,旧的寺观修补者。我每名字里,交祝寿念经者。我每的圣旨里⑯不依的,不拣什么人,断按答奚死罪者。

这时在华北一带"的"字逐渐替代"底"字。变化始于北方,一部分原因是北方话里"入派三声"已经开始,入声的"的"字和非入声的"底"字音近,前者可以替代后者。江南杭州一带,"的"、"底"发音迥然不同。江南一直到南宋灭亡(1279),⑰只用"底"字;用"的"是宋亡以后北人带来的写法。

六 结 语

本文认为"底"的来源是"之",于是需要解释为什么介词"之"字只能用在语中,变成"底"后却既能用在语中,又能用在语末。

第二节说明词尾"底"字八、九世纪在敦煌变文等作品中出现,最早的例子多半用在语中,少数用在语末。第三节说明从"之"到"底"的音韵演变是:

$$之 \ ^{*}tjəg > tjəi > tjəi > tjei > tei > 底\ tei$$

为了支持 tjei > tei 这项音变,这节举了若干文读保存-j-,白读失落-j-的例,如"尔/你"、"若/哪"、"弗/不"、"是物/是没"、"未/没"等,同时又说明"底"和其他四等字,中古没有-i-介音。这节也用晚唐五代的藏译汉音以及敦煌俗文学和敦煌本《六祖坛经》这两种贤料里的异文别字,来说明"者"字变"底"的可能性不大。第三节说明"底"字语末用法的第一种来源。由于汉代〔名 + 数 + 量〕>〔数 + 量 + 名〕这个语序变化,先秦的〔S + VO〕就变成〔VO 者 + S〕,

以致汉代不但有"诸侯叛殷会周者"这种词序,也有"定殷者将吏"这种词序。此后又产生了〔V者O〕、〔N者N〕_N这两种新兴的结构。在〔VO者+S〕、〔V者O〕、〔N者N〕_N这三种结构中,"之"、"者"可以互易。"之"变成"底"以后,"底"、"者"继续在语中的位置互易。受了"者"字语末用法的沾染,"底"字也逐渐能用在语末。第四节说明"底"字语末用法的第二个来源。〔动词组+之者〕这种结构的流行时代,上起南北朝末年,下迄五代。这节假设〔之者>底者>底底>底〕,同时举了〔了来>了了>了〕这个演变来做旁证。这样,〔动词组+之者〕会变成〔动词组+底〕。

〔动词组+之者〕、〔动词组+底〕这种说法是个新假设,我们也没有十分把握。如果假设能成立,唐宋白话文献里会有"底者",某些方言里也会有"底者"、"底底"这类形式的遗留。希望读者特别留意。

附录一:吕叔湘《论底、地之辨及底字的由来》节录[18]

"的"字一般都认为就是文言的"之"字和"者"字。例如章太炎在《新方言》里说,"今凡言'之'者,音变如丁兹切,俗或作'的'。"又说,"今人言'底'言'的',凡有三义:在语中者,'的'即'之'字;在语末者,若有所指,如云'冷的、热的','的'即'者'字。""底"是否"之"、"者"的音变,牵涉到古代的话音,难于论证。要是就"之"和"者"来比较,"之"和"底"韵母较近,"者"和"底"声调相同,可能性的大小也差不多。我们现在只从用法方面来考察。

文言里"之"和"者"的作用大不相同,可都比后来"底"字的范围窄。用前面所分"的"字用法的项目来说,"之"字只管(a)、(b)、(c)三类,[19] "者"字只管(b')、(c')两类。现在的问题是:假使"之"

和"者"变为"底",是(1)语音各自在变,殊途而同归呢,还是(2)"底"字只是其中之一的变化结果,另一个在或早或迟的时期被排除了?第一个假设无从积极证明;要是第二个假设不能成立,我们就得承认它。

就第二个假设说,又有两种可能。或是甲已变"底",乙仍是乙,其后为"底"所代。这个我们知道不合事实,因为"底"字一出来就兼有"之"和"者"的用法。另一个可能是在"底"字未出现时,"之"已侵入"者"的范围,或者"者"已侵入"之"的范围。这两种情形唐钺先生在《白话字音考原》里都举了例。但是该用"者"而用"之"的只有一个例,而这个孤证又出在讹误最甚的《墨经》:

> 智者若瘨病之之于瘨也。(《经说》下)(瘨=疟)

而在"之"字的位置上用"者"字的,唐先生举了《诗经》三例、《左传》、《战国策》、《庄子》、《汉书》各一例。转录于此:

> 皇皇者华;彼苕者薻;彼苍者天。(《诗》)
> 以是藐诸孤。(《左》)(从王氏《经传释词》说,"诸"作"者"解)
> 闻弦者音烈而高飞。(《战国策》)(鲍本如此)
> 是殆见吾善者机也。(《庄子》)
> 农家者流。(《汉书》)

《诗经》的例子似乎不必作"之"解,"皇皇者华"等于说"皇皇的是花"。《左传》一例既作"诸",也就在疑似之间,但其余的例则诚如唐先生所说,"要不把'者'作后置介词的'的'字解,则文理不可通"。除唐先生所举者外,我又发现好些例子:

> 是乃所谓冰解冻释者能乎?(《庄子·庚桑楚》)
> 项王怒,将诛定殷者将吏。(《史记·陈丞相世家》)
> 何太子之遣往而不返者竖子也?(又,《刺客列传·荆轲》)
> 因厚币用事者臣靳尚。(又,《屈原传》)
> 文帝尝梦欲上天不能,有一黄头郎从后推之上天……觉而之渐台,

> 以梦中阴自求推者郎。(又,《邓通传》)
>
> 射手叛者斩,亡身及家长者家口没奚官。(《南齐书·张融传》)(亡身谓叛者本人)
>
> 问去者处士第几?住何处?(《虬髯客传》)

这很可以表示"者"字久已有兼并"之"字的趋势。直到宋人的语体文字中,仍有这种例子。

> 寻常来相见者僧亦只是平平人,但相公道只是重他袈裟。(《道山清话》17)
>
> 昨日来者太师官煞近上,朝廷最信凭他语言。(《乙卯》265.22下)
>
> 你前时要者玉,自家甚是用心,只为难得似你尺寸底。(《云麓漫钞》卷十五,《大观中于阗国王进表》;注意同句有"底"字)
>
> 又将国主自食者饮食分赐。(《燕云》15.5)
>
> 不虞国相元帅远屈台斾以至于此,必是与中国有商量者事。(《北记》61.9)
>
> 已前发去者先锋,难为未见次第便却唤回。(又,61.11)
>
> 来者使臣却也敢向前覆事,也不可多得。(《绍兴甲寅》162.8)
>
> 玄宗最宠爱者一个贵妃叫做杨太真。(《通言》19.158)

此时"底"字已通行,若是据语音直录,应写"底"字。若是因袭文言词语,应作"之"字(《北记》两例,四库本即改作"之")。现在不作"之"而作"者",必是当时人知道"者"是"底"的本字(即有口中说"底"而笔下写"者"的惯例),而"之"字则久已从口语中排去也。唐先生因为以"之"代"者"和以"者"代"之"的例子都有,把它们等量齐观,所以有"文人不知道他就是'之'字,姑以'底'字代'之'"之说,认为"之"和"者"各自变为"底"。

"底"是"者"的继承者,除上面所举"者"字攘夺"之"字的证据外,还有一点可说。"底"字的(a')项用法本为普通文言"者"字所不具,但唐宋通俗文字中有其例,如:

> 汝等当知:彼罗刹女不久应来,或将男者,或将女者,显示于汝,悲慈

哀哭,受于苦恼。(《佛本行集经》卷49)

麦地占他家,竹园皆我者。(《寒山》8)

杨贵妃生于蜀,好食荔枝;南海所生,尤胜蜀者。(《国史补》,上7)

〔此画〕后因四月八日赐高力士。今成都者是其次本。(《酉阳杂俎》146)

公令作四指环……父、夫人、长子皆前没,金亦随葬,独公者犹在。(《明道杂志》27)

寒山诗中已有"底"字,此处要叶"治、马、下",故用"者"字。例五已在"底"字通行之时,而仍写"者",乃文人避俗就雅之惯技。拿这一类例子参合前面所举"者"居"之"位的例子,可说后来"底"字的用法,"者"字已经无不具备。

根据这些理由,我们不妨说:"者"字很早就有兼并"之"字的趋势,到了某一时期,笔下虽有"之"和"者"两个字,口语里已经只有"者"一个词,它的应用范围不但包括本来的"者"和"之",并且扩充到(a')项即名词代词领格之不继以名词者。这个词后来写作"底"。"者"和"之"本可算是亲属字,原始的作用都是指示,而"者"字专用于称代,"之"又转为连系。当初因为在句中地位不同而分,现在又合而为一。

附录二:文读保存-j-,白读失落-j-的例证

(1) 尔 *njir(?) > njiĕ > ńźjiĕ > ěr　你(儞) njiĕ > niĕ > nǐ

"你"字在八世纪已经出现,例如敦煌本《南宗顿教最上大乘摩诃般若波罗蜜经六祖惠能大师于韶州大梵寺施法坛经》(斯5475):"童子答能曰:'你不知大师言,……'",可见这时"尔"、"你(儞)"已经一分为二。

(2) 尔 njiĕ > ěr　聾(呢) njiĕ > ni > .nə

"尔"字在汉代就用作句末疑问语助词,如《公羊传·隐公元年》"然

141

则何言尔?"、《隐公二年》"何讥尔?"晚唐作"聻",广韵"万里切,指物貌也",如"夹山曰:'只今聻?'对云'非今'"(《祖》3.1)、"作摩生疑聻?"(《祖》5.83)(太田 1958:364)。

(3) 若 *njak>ńźjak>ruò 那 *njag>nja>nâ>nà

"若"在先秦有指示的用法,如"君子哉若人!"(《论语·宪问》)。"若"字通常是入声(药韵,而灼切)。可是"若"字又有人者切一读,《广韵》三十五马"若,干草;又般若……,又房复姓……《周书》若干惠……《后燕录》有若久和"。可见南北朝时拿"若"跟外语对音都是上声,正是指示词"那"的来源。早期的用例有"必是那狗"(《朝野佥载》)。"那"在近代变成去声,大概是受了去声"这"字的沾染(吕叔湘 1985:186)。

(4) 若(个) *njak>ńźjak>ruò 哪 nja>nâ>nǎ

疑问代词"哪"字也是从"若"变来的,最初出现的形式是"若个",如"秋色凋春草,王孙若个边?"(杜甫《哭李尚书》诗)、"壤壤髑髅若个是?"(《孟姜女》,《变》,33),稍后出现"阿那"、"阿那箇",如"阿那是维摩?"(《祖》5.37)、"即今问底在阿那箇头?"(《祖》5.34)。"哪"字始终保存上声,以前一直也写作"那",五四以后,为了要跟去声的指示词分别,才提倡写作"哪"。(吕叔湘 1985:246—247)

(5) 却 khjak>ch'ùeh 可 khja>kha>k'ǒ

张相《诗词曲语辞汇释》72 页"可"字条下已经说过"可,犹却也。于语气转折时,或语气加紧时用之……赵令畤(1051—1107)《思越人》词'可是相逢意便深,为郎巧笑不须金'。杨无咎《南歌子》词'年来老子厌风情,可是于君一见眼双明'。可是与却是同。"古代"可"字只有能可之义。司徒修(Stimson, 1971)指出表示转折的"可"字,本字就是"却"字。

(6) *pjət(弗)>fət(广州),fu(北平)——字写作"弗"

 *pjət(弗)>pət>pɐt(广州),pu(北平)——字写作"不"

    *pjəg(不)＞pjəu(不)＞fau(广州), fou(北平)——字写作"否"

这是丁声树先生(1935:996)转述李方桂先生的看法。五十年来，各家引用，殆成定论。用-j-介音之有无来解释虚字的文白异读，以此为始。

(7) 是物～是勿～是没～甚没～甚谟～什摩～甚麼

物(勿) mjuət＞vət＞wù mjuət＞muət 没＞mə?＞.mə(麼)

"什麼"始见于唐代文献，最初写作"是物"、"是勿"、"是没"、"甚没"、"甚谟"，如"问：既无，见是物？答：虽见，不唤作是物"(《神会和尚遗集》, 446)、"是勿是生灭法?"(又, 430)、"是没是四魔?"(《大乘五才便》, 伯 2270)、"〔目连报言〕世尊寄物来开。狱主问言：寄是没物来开？"(《大目连》, 《变》, 732; 据吕叔湘(1985:124)改《变文集》"没"为"是没")、"问我作甚没？"(《宝林传》卷六)、"毕竟唤作甚谟物"(《三宝问答》, 斯 2669)。

"什麼"的本字是"是物"。六朝用"何等"、"何物"来表示后世的"什麼"，如"何物老妪生宁馨儿?"(《晋书·王衍传》)、"汝是何等物?"(《搜神记》卷 19)。"何物"、"是物"里的"物"不是"万物"的"物"，而应解作"等类、色样"。"是物"变成"是没"、"甚没"，说明"物"字失落-j-介音，是本文引征这个例的目的。我们不太懂怎么样的音韵规律会把 muət(没)变成 mua(摩)或 muo(谟)。

(8) 未 mjwěi＞vei＞wèi mjwěi＞muei 没＞méi

《集韵》"没"字有莫佩切一读。"未"字失落-j-介音，就读作莫佩切。以前各家(戴密微(Demiéville)1950；周法高 1953；太田辰夫 1958: 302；司徒修(Stimson,) 1971 都认为副词"没"的来源是"未"。《朱子语类》卷 95, 12b(台湾正中书局影印明成化九年(1473)版，

3943):"明道言语甚圆转,初读未晓得,都没理会,子细看却成段相应。"至晚在南宋副词"没"已经出现了。

附 注

① 李方桂《汉语研究的方向——音韵学的发展》,《幼狮月刊》40.6 (1974):2—8,重印于《中国语言学论集》(1977),227—245。

② 《祖堂集》的页数是指中文出版社(京都,1972)的版本。柳田圣山编,《祖堂集索引》(上、中、下三册,京都,京都大学人文科学研究所,1980—1984)也是用这个版本。

③ 唐钺(1926:79—81)、赵金铭(1979)、祝敏彻(1982)也采取章炳麟的说法。

④ 太田辰夫(1958:354)、曹广顺(1986)也采取吕叔湘的说法。

⑤ 高名凯(1944)、戴密微(Demiéville 1954)、司徒修(Stimson 1971)、李方桂(1974)都采取这种说法。

⑥ 先秦没有"吾之"、"我之"、"余之"、"汝之"、"爾之"等(王力 1958:335),汉代开始有,如赵岐《孟子》注里的"我之衍"、"我之功"、"我之教命"、"尔之巧"等(杜百胜 Dobson 1964:5)。

⑦ 参看朱德熙 1980:78—86;1984:144—145。

⑧ 参看程毅中点校《隋唐嘉话》、《朝野佥载》(中华,1979)的"点校说明"。

⑨ 参看蒋礼鸿(1981)"底低"和"是底"两条。

⑩ 〔形容词+之+名词〕这种结构至晚在汉代已经相当流行,如赵岐《孟子》注里的"圣之人"、"污乱之世"、"宝重之器"、"密细之网"。(杜百胜 Dobson 1964:12)

⑪ 曹广顺(1986)根据"底(地)"在《祖堂集》里的用例,认为"底"是从"者"变来的。本文和他的看法不同。

⑫ 例如《敦煌变文集》里的"徒之(知)气候别风云"(60)、"遂使金牙采宝,支(之)子远行"(10)、"自古之(至)今"(267)、"只是季布钟离末,终诸(之)更不是余人"(53)、"朕遣之(诸)州寻季布"(57)。详见邵荣芬(1963)。

⑬ 崔世珍(16世纪)在《翻译〈老乞大〉、〈朴通事〉凡例》里说:"若下字为虚,或两字皆语助,则下字呼为去声。"

⑭ 如"始臣之解牛之时,所见无非全牛者"(《庄·养生主》)、"见者惊犹鬼神"(《庄·达生》)。

⑮ 我有篇文章《从汉代的"动·杀"、"动·死"来看动补结构的发展——兼论中古时期起词的施受关系的中立化》将刊于北大中文系编《语言学论丛》第十五辑(?),请参看。

⑯ 蔡美彪(1955)书里这句作"我每的圣旨不依的",今据卷首拓片补入"里"字。

⑰ 例如虚堂智愚(1185—1269)的《虚堂和尚语录》(《大正藏》,No. 2000)还是全部用"底"。虚堂的活动范围限于江南,所以在1238年北方开始用"的"以后,北风南渐以前,还继续用"底"。

⑱ 吕叔湘先生这篇文章1943年在《中国文化研究汇刊》第三期上发表,后来收入《汉语语法论文集》(1955)。下面抄录的是论文集的增订本(1984),127—130页。

⑲ 原文篇首举例说明"的"字的几种用法:(a)"我的书",(b)"浅近的书",(c)"我看的书";(a')"我的",(b')"浅近的",(c')"我看的"。

参考文献

Baxter, William 1977: *Old Chinese Origins of the Middle Chinese Chong-niu Doublets: A Study Using Multiple Character Readings*, Ph. D. Thesis, Cornell University.

章炳麟　1915:《新方言》,《章氏丛书》(1917—1919)。

赵金铭　1979:《"的"、"地"源流考》,《语言教学与研究》1979.4。

赵元任　1980:(丁邦新译)《中国话的文法》。

蒋礼鸿　1981:《敦煌变文字义通释》(增订本)(上海古籍出版社)。

周法高　1953:《中国语法札记》,《史语所集刊》24, 197—281(第七节《"什么"和"何物"》,第八节《说否定词"没"》和本文附录二有关)。

——　1957:《中国古代语法:称代编》。

祝敏彻　1982:《朱子语类中"地"、"底"的语法作用》,《中国语文》1982.3, 193—197。

朱德熙　1980:《现代汉语语法研究》(67—103页是《说"的"》,原载《中国语文》1961.12)。

―― 1982:《语法讲义》。

Demiéville, P.(戴密微)1950: Archaïsmes de prononciation en chinois vulgaire, *T'oung Pao* 40.1―50.

Dobson, W.(杜百胜) 1964: *Late Han Chinese*.

何乐士 1985:《史记语法特点研究》,收入程湘清主编《两汉汉语研究》1―261。

黄盛璋 1961:《西汉时代的量词》,《中国语文》1961.8。

入矢义高 1951:《高名凯氏の〈唐禅宗语录に见える语法成分〉を読む》,《中国语学研究会会报》1951.2。

―― 1961:《〈敦煌变文集〉口语语汇索引》(油印本)。

高名凯 1944:《汉语规定词"的"》,《汉学》1.27―81。

―― 1948:《唐代禅宗语录所见的语法成分》,《燕京学报》34.49―84。

龚煌城 1980: Gong, Hwang-cherng, A Comparative Study of the Chinese, Tibetan, and Burmese Vowel Systems, *BIHP* 51.3.455―490.

李方桂 1971a:《上古音研究》,《清华学报》9.1―2.1―61。

―― 1971b: Li, Fang-kuei, The Final Stops in Tushan, *BIHP* 43.2.195―200.

―― 1974:《汉语研究的方向――音韵学的发展》,《幼狮月刊》40.6.2―8,重印于《中国语言学论集》(1977),227―245。

李 荣 1956:《切韵音系》。

刘世儒 1965:《魏晋南北朝量词研究》。

罗常培 1933:《唐五代西北方音》。

吕叔湘 1943:《论"底"、"地"之辨及"底"字的由来》,《汉语语法论文集》(增订本,1984),122―131。

―― 1985:《近代汉语指代词》。

梅祖麟 1979: Mei, Tsu-lin, The Etymology of the Aspect Marker *tsɿ* in the Wu Dialect, *Journal of Chinese Linguistics* 7.1―14.

―― 1986:《关于近代汉语指代词――读吕著〈近代汉语指代词〉》,《中国语文》1986.6.40―412。

―― 待刊:《从汉代的"动、杀"、"动、死"来看动补结构的发展――兼论中古时期起词的施受关系的中立化》,《语言学论丛》,第十五辑(?)。

太田辰夫 1958:《中国语历史文法》。

志村良治　1984:《中国中世语法史研究》。

Stimson, H.（司徒修）　1971: More on Peking Archaisms, *T'oung Pao* 58.172—189.

唐　钺　1926:《白话字音考原八则》,《国故新探》,79—104。

丁邦新　1975: Ting, Pang-hsin, *Chinese Phonology of the Wei-Chin Period*.

——　1979:《上古汉语的音节结构》,《史语所集刊》50.4.717—739。

丁声树　1935:《释否定词"弗"、"不"》,《庆祝蔡元培先生六十五岁论文集》。

邵荣芬　1963:《敦煌俗文学中的别字异文和唐五代西北方音》,《中国语文》1963.3。

宋绍年　1983:《试谈史记的几种句法》,《语言学论丛》第十辑,145—165。

蔡美彪　1955:《元代白话碑集录》。

曹广顺　1986:《〈祖堂集〉中的"底(地)"、"却(了)"、"著"》,《中国语文》1986.3.192—203。

Waley, Arthur（亚瑟·韦理）1968: Two Posthumous Articles:（1）A Sung Colloquial Story from *Tsu-t'ang chi*, *Asia Major* 14.2.242—253.

王　力　1958:《汉语史稿》(中)

王重民　1957:《敦煌变文研究》,收入周绍良、白化文编《敦煌变文论文集》(1982),273—326。

Yampolsky, P. 1967: *The Platform Sutra of the Sixth Patriarch*.

柳田圣山　1976:《初期の禅史Ⅱ——歴代法宝記》(禅の語録3)(东京,筑摩书房)。

——　1980—84:《〈祖堂集〉索引》。

杨联陞　1957:《〈老乞大〉、〈朴通事〉里的语法语汇》,《史语所集刊》29.197—208。

杨树达　1954:《词诠》。

俞光中　1985:《元明白话里的助词"来"》,《中国语文》1985.4.289—291。

袁家骅　1960:《汉语方言概要》。

陈梦家　1956:《殷虚卜辞综述》。

The Origin of the particle ".*te*"的 and "*ti*"底

When the particle *ti* 底 appeared in Late Middle Chinese, around the 8th or 9th century, it was primarily used as the marker of nominal subordination in the middle of a nominal phrase, hence similar to the classical *chih* 之. It was also used as a nominalizer at the end of a nominal phrase, hence similar to the classical *che* 者. Because of the dual similarity, previous scholars have proposed that *ti* was derived from *chih*, or from *che*, or from both. The present paper argues that *ti* was exclusively derived from *chih* and tries to account for the occurrence of *ti* in phrase-final position.

The phonological section (1) shows that *chih* split into a doublet because the literary form preserved the -*j*- medial whereas the colloquial

之 OC *tjəg > tjəï > tjəi > tjɛi > tɛi > 底 MC tei > ti
之 *tjəg > tjɛi > 之 MC tśï > chih

(2) argues that all known instances of similar splits involve only the loss of -*j*-, never the development of -*j*- into -*i*-, and this fact supports Li Rong's view that IVth Division words, including *ti*, do not have medial -*i*- in MC, and (3) after examining the phonological patterns of interchange of characters in Tun-huang texts, due to merger, and Tibetan transcriptions of Late Middle Chinese, concludes that 者 *tja* > *tsja* > *che* could not develop into 底 *tei* > *ti*, nor could *chih* and *che* merge into a single form.

148

The sections on historical grammar propose two routes through which *ti*, derived from *chih*, must have developed into a nominalizer. (1) Middle Chinese has three nominal constructions in which *chih* may substitute for *che*: (A) [V O *che*] + S, (B) [(S) V *che*] + O, and (C) N *che* N. (A) came about because the Han dynasty witnessed a word-order change N + [Num + M] > [Num + M] + N, which triggered a similar word-order change S + [V O *che*] > [V O *che*] + S. (B) joined (A) when in Middle Chinese the agent/patient distinction was neutralized. After *chih* became *ti*, *ti* continued to interchange with *che* in (A), (B), and (C), and this interchangeability eventually spread to the phrase-final position previously occupied by *che*. (2) In the 6th and 7th centuries, before the rise of *ti* as a particle, there emerged a new nominalizing construction VP *chih che* "the one who/which...", which remained current up to the 11th century. It was proposed that *chih che* became *ti* by assimilation and haplology:

之者 = tjɛi tja > tei ta > tei tei = 底底 > 底 ti

[VP *chih che*] thus became [VP *ti*] "the one who/which..."

The replacement of 底 *ti* by 的 *te* first occurred in 1238, in a stele recording a royal license granted by the Mongol emperor to a Taoist temple.

北方方言中第一人称代词复数
包括式和排除式对立的来源*

　　1975年罗杰瑞(Jerry Norman)和我曾合写过一篇未刊稿,说明北方官话中第一人称代词复数包括式和排除式对立的产生,是由于阿尔泰语的影响。最近看到张清常(1982)也作类似的结论。我们那篇文章迟迟不发表,原因之一是因为一直不能断定包括式和排除式对立的产生年代。现在,刘一之在《关于北方方言中第一人称代词复数包括式和排除式对立产生的年代》一文中既然说明这种对立产生于12世纪,那么,由此就可以推论,在这方面影响汉语的阿尔泰语是女真语,或是契丹语。

　　北京话以及其他北方系官话包括式用"咱们",排除式用"我们";下江官话和西南官话没有包括式和排除式的区别,其他汉语方言也没有(《汉语方言词汇》405页),唯一例外是闽语。但闽语第一人称代词的包括式和排除式用另一套语词,和北方系的"咱们"、"我们"、"咱"、"俺"不同(见下)。从历史的观点去看,汉语一直到唐代还没有包括式和排除式的区别,[①]换句话说,一直没有一个专用的语词表示包括式,同时另有一个专用的语词表示排除式。北方系官话中包括式和排除式的对立在汉语本身找不到来源,受外来影响而产生的可能性相当大。

　　阿尔泰语系从西到东可分为三大支:突厥语族(包括维吾

＊ 本文原载《语言学论丛》第十五辑,1988年。

语)、蒙古语族、满洲—通古斯语族。蒙古、满洲这两个语族都有包括式和排除式的对立，某些突厥语族的语言也有，据说是受了蒙古语的影响(Poppe 1965:192, Benzing 1955:1055—7)。

	满文	锡伯	蒙文	突厥(奇瓦 Khiva 语)
包括式	muse	məsə	bida	bizlär
排除式	be	boo	ba	biz

锡伯语是现在仅存的满语方言。至于更早的语言，契丹语属于蒙古语族，女真语属于满洲—通古斯语族，包括式和排除式的区别既然普遍地存在于满蒙两族的各种语言，我们假设契丹语和女真语也有这个区别。

上面引证的资料说明，北方官话的前身是受了阿尔泰语的影响而引进包括式和排除式的对立，这是我们第一步的结论。

到底是哪种阿尔泰语在这方面影响汉语？这要看包括式和排除式对立在北方官话里的产生年代。刘一之指出，"《刘知远诸宫调》中，排除式和包括式的对立是非常清楚的。用作包括式的'咱'共 11 例，用作排除式的'俺'共 18 例。'咱'和'俺'各自有自己的范围，绝不相混。"《刘知远诸宫调》是金代(1115—1234)的作品，所以刘文的结论是说，12 世纪就已经产生了包括式和排除式的对立。在那个时期，汉族和蒙古族还没有直接接触，阿尔泰诸民族中和汉族接触最密切的是契丹和女真，因此我们认为北方系官话是受了女真语或契丹语的影响而引进包括式和排除式的对立。当然，这种对立能在北方系官话中维持不衰，部分还是要归功于后来蒙语和满语的影响。

上面说过一直到唐代汉语还没有包括式和排除式的区别，又说汉语本身不能产生这区别。但闽语和少数吴语方言有包括式和排除式的区别。这种现象怎样解释？现在就要回答这个问题。

我们认为闽语包括式和排除式的区别是某个东南亚民族语言在华南的遗迹。汉朝以前，中国东南沿海一带是非汉族的居住区，汉族来到以后，这些民族往东南亚迁移，也有一部分留下，和汉族杂居。他们的语言，形成闽语的底层(substrata)，以致闽语有若干在汉语里找不出语源的常用词(Norman and Mei 1976)，闽语包括式和排除式的差别是属于底层的语法现象。如下所示(《汉语方言词汇》405 页)，闽语表示包括式的词汇和"咱们"、"咱"音韵差别很大，显然语源不同：

	厦门	潮州	福州
我们	ᶜgun, ᶜguan	ᶜuŋ, ᶜo	ŋuai kɔʔ nøyŋ
咱们	ᶜlan	ᶜnaŋ	naŋ ŋa kɔʔ nøyŋ

按照现代东南亚语言的分布，古代闽粤一带的非汉语可能有三种：台语、南岛语(Austronesian, 又名 Malayo-Polynesian)、澳亚语(Austroasiatic)。这三种语言都有包括式和排除式的区别。

台语系中现代暹罗语没有这个区别，但泰国和老挝境内用古台语写的碑文里有，阿萨密(Assam)的卡姆提(Khamti)语和云南的布依语还保留这区别(松山纳 1962)。澳亚语分布极广，孟高棉(Mon-Khmer)语属于这个语系，越南语原来是孟高棉语的一支，下面用越南语以及越南境内的 Chrau 语代表澳亚语。台湾的高山族语言属于南岛语系，这些语言都有包括式和排除式的区别(Ferrell 1969)，但所用的词汇不同，下面引泰雅语(Atayal)以见南岛语之一般。这五种语言中的包括式和排除式是这样的：[2]

	古台语	布依语	泰雅语	越南语	Chrau 语
咱们	rau(A2)	zau(A2)	taʔ	chúng ta	von
我们	tuu(A1)	tu(A1)	sami	chúng tôi	khanaúh, khây ănh

(ănh"我")

刘一之的文章指出温州话有包括式和排除式的对立,更早赵元任(1927:95)也注意到这种对立存在于若干吴语方言。温州话排除式是 ^{c}ŋle"我俫",包括式是 ^{c}ŋuo ^{c}ȵi(le)"卬你","卬"是"我伲(和)"的合音,"卬你"就是"我和你"。吴闽两地相邻,吴语里包括式和排除式这两个范畴的对立,大概可以用同样的底层理论解释。换句话说,吴语包括式和排除式这两个范畴的对立来自底层,词汇用的是汉语原有的材料。北方话的两个范畴借自契丹语或女真语。所用的词汇"咱"是"自家"的合音,"俺"是"我们"的合音;"们"字语源不明,其他三个字都是汉语原有的材料。从这方面看来,吴语的情形和北方话大同小异。

目前我们不知道闽语、吴语包括式和排除式的区别借自底层中的哪个或哪几个语言,这问题也许永远不能解答,但上面所说的假设,可以解释为什么汉语本身不能产生这区别,而这区别存在于闽语、吴语。总起来说,汉语方言中包括式和排除式的区别都不是土生土长的,北端的北方官话是受了上加层的女真语或契丹语的影响,东南隅的闽语、吴语是受了底层的某种非汉语的影响。

附 注

① 参看周法高(1959:49—77)。Яхонтов(1965)认为先秦有包括式和排除式的区别,但他举的例句模棱两可,证据不足。

② 下面资料的来源是古台语,松山纳(1962);布依语,喻翠容(1979:33);泰雅语,Egerod(1966);越南语,Thompson(1965:248—249);Chrau 语,Thomas(1971:138)。

参考文献

周法高 1959:《中国古代语法·称代篇》。

松山纳 1962:《共通タイ語の人称代名詞の体系について》,《东京外国语大学论集》9.1—8。

赵元任　1927:《现代吴语的研究》。

张清常　1982:《汉语"咱们"的起源》,《语言研究论丛》第二辑(天津人民出版社)91—95。

喻翠容　1979:《布依语简志》(民族出版社)。

《汉语方言词汇》,1964。

Benzing, Johannes. 1955: Die Tungusischen Sprachen, Versuch einer vergleichenden Grammatik(《通古斯语言,比较语法探究》Abhandlungen der Geiste-und Sozial-wissenschaftlichen Klasse Jahrgang 1955, NR 11).

Egerod, Søren. 1966: Word order and word classes in Atayal (《泰雅语的词序和词类》), *Language* 42.346—69.

Ferrell, Raleigh. 1969: *Taiwan aboriginal groups: problems in cultural and linguistic classification* (《台湾土著的文化·语言分类探究》)(台湾中央研究院,民族研究所)。

Norman, Jerry and Mei. 1976: Austroasiatics in ancient South China: some lexical evidence(《从借词看古代华南的澳亚民族》), *Monumenta Serica* 32.274—301.

Poppe, Nikolas. 1965: *Introduction to Altaic Linguistics*(《阿尔泰语言学导论》).

Thomas, David. 1971: *Chrau Grammar*(《客佬语语法》), Oceanic Linguistics, Special Publication No.7).

Thompson, Laurence C. 1965: *A Vietnamese Grammar*(《越南语语法》).

Яхонтов, С.Е. 1965: Древний китайский язык(《古代汉语》).

汉语方言里虚词"著"字三种用法的来源[*]

提要 虚词"著"字在汉语方言里有三种用法：方位介词,跟普通话"坐在椅子上"的"在"字相当；持续貌词尾,跟"坐着吃"的"着"字相当；完成貌词尾,跟"吃了饭就去"的"了"字相当。本文说明(1)"著"字在闽语里用作介词,吴语里用作持续貌、完成貌词尾,湘鄂方言里用作完成貌词尾,官话方言里用作持续貌词尾,(2)这些用法在文献上最早的用例,(3)介词是完成貌、持续貌词尾的来源,(4)虚词"著"字在几个吴、闽、鄂、湘方言里的音韵演变。

一 前 言

1. 在《吴语态貌词"仔"的语源》(1979(1980))里,我认为上海话"吃仔饭哉"(吃了饭了)的"仔"字,本字是"著",一般写作"着",就是北京话"骑着马找马"的"着"字。吴语不但完成貌词尾用"仔"字,持续貌词尾也用"仔"字,例如"骑仔马寻马"。后来邢公畹(1979:210)指出安庆话的"着"[tṣo。]字也有两种用法,"他吃着饭了"(他吃了饭了),"坐着吃"。有了安庆话的旁证,吴语"仔"字本字是"著"这个假设,大致算是让实了。

另外还有一些相关的问题没有解决。第一,为什么"著"字会

---

[*] 本文原载《中国语言学报》第三期,1988 年 12 月。其中的一部分曾经在 1983 年合肥召开的中国语言学会第二届年会上宣读。写作期间受中美学术交流委员会(CSCPRC)资助,谨此致谢。

在吴语里变成完成貌词尾？我以前说：

> 持续貌和完成貌在意义上有非常密切的关系。……拿动词"穿"为例，如果我穿一双鞋，那么我将一直穿到脱下为止。因此，"我穿了鞋了"就包括"我穿着鞋呢"的意思。反之，如果我现在穿着鞋，那么早先时候我一定有过穿鞋的动作……因为这类动词很多，这就可以为"仔"从持续貌到完成貌的语义引伸提供最初的语境。

这段话好像是说吴语先有持续貌词尾"仔"字，然后引伸变作完成貌。我现在觉得这种说法牵强，想尝试另外一种解释。

第二，除了吴语以外，是不是还有其他汉语方言也用"著"字来标志完成貌和持续貌？安庆话"著"字的用法跟吴语一样，这就说明这种用法一直伸展到安徽。邢氏（1979:210）又指出长沙话持续貌和完成貌都用"达"[.ta²]字："他吃达饭达"，"坐达吃"。我猜想"达"的本字也是"著"。果真如此，沿着长江的鄂湘地区也该有这类的方言。鄂、湘方言的资料不够详尽，不过还是想尝试一下，看看是否能证明这类方言的分布是沿着长江，一直到湖南湖北。

第三，除了完成貌、持续貌、结果补语以外，汉语方言中动词后面的"著"字还有什么其他用法？王育德（1969）曾经指出闽南话"坐[ti²]椅顶"（坐在椅子上）的[ti²]字，本字是"著"。这种方位介词（下面简称"介词"）的"著"最早出现于六朝文献，如《世说·德行》"长文尚小，载著车中……文若亦小，坐著膝前"。吕叔湘（1955:6）、太田辰夫（1957:223—225）、王力（1958:308—310）、赵金铭（1979）曾经指出，"附著"的"著"是介词"著"的直接来源，普通话持续貌"著"字的间接来源；赵氏的论证尤其精辟。"著"字在汉语方言里既然至少有介词、持续貌、完成貌三种用法，这里又出了个问题：三种用法中或选一、或选二、或选三，一共有 3＋3＋1＝7 种可能。这七种可能中有几种出现于汉语方言？

总起来说,本文的目的是为了说明(1)"著"字的介词、完成貌、持续貌这三种用法在几个吴、闽、湘、鄂、官话方言里的分布,(2)这三种用法之间的源流关系。文分六节。第一节　前言。第二节　虚词"著"字的四个古音。第三节　闽语。第四节　吴语和官话。第五节　湘鄂方言。第六节　总论。

二　虚词"著"字的四个古音

2. 考证方言词的本字,一般是先引《广韵》,然后说明某个方言词跟《广韵》里的某字音义俱合。本文不采取这种方式,一则是因为讨论闽语、湘语时要牵涉到上古音。二则是本文讨论的是虚词,《广韵》主要是说明实词的音义。《广韵》里"著"字的读音有以下几种:

　　入声十八药韵　　"著　附也,直略切"。
　　入声十八药韵　　"著　服衣于身,张略切,又直略、张豫二切"。
　　去声九御韵　　"著　明也处也立也补也成也定也,陟虑切,又张略,长略二切"。"箸　同上"。

王二本《切韵》里"著"、"箸"的读音如下:

　　　　入声十八药韵　　　"箸　张略反,又治略反,又张虑反。俗著"。……"樗,置也"。
　　　　去声九御韵　　"著　张虑反,表记。又持略、张略二反"。

《广韵》九御"著"字比《切韵》多了几个定义,是因为《广韵》转录了经典传注。例如"著不息者天也,著不动者地也"(《礼记·乐记》),郑玄注:"著,犹明白也";"箸仁义"(《荀子·王霸》),杨倞注:"箸,明也";"故先王著其教焉"(《礼记·乐记》),郑注:"著,犹立也";"以著万物之理"(《礼记·乐记》),郑注:"著犹成也"。很明显的,《广韵》并没有收入"著"字的虚词用法,我们也没法说明某方言里的虚词"著"字跟《广韵》所记载的音义俱合。

但是本文既然要探讨虚词"著"字在若干方言里的演变,在音韵方面不能毫无凭藉。"附著"的"著"是介词"著"的来源,《广韵》"著,附也,直略切"(澄母药韵)是本文的出发点之一。另外我们还需要假设"著"字有知母药韵、澄母御韵、知母语韵三种读音。知、澄声母清浊不同是方言之间的差别。"著"字用作虚词出现于动词之后,跟动词形成双音节的词组。在这种情形下,入声药韵的-k尾容易失落,"著"字于是变作舒声。这类的变化常见,例如古今字"作、做"、"若、那去声";"亦、也"、"却、可"~是。至于为什么澄母药韵变作御韵、知母药韵变作语韵,我们不能解释。

上面假设的四种读音在文献上也可以找到一些线索。(1)澄母御韵。"附著"的"著"字在古籍中没有固定的写法,草字头、竹字头都行。"兵箸晋阳三年矣"(《战国策·赵策》),高诱注:"箸,言附其城也"。"底著滞淫"(《国语·晋语》),韦昭注:"著,附也"。方位介词的"著"字也可以写作"箸",例如唐写本残卷《世说新语》写作"便自起写著梁柱间地"(卷中《规箴》)的这句,金泽文库藏的宋本《世说新语》写作"便自起泻箸梁柱间地"。[①]"筷子"义的"箸"字读迟倨切,澄母御韵。"箸晋阳"、"泻箸"的"箸"字在某些方言里可能读澄母御韵,厦门话方位介词[ti²]就是一个实例(详下)。(2)知母药韵。徐邈音"附著"的"著"字读猪略反。《经典释文》卷八《周礼·天官(郑玄注)》"附著,徐猪略反"。《释文》卷九《周礼·天官·冢宰下·屦人》:"著舄,知略反,又直略反"。"著舄"的出处是"绚谓之拘,著舄屦之头,以为行戒",意思是附著在鞋头。徐邈是晋东莞(今山东)姑幕人,永嘉之乱南渡迁居京口,今江苏镇江市。他不但"著,附也"读知母,《释文》认为该读直略反(澄母药韵)的"著,明也"他也读"张恕反"、"张庶反"、"张虑反"(知母御韵;《释文》卷八、九;志村良治1972:89)。东晋侨迁往往是举族的集体行动,镇江从那时开始就有人"著,附也"读知母药韵,以后就变成安庆话动词词尾的"著"[tṣo₂]字。(3)知母语韵。韵书上没有记载。下面会看到吴语"吃仔饭哉"的"仔"字,晚明的《山歌》和南戏里写作"子"字。苏州话"吃仔饭哉"的"仔"字音[ᶜtsɿ],清音声母上声。"子"字是以苏州话为标准的写法,再往上推,"子"、"仔"的来源是知母语韵的"著"字。此外《元曲选》有时把持续貌"着"字写作"只"字,读张耻切(张相 1953:54),来源可能也是语韵的"著"字。

这四种读法在汉代的音值是:

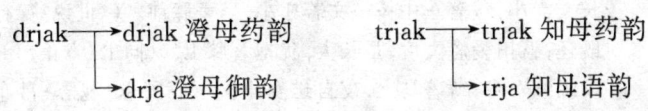

drjak → drjak 澄母药韵   trjak → trjak 知母药韵
      → drja 澄母御韵   → trja 知母语韵

这几种读音大致可以解释虚词"著"字在闽、吴、湘、鄂、官话这几个方言里的演变。

三　闽　语

3. 闽语把"著"字用作方位介词。

厦门话　坐[tiˀ]椅顶(坐在椅子上)
福州话　坐[tyɔʔ₂]椅悬顶(坐在椅子上)

厦门话是个阳去调的"著"字。闽语知系和端系合流,厦门话鱼、御、语三个韵母在舌尖音声母后变作[-i],如"显著"的"著"、"著册"(写书)的"著"读[tiˀ],"箸"读[tiˀ],"猪"读[ᶜti]。除了厦门话以外,晋江话[təˀ]、海南岛定安话[ʔduˀ]也是"在"义阳去调的"著"字。福州话是个阳入调的"著"字,澄母药韵。福州话药韵变作[-yɔʔ],如"药"、"约"[yɔʔ₂]、"雀"[tshyɔʔ₂]。除了福州话以外,龙溪话[tiʔ₂]、揭阳话[toʔ₂]、福安话[teʔ₂]也是"在"义阳入调的"著"字。② 看来共同闽南语"著"字是阳去调,共同闽北语是阳入调。闽北式的"著"字也曾渗入龙溪、揭阳这两个闽南方言。

159

方位介词"著"字最早出现于六朝的文献(太田辰夫 1957：224；王力 1958：308—309)。

>其身坐著殿上。(吴·康僧会译《六度集经》，《大正藏》，Ⅲ，6下)
>嬖妾悬著床前。(同上，Ⅲ，18上)
>刻木作班鵻，有翅不能飞，摇著帆樯上，望见千里矶。(晋乐府)
>畏王制令，藏著瓶中。(刘宋·求那跋陀罗译《过去现在因果经》，Ⅲ，621下)
>长文尚小，载著车中……文若亦小，坐著膝前。(《世说·德行》)
>既还，蓝田爱念文度，虽长大，犹抱著膝上。(同上《方正》)
>以绵缠女身，缚著马上，夜自送女出。(《三国志·魏志·吕布传》，刘宋·裴松之注)
>雷公若二升椀，放著庭中。(同上《曹爽传》，裴注)
>法力素有膂力，便缚着堂柱。(梁·任昉《述异记》，《太平广记》卷三二七引)

以上是静态的"著"，普通话说"在"。

>负米一斛，送著寺中。(《六度集经》，Ⅲ，23下)
>以权书射著围里。(《三国志·魏志·董昭传》)
>可掷著门外。(《世说·方正》)
>先担小儿，度著彼岸。(北魏·慧觉等译《贤愚经》，Ⅳ，367下)
>城南美人啼著曙。(江总(518—590)《栖乌曲》；"啼著曙"是"啼到天亮")

以上是动态的"著"，普通话说"到"。这两种"著"字有区别，如"送著寺中"白话不能译成"送在寺中"，"坐著膝前"不能译成"坐到膝前"。但有些例子"在"、"到"兼可。这里指出"著"字在静态动词后面意思是"在"，动态动词后面意思是"到"，是准备第四节解释吴语完成貌词尾"著"字的来源。

另外还有一点值得注意。方位介词"著"字最早在六朝江南的文献里出现，而闽语现在还保存这种用法。这个现象怎样解释？罗杰瑞(1983)提出一个很值得重视的看法。他认为南北朝时代或者更早,汉语南北两大方言以长江为界,闽语和吴语都是古江南方言的后代,闽语受北方方言的影响较浅,吴语受的影响较深。换句话说,"东晋南朝之吴语"③很像现在的闽语。证据有三:(1)在音韵方面,罗常培(1931)指出鱼虞两韵在六朝时代沿着太湖周围的"吴音"有分别,在大多数的北音没有分别。现代的汉语方言中,只有闽语的汕头、厦门、隆都等方言在某些声母后还能分辨鱼虞(周法高1948;易家乐1956)。《切韵》之脂有别,只有闽语政和话大致还能分辨之脂(罗杰瑞1979)。《切韵》的几个作者都没有到过闽地,其中三个南人刘臻、颜之推、萧该幼年可能在金陵住过,而且曾经在梁朝作官(周祖谟1966:439)。他们知道鱼虞有别,之脂有别,可见现在保存于闽语的这两个区别,在南朝的古江南方言里还存在。(2)在词汇方面,古文献指明是"南楚"或"江东"的方言词,有些闽语现在还在用。例如《方言》郭璞注:"衣裱江东呼䘼,音婉",现在厦门话、潮州话、揭阳话、龙溪话还管袖子叫"䘼"、"手䘼"或"衫䘼"。这类的例子罗杰瑞(1983)已有专文讨论,这里不赘。另外有个罗文没有提到的例子。《世说·德行》"吴郡陈遗家至孝,母好食铛底焦饭",这个"铛"字意思是锅,本字是"鼎",闽语管锅叫"鼎",如福州话、隆都话、建瓯话[₋tiaŋ]、厦门话[tiã]。"铛"是"鼎"字都挺切元音由高变低以后产生的方言字。(3)在语法方面,东晋南朝的吴越地区方位介词用"著"字,现在闽语介词还用"著"字。

我们的意思是说,因为闽地和吴越相邻,而且闽语在其他方面也像中古时代江浙一带的古江南方言,所以"著"字方位介词的用法在闽语里分布得最广,保存得最完整。这倒不是说其他方言里就不用"著"字作方位介词。下面会看到兰州话、浙江青田话也用。

四 吴语和官话

4.1 上海话说"吃仔饭哉"、"骑仔马寻马",一个是完成貌词尾,一个是持续貌词尾,两个都用[tsʅ]字。④上海话"仔"字本调不明,这个"著"字是知母,大概是语韵。跟"著"字中古同音不同调的"猪"字陟鱼切,上海话也说"仔",如"仔鲁"(猪鲁)、"仔头三"(猪头三,不识好歹的人),"显著"的"著"也说"仔"。这个两用的词尾苏州话说[ᶜtsʅ],是知母语韵。嘉兴话、昆山话说[zɿ˨](赵元任 1928:125),是澄母御韵。宜兴话、丹阳话等说[tsəʔ˳],这个"著"字是知母,大概是药韵,但变化不合本方言的规律。安徽安庆话用[tʂo˳],这个下江官话分阴平、阳平、上、去、入五个声调(郝凝 1958:78),中古浊音声母清化,我们暂且认为这个"著"字是知母药韵,澄母药韵也说得通。

上海话、苏州话词尾"著"字[tsʅ]音,不合本方言中古鱼韵的演变规律(这里用平声鱼韵以概语、御上去两韵):

	著	苎~麻	猪	褚	除	储	处	书	暑
上海话	tsʅ	zʅ	tsʅ	tshɥ	zɥ	zɥ	tshɥ	sɥ	sɥ
苏州话	tsʅ	zʅ	tsɥ	tshɥ	zɥ	zɥ	tshɥ	sɥ	sɥ

上面的例字都是鱼韵,除了"处"、"书"、"暑"以外,声母属于知系。大多数的字韵母变成圆唇的[ɥ],只有少数字变成不圆唇的[ʅ],现在要解释元音的分歧。

《韵镜》以鱼韵为一转,注"开";模虞两韵合为一转,注"开合"。陆游《老学庵笔记》卷六说:"吴人讹鱼字,则一韵皆开口。"这句话说明,当时鱼韵在北方话里已经变成合口,在吴语还读开口。据此,合口[ɥ]音的鱼韵字是吴语受北方话影响的结果。开口[ʅ]音的鱼韵字属于吴语原有的层次。鱼韵在汉代的音值是[ja],主要元音一直维持开口。由于-j-介音的影响,元音渐渐提高 a＞e＞i,然后跟介音合并。至于声母,赵元任(1928:31—32)、袁家骅(1983:60)认为老派苏州话由知母三等变来的读[tʂ-],知母二等变来的读[ts-]。"著"是知母三等,现在读[ᶜtsʅ]。据上所述,我们暂且把"著"字变成"仔"字的演变过程写成:

$$trja > tja > tji > tsʅ > tsʅ$$

(近三十年来上海话有[ʅ]和[ɿ]相混的趋势(许宝华等 1982:268),例如 书 ᶜsɿ≠诗 ᶜsʅ 树 zɿ²≠字 zʅ² 主 tsɿ²≠制 tsʅ² 本来是有区别的,但是大多数人这些字元音都说成[ʅ]。原因可能是大批外地人迁入上海,对这些人来说,[ɿ]是比较难发的一种音。)

4.2 吴语态貌词尾"仔"字出现于晚明南戏的宾白以及冯梦龙编集的《山歌》,字写作"子",我以前引过,下面再添两个朱德熙(1985:17)在《金瓶梅》里发现的例。

  我岑十四,生靠教书,今年竟失子馆。(《锦笺记·争馆》,毛晋编《六十种曲》)
  邹家先生,是个余姚人,有子好馆,弗来载。(同上)
  撑子船来勿得闲。(《运甓记·诸贤渡江》,《六十种曲》)
  姐看子郎君针㧓子手,郎看子娇娘船也横。(《山歌》(北京,中华,1962),2 左)
  只见管家的三步那(挪?)来两步走,就如见子活佛的一般慌忙请长老。(《金瓶梅》57 回,1539)
  又有一只歌儿道得好:尼姑生来头皮光,拖子和尚夜夜忙,三个光头好象师父师兄并师弟,只是铙钹缘何在里床?(同上,1548)
  雌个蛆虫乃亨偏要搭子雄个走也。(《焦帕记·叩仙》,《六十种曲》)
  你逢山逢水也跟子来。(同上)
  姐儿生来像香筒……常点子三更两更你个火心还勿退。(《山歌》44 左)
  我只撞弯子腰来际凑你。(同上,49 左)
  我捉你当子天上日头,一心只对子你。(同上,51 左)

前五句的"子"相当于"了",后六句的"子"相当于"着"。

宋元江南的白话文献里有完成貌"著"字的用例。

彼既自眼不明,只管将册子上语,依样教人。遮个怎么生教得?若信著遮般底,永劫参不得。(宗杲(1089—1163)《大慧书》⑤(日本,筑摩书房,1969),19;《答曾侍郎〔开〕第三书》)

若依彦冲差排,则孔夫子释迦老子,杀著买草鞵始得。(同上,89;《答刘宝学》)

发未发,觉未觉时,切须照顾。照顾时,亦不得与之用力争。争著则费力矣。(同上,103;《答张提刑》)

才闻人举著一字,便成卷念将去,以一事不知为耻。(同上,《答吕郎中〔隆礼〕书》;按:吕隆礼乃吕居仁之弟)

佛云:"是法非思量分别之所能解",解著即祸生。(同上,139;《答吕舍人〔居仁〕第一书》)

古人胸中发出意思自好,看著三百篇诗,则后世诗多不足观矣。(《朱子语类》卷八〇,5左,台湾影印成化本,3348)

只见老大,忽然死著,思量来这是甚则剧,恁地悠悠过了。(《朱子语类辑略》(《丛书集成》初集本),210;比较赵元任(1928:119)苏州话的例"我死仔倷那亨"(我死了你怎么办))

孟子曰:"人之所以异于禽兽者几希,庶民去之,君子存之"。去,只是去著这些子。存,只是存著这些子。(同上,168)

同着殿中侍御史陈师锡共写着表文一道。(《宣和遗事》元集)

宋江写着书,送这四人去梁山泺寻着晁盖去也。(同上,元集)

杨志因等候我了,犯着这罪。(同上,元集)

齐王问曰:先生去者怎生。(《七国春秋平话》卷中,140)

若不实说,便杀着你。(《三国志平话》卷中,404)⑥

这些白话文献里也有持续貌"著"字的用例:

愿公硬著脊梁骨,莫作遮般去就。(《大慧书》,50;《答富枢密第一书》)

虽不得守著遮个钝底,然亦不得舍却遮个钝底参。(同上,63;《答陈少卿第一书》)

人心平铺著,便好。若做弄,便有鬼怪出来。(《朱子语类辑略》,11)

道夫辞拜还侍,先生曰:更硬著脊梁骨。(同上,166)

撞着八个大汉,担着一对酒桶,也来堤上歇凉靠歇了。(《宣和遗事》元集)

却说齐王自孙子破魏之后,持着那孙子英勇……(《七国春秋平话》卷上,88)

见一人托定金凤盘内放着六般物件。(《三国志平话》卷上,348)

这些例句都是在江南的文献里出现。大慧名宗杲,《五灯会元》卷十九说他是"〔安徽〕宣城奚氏子",1089年生,1163年卒,比朱熹(1130—1200)早半个世纪。根据门人祖咏《大慧年谱》和张浚《大慧普觉禅师塔铭》,他七十五岁的一生中,最多只有八年在长江以北;宣和四年(1122)他三十四岁初次到汴京,建炎四年(1130)迁到海昏(江西永修);1126年汴京被金人攻占,大慧返回江南可能比1130年要早。他到过湖南、湖北、广东、福建、浙江。整个南宋的江南几乎都有他的足迹。大慧跟当时的士大夫交游很广,有几位还是朱熹少年时代的老师。《大慧书》是传流下来的他跟这些人论禅的书信,最早的作于大慧四十六岁。

朱熹是安徽婺源人(今江西),足迹遍历江南,没到过江北。朱熹在世最后三十年集徒讲学,学生各自写下语录,1200年朱熹去世后,汇集在一起,分类纂编成《朱子语类》。

《大慧书》和《朱子语类》里完成貌"著"字的用例应该怎样解释?第一,安庆话完成貌用"著"字,大慧和朱熹都是安徽人,出生地离安庆不远,他们的方言中有完成貌"著"字是很自然的现象。第二,含有完成貌"著"字的几封大慧的书信,收信人籍贯可考的曾开是江西人,刘宝学是福建人,吕氏兄弟是山东东莱人,都不是皖人或吴人。朱熹的学生更是来自江南各地。他们既然懂得大慧和朱熹完成貌"著"字的用法,这种用法的分布看来不限于江苏、浙江、安徽。我们下一节探讨湘、鄂方言里的完成貌"著"字就是由于这层考虑。

《宣和遗事》、《三国志平话》里完成貌"著"字的例句,王力(1958:311)引过,王先生引这几句时说:

> 但是,直到元代,"了"和"着"的分工还是不够明确的。有时候,"着"字表示行为的完成,等于现代汉语里的"了"字……到了明代以后,特别是十七世纪以后,"了"和"着"才有明确的分工。

赵金铭曾分析过《敦煌变文集》"了"和"着"的用例,结论是(赵金铭1979:69):"在变文中'了'字表示动作的完成,'着'字表示动作的持续,这种语法职能的分工,尽管在使用中有个别相混淆的现象,然而基本上已经明确。"敦煌变文是晚唐五代北方的文献,我们翻检宋元时代北方的白话文献,也没有发现"了"和"着"相混淆的现象,例如赵良嗣《燕云奉使录》(《三朝北盟会编》)、《刘知远诸宫调》、《元刊杂剧三十种》里关汉卿、马致远的杂剧等。王先生的说法似乎需要修正。

我们认为北方方言从晚唐开始,"了"和"着"一直是有明确的分工。长江沿岸的方言从南宋开始完成貌、持续貌词尾都用"著"字。宋元的江南文献基本上是用北方官话,但也有这种南方方言渗入,于是就出现"著"字表示完成貌的现象。《宣和遗事》和《全相平话》都是元代刊成的讲史。《全相平话》一共有《七国春秋平话》、《三国志平话》、《五代史平话》等六种,至治(1321—1323)年间福建建安虞氏新刊。杭州是南宋的首都,也是说话艺术的中心,宋亡以后,杭州繁华依旧。以前的学者已经说明《宣和遗事》前两集可能是掇拾编集南宋原有的话本而写成的;说三国,说五代的风气可以追溯到北宋汴京和南宋临安(胡士莹 1980:38—65,711—730)。因此,这些讲史无论是掇拾南宋旧作,或是元代写成,其中不免有杭州一带产品的成分。汇集在杭州的讲史艺人有不少是操上面所说的南方方言的,这大概就是《宣和遗事》、《三国志平话》、《七国春秋平话》里完成貌"著"字的来源。反过来看,这些讲史里有完成貌"著"字,直接承继《大慧书》、《朱子语类》这两种南方文献的用法,这就可以从语言史的角度说明这些讲史的编写过程,曾经经过杭州地带的一环。

4.3 现在我们先讨论官话持续貌词尾"著"字的来源,然后解释为什么"著"字在吴语(以及其他方言)里会变成完成貌词尾。

4.3.1 赵金铭(1979)指出《敦煌变文集》里的"著"字至少有介词和持续貌词尾两种用法:

> 于是获收珍宝,脱下翻(旛)旗,埋着地中。(《李陵》,91)
> 单于殊常之义,坐着我众蕃之上。(《李陵》,92)
> 此小儿三度到我树下偷桃,我捉得,系著织机脚下。(《前汉刘》,162)
> 阿娘不忍见儿血,擎将写(泻)着粪堆(堆)傍。(《孔子》,235)
> 惟只阿娘床脚下作孔,盛著中央,恒在头上卧之,岂更取得。(《搜神记》,883)

以上这些例句中的"著",都可以换成"在"字。

> 卿与寡人同记着,抄名录姓莫因循。(《捉季布》,54)
> 判放着三万六千五百五十……(《唐太宗》,212)
> 将儿赤血瓷盛着。(《孔子》,235)
> 见他宅舍鲜净,便即兀自占着。(《燕子赋》,249)
> 为未得方便,却还分付与阿婆藏着。(《搜神记》,883)

以上例句中的"著"字是持续貌词尾。[⑦]

赵氏在举例以前说:"一个动作,如果外在持续之中,往往也就呈现出一种相对静止的状态。所以,最初出现的动词词尾'着'是静止情况下所表现的持续状态,而不是表明行为在进行之中。"举例以后又说:"这些例句中,动词'盛'、'倒'、'放'、'藏'、'占'、'记'本是表明一种动作;然而带上'着'以后,说明这种动作连续下去了,于是形成为一种状态。"固然王力(1958:308—310)、太田辰夫(1957:223—225)也曾说过介词"著"是持续貌"著"的来源,但他们引征的例句,时间前后间隔了一大段,而且都没有指出持续貌词尾萌芽的时候,"著"字还用作介词。赵氏在这方面说得最透彻。

我们可以从方言的角度支持上面的说法。兰州话的"著"字有介词和持续貌两种用法:⑧

  拿着东西。 放着桌子上。(放在桌子上)

介词"著"是源,持续貌"著"是流,兰州话源流兼用,而且位置在西北,接近敦煌。

  4.3.2 现在来讨论普通话持续貌"着"字读音的来源,先从动结式中结果补语的"着"字谈起。

  澄母药韵的"著"字,按照普通话音韵演变的规律会变成"打着"、"猜着"、"睡着"的"着"zháo[ʈʂau]字:仄声的浊塞音变成不送气的清音,澄母 ḑ->tʂ-,全浊入声字大部分变阳平。"着"字以及其他中古药韵一部分的字在《中原音韵》里属于萧豪韵,按照普通话的音变规律变[-au]。

  《新校元刊杂剧三十种》里"着"字无论用作持续貌词尾或是结果补语都属于萧豪韵:

  休道十分的正着,则若轻轻地抹着,敢交你睡梦里惊急列地怕到晓。(《尉迟恭》二,274)
  正在美良川厮撞着,咱两个比并一个好弱低高。(同上)
  将这小孩儿寻觅着,不邓邓生怒恶。(《赵氏孤儿》三,319;按:"恶"属萧豪韵)

以上是结果补语的"着"字。

  汉江边张翼德,把尸灵挡着,船头上把鲁大夫险几乎间唬倒。(《单刀会》一,60)

他将骏马牵着,苦也,这正是马有垂缰扳。(《马丹阳》四,234)
我这里劝着,道着,他那不睬分毫。(同上)
师父道,且忍着,又不会赴蟠桃。(同上,235)
他偏掩映着,他他走将来展脚舒腰。(《魔合罗》二,419)
龙椅上紧扶着,大小官员扬尘舞蹈。(《周公摄政》二,656)
便有个姜子牙,也难应非熊兆,子索把绿蓑衣披着。(《夜追韩信》一,678)
把这个躯命好觑着,是必休交,俺残疾娘知道。(《替杀妻》三,771)

以上是持续貌词尾的"着"字。

普通话里轻声的-ao、-iao韵会变成-e[ɤ],比方说"挂到墙上"说快了就说成"挂.de墙上",结果补语的"了"说 liao,如"吃得了"、"吃不了",完成貌的"了"说.le,如"吃了饭就去"。因此,澄母药韵的"著"字先按照普通话的演变规律变 zháo,再在轻声条件下变.zhe[.tʂɤ],这样就可以解释持续貌"着".zhe字读音的来源。

这里还有两个枝节问题。《老乞大谚解》和《朴通事谚解》这两本过去在朝鲜流行的汉语教科书,在每一个汉字下列有两种谚文的对音。右面的对音是朝鲜中宗朝(1506—1544)崔世珍所撰,代表16世纪前期汉语北方话的对音,很可能是反映北京音。按照胡明扬(1963)的研究,在这个对音系统中,《中原音韵》的萧豪韵至少可以分成三种:

io 韵:嚼雀若箬角觉脚学约乐药岳;[tʃio]着
ao 韵:高毫报桃道……;[tsao]遭早枣澡懆皂造灶
iao 韵:交腰标苗刁挑尿了小……;[tʃiao]招昭朝赵照诏

值得注意的是 io 韵都是入声字,其中包括"着"字,可见《中原音韵》"入派三声"的字,在《老》、《朴》谚解对音系统里是独立自成一韵的。另外应该补充一下,在《老》、《朴》中"着"字无论用作持续貌词尾还是结果补语,"着"字下面右方谚文对音是一样的,也就是相当于胡氏拟的[tʃio]音,持续貌"着"字在《老》、《朴》中俯拾即是,结

169

果补语"着"字罕见;《朴通事》上有个例:"咳,都猜着了也",这个"着"字的对音跟同页"守着停柱坐"的"着"字一样。

北京话在什么时候真正失落入声是个很复杂的问题,这里不谈。跟"着"字在《谚解》里同韵的有"嚼"、"角"、"觉"睡~、"脚"、"学"动词、"药"等字,这些字的主要元音 o 既然在普通话里变-ao,那么按照同样的规律"着"字的主要元音也变-ao。有了 zháo 音的"着"字还是可以用上面的说法来解释.zhe 音"着"字的来源。

另一个问题是《元曲选》里持续貌"着"字也写作"只"字。张相(1953:54)指出:

> 只,语助辞,犹着也。读张耻切,见《元曲选》音释。《冻苏秦》剧二:"我这官职呵,大古里是箱儿里盛只"。此犹云盛着也。《伍员吹箫》剧三:"我待来,且慢只,我问他个擘两分星,说一段从头的至尾"。此犹云慢着也……

张氏这段还引征《潇湘雨》第二折,《黑旋风》第三折,《誶范叔》第四折的用例。

张氏的观察是正确的。有两点可以补充。第一,按照《元曲选》的写法和音释,写作"只"字的"着"字是齐微韵。《元刊杂剧三十种》里没有齐微韵的持续貌"着"字,也没有写作"只"字的"着"字。第二,《元曲选》里也有萧豪韵的持续貌"着"字,例如《㑇梅香》二:"膝跪着,强扎挣,刚陪笑"、"霍霍的摇动珠帘你等着,巴巴的弹响窗棂时节的是俺来了",《音释》"着,池烧切"。北曲在元代就盛行在杭州一带,《元曲选》里的剧本是经过明人增改过的,编者臧晋叔是晚明浙江长兴人,序"书于西湖僧舍",《音释》也是他作的。我们暂且认为"张耻切"的"着"字跟元曲的方言基础中原雅音无关,同时怀疑"只"字可能就是《山歌》和《六十种曲》里的词尾"子"字。

4.4.1 现在回来讨论吴语完成貌"著"字的来源。我们在第三节看到介词"著"字在"负米一斛,送著寺中"这种句子里可以换成"到"字,在"坐著膝前"这种句子里可以换成"在"字。"送"这样有动向的动词是从起点趋向目的地。如果到了目的地,"送"这个动作算是完成了。否则只有企图,没有结果。我们以前(梅祖麟1981)曾经说明动结式中的结果补语有完成貌的语法意义,在北方话里促成完成貌词尾的产生。"送到"是动结式,"送著"中的"著"字在语法意义方面像结果补语,有变成完成貌词尾的潜能。因此,在"坐"类静态动词后面的"著"字是吴语持续貌"著"字的来源,在"送"类动态动词后面的"著"字是完成貌的来源。

"著"字有时相当于"在",有时相当于"到",一部分是因为"著"字前面的动词有的是静态,有的是动态,一部分是因为同一个动词有动、静两种用法。比方说"坐在前面"、"后面看不清楚,坐到前面去"。前者是静态的"坐",后者是动态的"坐"。"雷公若二升椀,放著庭中"(《三国志·曹爽传》裴注),这句是说雷公由于"放"这个有动向的动作,现在处于静止状态下所表示的持续(也可以说"雷公庭中放著"),"著"字相当于"在"。"谢送版,使王题之。王有不平色,语信云:可掷著门外"(《世说·方正》),"掷"也是有动向的动词,但"可掷著门外"是命令句,说这句话时谢所送的版在门里,要"掷"了以后才会到门外,"著"字相当于"到"。因为六朝文献里的"著"字兼有"在"、"到"两个意思,所以当"著"字在吴语和其他方言中变成动词词尾时,"著"字既能标志持续貌,又能标志完成貌。

4.4.2 以上是理论。现在用浙江青田话来支持我们的看法。⑨青田和温州相邻,方言关系密切。完成貌词尾在温州话里是[da]或[lɑ],两者之间的关系是自由变体,在青田话是[tsl],本字是"著",例如:

	吃了进去	走了过去	跌到了	掉(蹬)了下来(落)
青田话	吃[tsl]底	走[tsl]去	跮[tsl]倒	daŋ tsl loʔ
温州话	吃[da]底	走[da]去	跮[da]倒	daŋ da lo

171

温州话方位介词[da]相当于普通话的"到",[zı]相当于普通话的"在"。青田话这两种介词都用[tsı],跟完成貌[tsı]字同音,本字也是"著",例如:

	坐在那里(搭)	丢在桌子上	丢到桌子上
青田话	坐[tsı ta]	捋[tsı]桌上	捋[tsı]桌上
温州话	坐[zı ta]	捋[zı]桌上	捋[da]桌上

"丢在桌子上"温州话说"捋[zı]桌上",[zı]表方位,说明这个东西在桌上,不在别的地方。"丢到桌子上"温州话说"捋[da]桌上",[da]表示方向、结果和动作的完成。但是在青田话里,这两种意思都说"捋[tsı]桌上",没有语音的差别。又如青田话"睏[tsı]床上"有两个意思,一个表示这个人睡在床上,不是睡在地上,[tsı]表示方位。另一个表示这个人原来站在床边或者坐在椅子上,现在睡到床上去了,[tsı]表示动作的方向和完成。具体的意义由上下文语境决定。此外青田话的[tsı]和温州话的[zı]也是持续貌词尾。

第4.3.1节看到"在"义的方位介词"著"字是北方话持续貌"著"字的来源,有兰州话和敦煌变文为证。第4.4.1节假设"到"义的介词"著"字是吴语完成貌"著"字的来源,现在看到有青田话为证。从两方面来看,青田话是吴语和闽语之间的过渡方言。第一,青田位置在浙南,北边是吴语,南边是闽语。第二,大部分吴语"著"字只用作动词词尾,闽语"著"字只用作介词。青田话却是同时用作介词和动词词尾。把空间折成时间,或许可以说,青田话保存了从介词"著"到动词词尾"著"的演变过程。

五 湘鄂方言

5.1 长沙话"吃了饭了"说"吃达饭达","坐着吃"说"坐达吃"。持续貌、完成貌都用轻声的"达"[.ta]字,这是根据邢公畹

(1979:210)、杨时逢(1974:33)两位的资料。我们暂且依循邢氏的看法,认为"达"字的本调是阳去。

长沙是大都市,方言受普通话和西南官话的影响很深。双峰和洞口县黄桥镇比较偏僻,可以代表老湘话。下面就用双峰话(袁家骅 1983:109—126;向熹 1960)、黄桥话(唐作藩 1960)来推断动词词尾"达"字的语源。

5.2 (1) 双峰话"章知见三组与古三等韵(不论开合)相拼,今多读舌尖塞音 t-, t'-, d-"(袁家骅 1983:117)。下面转录几个例。知母:"猪"、"蛛"、"诛"、"株"[꜀ty]、"驻"[ty²]、"张"[꜀taŋ]、"着"睡~[꜀tʊ];澄母:"除"、"厨"[꜀dy]、"苎"、"箸"、"柱"、"住"[dy²]、"长"~短、"肠"[꜀daŋ];章母:"者"[꜀ta]、"诸"[꜀ty]、"煮"[꜀ty]。双峰话知、章、端三系合流,在这方面很像闽语。

(2) 双峰话"锯"鱼韵白读[꜀ta],"者"麻三[꜀ta](向熹 1960:166页后第二页"乙,韵母的比较"第一表 a, ua),黄桥话(唐作藩 1960:98—99)麻三的字白读韵母是[-a],如"蛇"、"社"、"射"[ʐa];"扯(撦)"、"车"[tʂha];或者是[-ia],如"姐"、"借"[tsia]、"邪"[dzia]、"夜"、"野"[ia]。这些都是上古鱼部的字。

(3) 双峰话持续貌词尾用[ta]字,如"北风看[ta↘]快活得要死"、"日头看[ta↘]真得意"(袁家骅 1983:125—126),书上[ta]字标的是低降调↘,调值是 21,在双峰话是上声,汉字写的是"者(着)"。

黄桥话声调系统基本上跟双峰话一样:[⑩]

	阴平	阳平	上声	阴去	阳去
黄桥	44	112	21	24	13
双峰	55	23	21	35	33

唐作藩(1960:87)描写黄桥话声调时说了几句很有意思的话:"此

173

外还有一种变调,调值同上声。双音词的第二音节如果非上声,差不多都变为上声……此外,词尾'子'等和助词'格'等也都念同上声。上声的调值˦(21)很低,所以也可以视为轻音。"看了这段以后,我们认为双峰话持续貌词尾的来源有两个可能:(甲)本字是"著"字,本调是阴上。(乙)本字是"著"字,读轻声,本调不明。我们暂且采取(甲)的说法。

(4) 双峰话完成貌词尾用"解"[ᶜka]。黄桥话用"瓜"[ᶜkua],持续貌用"倒"[ᶜtau]。

5.3 现在可以回来讨论长沙话词尾"达"字的语源。我们假设长沙话最古老的层次音韵演变类似双峰话、黄桥话。按照这个假设,"达"的本字是"著"。

著 *trja＞tja＞ta 者(双峰)*tja＞ta

"著"字失落-r-介音,知母和章母合流,这是双峰话一般的演变。失落-r-介音后,"著"字跟"者"字同音,都是 tja。如果不失落-j-介音,两个字的韵母变化跟黄桥话麻韵三等字一样,主要元音保持上古的[a]音。失落-j-介音以后,就变成[ta]。上面为了叙述方便,假定长沙话"著"是知母语韵。如果是澄母御韵结果也是一样;阴上或阴去调的"著"字,轻读时都变[.ta]。

5.4 除了长沙话完成貌用"达"以外,还有其他的湖南方言完成貌用"达"。另有几个方言用[.tə],如湘阴、平江、浏阳(杨时逢 1974:1408—11)。轻声的虚词韵母常变[ə]。这些完成貌[.tə]字的本字也是"著"。这些方言分布在两个地区,一个是湘北洞庭湖沿岸和澧水流域,如岳阳、华容、安乡、澧县、临澧、石门、慈利、大庸、沅江、湘阴。另一个是东部湘江流域,如长沙、浏阳、湘潭、衡山、永兴。(请参看附图)湘东地区有的方言也用"达"字来表示持续貌,但同时用"达"来表示持续貌和完成貌的方言不多,例如:

	益阳	沅江	长沙	湘潭	湘乡[11]	茶陵
吃了饭	ka	.ta	.ta	.ta	.ka	了
坐着	.ta	.ta	.ta	倒	ᶜta	.ta
站着	起	.ta	.ta	倒	ᶜta	.ta

我们暂且认为,完成貌、持续貌都用"达(著)"字是早期湘语的一个特征,后来在这些湘方言中,有的完成貌"达"被其他虚词替代,有的持续貌被其他虚词替代,以致形成现在犬牙交错的分布。

洞庭湖的北岸是湖北,湖北方言里也有不少完成貌用"达"[.ta]字的。(赵元任 1948:1518—19)这些方言主要是在鄂中到鄂西长江两岸,从石首西行到公安是一段,中间被完成貌用"了"字的江陵话、枝江话、宜都话隔开,然后再从长阳开始,西行一直到秭归,又沿着清江到利川。另外就是鄂中由钟祥、京山、荆门形成的一块孤岛。"达"字的分布请参看本文转录的《湖北方言调查报告》第五十八图。[12]这些用"达"的方言持续貌绝大多数用"倒",少数用"着"(赵元任 1948:1520—21),例如:

	荆门	钟祥	宜昌	长阳	秭归	巴东	宣恩	利川
吃了饭	达	达	ᶜiau	达	达	.ne	.ie	达
不早了	达	达	达	达	达	达	达	达
坐着	倒	倒	倒	倒	着	倒	倒	达

湖北方言里的"达"字本字也是"著"。

从两个方面去看,湘鄂方言里动词词尾的"达"字都是古代方言的遗迹,"古代"在音韵方面是指魏晋南北朝,在虚词用法方面是指宋朝。第一,"著"字知系声母读作端系声母,鱼部鱼韵读作[a]韵,这都是保存《切韵》以前的读音。第二,在湖北"达"字的完成貌被"了"系字的完成貌切成三段,而且用"达"字的钟祥、荆门、京山是"了"系字地区中的孤岛,按照方言学的一般原则,不相联的地区的方言是古老的。另外知系和端、章两系合流的湘语现象跟闽语相似,中间被赣语、客家话隔断。最重要的是湘鄂方言完成貌用"著"字,少数湘方言持续貌也用"著(达)"字,跟吴语沿着长江形成一条"吴头楚尾"的长蛇阵,东起海滨,西至巴东,但这条长蛇阵不是连续不断的,而是被下江官话,西南官话的"了"、"倒"斩成几段的,从这方面也可以看出词尾"著"字在湘鄂地区的流行时期是在官话方言侵入以前。

在第4.2节我们看到《大慧书》、《朱子语类》里有完成貌"著"字的用例。大慧、朱熹足迹所到的湖南、湖北、安徽、江西、浙江、江苏几省,也正是当时完成貌"著"字流行的长江流域。这样就比较容易了解为什么他们的语录或书信中会有这种用法。

六 总 论

6.1 现在我们从几个角度来总结一下上面的讨论。先看虚词"著"字三用法在几个方言里的分布。

	方位介词	持续貌	完成貌
北京	−	+	−
厦门	+[ti²]	?[.te]	−
湘潭	−	?(倒)	+[.ta]
兰州	+	+	−
上海	−	+	+
长沙	−	+	−
青田	+	+	+

(1)在各种可能的搭配中,似乎没有一种方言把"著"字用作介词和完成貌,而不用作持续貌。除此以外,各种可能的搭配都在汉语方言中出现。(2)厦门话有个表示持续貌的[.te]字(黄丁华1958:81),例如"你坐[.te]"(你坐着)、"伊 ti 台顶倚([khia²])[.te]"(他在台上

站着)。这个[.te]也可能是"著",但是不敢确定,所以打问号。[13](3)湘潭话持续貌用西南官话的"倒"字。按照袁家骅(1983:53)的描写,四川话的"倒"[ᶜtau]字有几种用法:(甲)表示动作的持续或进行,如"坐倒吃比站倒吃好"。(乙)表示动作的完成,如"他找倒一张纸"、"今日遇倒唱歌人"。(丙)方位介词,相当于普通话的"在",如"放倒桌子上"、"他把杯子拿倒手上玩"。这个"倒"字很可能是"著",但是我们不了解为什么"著"字会变成[ᶜtau],所以给湘潭话持续貌这一格打问号。(4)青田话是唯一把"著"一字三用的方言,这类方言罕见可能是功能负担(function load)不能太重的原因——同一个虚词,如果担任几种不同的语法功用,容易引起语义的混淆,于是某些功能就被其他的虚词替代。厦门话、湘潭话可能是虚词"著"字有两种用法,但两种用法的"著"字读音不同,也是这个缘故。

6.2 现在从音韵演变的角度来给虚词"著"字排个简单的系谱(见下)。长沙话、安庆话打问号是因为不能判断这两个方言里"著"字的本调。在以上十来个方言中,闽语、北京话、安庆话"著"字的音韵演变是合乎本方言的规律的。吴语"著"字鱼韵开口,湘语鱼韵读[a],长沙话知系读[t-],都不合本方言的规律,[14]可以了解为古老层次的遗迹。

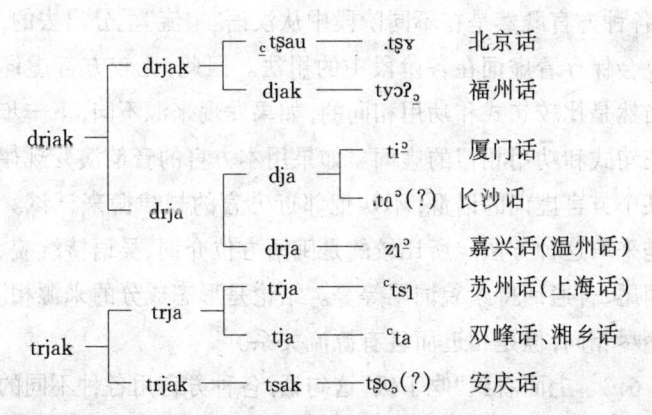

```
                  ┌─ ᶜtʂau ── tʂɤ˙     北京话
         ┌─ drjak ┤
         │        └─ djak ── tyɔʔ₂     福州话
         │              ┌── ti²         厦门话
drjak ───┤        ┌─ dja ┤
         │        │     └── ta°(?)      长沙话
         └─ drja ─┤
                  └─ drja ── zl²        嘉兴话(温州话)
                  ┌─ trja ── ᶜtsl       苏州话(上海话)
         ┌─ trja ─┤
trjak ───┤        └─ tja ── ᶜta         双峰话、湘乡话
         └─ trjak ── tsak ── tʂo₂(?)    安庆话
```

正因为虚词的音韵演变往往在某方面保存古音(戴密微 Demiéville 1950;司徒修 Stimson 1972),而且同一个虚词会在不同的方言中产生不同的用法,所以乍一看,好像各种方言各有它独特的虚词,互不关联。袁家骅(1983:14)说过几句很有意思的话:

……比如动词时体的完成式,北京人说"吃了饭",苏州人说"吃仔饭哉",广州人说"食咗饭咯",构词和句式完全相似,可是表示完成的"了"[.lə]、"仔"[.tsɿ]、"咗"[.tsɔ]却不是同一来源的语言材料。印欧语的比较研究强调形态成分的来源相同,[15]决不满足于平行的类似,这个要求如果强加于汉语方言的形态比较,就会大失所望了。

袁先生的话一部分是对的。北京人说"坐在椅子上",厦门人说"坐[tiˀ]椅顶",构词和句式完全相似。有人(黄丁华 1958:81)因此就认为[tiˀ]字是"在"字在闽南话里的说话音。这是把形态成分来源相同的要求,强加于汉语方言的比较。袁先生的意思如果是批评这种比较法,我们是赞成的。但另一方面,袁先生似乎是先立了个不成文的规矩:比较方言时只能把功用相同的形态互相比较,也就是说完成貌词尾只跟完成貌词尾比较,方位介词只跟方位介词比较等等。比较以后发现来源不同,就大失所望。我们觉得这个规矩可以变通一下。虚词的用法在历史过程中是可以变的,各种方言既然是在不同阶段中从汉语"主流"里分出去的,方言里也会保存着虚词在各阶段中的用法。因此,比较方言虚词第一步当然是比较句式和功用相同的,如果发现来源不同,下一步就是比较句式和功用相似的虚词。如果用本方言的音韵演变规律找不出某个方言虚词的语源,不妨把邻近方言的规律搬来试试。本文就是采取这种方法。所比较的是闽语方位介词、吴语持续貌、完成貌词尾、普通话持续貌词尾等等。结论是形态成分的来源相同,功用不尽相同,但是相近而且有源流关系。

6.3　上面看到"吃了饭"这句话,各种方言用各种不同的虚词来表示完成貌。有的用各种读音的"著"字;有的用"了".le,在 n-、l-不分的方言里变.ne;有的方言用的完成貌词尾来源不明,如黄桥话的[ᶜka]、双峰话的[ᶜkua];有的方言用的完成貌词尾本字可能是"著",但目前不能证明,如四川话的[ᶜtau]、广州话的"咗"[ᶜtsɔ]。这些方言里的完成貌句式和词尾不见得都是独自发明的。这里就出了两个问题:这些方言里的完成貌句式是怎样产生的?完成貌词尾是怎样产生的?我们认为大多数都是从别的方言里传来的。

根据以前的研究(赵金铭 1979;梅祖麟 1981),我们知道北方话在九、十世纪开始有"动+了+宾"这种完成貌的句式。更早的词序是"动+宾+了"。由于种种因素,"了"字提前,处在动词和宾语之间;在《敦煌变文集》、《祖堂集》(952 年序)第九、十世纪的白话文献里就有少数"动+了+宾"型的句子,不过那时最常见的词序是"动+宾+了"。到了北宋末年,在《燕云奉使录》(1123—1126)里,"动+了+宾"型的句子已经占绝对优势,偶而也有"动+宾+了"型的句子出现。稍早的沈括《乙卯入国奏请》(1075)(李焘《续资治通鉴长编》卷二六五引)和稍晚的《刘知远诸宫调》也是如此,可见"动+宾+了">"动+了+宾"这个移位演变在北方话里 12 世纪初已经基本完成。

现代汉语方言里完成貌的句式我们认为都是从北方官话传来的,而宋室南渡是其中的因素之一。1127 年北宋灭亡以后,大批北人渡江南下,他们的语言里有"动+了+宾"这种句式,跟当地的各种南方方言接触,就促使完成貌句式在这些南方方言里产生。换句话说,除了北方官话以外,其他汉语方言里的完成貌句式都是从北方官话传来的。应该特别强调的是所传播的是个抽象的句式,也就是说在动词和宾语之间可以嵌入一个表示完成貌的动词词尾,至于用哪个具体的字眼来充任词尾,要由各个方言自己来决定。

上面的假设可以帮助我们推断完成貌"著"字在语言中萌芽的时期。据现在所知,完成貌"著"字最早出现于《大慧书》(1134—1163),跟北方话"动+了+宾"成为完成式的标准句型的年代(11世纪到12世纪初)密切衔接,因此文献上的年代大致可以看作语言里的年代。至于完成貌"著"字最初在哪个地区萌芽,我们猜想是江浙地带,一则是青田话还保存着"到"义的方位介词"著"字。二则是宋室南渡时,大批北人涌入杭州。三则是杭州、金陵、苏州是南宋的政治、文化中心,这个地区的方言声誉最高,是其他方言模仿的对象。

完成貌"著"字在某个江浙方言里生根以后怎样传播?完成貌"著"字在各方言中出现种种音韵上的分歧。例如安庆话、丹阳话、宜兴话是入声,其他方言是舒声;安庆话是合口,其他方言是开口;苏州话、上海话是清音声母,嘉兴话、温州话是浊音声母;此外元音洪细有别,声母塞音、塞擦音有别,上面已经说过了,这里不赘。这些方言的"著"字不但现在大不相同,在宋代已是各有差异。因此,我们需要假设,当完成貌"著"字在长江流域散播时,从甲方言传到乙方言,说乙方言的人会把甲方言的"著"字兑换成自己方言的读音,然后再传到其他方言里去。

总起来说,我们认为完成貌"著"字的产生是由于两个因素,一个是北方话完成貌句式散播到南方,一个是江南地区"到"义的方位介词"著"字产生了新的用法。前者是句式的来源,后者是虚字眼的来源。在某个江浙方言里产生完成貌"著"字以后,再由甲方言用"折兑"的方式把"著"字传到乙方言,一直蔓延到湘鄂地区。

6.4 最后我们来考虑一个方法论的问题。上面的论证是兼用方言和文献两种资料,如果没有文献的资料,是不是也可以得到同样的结论?我们认为是可以的。文献的功用是决定虚词"著"字三种用法的绝对年代和相对年代。没有文献,绝对年代当然没法决定，但这不是本文题目的核心部分。相对年代的功用是决定虚词"著"字三种用法的先后，这种功用可以用理论来替代，比方说：

方位介词可以变作动词的态貌词尾，态貌词尾不可能变作方位介词。

如果一个语言有动结式的复合动词，也有态貌词尾，而这个语言的词序是"动·结＋宾"和"动·词尾＋宾"，那么动结式的出现在前，"动·词尾"式的出现在后。就汉语来看，这两个命题是符合事实的，同时我们猜想对任何其他语言来说，这两个命题也是可以成立的。这类的命题是决定虚词变化的方向，性质很像音韵学家常谈的音变的方向。有了这样的理论，再加上两种过渡方言——兰州话"著"字用作介词和持续貌，青田话"著"字用作两种介词和两种态貌词尾——即使没有文献，照样可以说明吴语完成貌"著"字和官话持续貌"著"字的来源。如果没有方言资料却是像要巧妇做无米之炊。目前的方言调查似乎是侧重音系和词汇。假如语法也能得到同样的重视，过几年或许可以看到几部详尽的方言语法，每部描写一个有代表性的方言。这样的资料是方言语法史的基础，也可以解决传统汉语语法史里的不少问题。

附 注

① 台湾艺文印书馆 1964 年影印金泽文库藏宋本《世说新语》，书前所附唐写本残卷有收藏人京都神田氏、杨守敬、罗振玉的跋。

② 闽语的资料是罗杰瑞供给的。晋江话根据董同龢《四个闽南方言》(1959)798 页倒数第 6 行，龙溪话 859 页第 2 行，揭阳话 903 页第 1 行。其他方言是根据罗杰瑞方言调查的记录。

③ 《东晋南朝之吴语》是陈寅恪先生(1936)一篇文章的题目，主要内容是说东晋南朝江左的士族操北语，庶族操吴语；东晋南朝诗文里的用韵不是反映当时的吴语。本文想补充两点：第一，陈先生只是消极地说明什么不是

东晋南朝的吴语,罗杰瑞和我想积极地说明什么是东晋南朝的吴语。第二,鱼虞两韵当时在沿着太湖周围的"吴音"里有分别,大多数的北音里没有分别,可见六朝诗文的用韵也并不是完全不反映"吴音"。

④ 我的 1979 年那篇文章发表以后,赵元任先生寄来一张英文的明信片:"有个细节,上海话'仔'和'哉'的声母都是[z],不是[ts]。可是苏州话和其他吴语的'仔'和'哉'用[tz](麟按:赵先生用《现代吴语的研究》标音法,[tz]相当于一般的[ts]),苏州话要算最典型的吴语。"《现代吴语的研究》(1928)125 页记的上海话"哉"作 zé,"仔"作 zyh,那是二十年代的语音。我说的是四十年代静安寺区的上海话,"仔"、"哉"声母是[ts]。现在有些上海的年青人根本不说"吃仔饭哉"而说"吃了饭了"。这三种说法大致反映老、中、青三代的语言。上海市内各地区的说法也可能不同。

⑤ 本文用的版本是荒木见悟《大慧书》(《禅の語録》17;东京,筑摩书局,1969)。这书也收入《大正藏》,第 47 卷,916 中—943 中。

⑥ 页数是指台湾中央图书馆 1971 年影印的建安虞氏新刊《全相平话武王伐纣书》、《全相平话乐毅图齐七国春秋后集》、《全相秦并六国平话》、《全相平话前汉书续集》、《全相平话三国志》。这是《历史通俗演义》中的一册。

⑦ 赵金铭(1979:68)持续貌"着"字的例证还引了一句:"木剧到(倒)着,不进彷徨"(《伍子胥》,《敦煌变文集》,8)。这句的上文是"〔伍子胥〕占见外甥来趁。用水头上攘之,将竹插于腰下,又用木剧(屐)倒着,并画地户天门,遂即卧于芦中"(同页)。"木剧(屐)倒着"意思是"木剧(屐)倒穿","着"字用"服"的意思,不是持续貌词尾,所以没有转引。

⑧ 这是高葆泰先生在合肥告诉我的。

⑨ 温州师专的潘悟云先生从 1982 年就跟我通信讨论吴语完成貌"仔"字的来源,青田话、温州话的资料是他供给的,本文这段转录潘先生的来信,谨此致谢。

⑩ 唐作藩(1960:87)黄桥话阴平调调号误印作"41",今据旁边的调形符号改为"44"。

⑪ 《湖南方言调查报告》里所调查的方言点,湘乡离双峰最近。湘乡话持续貌[ᶜta]字标阴上调,跟双峰话一样。

⑫ 这图给完成貌下的定义跟本文稍微不同:"吃了饭"、"不早了"这两句中只要有一句在跟"了"字相当的位置用"达",这个湖北方言就算是以"达"为"了"。本文只承认"吃达饭"的"达"字是完成貌。

⑬ 黄丁华(1958:81)认为[.te]的本字是"在"。张盛裕(1980:131)认为潮阳话"开[ᶜto]"(开着)、"坐[ᶜto]"(坐着)的[ᶜto]本字是"在"。他们的说法可能是对的,但需要论证。果真如此,这里出现了个"交换岗位"的现象:北京话说"坐在椅子上",闽南话说"坐着椅顶";北京话说"我坐着",闽南话说"我坐在"。

⑭ "合规律"是指大多数字如此演变,"不合规律"是指少数字如此演变。

⑮ 印欧语的比较研究固然是强调形态成分的来源相同,但是例外也是屡见不鲜。比方说,Bloomfield, *Language* 314 页指出:"就名词的某些屈折后缀来说,日耳曼和波罗的—斯拉夫语系用[m],其他印欧语用[bh],而这样的音韵对应却没有其他平行的例",下面就说印欧语的 *[-mis]、*[-miːs]、*[-mos]自成一系,*[-bhis]、*[-bhjos]、*[-bhos]另成一系,无法拟构这两系的共同来源。Jesperson, *A Modern English Grammar*, Part Ⅳ, Morphology 15—16 页指出古英语的动词词尾-th 用在第三身单数以及任何人身复数的直陈式,这种用法保存在南部方言。中部(Midland)方言却把过去式和假设式的-en 搬到现时直陈式。结果是 14 世纪中部说"he falleth","we fallen",南部说"he falleth","we falleth"。英语"后缀用法搬家"的例跟本文讨论的现象相似。

参考文献

陈寅恪 1936:《东晋南朝之吴语》,《史语所集刊》7,1—14。

戴密微 1950: Demiéville, Paul, Archaïsmes de prononciation en chinois vulgaire (《汉语口语里保存的古音》), *T'oung Pao* 40, 1—59.

董同龢 1959.《四个闽南方言》,《史语所集刊》30,729 1092。

易家乐 1956: Egerod, Søren, *The Lungtu Dialect* (《隆都方言》, Copenhagen).

郝 凝 1958:《安庆人怎样学习北京语音》,《方言与普通话集刊》3,75—78。

胡明扬 1963:《〈老乞大谚解〉和〈朴通事谚解〉中所见的汉语,朝鲜语对音》,《中国语文》1963,185—192。

—— 1980:《〈老乞大谚解〉和〈朴通事谚解〉中所见的〈通考〉对音》,《语言论集》第一集。

胡士莹 1980:《话本小说概论》。

黄丁华 1958:《闽南方言的虚字眼"在、着、里"》,《中国语文》68,81—84。

罗常培 1931:《切韵鱼虞之音值及其所据方音考》,《史语所集刊》2,3,358—385。

吕叔湘 1955:《汉语语法论文集》。

梅祖麟 1979(1980):陆俭明译《吴语情貌词"仔"的语源》,《国外语言学》1980,3,22—28。原文 The etymology of the aspect marker *tsi* in the Wu dialect, *Journal of Chinese Linguistics* 7(1979).1—14.

—— 1981:《现代汉语完成貌句式和词尾的来源》,《语言研究》1,65—77。

罗杰瑞 1979:Norman, Jerry《闽语里的"治"字》,《方言》1979,179—181。

—— 1983:《闽语里的古方言字》,《方言》1983,202—211。

司徒修 1972:Stimson, Hugh, More on Peking Archaisms(《再论北京话里的古音》), *T'oung Pao* 58.172—189.

太田辰夫 1957:《中国语历史文法》(东京,江南书院)。

唐作藩 1960:《湖南洞口县黄桥镇方言》,《语言学论丛》第四辑,83—133。

王 力 1958:《汉语史稿》(中)。

王育德 1969:《福建語における"著"の語法について》,《中国语学》192(1969.7),1—5。

向 熹 1960:《湖南双峰县方言》,《语言学论丛》第四辑,134—171。

邢公畹 1979:《现代汉语和台语里的助词"了"和"着"(下)》,《民族语文》1979,206—211。

许宝华等 1982:《上海方言的共时差异》,《中国语文》1982,265—272。

杨时逢 1974:《湖南方言调查报告》(台北,史语所)。

袁家骅 1983:《汉语方言概要》(第二版)。

张盛裕 1980:《潮阳方言的连读变调(二)》,《方言》1980,123—136。

张 相 1953:《诗词曲语辞汇释》。

赵金铭 1979:《敦煌变文中所见的"了"和"着"》,《中国语文》1979,65—69。

赵元任 1928:《现代吴语的研究》。

—— 1948:《湖北方言调查报告》。

志村良治 1972:《"着"について》,《鸟居久靖先生华甲记念论集》,81—102。

周法高 1948:《切韵鱼虞之音读及其流变》,《史语所集刊》13,119—152。

周祖谟 1966:《问学集》。

朱德熙 1985:《汉语方言里的两种反复问》,《中国语文》1985,10—20。

The Origin and Function of Mandarin . . *zhe* 着, Wu *tsɿ* 仔, Southern Min *ti*⁶ 著 and Their Cognates in Chinese Dialects

(1) The word 著 *zhuó* "attach to" is the common etymon of a variety of particles in Chinese dialects: Mandarin . *zhe*, Suzhou [ᶜtsɿ], Shanghai [tsɿ], Ānqìng [tʂo₃], Xiamen [ti²], Fuzhou [tyɔʔ₂], Changsha [. ta], etc. (2) As a grammatical particle, the etymon has four phonetic variants: * *drjak*, * *drjaᵒ*, * *trjak*, and * ᶜ*trja*. (3) It is used as a durative suffix in Mandarin, a durative and perfective suffix in Wu, a perfective suffix in some of the Hunan and Hubei dialects, and a locative preposition in Min. (4) The use of this particle as a verbal suffix is derived from its use as a locative preposition. (5) The durative use of this particle has a geographic spread which extends along the Yangtze River from Jiangsu, Zhejiang through Anhui to Hunan and Hubei. (6) The locative use of this particle was first attested in the Southern texts of the Six Dynasties, including the *Shishuo xinyu*; the durative use, in the *Dunhuang bianwen ji*, a collection of Northern manuscripts of the 9th and 10th century; and the durative and perfective use, in Southern Song texts, including the *Zhuzi yulei*.

The paper draws the methodological lesson that since the grammatical function of a particle changes in time, and since various dialects are likely to preserve different functions of the same particle, it is advisable in comparing dialects to focus upon particles with similar but not identical functions.

第四十七图
词："了"

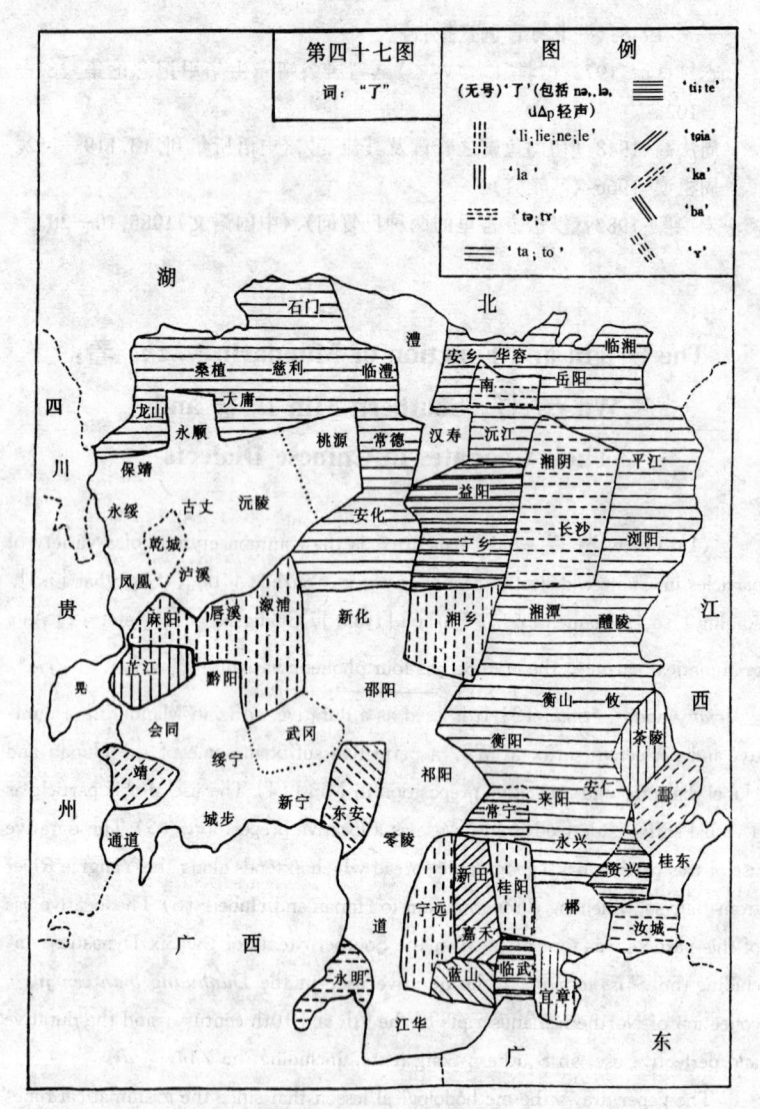

图例

(无号)'了'(包括 nə, la, u Δp 轻声)
||| 'li; lie; ne; le'
||| 'la'
=== 'tə; tγ'
=== 'ta; to'
≡≡ 'tiː te'
// 'tɕia'
\\\ 'ka'
/// 'ba'
/// 'ɣ'

杨时逢《湖南方言调查报告》

第五十八图

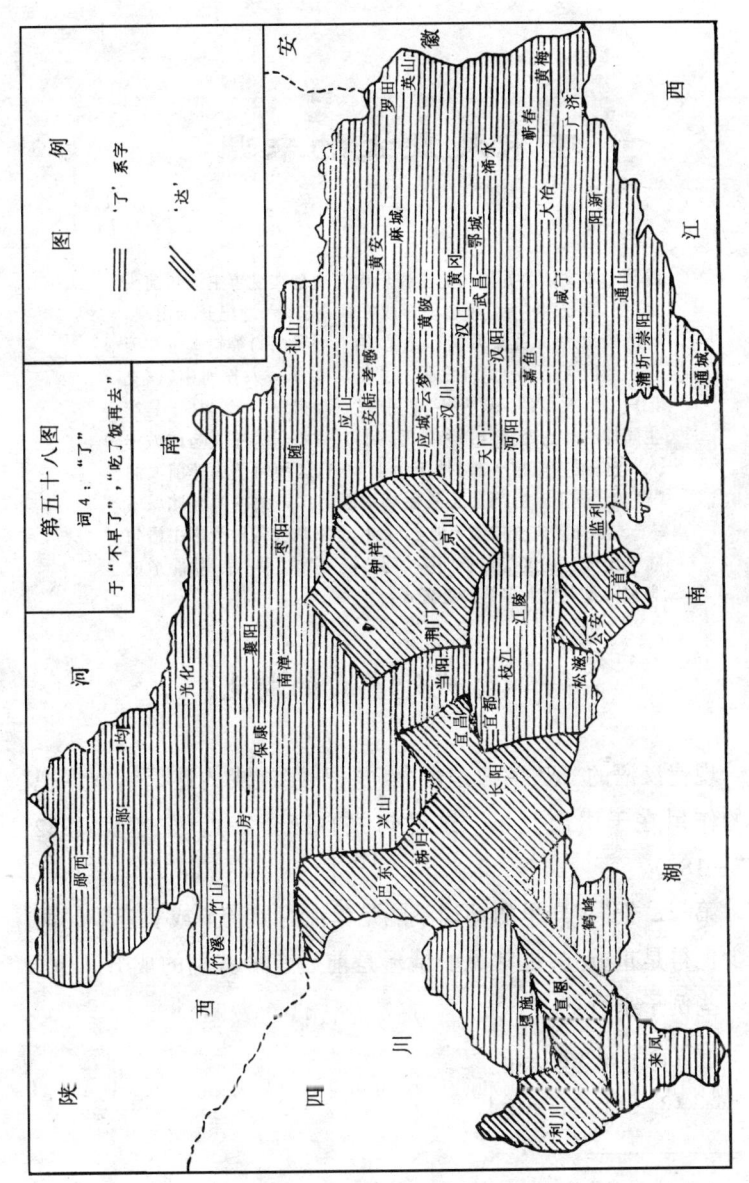

词4："了"

了"不早了"，"吃了饭再去"

图 例

||| '了'系字

/// '哒'

赵元任《湖北方言调查报告》

唐宋处置式的来源[*]

提要 本文认为处置式的主要形成方式是在受事主语句前头加"把"字或"将"字,而这种形成方式在五、六世纪开始出现。它的来源是:1.先秦两汉有处置(给)、处置(到)等句式,如"天子不能以天下与人"(《孟子》)、"复以弟子一人投河中"(《史记》)。2.五、六世纪"将"字也用在以前的"以"字句里,于是产生同样结构的处置(给)和处置(到),如"将一大牛卖与此城中人"、"将尼拘陀树一枝,插于地上"。3.这种句子去掉前面的"将"字,剩下来的部分正是受事主语句:"一大牛卖与此城中人"、"尼拘陀树一枝插于地上"。4.唐宋时代各种受事主语句陆续出现。在这些句子前头加上"把"字或"将"字,就能形成唐宋以及现代大多数的处置式。

一 现代处置式的特点

现代汉语的"把"字句是由介词"把"字组成的连谓结构,"把"字的作用在于引出受事。这种句式有三个特点(朱德熙 1982:187—189)。

第一,"把"字句里的动词不能是单纯的单音节或双音节动词,至少也得是重叠式,更常见的情形是前后有一些别的成分。下面举一些例子来看:

(1) 把书送给老张。
(2) 把书放在桌子上。

---

[*] 本文原载《中国语文》1990 年第 3 期。

(3) 把他说的话就当作耳边风。

(4) 把袖子往上卷。

(5) 把头一抬。

(6) 把桌子抹抹。

(7) 把绳子绞断。

(8) 把铅笔写秃了。

(9) 把脸晒得黝黑。

(10) 把他气得连话都说不出来了。

(11) 把大门上了锁。

(12) 把头抬着。

(13) 把衣服脱了。

(1)—(3)带着双宾语,(4)动词前头有"往……"的介词结构,(5)前头有副词"一",(6)动词是重叠式,(7)—(10)动词后头有补语,(11)后头有宾语,(12)、(13)后头有后缀"着"或"了"。

第二,"把"字的宾语在意念上一般是有定的,但也有少数例外。

第三,"把"字句和受事主语句关系密切。这是朱德熙(1982:187—189)很重要的一个观察,其中有两层意思。(一)过去有些语法著作认为"把"字的作用在于把动词后头的宾语提前,因此"把"字句可以看成是〔SVO〕句的变式,例如:

SVO　　　猫逮着了耗子　　　一定要治好淮河
S 把 OV　　猫把耗子逮着了　　一定要把淮河治好

朱先生指出,有大量的"把"字句是不能还原成〔SVO〕句式的,例如:

把换洗衣服包了个包袱。
把壁炉生了火。
把铁块儿变成金子。
把大门贴上封条。

把一个南京城走了大半个。
把话说得婉转点。

(二) 和"把"字句关系最密切的不是〔SVO〕句式,而是受事主语句;绝大部份"把"字句去掉"把"字以后剩下的部分仍旧站得住,而这剩下的部分正是受事主语句,例如:

把壁炉生了火～壁炉生了火
把一个南京城走了大半个～一个南京城走了大半个

和上面(1)—(10)相当的受事主语句是:

书送给老张。
书放在桌子上。
他说的话就当作耳边风。
袖子往上卷。
头一抬。
桌子抹抹。
绳子绞断(了)。
铅笔写秃了。
脸晒得黝黑。
他气得连话都说不出来了。

此外朱先生指出,"把"字句的两个特点也是受事主语句的特征:(i)动词不能是单纯的。(ii)"把"字的宾语在意念上是有定的;受事主语句的主语(相当于"把"字句的宾语)在意念上也必须是有定的。

"'把'字的宾语在意念上是有定的"这个说法不完全妥当。王还(1985)指出有两种例外,一种是:

小林把一件毛背心织得又肥又长。
小张把个孩子生在火车上了。
他把个小笼子扎得玲珑剔透,精致异常。

这些句子成为例外,是因为"把"字的宾语既不是专指的(过去叫做"有定的"),也不是泛指的,而且宾语所指的人或事物在动作以前不存在。王还先生(1985)管这种宾语叫"确指的","因为所指的事物并不是任何一个,而只能是受句中动词控制的那一个,是通过动作而确定下来的那一个。"另一种例外是:

> 我们平常把大豆拿去榨油,主要目的是为了提取它所含的脂肪。
> 他们把一般真理看成是凭空出现的东西……

这种"把"字句的宾语是"泛指的"。

仔细观察一下,这两种"把"字句去掉"把"字以后,剩下的部分还是受事主语句:

> 一件毛背心织得又肥又长,不知道打算给谁穿。
> 大豆拿去榨油只不过是大豆种种功用中的一种。

换句话说,(甲)"'把'字的宾语在意念上是有定的"和(乙)"受事主语句的主语在意念上是有定的"这两个命题都有例外,但是(甲)的例外也是(乙)的例外,(乙)的例外也是(甲)的例外。这样更能说明"把"字句和受事主语句的关系密切。

现代"把"字句的几个特点给语法史出了两个问题。

(一)"把"字句可以看作在受事主语句前头任意地(optionally)加"把"字而形成的句式:

"把"字句形成方式:"把" + 受事主语句 > "把"字句

这里有两层意思,一层就是上面说过的,"把"字句和受事主语句的关系密切。另一层是说"把"字可以加,也可以不加;受事主语句本身是个完整的句子,不加"把"字,仍旧是受事主语句;加"把"字就变成"把"字句。反过来,"把"字句也是完整的句子;不去掉"把"字,仍旧是"把"字句;去掉"把"字,就变成受事主语句。可以加"把"字也可以不加,可以去掉"把"字也可以不去掉,这就是上面说的任意性(optionality)。本文的主要目的是为了说明形成"把"字句的方式是怎么产生的。

(二)历史上有些"把"字句的动词是单纯的,如"仰山便把茶树摇"(《祖》,4,125)、"且将一件书读"(《朱子语类》,2913)、"又把俺打"(《水浒传》,12回;中华书局1961版,143页)。这种"把"字句的来源需要解释。

上面讨论的连谓结构北方话介词用"把",闽南话用 ka²,吴语用"拿"。历史上除了"把"、"将"以外,还用"以"、"捉"等功用相当的动词或介词。此外早期"把"字句里的动词也能是单纯的单音节动词。为了讨论"把"字句的来源,我们需要摆脱现代"把"字句的束缚,把注意力放在古今南北"'把'字句"的共同形式上。下面就沿用"处置式"这个名词。处置式这种连谓结构的形式定义是:

(14) 处置式:$V_B + O + (X) + V/V + (Y)$

"V_B"是跟"把"字功用相当的动词或介词,包括"将"、"以"、"捉"等。在 V_B 后面另有个动词(V),这个动词前面可能有别的成分(X),后面可能有别的成分(Y),也可能前后都没有别的成分。

下面讨论种种处置式的次序是:(甲)某些承继上古"以"字句的双宾语处置式,(乙)动词前后有别的成份的,(丙)动词是单纯的单音节或双音节的动词。现在按照这些次序先举些例子来看唐宋时代的情况。

二 唐宋时代的处置式

(甲)双宾语结构　$V_B + O_1 + V(+ 于/与) + O_2$

(1) 处置(给):把 O_1 给 O_2

忍大师即将所传袈裟付能。(《曹溪大师别传》(805年以前,郭朋本,123))

应把清风遗子孙。(方干诗)

莫把壶中秘诀,轻传尘里游人。(李中诗)

堪将指杯术,授与太湖公。(皮日休诗)

(2) 处置(作):把 O_1 当作 O_2

将此茶芽为信。(《历代法宝记》(780—800),柳田本,171)

解将无事当无为。(朱湾诗)

他把身为究竟身,便把体为究竟体。(《维摩诘》,《变》,630)

有人把椿树,唤作白旃檀。(寒山诗)

(3) 处置(到):把 O_1 放到或放在某处

将竹插于腰下。(《伍子胥》,《变》,8)

把舜子头发悬在中庭树地。(《舜子变》,《变》,131)

(乙)动词前后带其他成分[①]

(1) 动词前带其他成分　$V_B + O + X + V$

把君诗一吟。(崔涂诗)

好把仙方次第传。(翁承赞诗)

若把白衣轻易脱。(杜荀鹤诗)

独把梁山凡几拍。(顾况诗;"拍"是动词)

遂将其笔望空便掷。(《庐山远公》,《变》,170)

(2) 动词后带其他成分　$V_B + O + V + Y$

(i) Y 是结果补语或趋向补语

图把一春皆占断。(秦韬玉诗)

把他堂印将去。(《刘宾客嘉话录》)

欲将香匣旋藏却。(鱼元机诗)

谁把金丝裁剪却。(欧阳炯诗)

师便把火筯放下。(《祖》,4,49)

未免把虚空隔截成两处。(《大慧书》,荒木本,92)

(ii) Y 是"了"或"着"

又将火箸一长一短并著。(《楞伽师资记》,柳田本,287)
师把西堂鼻孔拽著。(《祖》,4,51)
恐将本义失了。(《朱子全书》,13)
公只是将那头放重了。(《朱子语类辑略》,5)

(iii) Y 是动量词

沩山把一枝木吹两三下。(《祖》,4,56)

(丙)单纯动词居末位　$V_B + O + V$

料理中堂,将少府安置。(《游仙窟》)
且将一件书读。(《朱子语类》,2913)
秋时又把甚收,冬时又把甚藏。(《朱子语类》,1289)
仰山便把茶树摇。(《祖》,4,125)
良由画匠,捉妾陵持。(《王昭君》,《变》,102;"陵持"通"凌迟",意思是磨难)
宫人夜游戏,因便捉窠烧。(《燕子赋》,《变》,263)

以上的例句说明,唐宋时代处置式的种类和用法和现代相同。唯一的差别是唐宋处置式也可以用单纯的动词,前后不带其他成分。因此,解释了唐宋时代处置式的来源,也就等于解释了现代"把"字句的来源。

三　处置(给)、处置(作)、处置(到)的来源

3.1　处置(给):$V_B + O_D + V(+ 与) + O_I$[②]
先秦已有用"以"字的处置(给)式:

天子不能以天下与人。(《孟·万章上》)
齐侯以许让公。(《左·隐十一年》)
因以文绣千匹,好女百人,遗义渠君。(《战国策·秦策上》)

汉代承继这种句式,同时动词复词化变作"V 与","持"字偶尔也替

代"以"字。

> 比丘即以蜜饼授与之。(后汉·支娄迦谶译《阿阇世王经》,《大正藏》,XV,394 上)
> 以净水浆给与众僧。(后汉·支曜译《成具光明定意经》,XV,457 下)
> 以女贤意施与菩萨,菩萨不受。(后汉·竺大力共康孟详译《修行本起经》,III,461 下)
> 一者持法施与人。(后汉·支娄迦谶译《佛说遗日摩尼宝经》,XII,190 上)

魏晋南北朝还是沿用"以"字,偶尔用"将"字。

> 孔廷尉以裘与从弟沉。(《世说·言语》)
> 以女妻寿。(又,《惑溺》)
> 昔夫人临终,以小郎嘱新妇,不以新妇嘱小郎。(又,《规箴》)
> 时远方民,将一大牛,肥盛有力,卖与此城中人。(晋·竺法护译《生经》,III,98 上)

同时"把"、"持"也在"以"的位置出现。

> 把米与鸡呼朱朱。(《洛阳伽蓝记》(547),城西,109)
> 即持此宝与诸兄弟。(晋·《生经》,III,88 上)

隋代"将"字开始替代"以"字。

> 将此女与彼摩那婆,持以为妻。(隋·阇那崛多译《佛本行集经》,III,863 下)
> 我将马王与圣子乘。(又,735 中)
> 将四金钵,奉上世尊。(又,III,801 下)
> 我之父母,以将我许与彼为妻。(又,864 下)

从先秦到隋代,处置(给)只有两种演变,一是"将、把、持"替代了"以"字,一是"给"义的单音节动词复词化而变成"V 与"。

唐代的处置(给)是承继这种句式,例如散文里的:

> 如来临般涅槃,以甚深般若波罗蜜法付嘱摩诃迦叶。(《曹溪大师别

195

传》,郭朋本,123)
　　　　忍大师即将所传袈裟付能。(又,123)
　　　　大师即将衣钵遂还明。(又,124)
　　　　将金一垺赠与凡有上表及讼食子者。(韩偓《开河记》)

韵文里的:

　　　　那将最剧郡,付与苦慵人。(白居易诗)
　　　　堪将指杯术,授与太湖公。(皮日休诗)
　　　　好将筵上曲,唱与陇头儿。(薛涛诗)
　　　　惜将富贵与何人。(白居易诗)
　　　　强将笑语供主人。(杜甫诗)
　　　　还将歌舞态,只拟奉君王。(崔颢诗)
　　　　莫将天人施沙门,休把娇姿与菩萨。(《变》,631)
　　　　莫将天女与沙门,休把眷属恼菩萨。(《变》,631)
　　　　长大将身娉阿谁。(《变》,789)

有些〔$V_B+O+(V)$ 与〕型的句子,"(V)与"居末位,也是省略间接宾语的处置(给),例如:

　　　　火急将吾锡杖与〔目连〕。(《大目乾连》,《变》,730)
　　　　妾拟将身嫁与。(韦庄《思帝乡》)
　　　　处分左右,取纸笔来度与,远公接得缟〔纸〕笔……(《庐山远公》,《变》,177)
　　　　念佛师拈一钱与。(《祖》,5,40)

3.2　处置(作)　$V_B+O_1+V+O_2$

从先秦到南北朝一直有〔以 AVB〕的句式,意思是"把 A 看作 B"、"把 A 当作 B":

　　　　吾必以仲子为巨擘焉。(《孟·滕文公上》)
　　　　尧以不得舜为己忧。(《孟·滕文公上》)
　　　　王中郎以围棋是坐隐,支公以围棋为手谈。(《世说·巧艺》)

到了隋代,"将"开始替代"以"字:

> 我今乃可将臭肉身于此泥上作大桥梁。(《佛本行集经》,III,667下)
> 我欲将汝作于善友。(又,798下;"我要把你当作好朋友")

唐代除了"将"字以外也用"把"字:

> 便把江山为己有。(秦韬玉诗)
> 他把身为究竟身,便把体为究竟体。(《维摩诘》,《变》,630)
> 解将无事当无为。(朱湾诗)
> 将此茶芽为信。(《历代法宝记》,柳田本,171)
> 勿作是意,便将此土为不净世界。(《维摩诘》,《变》,568)
> 乾道运无穷,恒将人代工。(唐明皇诗)
> 且将诗句代离歌。(杜荀鹤诗)

"以 A 为 B"意思是"把 A 当作 B"。另外有一种"以 A 比 B"的句式,意思是"把 A 看作和 B 相等",例句较少,也附录在后:

处置(比)　$V_B + O_1 + 比 + O_2$

> 有人以王中郎比车骑。(《世说·品藻》)

唐代这种句式里"将""把"替代"以"字:

> 若把长江比湘浦。(黄滔诗)
> 若把君书比仲将。(顾况诗)
> 莫把边地比京都。(王缙诗)
> 以小计大,将锸喻金。(《维摩诘》,《变》,603)

3.3　处置(到):$V_B + O + V(+ 于/著/在) + P_W$

这种句式的意思是把宾语放到或放在某处。Pw(place word)是处所词,一般是"河中、衣里、床上"等名词加位置词,所指的是宾语所被处置的处所。先秦的"以"字似乎不能用作处置(到)的 V_B,这种句式最早在《史记》里出现:[③]

> 复以弟子一人投河中。(《史记·滑稽列传》,3212)
> 高渐离乃以铅置筑中,复进得举筑朴秦皇帝,不中。(又,《刺客列传》,2537)

197

但是这种句式汉代不怎么常见,到了南北朝才开始流行:

顾彦先平生好琴,及丧,家人常以琴置灵床上。(《世说·伤逝》)
阮宣子常步行,以百钱挂杖头,至酒店便独酣畅。(又,《任诞》)
及亡,刘尹临殡,以犀柄麈尾著柩中,因恸绝。(又,《伤逝》)
文帝以毒置诸枣蒂中。(又,《尤悔》;按"诸"本来是"之于"的合音词,这里和"于"相当)
以诸华香而散其处。(鸠摩罗什译《金刚般若波罗蜜经》,VIII,750下)
以无价宝珠系其衣里。(同人译《妙法莲华经》,IX,29上)
因以死人头投大贤前。(《法苑珠林》卷四二引《搜神记》;汪绍楹校注《搜神记》(中华,1979),223)
妇便以外夫内口中……即以妇内口中。(《荀氏灵鬼志》,鲁迅《古小说钩沉》(新华,1951),172)
婢以鱼置口中,即成水。(《齐谐记》,《钩沉》,194)
以鲑饭投穴中。(《幽明录》,《钩沉》,244)
下病人于地,卧单席上,以瓮器置腹上,纻布覆之。(《冥祥记》,《钩沉》,382)
便脱衣,以囊经戴置头上,径入水中。(《冥祥记》,《钩沉》,392)

到了隋代,处置(到)句式里"以""将"通用:④

将此二华,散于其上。(隋·阇那崛多译《佛本行集经》,III,667上)
时天帝释,即将阶道,立著其前。(又,817上)
我将鹿皮,布于地上。(又,667中)
以诸众宝真珠罗网,悬于其上。(又,731中)
将诸明宝,置高幢上。(又,725下)
以金钵器,弃掷河中。(又,772中)
汝将我子,置彼林内。(又,739下)
密将七茎优钵罗华,内于瓶中。(又,666下)
我将尼拘陀树一枝,插于地上。(又,800下)

唐朝五代的处置(到)是承继隋代的句式和词汇,例如:

>似将青螺髻,撒在明月中。(皮日休诗)(比较:"将此二华,散于其上"(《佛本行》,III,667上))
>
>把舜子头发悬在中庭树地。(《舜子变》,《变》,131)(比较:"自手将一束利华鬘,前出系于太子颈下"(《佛本行》,III,726下))
>
>蜀王将此镜,送死置空山。(杜甫诗)(比较:"将诸明宝,置高幢上"(《佛本行》,III,725下))
>
>将竹插于腰下。(《伍子胥》,《变》,8)(比较:"我将尼拘陀树一枝,插于地下"(《佛本行》,III,800下))

处置(到)在汉代兴起,是处置式发展过程中很重要的一步。现在先讨论处置(到)的形成因素,再谈这种句式对于其他处置式发展的影响。

先秦最常见的"以"字用法是作为介词引出工具语,意思是"用"、"拿",如"醒,以戈逐子犯"(《左·僖二十三年》)、"以羊易之"(《孟·梁惠王》)。从下面的例,可以看出来处置(到)里"以"字的用法是从"用"、"拿"义的"以"字引申出来的:

>王瑶宋大明三年,在都病亡。瑶亡后,有一鬼细长黑色,袒著犊鼻裈,恒来其家。或歌啸或学人语,常以粪秽投人食中。又于东邻庾家犯触人,不异王家时。庾语鬼:"以土石投我,了非所畏,若以钱见掷,此真见困。"鬼便以新钱数十,正掷庾额。庾复言:"新钱不能令痛,唯畏乌钱耳!"鬼以乌钱掷之,前后六七过,合得百余钱。(《太平广记》卷三二五引《述异记》,《古小说钩沉》,156)

这段有五个"以"字,其中三句"以"字引出工具语("以土石投我"、"以钱见掷"、"以乌钱掷之"),一句是处置(到)("以粪秽投人食中"),一句介乎两者之间("鬼便以新钱数十,正掷庾额"),正可以说明"以"字用法的演变。

此外"把"字本来的意思是"拿",虚化变成引出受事的介词经过很长一段时间才完成。一直到宋元时代,甚至更晚,"把"字有的还用作动词,意思是"拿";有的用作引出工具的动词,意思是"用";

有的用法和现代"把"字句里的介词"把"一样,作用是引出受事,例如:

  =拿:就灯烛下把起笔来……(《简贴和尚》)
     木匠家里旋做一个柜子……把来做的不成。(《朴通事》,142)
  =用:那妇女把金篦儿去剔那蜡烛灯。(《简》)
     把那蒲叶儿做席子。(《朴》,254)
  介词:把青竹帘掀起。(《简》)
     水潦过芦沟桥狮子头,把水门都冲坏了。(《朴》,22)

和这种情况类似的是"把"字句北方话用"把",吴语用"拿",而吴语的"拿"也是动词,又可以用来引出工具语。这些事实都可以说明,引出工具和引出受事这两种语法关系密切,前一种用法很容易转变成后一种用法。

  "以"字在汉代兴起引出受事这种新的用法以后,新兴的处置(到)就有把宾语提到动词前面的功用,请看下面一段:

    至其时,西门豹往会之河上。……即使吏卒共抱大巫妪投之河中。有顷,曰:"巫妪何久也? 弟子趣之!"复以弟子一人投河中。凡投三弟子。西门豹曰:"巫妪弟子是女子也,不能白事,烦三老入白之。"复投三老河中。(《史记·滑稽列传》,3212)

"复以弟子一人投河中"和"复投三老河中"形式相异,语义关系相同:

  V + O + P$_W$ V$_B$ + O + V + P$_W$(处置(到))
  投三老河中   ~   以三老投河中
  投弟子一人河中 ~ 以弟子一人投河中

先秦表示处置(到)所表示的语法意义,一般用[V + O + (+ 于) + P$_W$]句式,宾语在动词后头,例如:

  河内凶则移其民于河东。(《孟·梁惠王上》)
  若夫藏天下于天下。(《庄子·大宗师》)

孟仲子之子杀诸塞关之外,投其首于宁风棘上。(《左·昭五年》)

很明显的,处置(到)用"以"字把宾语提前,是一种新兴的语法功能。

用"将"字的处置(到)也有把宾语提前的功用。比较"庾文康亡,何扬州临葬云,埋玉树著土中"(《世说·伤逝》)[5]和"我将尼拘陀树一枝,插于地上"(《佛本行集经》,III,798 下):

V+O+著/于+P_w　　　V_B+O+V+著/于+P_w
埋玉树著土中　　　～　将玉树埋著土中
插尼拘陀树一枝于地上　～　将尼拘陀树一枝,插于地上

处置(给)也有把宾语提前的作用。比较以下两对句子:"阮家既嫁丑女与卿"(《世说·栖逸》)和"因以女嫁与为妻"(《幽明录》,《古小说钩沉》,250),"送一车枝与和公"(《世说·俭啬》)和"将一大牛肥盛有力,卖与此城中人"(晋·《生经》,III,98 上):

V+O_D+与+O_I　　　V_B+O_D+V 与+O_I(处置(给))
嫁丑女与卿　　　～　以女嫁与〔 〕为妻
送一车枝与和公　～　将一车枝送与和公
卖一大牛与此城中人　～　将一大牛卖与此城中人

有些语法著作(王力 1958:410;黄宣范(Huang)1984)认为"把"字句里的"把"字,作用是把宾语提前。我们虽不完全赞成这种看法,但也得承认,对有些"把"字句来说,把宾语提前确实是介词"把"的功用之一。上面看到唐代以前的处置(给)、处置(到),其中的"以"和"将"已经有把宾语提前的功用。从这个角度去看,"以弟子一人投河中"这种处置(到)在汉代的产生,是处置式发展史中相当关键的一步。

处置(到)和处置(给)的出现还有一层意义,就是这两种句子去掉"以"、"将"以后,剩下的成分是受事主语句。这个特征留到第4节讨论。

3.4 隋代的处置式

《佛本行集经》是隋代的重要白话文献。译者阇那崛多是印度犍陀罗的名僧,隋文帝请他从突厥到长安来,替他设立译场,"文帝更召达摩笈多,居士高天奴,高和仁兄弟同传梵语;又置十大德监掌译事,铨定宗旨;沙门明穆、彦琮重对梵本,再审复勘,整理文义,于是译场之组织大备"(汤用彤《隋唐佛教史稿》,65)。因此《佛本行集经》是出自众人之手,可以代表隋代语言的一般情况。

过去太田辰夫(1987(中译本),244—245;原文 1958)、班尼特(Paul Bennett 1981)等也看到上古"以"字句是某些处置式的前身,但他们的论证缺少五、六世纪那段的资料。现在用《佛本行集经》和南北朝的资料,把当中一段补出来,可见处置(给)、处置(作)、处置(到)这三种句式都是结构承继先秦、西汉,体现 V_B 的词汇前后不同。先秦到南北朝用"以"字;隋朝或稍早"将"字兴起,和"以"字混用;入唐以后,"把"字兴起,处置式中"将""把"用得最多,但间或也见"以"字。

隋代的处置式主要有三种:

处置(给):将此女与彼摩那婆……(《佛本行集经》,III,801 下)
处置(作):我今乃可将臭肉身于此泥上作大桥梁。(又,667 下)
处置(到):我将尼拘陀树一枝,插于地下。(又,800 下)

处置(给)、处置(作)、处置(到)里面 V_B 用"将"的同时,也用"以"字,例句随处可得,不一一引征。这种情形至少延续到唐末。"以"字是介词,"将"开始是动词。在处置(给)、处置(作)、处置(到)三式里"以""将"通用的情况下,"将"字受了"以"字的沾染,就开始虚化变成介词。这里说开始虚化,意思是说"将"字还可以用作主要动词,在其他类型的处置式中"将"字也可能维持原来动词的词性。

还有一个值得注意的现象。隋朝和隋朝以前,后面只带单纯动词的处置式罕见,也就是说,少有(丙)式〔$V_B + O + V$〕这类的处置式。过去有一种看法(祝敏彻 1957;王力 1958:410—414),认为唐代七、八世纪才有处置式,而初期的处置式宾语后面只有一个单音节或双音节的单纯动词(就是(丙)式),处置式的发展是由简到繁。上面列举的资料说明,无论从出现先后来看,或者从形成方法来看(见下),(甲)式是源,(丙)式是流。换句话说,处置式的发展是由繁到简,从承继上古的(甲)式发展到(乙)、(丙)两式。

四 (乙)型处置式 [$V_B + O + X + V/V + Y$] 的形成

本文一开始就说,现代"把"字句的特点之一是和受事主语句关系密切。唐宋时代兴起的(乙)型处置式已经有这种特点。例如:

处置式 $V_B + O + X + V$ ~ 受事主语句 $S_P + X + V$

  若把白衣轻易脱(杜荀鹤诗)~白衣轻易脱
  好把仙方次第传(翁承赞诗)~仙方次第传
  独把梁山凡几拍(顾况诗)~梁山凡几拍
  把君诗一吟(崔涂诗)~君诗一吟
  遂将其笔望空便掷(《变》,170)~其笔往空掷

处置式 $V_B + O + V + Y$ ~ 受事主语句 $S_P + V + Y$[6]

  图把　春皆占断(秦韬玉诗)~一春皆占断
  未免把虚空隔截成两处(《大慧书》)~虚空隔截成两处
  又将火箸一长一短并著(《楞伽师资记》)~火箸一长一短并著
  恐将本义失了(《朱子全书》)~本义失了
  公只是将那头放重了(《朱子语类辑略》)~那头放重了
  沩山把一枝木吹两三下(《祖》,4,56)~一枝木吹两三下

换句话说,唐宋的处置式跟现代一样,去掉了"把"或"将"以

后,剩下的成分是受事主语句。反过来看,受事主语句加上"把"字或"将"字,就形成处置式。下面我们用公式来表示这层关系:

处置式形成法:$[V_B] + [S_P + X + V/V + Y] \rightarrow V_B + O_P + X + V/V + Y$[6]

本节的着重点就是要说明上述处置式形成法是怎么来的。

上面唐宋处置式的例句大部是可以还原成[主—动—宾]句式的,如"轻易脱白衣"、"便望空掷其笔"、"并著火箸一长一短"、"失了本义"、"放重了那头"、"吹一枝木两三下"。但唐宋时代还有大量(甲)、(乙)型处置式的句子不能还原成[主—动—宾]句式的,而这些句子去掉"把"或"将"以后剩下的部分也是受事主语句,例如:

有人把椿树,唤作白旃檀(寒山诗)~椿树唤作白旃檀
读书须将心贴在书册上(《朱子语类辑略》,61)~心贴在书册上
止不过将我打着皮肉(《刘知远》,11)~我打着皮肉(按:"打着我皮肉"不是"将我打着皮肉的[动—宾]式)
知远把瓦儳内羹饣宁,都泼着洪信面上(又,18)~瓦儳内羹饣宁,都泼着洪信面上。

这些句子的形成方式,不是用"把"或"将"字把[主—动—宾]句式中的宾语提前,而是在受事主语句前面加"把"或"将"。于是又回到原来的问题:在受事主语句前面加"把"、"将"这种形成处置式的方法是怎么来的?

按照本文的分析,"(乙)型处置式是怎么来的"这个问题可以分成两部分:一、受事主语句是怎么来的? 二、有了受事主语句以后,怎么变成处置式? 形形色色的受事主语句产生时代有早有晚,例如"火箸一长一短并著"这种带"着"的受事主语句产生在晚唐,"那头放重了"这种带[动—补—了]的产生在宋代,还有一些我们目前说不清。现在把第一个问题搁下,专门讨论第二个问题。

4.1 处置(给)、处置(到)和受事主语句的关系

五、六世纪的"将"字处置(到)和"将"字处置(给)这两种句式,去掉"将"字后,剩下的部分是受事主语句。把"将"字装回受事主语句,所产生的是处置式。这就是处置式形成法的来源。下面举几个例来看:

处置(给)/处置(到)	受事主语句
我将鹿皮布于地上(《佛本行》,III,667 中)	鹿皮布〔佈〕于地上
时天帝释,即将阶道立著其前(又,817 上)	阶道立著其前
我将尼拘陀树一枝,插于地上(又,798 下)	尼拘陀树一枝,插于地上
将蘪芜叶,插著丛台边	寄君蘪芜叶,插著丛台边(点均诗)
将雷公放著庭中	雷公若二升椀,放著庭中(《三国志·曹爽传》注)
将娱乐之具皆给与之	娱乐之具,皆给与之(《妙法莲华经》,IX,46 下)
将一大牛卖与此城中人(《生经》,III,98 上)	一大牛卖与此城中人
将身衣服送与其夫	身上衣服送与其夫(《贤愚经》,IV,383 下)

最后两对例里有两句是仿造的,另两句全文是:"时远方民,将一大牛,肥盛有力,卖与此城中人"(晋·竺法护译《生经》,III,98 上),"王亦喜悦,脱身衣服,送与其夫"(北魏·慧觉等译《贤愚经》,IV,383 下)。

上面的例句说明,右面的受事主语句,加上"将"字,就形成处置(给)和处置(到)。于是,当其他类型的受事主语句陆续在唐宋时代出现,把形成处置(给)和处置(到)的方法用在这些受事主语句身上,就能产生其他类型的处置式。

上面所说的处置式形成法可能是南北朝才兴起的。先秦前汉固然有用"以"字的处置(作)和处置(给),但这两种句子去掉"以"字以后,剩下的部分不是受事主语句,例如:

　　　　天子不能以天下与人(《孟·万章》)~ * 天下与人

　　　　赵惠文王以相国印授乐毅(《史·乐毅列传》)~ * 相国印授乐毅

　　　　吾必以仲子为巨擘焉(《孟·滕文公》)~? 仲子为巨擘

　　　　孝惠帝六年……以陈平为左丞相(《史·陈丞相世家》)~? 陈平为左丞相

"天下与人"、"相国印授乐毅"在先秦两汉似乎不能独立成句。"仲子为巨擘"、"陈平为左丞相"虽然可以独立成句,但不是受事主语句。等到处置(到)在汉代兴起,南北朝在这种句式中用"插著"、"立著"、"插于"、"布于"等"V 著"、"V 于"的结构,同时处置(给)中表示"给"义的动词也已经复词化变成"授与"、"施与"、"嫁与"、"卖与"等"V 与"的形式,在这种情形下,南北朝的处置(给)和处置(到)去掉"将"字或"以"字,剩下的部分才是能独立成句的受事主语句。果真如此,这倒可以解释为什么大量的、各式各样的处置式到了唐代才出现。原因是在这以前,处置式形成法还没有成熟。

　　4.2　"被"字句的发展对处置式发展的影响

　　按照上面的说法,处置式的特点是"把"字(或"将"字)可有可无。如果带着"把"字(或"将"),句式是处置式。去掉"把"字(或"将"),剩下来的部分是可以独立成句的受事主语句。现在进一步讨论"把"字(或"将")可有可无这个特点的来源。

　　"被"字句里的"被"字引出施事,"把"字句里的"把"字引出受事。"把"字句和"被"字句结构相同,都是连谓结构,语法功用对立而相辅相成。因此,"被"字句的发展应该会影响"把"字句的发展。

　　〔被+施事+动词〕型的被动句("亮子被苏峻害"(《世说》))在五世纪已经出现。从唐代开始,可能更早,⑦"被"字句本身有了新的发展,就是动词后面也可以带着宾语,例如:

　　　　〔被+O_A+V+O〕:

　　　　则亦被匈奴禽之而去。(《汉书·卫青霍去病传》;颜师古注)

被彼禅师夺去工衣不还。(《历代法宝记》(780—800),柳田本,190)
常被老元偷格律。(白居易诗)
旋被流沙剪断根。(《王昭君》,《变》,98)
被池主见之。(《搜神记》,《变》,883)
昔有李子敖……被鸣鹤吞之。(《搜神记》,《变》,885)

这些"被"字句的特点是去掉"被"字,剩下的部分是完整的施事主语句,如"匈奴禽之而去"、"彼禅师夺去工衣不还"、"老元偷格律"等等。

更早,用"为"字的被动式也有动词后面带宾语的,例如:

〔为 + O_A + V + O〕:
如我昔为歌利王割截身体。(《金刚经》,VIII,750 中)
为社民斩其首。(《洛阳伽蓝记》)
则为如来手摩其头。(《妙法莲华经》,IX,31 中)

这些南北朝的〔为 + O_A + V + O〕,"为"字被"被"字替代,就成为唐代的〔被 + O_A + V + O〕。

这些动词后带宾语的"被"字句的形成方法是在施事主语句前加"被"字:

〔被〕+ 〔S_A + V + O〕→ 被 + O_A + V + O

匈奴禽之而去 → 被匈奴禽之而去
彼禅师夺去工衣不还 → 被彼禅师夺去工衣不还

在施事主语句的施事前可以加"被"的时候,受事主语句的受事前也可以加"把"字或"将"字:

〔V_B〕+ 受事主语句 → 处置式

尼拘陀树一枝,插于地上 → 将尼拘陀树一枝插于地上
一春皆占断 → 把一春皆占断
火箸一长一短并著 → 将火箸一长一短并著
本义失了 → 将本义失了

207

白衣轻易脱→把白衣轻易脱
　　其笔望空掷→将其笔望空掷
　　一枝木吹两三下→把一枝木吹两三下

"匈奴禽之而去"、"彼禅师夺去工衣不还"这类句子本身是完整的施事主语句,加上"被"字就变成动词后面带着宾语的"被"字句。"被"字可有可无,所以加"被"字是任意的(optional)。同样的,"一春皆占断"、"本义失了"这些句子也是完整的受事主语句,"将"字(或"把")可以加也可以不加。加上就变成处置式。所以加"将"字(或"把")也是任意的。

4.3　施事、受事的中立化和处置式的流行

除了以上两个因素以外,可能还有第三个因素促使处置式在唐宋时代的流行:这个时期以前出现了若干句型的主谓句,主语可能是施事,也可能是受事。下面简单地谈一下两个句型。

谓语用动补结构的包括若干小类,本身相当复杂。这里只谈"V死"、"V杀"这两种复合动词。"V"代表及物动词,"V死"是动补结构,"V杀"是由两个及物动词并立而组成的复合动词,不是动补结构。从先秦到南北朝末年,基本上只有两种句式:〔受事+V死〕和〔施事+V杀+受事〕,例如(梅祖麟:待刊):

　　压杀:岸崩,尽压杀卧者,少君独得脱,不死。(《史记》,1973)
　　压死:暮寒卧炭下,百余人炭崩尽压死。广国独得脱。(《论衡·吉验》)
　　烧杀:火从藏中出,烧杀吏士数百人。(《论衡·命义》)
　　烧死:见巢蘸尽堕地,有三鷇烧死。(《汉书·五行志》)

两汉、魏晋还没有〔施事+V死+受事〕这种句式。当时可以说"大猫压杀小猫",但是不能说"大猫压死小猫"。太田辰夫(1987:197)指出后一种句式要到唐代才出现:

　　律师律师,扑死佛子耶?(《开天传信记》,《太平广记》卷九二引)

> 主人欲打死之。(《广古今五行记》,《广记》卷九一引)
>
> 是邻家老黄狗,乃打死之。(刘义庆《幽明录》,《广记》卷四三八引;但《古小说钩沉》作"杀")

《幽明录》一例有异文,而且是南北朝的孤例。因此,太田先生认为这种句式到唐代才产生这种说法,大致可信。

晚唐五代又起了新的变化,例如:

> 妾见后院空仓,三二年来破碎,交伊舜子修仓,四畔放火烧死。(《舜子变》,《变》,131)

最后一句可能是新兴结构的施事主语句:〔施事 + V 死〕:"〔我等〕四畔放火烧死〔宾〕",省略的宾语复指"舜子"。这句也可能是受事主语句,主语承接离这句最近的有生名词"舜子":"〔舜子〕四面放火烧死"。这种用动补结构而施受两可的句子就和现代的"大猫压死了"一样,可能是大猫压死了小猫,也可能是大猫给汽车压死了。

另外一种句型和现代的"弟弟放在车子里面"一样,也是主语施受两可。例如《世说》"长文尚小,载著车中……文若亦小,坐著膝前"(《德行》),"长文"是"载著车中"的受事主语,"文若"是"坐著膝前"的施事主语。

> 陆玩拜司空,有人诣之,索美酒,得,便自起,泻箸梁柱间地……(《规箴》)

"有人诣之"的"人",是"泻箸梁柱间地"的施事主语。"寄君蘼芜叶,插著丛台边"(吴均诗),"蘼芜叶"是"插著丛台边"的受事主语。

在这种情形下,"某某载著车上"(或"载于车上")这种句子就会产生歧义,"某某"可能是施事,也可能是受事。上面看到晚唐的"某某烧死"的主语也是施受两可。如果要把话说得清楚些,一种方法是用"被"用"将"(或"把")。"被某某载著车上"、"被某某烧死"的"某某"是施事。"将某某载著车上"、"将某某烧死"的"某某"是受事。

现代汉语常常出现"大猫压死了"、"弟弟放在车子里面"、"鸡吃了"这种施受两可的句子。赵元任(1979:45)和其他语法学家都认为现代主谓句的语法意义是话题和说明。按照我们的看法,这种格局是从唐代开始的(梅祖麟:待刊)。施受两可的句子出现时,往往有其他信息来说明主语是施事还是受事。所以不加"把"字或"被"字也就过得去。有必要时也可以加。这正是加"把"字的任意性:受事主语句本身完整,不必加"把"字;加了就形成处置式。

总起来说,有三种因素促使"处置式形成法"的产生和流行。第一,南北朝时代处置(给)和处置(到)去掉"将"字,剩下的部分是受事主语句。反过来,在这些受事主语句前头装上"将"字,所产生的是处置(给)和处置(到)。第二,同时"被"字可以任意地加在本身完整的施事主语句前头。这两种因素产生了(乙)型处置式形成法以后,又因为加"把"、加"被"可以分辨施受关系,所以处置式在唐宋时代日益流行。

五 (丙)型带单纯动词的处置式的来源

祝敏彻(1957)、王力(1958)讨论"初期处置式"时,举了不少唐代(丙)型〔V_B + O + V〕的单纯处置的例。连带其他学者所举的例,(丙)型处置式按照产生方式大致可以分成三类。

第一类是处置(给)和处置(到)的变体。例如

> 火急将吾锡仗与〔目连〕。(《大目乾连》,《变》,730)
> 何处好迎僧,希将石楼借〔与我〕。(陆龟蒙诗)

这两句是处置(给)省略间接宾语。比较下面两句:

> 料理中堂,将少府安置〔堂中〕。(唐·《游仙窟》)
> 尔时帝释,知佛心已。从铁围山,将一大石,安置佛前。(隋·《佛本

行集经》,III,846 上)

可知《游仙窟》那句是省略处置(到)的处所词。南北朝用"以"字的处置(给)已经可以省略间接宾语,例如:

> 平原不在,正见清河,具以情告。(《世说·自新》)
> 具以实陈闻。(《洛阳伽蓝记》卷三,12)

入唐以后,"将"字替代"以"字,沿用"陈"字,就产生:

> 已用当时法,谁将此义陈。(杜甫《寄李十二白》;王力1958:412 引)
> 已将心事再三陈。(孙棨《北里志》)

第二类包括这样的句子:

> 孙子将一鸭私用。(《朝野金载》)
> 但愿春官把卷看。(杜荀鹤诗)
> 且将一件书读。(《朱子语类》,2913)

这些句子里的"把"和"将"可能还是"拿"义的动词,不是介词,就像现代说的"拿一只鸭子自己吃"、"干等无聊,不如拿本书看"。现代的连谓结构,前面是动宾结构("拿本书"、"拿一只鸭子"),后面的谓语可以用单音节的动词。固然,"把"、"将"在什么时候虚化成介词,不易判断。这些句子也可能是真正的处置式。

第三类处置式动词是单纯的,和现代不同,最值得注意,例如:

> 仰山便把茶树摇。(《祖》,4,125)
> 莫把杭州刺史欺。(白居易《载醉客》)
> 惜无载酒人,徒把凉泉掬。(宋之问《温泉庄卧房寄杨炯》)
> 欲把青天摸。(皮日休《初夏游楞伽精舍》)
> 不把庭前竹马骑。(《变》,607)

至于形成方法,祝、王两位已经说过了:

$$V_B + O + V + O \rightarrow V_B + O + V$$

假设本来是"把茶树摇茶树",两个谓语用同一个宾语。省略第二个宾语,然后"把"字虚化,就形成(丙)型处置式。

不过我们需要注意,(丙)型处置式是旁支,不是主流,也不是现代处置式的主要来源。(一)(丙)型处置式在上古、中古(南北朝到隋代)都没有前例,明清以后就没有传流下来。⑧在这两方面都和处置(给)、处置(到)、处置(作)不同。(二)最重要的是(丙)型处置式去掉"把"字或"将"字以后不成句:

> * 茶树摇
> * 杭州刺史欺
> * 凉泉掬

上面已经看到现代处置式的主要形成方法是在完整的受事主语句前加"把"字。因此,不但(丙)型句式没有传下来,(丙)型句的形成方法也只是在唐宋流行一段时期,以后就衰落而退居次位。

但是话又要说回来,(丙)型处置式的形成方法虽是省略重复的第二个宾语,结果却是把宾语提前。比方说"便把茶树、摇茶树"由于省略而变成"便把茶树摇"。和"便摇茶树"相比,"把"字的功用是把宾语提前。第 3.3 节曾经说过,从汉代到南北朝,处置(给)、处置(到)已经含有提前宾语的功用:

> 投三老河中～以三老投河中
> 埋玉树著土中～将玉树埋著土中
> 送一车枝与和公～将一车枝送与和公
> 卖一大牛与此城中人～将一大牛卖与此城中人

(丙)型处置式在唐代兴起,等于是给宾语提前这个功用输入新血,以致现代"把"字句在一定情况下仍有这种功用。

六 余论和结论

6.1 现在讨论一下以前学者对处置式发展经过的看法

（一）祝敏彻(1957)、王力(1958)两位是最早研究处置式历史的学者。祝先生(1957:80)说："我们认为目的语后面只跟一个简单的叙述词正是初期处置式的特征。"后来又说："为什么初期处置式的目的语后面只跟着一个简单的叙述词呢？……另一方面由于当时处置式刚从连动式中脱胎出来，就只具备简单的叙述词。"王力先生(1958)也采取这种看法。

本文和祝、王两位的看法有三点不同。第一，在方法上，祝、王两位把注意力集中在"把"、"将"两字用法的演变。我们却着重"以"字句、"把"字句、"将"字句结构的异同，因此认为"把"字句的前身不限于用"把"、"将"两字的句式。语法史的任务是观察旧有结构的承继，解释新兴结构的产生；我们（梅祖麟 1978，1981）曾经在两篇文章里说明结构主义在语法史中的运用，这里不赘。第二，在实质上，我们认为处置（给）、处置（作）在先秦已经出现，处置（到）又在汉代产生。祝氏所谓的初期处置式其实是中期处置式。第三，本文引用朱德熙先生(1982)的说法，认为近代处置式的主要产生方法，是在受事主语句前头加"把"字或"将"字。王力先生(1958:41)却认为唐代处置式的特点是用"把"字或"将"字把宾语提前。我们虽不完全赞成王先生的说法，但也在第3.3节中指出，汉代、南北朝的处置（给）、处置（到）句式中的"以"和"将"，已经有把宾语提前的功用。

（二）按照祝、王两位的说法，处置式的特点是把宾语提前，而且"处置式的产生大约在第七世纪到第八世纪之间"（王力 1958：413）。放在一起，结论是唐代出现了一种把宾语提前的新句式。这个结论我们认为不能成立，但七十年代它却在国外产生了相当大的影响。

李讷、汤普生(Li and Thompson 1974a, 1974b)认为汉语词序演变有个长期的一般趋势：从〔主—动—宾〕变成〔主—宾—动〕。

213

主要证据就是所谓唐代新兴的处置式。据上所述(i)处置式不是唐代兴起的,(ii)处置式的主要特点不是用"把"字把宾语提前,(iii)即使把宾语提前是处置式的功用之一,汉代的处置(到)已经具备这种功能。换句话说,李、汤之说在语法史上的几个前提每项都有问题。除非有更可靠的历时性的证据,他们的理论缺乏说服力。

此外孙朝奋和吉凡(Sun and Givón 1985)做过现代汉语的定量统计,结论是〔动—宾〕词序占口语资料的 92%,书面资料的 94%。按照李、汤两位的说法,词序走向〔主—宾—动〕的演变,在汉语里至少已经发生了一千年以上,应该产生深远而显然易见的影响。定量统计却说明,即使上古到唐代的词序百分之百都是〔主—动—宾〕,在唐代以后的一千多年之间,走向〔主—宾—动〕词序的句子充其量只占口语的 8%,书面的 6%。显然,李、汤之说不能成立。

桥本万太郎(Hashimoto 1976)为了解释为什么处置式在唐代兴起,提出了亚尔泰语影响的假设。他认为:汉语原来的词序是〔主—动—宾〕。唐代兴起〔主—宾—动〕词序的处置式。各种亚尔泰语言的词序都是〔主—宾—动〕,而且汉族和亚尔泰民族接触频繁。因此,汉语处置式〔主—宾—动〕词序的兴起是受了亚尔泰语言的影响。桥本氏的论证也是拿处置式在唐代产生这个说法作为前提。前提既不成立,桥本氏的结论也需要重新考虑。此外,解释某个语言的语法演变,第一步是探索这个语言里的内部因素。内部的演变规律不能解释,再找外来的影响。就处置式的演变史来说,汉语的内部发展大致可以解释。因此,即使亚尔泰语曾经产生过影响,也只能排在次要的地位。

本文第 4 节从受事主语句里寻找处置式的根源,其实是把问题推在受事主语句身上。从某个角度来看,受事主语句是〔宾—

动]词序。而且受事主语句本身是主谓句,包括种种不同的谓语。各色各样的谓语怎样产生,在什么时候产生,在什么条件下和受事主语配搭——这些问题我们目前只能说是一知半解,需要做进一步的探讨。至于各种受事主语句的兴起,是否其中几种是受了亚尔泰语的影响,这是值得考虑的一个因素。

(三) 黄宣范(1984)认为(i)汉语有个"表面结构法则"。就是除了双宾语结构以外,动词后面一般不能带着两个成分,例如:

不可以说	可以说
*放书在桌子上	把书放在桌子上
*打他的嘴破	把他的嘴打破(或"打破他的嘴")
*写字得很好	把字写得很好(或"写字写得很好")

用"C"(constituent)代表语法成分,黄氏的法则就是说 *〔动词 + $C_1 + C_2$〕这种句式不能出现。(ii)处置式的"把"或"将",可以把作宾语的 C_1 挪前,以便句子遵守"表面结构法则"。这就是处置式的来源。

吕叔湘(1957:144)讨论"把"字句时,曾经指出:"它在近代汉语里应用的如此其广,主要是因为有一些情况需要把宾语挪到动词之前去。"吕先生这些话是针对近代汉语"把"字句的用法,黄先生却把这种现象说成一种"表面结构法则",而且用来解释处置式的产生。

黄氏的说法值得商榷。从南北朝到宋元,汉语一直有〔动词 + $C_1 + C_2$〕型的句式,例如:

埋玉树著土中。(《世说·伤逝》)
嫁丑女与卿。(又,《栖逸》)
当打汝口破。(《幽明录》,《广记》卷三一九)
今当打汝前两齿折。(《贤愚经》,IV,429 上)

谁能拆笼破,从放快飞鸣。(白居易《鹦鹉》,4916)
　　列士抱石而行,遂即打其齿落。(《变》,12)
　　成得功大,与你填大底官诰,立得功小,填小底官诰。(《采石战胜录》,《三朝北盟会编》,卷二四三,4)
　　士大夫,读得书多底,无明多,读得书少底,无明少。做得官小底,人我少,做得官大底,人我大。(《大慧(1089-1163)书》,荒木本,130)
　　若说得这头亲事成,也有百十贯钱撰。(《志诚张主管》,《京本通俗小说》,卷一三)

这些例句说明,"表面结构法则"形成得很晚,最早在宋元以后。按照我们的看法,处置(到)、处置(给)在南北朝已经流行,而且这两种句式在那时已有把宾语提前的功用。黄氏采取祝敏彻、王力两位的看法,认为处置式在唐代产生。那么即使处置式在唐代产生,"表面结构法则"也产生在处置式之后,不可能是处置式的来源。

　　这里又牵涉到语法史方法论的问题。黄氏之说其实是一种功能主义的历时性的理论:语言有某种需要(想办法来避免"表面结构法则"的限制),于是就产生一种句式(处置式),这种句式的功能(把宾语提前)能满足这种需要。我们认为(i)只有在某种结构产生以后,这种结构才能产生种种功能。因此,某种结构的功能不能用来解释这种结构的产生。否则是本末颠倒。(ii)语言的演变和生物的演化一样,也是不断地产生变体。种种变体之中,有的功能正投合当时的需要,有的生不逢时。于是"物竞天择,适者生存",前者流行,后者消失。换句话说,某种结构的功能可以用来解释这种结构的流行,但不可以用来解释它的产生。(iii)第4.2节说过,在施受两可的主谓句前头加"被"字或"把"字,可以辨别施受关系。这是用"把"字的功能来解释处置式在唐宋时代的流行。同样地,"表面结构法则"也许是处置式在现代流行的因素之一。在这方面黄氏的说法可能是正确的。

　　(四)最后我们作个自我批评。本文一开始就引述朱德熙先生的说法,认为处置式和受事主语句关系密切,受事主语句前头加上"把"字就变成处置式。这只不过是拿朱先生的说法当作出发点,看看从这个角度是否能解释处置式的发展,能解释到怎么样个程度。其实有些"把"字句,去掉"把"字,剩下的部分或者不成句,或者不是受事主语句。例如"(老王)把他恨死了",去掉"把"字,剩下的"他恨死了"不是受事主语句;而且原句可以还原成〔主—动—宾〕句式:"(老王)恨死他了"。碰到这种情形,我们宁可说"老王把他恨死了"的产生方法,是用"把"字把"老王恨死他了"的宾语提前。

　　这就说明,处置式是一种多元性的句式,本身包括几小类,而且从历时的角度来看,产生的方法也是层层积累。其中有三种:承继先秦两汉的处置(给)、处置(到)、处置(作)是一种;在受事主语句前加"把"或"将"又是一种,产生能力最强;用"把"或"将"把〔主—动—宾〕句式的宾语提前是第三种。历史悠久的结构往往还带着不同的旧时的棱角。针对现代汉语的语法著作,反复讨论"把"字句动词本身的意义、宾语的性质、全句的格局,归纳出来的共性(如"动词的处置性"、"宾语的有定性"),每项几乎都有例外,恐怕就是因为这个原因。

6.2　总起来说,处置式的发展经过了三个步骤

　　(一) 先秦有用"以"字的处置(给)("天子不能以天下与人")和处置(作)("吾必以仲子为巨擘焉"),西汉又添上处置(到)("以弟子一人投河中")。在五、六世纪"将"字和"以"字通用,就形成用"将"字的三式,如隋代《佛本行集经》里的:"将四钵金,奉上世尊"(III, 801 下;处置(给));"我欲将汝作于善友"(798 下;处置(作));"我将尼拘陀树一枝,插于地下"(798 下;处置(到))。唐代"把"、"将"通用,以后就形成现代的"把书送给老张"、"把他说的话就当作耳边风"、"把花插在瓶子里"所代表的这三种处置式。

　　(二) 唐代以前的处置(给)、处置(到)已经有现代处置式的两

个特点,一是把宾语提前(第2.4节),另一个特点是去掉"将"字,剩下来的部分正是受事主语句:

> 我将尼拘陀树一枝,插于地上~尼拘陀树一枝,插于地上
> 将雷公放著庭中~雷公若二升椀,放著庭中
> 将一大牛卖与此城中人~一大牛卖与此城中人
> 将娱乐之具皆给与之~娱乐之具皆给与之

受事主语句加上"将"字既然可以变成处置式,等到唐宋时代其他类型的受事主语句陆续出现,在这些句子的前面也加上"把"字或"将"字,就形成大量的处置式句子。

处置(到)和处置(给)是承继先秦、两汉的句式。在旧有的基础上,再展拓出来在受事主语句前加"把"或"将"字的手段,这就是以后产生处置式的主要方法。

(三)唐代又出现一种新的产生处置式的方法:在用同一个宾语的连谓式中省略第二个宾语([V_B+O+V+O]→[V_B+O+V]),例如:

把卷看卷→把卷看(比较:"莫愁寒族无人荐,但愿春官把卷看"),这类用单纯动词的处置式流行到宋元,以后就逐渐消失。

附 注

① 动词后带其他成分这类和双宾语类部分重复。这里的分类法是为了叙述方便。双宾语类可以追溯到先秦,所以分别列出。

② O_D 是直接宾语(direct object),O_I 是间接宾语(indirect object)。

③ 《史记》里有用"以"字的处置(到)句式,前人已注意到了。杨伯峻、田树生编著《文言常用虚词》305页"以"字条下说:"(四)介绍出动作行为的对象,有突出宾语的作用。可以译为'把',或不译。"下面紧跟着就举《史记》的例:"(1)复以弟子一人投河中。——又把一个徒弟扔进河里。"

④ 用"将"的处置(到)可能在南北朝已出现:"忽见将三百钱置妻前"(刘义庆《幽明录》,《古小说钩沉》222引《太平广记》卷三二三。但《广记》辑

转传抄,资料不一定可靠)。

⑤ 《世说》里[V+O+著+处所词]的例还有:"公于是独往食,辄含饭着两颊边"(《德行》)、"譬如写[泻]水着地,正自纵横流漫"(《文学》)等。参考詹秀慧(1973:428—431)。

⑥ S_P 是受事主语(patient subject),O_P 是受事宾语(patient object)。

⑦ 参考唐钰明(1988:462),董志翘(1986)。

⑧ 闽语用 Ka^2 的处置式可以只带单音节的动词,例如台湾话"阿公 Ka^2(把)阿英骂"。还可以说"阿公 Ka^2(把)骂"。

参考文献

班尼特　1981:Bennett, Paul, The evolution of passive and disposal sentences, *Journal of Chinese Linguistics* 9.1.61—90.

董志翘　1986:《中世汉语中的三类特殊句式》,《中国语文》1986.6.453—459。

桥本万太郎　1976:Hashimoto, Mantaro, Language diffusion on the Asian continent, *Computational Analyses of Asian & African Languages* 3.49—63.

黄宣范　1984:Huang Shuan-fan, Morphology as a cause of syntactic change: the Chinese evidence, *Journal of Chinese Linguistics* 12.4.54—85.

李讷　汤普生　1974a:An explanation of word order change:SVO > SOV, *Foundations of Languages* 12:201—214.

——　1974b:Historical change of word order: a case study in Chinese and its implications, in Anderson, C.J.M., and C. Jones, *Historical Linguistics*, 199—217.

吕叔湘　1957:《汉语语法论文集》;125—144 页是《"把"字用法的研究》。

梅祖麟　1978:《现代汉语选择问句法的来源》,《史语所集刊》49.1.15—36。

——　1981:《现代汉语完成貌句式和词尾的来源》,《语言研究》1.65—77。

—— 待刊:《从汉代的"动·杀"、"动·死"来看动补结构的发展——兼论中古时期起词的施受关系的中立》,《语言学论丛》。

太田辰夫 1987:《中国语历史文法》(中译本)。

贝罗贝(A. Peyraube) 1989:《早期"把"字句的几个问题》,《语文研究》1989,1,1—9。

孙朝奋,吉凡 1985: Sun Chaofen and T. Givón, On the so-called SOV word order in Mandarin Chinese: a quantified text study and its implications, *Language* 61:329—351.

唐钰明 1987:《汉魏六朝被动式略论》,《中国语文》1987.3.216—223。

—— 1988:《唐至清的"被"字句》,《中国语文》1988.6.459—468。

汤用彤 1982:《隋唐佛教史稿》。

王 力 1958:《汉语史稿》(中)。

王 还 1959:《"把"字句和"被"字句》。

—— 1985:《"把"字句中"把"的宾语》,《中国语文》1985,1,48—51。

詹秀慧 1973:《世说新语语法探究》(台北,学生书局)。

赵元任 1979:《汉语口语语法》。

朱德熙 1982:《语法讲义》。

祝敏彻 1957:《论初期处置式》,《语言学论丛》第一辑,17—33。

叶友文 1988:《隋唐处置式内在渊源分析》,*Journal of Chinese Linguistics* 16.1.55—71.

基本资料

本文引翻译佛经时用《大正新修大藏经》本,例如(《佛本行集经》,Ⅲ,863下)是指《大正藏》第三册,863页下栏。其他主要资料的版本如下:

《史记》(中华,1962)

《楞伽师资记》(柳田圣山编《初期の禅史》I(禅の語録 2),东京,筑摩书房,1971)

《历代法宝记》(柳田编《初期の禅史》II(禅の語録 3),筑摩,1973)

《曹溪大师别传》(郭朋《坛经校释》(中华,1983)附录,122—131)

《敦煌变文集》(人民,1957);简称《变》

《祖堂集》(京都,中文出版社,1974);简称《祖》

《大慧书》(荒木见悟编(禅の語録 17),筑摩,1969)
《朱子语类》(中华,1986)
《朱子语类辑略》(丛书集成据正谊堂丛书)

从汉代的"动、杀"、"动、死"来看动补结构的发展[*]
——兼论中古时期起词的施受关系的中立化

引　　论

　　两汉时期产生了"压杀"、"格杀"、"烧杀"等复合动词,同时也产生了"压死"、"格死"、"烧死"等复合动词。"V 杀"是两个他动词组成的并列结构,"V 死"是他动词带着自动词。我们发现从先秦两汉一直到五世纪初年,"V 杀"经常出现于表示受事者的止词前面,"V 死"只能出现于表示受事者的起词后面:

　　　　岸崩,尽压杀卧者。(《史记·外戚世家》)
　　　　百余人炭崩尽压死。(《论衡·吉验》)

这个结论主要是根据《史记》、《汉书》、《论衡》,另外我们也参考了一些其他先秦两汉的文献,如《左传》、《庄子》、《韩非子》、《说苑》等。

　　动补结构的发展,曾经引起不少争论。以王力(1958)、祝敏彻(1981)为代表的早出派认为这种形式前汉已经出现,以太田辰夫(1958)、志村良治(1974)为代表的晚出派认为这种形式大多数产生于

---

[*] 本文原载《语言学论丛》第十六辑,1991 年。

唐代。本文继续讨论这个问题,全文分六节:第一节说明两汉时代"V杀"、"V死"的出现场合互补。第二节说明五世纪时"V死"才用作动补结构。第三节讨论动补结构的定义。第四节检验前汉所谓动补结构的例证。第五节讨论动补结构的形成方式和年代。第六节是余论。由于"V死"在五世纪变成动补结构以后,前面的起词可以是施事者,也可以是受事者,于是以前施受关系的对立在这时中立化。这节举例说明施受关系的中立化是中古语法演变的一般趋势。

一 汉代的"V杀"和"V死"

1.1 纯粹从理论的观点来看,"V杀"和"V死"可能出现于下面四种句型。

(甲)施事者+V杀+受事者

(乙)受事者+V死

(丙)施事者+V死+受事者

(丁)受事者+V杀

实际上,先秦两汉只有(甲)、(乙)两型,尤其值得注意的是(丙)型不出现:

(1) 压杀:岸崩,尽压杀卧者,少君独得脱,不死。(《史记·外戚世家》)

压死:暮寒卧炭下,百余人炭崩尽压死,广国独得脱。(《论衡·吉验》)

(2) 饿杀:岁败谷尽,不能两活,饿杀其子,活兄之子。(《论衡·齐世》)

李兑之用赵也,饿杀主父。(《韩非子·外储说右下》)

饿死:主父欲出不得,又不得食,探爵鷇而食之,三月余而饿死沙丘宫。(《史记·赵世家》)

李兑管赵,囚主父于沙丘,百日而饿死。(《史记·范睢蔡

223

泽列传》)

其后九岁而君饿死。(《史记·绛侯周勃世家》;《论衡·骨相》同)

(3) 诛杀:沛公至军,立诛杀曹无伤。(《史记·项羽本纪》)

诛死:解父以任侠,孝文时诛死。(《史记·游侠列传》)

故桀纣诛死,赧王夺邑。(《论衡·奇怪》)

传书又言,燕太子丹使刺客荆轲刺秦王,不得,诛死。(《论衡·书虚》)

(4) 斩杀:掌戮掌斩杀贼谍而搏之。(《周礼·秋官·掌戮》)

斩死:王弟长安君成蟜将军击赵,反,死屯留,军吏皆斩死。(《史记·秦始皇本纪》)

(5) 格杀:王变色视尊,意欲格杀之。(《汉书·赵尹韩张两王传下》)

格死:公孙差格死于龙门。(《说苑》卷一二)

(6) 戮杀:晨用三千人攻,戮杀中生等。(《史记·大宛传》)

戮死:……而六公子戮死于柱。(《史记·秦始皇本纪》)

(7) 烧杀:火从藏中出,烧杀吏士数百人。(《论衡·死伪》)

项王烧杀纪信。(《史记·项羽本纪》)

烧死:见巢爇,尽堕地中,有三载鷇烧死。(《汉书·五行志》)

(8) 溺杀:子胥恚恨,驱水为涛,以溺杀人。(《论衡·书虚》)

三江时风,扬疾[阳侯]①之波亦溺杀人。(同上)

溺死:宦骑与黄门驸马争船,推堕驸马河中,溺死。(《汉书·苏武传》)

(9) 贼杀:出子六年,三父等复共令人贼杀出子。(《史记·秦本纪》)

贼死:署中有所有贼死、结发,不智[知]可[何]男子一人。(《睡虎地秦墓竹简》,264)按:"贼"有"杀害"义,如《左·宣二年》"使钽麑贼之"。跟这句相应的陈述句是"男子贼死,结发……"参看王瑛(1982:131)。

(10) 杀死:居无何,二世杀死,优旃归汉。(《史记·滑稽列传》)

1.2 上面的例句,有些是用不同的方法来说明同一件事。这种"同体异用"而双双成对的句子最能帮助我们了解不同句式之间的关系,例如例(1)中的两句都是叙述窦后的弟弟广国死里逃生:

> 岸崩,尽压杀卧者,少君独得脱,不死。(《史记》)
> 暮寒卧炭下,百余人炭崩尽压死,广国独得脱。(《论衡》)

综合两句,可得:

> 炭崩,尽压杀炭下卧者↔炭崩,炭下卧者尽压死。

同样,例(2)中有三句都是说主父被李兑饿死,这几句之间的关系是:

> 李兑管赵,饿杀主父↔李兑管赵,主父饿死。

一般说来,"V杀"和"V死"在汉代的关系是:

> 施事者+V杀+受事者↔受事者+V死

从右到左的箭头不免要打些折扣,例如"而伯夷、叔齐耻之,义不食周粟……遂饿死于首阳山"(《史记·伯夷列传》)。这种句子只有受事者,没有施事者。因此(乙)型"受事者+V死"似乎不该叫被动句,应该叫做非主动句。

此外还应该说明,从先秦到两汉,不但上面所举的"斩死""格死"、"压死"等十个"V死"式的复合动词不出现于(丙)型"施+V死+受",其他的"V死"也不出现于这种句式。可惜《史记》、《汉书》、《论衡》还没有包括所有的字的引得,读者不容易审查我们的结论。下面讨论一些似是而非的反面证据:

> 三年而二世弑死始皇。(《汉书·郊祀志》)
> 聂壹乃诈斩死罪囚,悬其头马邑城下。(《汉书·窦田灌韩传》)

祝敏彻(1958:24;1981:150)引过这两句,但这两句都不是(丙)型。上句标点错误,应读作:

> 三年而二世弑死,始皇封禅之后十二年而秦亡。

下句"诈斩死罪囚",意思是"斩杀犯了死罪的囚犯","死罪"形容"囚"。此外还有

225

> 王怒曰:大辱国。诘朝,尔射死艺。(《左·成十六年》)

注云:"言女以射自多,必当以艺死也。诘朝犹明朝,是战日",大意是说,"你明天射箭,就要为了这项技艺送死","射"和"死"分属两个短语,"射死"不是复合动词。

汉代另外还有"自 V 死"型的结构,例如

> [伍子胥]乃自到死。(《史记·伍子胥列传》)
> 居一月,妻自经死。(《汉书·朱买臣传》)
> 我曹愿自杀,即自缪[绞]死。(《汉书·外戚传下》)

"自 V 死"的直接成分是"(自 V)死",如"自到死"是"自到而死",结构和"自刎而死"(《史记·项羽本纪》)一样,只是省略"而"字。上面看到汉代"V 死"后面不能附带表示受事者的宾语,所以"自 V 死"的"自"字不能兼指"V 死"后面的宾语位,只能兼指"V"后的宾语位。"自绞杀"(《史记·楚世家》)、"自烧杀"(《史记·项羽本纪》)的直接成分是"自(绞杀)"、"自(烧杀)";"自"字兼指"V 杀"后的宾语位。

现在再看(丁)型"受事者 + V 杀"。马建忠说过,"外动字单用为受动"(《马氏文通》受动字四之二);例如"昔者龙逢斩,比干剖,苌弘胣,子胥靡"(《庄子·胠箧》)[②],两个他动词组成的复合他动词偶尔也单用在受事者之后:

> 数使诸侯,未尝屈辱。(《史记·滑稽列传》)
> 朝鲜杀汉使者,即时诛灭。[③](《汉书·苏武传》)

除了"自 V 杀"以外,先秦两汉居句末的"V 杀"非常罕见,我们只看到一句:

> 法令烦憯,刑罚暴酷,轻绝人命,身自射杀,天下寒心,莫安其处。(《汉书·晁错传》)

上面整段都是四字句,"身自射杀"是否属于(丁)型不容易判断。

到此为止,我们看到先秦两汉只有(甲)、(乙)两型,"V 杀"、

"V死"的出现场合互补,"V杀"只出现于施事者之后,"V死"只出现于受事者之后。尤其值得注意的是(丙)型"施+V死+受"在先秦两汉不出现。

二 动补结构"V死"的产生年代

2.1 (丙)型在什么时候才出现?请看下面的例句,其中一部分是从太田辰夫(1958:207)转引。

(1)何意二师并皆打死?(刘宋·侯君素《旌异记》,《法苑珠林》卷八五引,《大正藏》,53,909下)
是邻家老黄狗,乃打死之。(刘义庆《幽明录》,《太平广记》卷四三八引;鲁迅《古小说钩沈》(人民出版社,1951)242页"死"字作"杀")
(2)龙被射死,猴众称善。(吴·康僧会译《六度集经》,《大正藏》,3,27上)
于时山中五百弥猴,火来炽盛,不及避走,即皆一时被火烧死。(北魏·吉迦夜译《杂宝藏经》,《大正藏》,4,499上)
(3)被蝎螫死。(唐·张鷟《朝野佥载》卷五)
独坐堂上,夜被刺死。(同上,卷三)
为某村王存射死。(《闻奇录》,《太平广记》卷三一一引)
(4)律师,律师,扑死佛子耶?(郑棨《开天传信记》,《太平广记》卷九二引)
主人欲打死之。(《广古今五行记》,《太平广记》卷九一引)
亲见后院空仓,三二年来破碎,交伊舜子修仓,四畔放火烧死。(《舜子变》,《敦煌变文集》,131)

上面的例句分为四组。(1)组的两句出现于南北朝,"并皆打死"句是受动,属于(乙)型,"乃打死之"句引自版本有问题的文献。(2)、(3)两组的例句基本是(乙)型"受事者+V死",但句中另有被动标志"为"或"被"。这些三国到唐代带着"为"字或"被"字的(乙)型句,直接承继先秦两汉的(乙)型句,正可以说明上面给"名词+V

死"这类句子所作的分析是正确的。(4)组是唐朝五代的(乙)型句。"四畔放火烧死"出自《舜子变》,卷末署有"天福十五年(951)……写毕记"。这句的语法是"[施]+放火烧死+[舜子]",文献绝对可靠,因此我们可以相信(4)组其他两句确实出现在唐代。总起来说,如果相信(1)组"乃打死之"的证据,(丙)型"施+V死+受"是出现于五世纪初年,否则是出现于唐代。

2.2 《幽明录》的"乃打死之"虽然资料来源不太可靠,但另有旁证,可以说明(丙)型在刘宋时代(420—477)已经产生。普通话的"V死",吴语一般说"V杀",这种"杀"字也写作"煞",吴语的"V煞"是动补结构,如"打煞伊"、"打勿煞"、"打得煞"、"打伊勿煞"。而且吴语虽然也用"死"字,动补结构的下字却只用"煞"。文献上也有类似的用法。

> 妬人之子,愁杀人君有他心。(《汉乐府·铙歌》)
> 白杨多悲风,萧萧愁杀人。(《古诗十九首》,第十四)
> 童男娶寡妇,壮女笑杀人。(《紫骝马歌辞》,《乐府诗集》)

这些例子说明,"V杀"在某个时期被"V死"同化而变成动补结构。但《古诗十九首》、《乐府诗集》等是晚出的,著作时代不明。问题就在开始被同化的年代,下面的例子可以帮助我们解决这个问题:

> 雄鸽不信,眭恚而言,非汝独食,何由减少?即便以觜啄雌鸽杀。(萧齐·求那毗那译《百喻经》,《大正藏》,4,557中)

这时已有"动+名+结果补语"这种"隔开"型的使成式:

> 我憎汝状,故排[扑]船坏耳。(《幽明录》,《法苑珠林》卷六七引,《大正藏》,53,798中)
> 当打汝口破。(《幽明录》,《太平广记》卷三一九)
> 持项[缸]取水,即打项破。(后秦·鸠摩罗什译《大庄严论经》,《大正藏》,4,346上)
> 今当打汝前两齿折。(北魏·慧觉等译《贤愚经》,《大正藏》,4,429

上)

春风复多情,吹我罗裳开。(《子夜四时歌·春歌》)

"打汝口破"等是兼语式的结构,"汝口"是"打"的宾语、"破"的主语。例句中的"破"、"折"、"开"等结果补语都是自动词。"啄雌鸽杀"的结构相同,"杀"字当作"死"字讲。这句出自萧齐时代的译经,正是江南吴语地区,这就确定了"杀"字被同化而变成自动词的下限。既然说是同化,萧齐以前该有"动+名+死"这种"隔开"型的使成式,也该有"施+V死+受"这种"不隔开"的使成式。《汉乐府·铙歌》的"愁杀人君有他心"这句,最早著录于沈约《宋书·乐志》就是被"V死"同化后的产品。因此,虽然《幽明录》"是邻家老黄狗,乃打死之"有异文,我们还是认为(丙)型在刘宋时代已经出现。

三 动补结构的定义

3.1 现在回过来讨论动补结构的定义和产生时代。王力先生(1958:403)说:

> 使成式……是一种仂语的结构方式。从形式上说,是外动词带形容词("修好"、"弄坏"),或者是外动词带着内动词("打死"、"救活");从意义上说,是把行为及其结果在一个动词性仂语中表示出来。这种行为能使受事者得到某种结果,所以叫做使成式。

王先生的"使成式"我们叫做"动补结构"。上面的定义有个地方没说清楚。现代汉语的动补结构可以用在主动句,也可以用在非主动句。

(甲)警察打死了土匪。　(乙)土匪打死了,大家都很高兴。
　　老王修好了汽车。　　　汽车修好了,现在就可以动身了。

按照现代的语感,再看上面的定义,就会觉得(甲)、(乙)两型差不多,动补结构在两种句型中都能出现。但历史的事实并非如此。第一节的例子说明,"V 死"在两汉时代只在(乙)型中出现,一直到五世纪,或者更晚,才在(甲)型中出现。换句话说,动补结构的产生,不但是构词层次上的问题,也是句法层次上的问题。

为了弥补这个缺点,我们把动补结构的定义稍微修改一下:

1. 动补结构是由两个成分组成的复合动词。前一个成分是他动词,后一个成分是自动词或形容词。

2. 动补结构出现于主动句:施事者+动补结构+受事者。

3. 动补结构的意义是在上列句型中,施事者用他动词所表示的动作使受事者得到自动词或形容词所表示的结果。

4. 唐代以后第二条的限制可以取消。

按照这个定义,"V 死"在五世纪以前是复合动词,但不是动补结构;五世纪以后,才变成动补结构。

至于为什么说唐以前动补结构只出现于主动句中,这将在下文加以论证。

3.2 有了这个新定义,还不能断定动补结构的产生时代。问题在于:定义既说动补结构的下字是自动词或形容词,我们怎样去判断下字是否符合这个定义? 以前有人举过这样的例子:

(甲) 射伤郤克,流血至履。(《史记·齐太公世家》)
　　　从杜南,入蚀中,去辄烧绝栈道。(同上,《高祖本纪》)

"射伤郤克"是"射而伤郤克","伤"在后一句算是使动式。从使动式转来的"伤"算是自动词还是他动词? 在讨论这个问题以前,先说一下我们一般的看法。

按照现代汉语的观点,动补结构是可以嵌进"得"、"不"的复合动词,例如"打得死"、"打不死"、"修得好"、"修不好"。这种复合动词至少有两个来源。一个是(甲)型句,在两汉时期"射伤"、"烧绝"是并列结构,由两个他动词组成。后来,大概是南北朝,由于多种因素,复合词里的"绝"、"伤"才转成自动词。

另一个来源是(乙)型句里的复合动词:

(乙)百余人炭崩尽压死。(《论衡·吉验》)
(乙′)恐帝长大后见怨。(《汉书·云敞传》)
叟,缩也,人及物老皆缩小于旧也。(《释名·释亲属》)

"压死"、"缩小"、"长大"的下字确实是自动词或形容词,但(乙)型的复合词不带宾语。这里又要分作两种情形:"长大"一直不能带宾语,现在也不能说＊"长大这个孩子"。另一种是"压死"、"缩小",前汉根本不能带宾语,后汉带宾语的例子罕见,如"减轻田租"(《汉书·王莽传》),但"减轻"是否是动补结构也成问题(见下节)。到了五世纪,(乙)型的复合词才带宾语。(甲)、(乙)两型合流以后,就形成后代的动补结构。

四　检验前汉所谓动补结构的例证

4.1　以前的学者曾经举出"推堕"、"激怒"、"射伤"、"伐灭"、"攻出"、"攻下"、"烧绝"、"禁止"、"击败"、"罢退"等复合词,认为是动补结构出现于前汉的证据。下面的例句除了最后的一句以外,都是《史记》里的。

汉王急,推堕孝惠、鲁元车下。(《项羽本纪》)
乃激怒张仪。(《苏秦列传》)
射伤郤克,流血至履。(《齐太公世家》)
二十四年,楚考王伐灭鲁。(《鲁周公世家》)
遂攻出献公,献公奔齐。(《卫康叔世家》)
燕王臧荼反,攻下代地。(《高祖本纪》)

诸侯更相诛伐,周天子弗能禁止。(《始皇本纪》)
从杜南,入蚀中,去辄烧绝栈道。(《高祖本纪》)
与秦击败楚于重丘。(《田敬仲完世家》)
据法以弹咸等,皆罢退之。(《汉书·翟方进传》)

以上除了"弗能禁止"句以外,都是(甲)型句;"弗"字可能是"不……之"。下面要提出三个理由来说明这些复合词在前汉都不是动补结构。

第一个理由是根据"伤"、"灭"、"败"、"绝"等下字的用法。李佐丰(1983:117—144)在这方面做了很有意思的研究。他用时代比较接近的六部作品:《左传》、《论语》、《孟子》、《庄子》、《荀子》、《礼记》,选出若干他所谓的自动词,然后根据这些书的《引得》,观察这些自动词的用法,得出统计数字。我们上面抄录所谓动补结构的例句,就是选择下字在李文中有统计数字的。

李文表中原分四类,为了节省篇幅,删去"带介词补语"一项,这四项加起来的总和等于"用作谓语"下的数字。此外我们还用第一、第二两栏的数字求出每个字自动、他动两种用法的比例,放在第三栏。

例	不带宾语和补语	带使动宾语	他动:自动	带关系宾语	用作谓语
灭	19	115	6.0:1	0	135
败	32	111	3.5:1	0	147
伤	15	52	3.5:1	0	73
绝	4	11	2.8:1	0	16
止	77	83	1.1:1	2	175
出	84	30	1:2.8	41	215
下	29	7	1:3.5	29	66
退	66	10	1:6.6	7	84
怒	83	13	1:6.4	8	105
堕	9	1	1:9	0	11
死	172	4	1:43	37	263

上表有两点值得注意。(1)"灭"、"败"、"伤"、"绝"、"止"五个字都是他动(或使动)用法比自动用法多,这是先秦的情况。前汉离先秦不远,这些字仍是他动性比较强,因此"V 灭"、"V 败"、"V 伤"、"V 绝"、"V 止"在前汉都是并列结构。尤其是"灭"字,"他动:自动"的比例是 6∶1。《尚书·盘庚》"若火之燎于原,不可向迩,其犹可扑灭",这句话不时有人引来作为动补结构产生于先秦的证据。其实,"可"字表示受动,"扑灭"是并列结构,这句实在没有做证据的资格。还有 1.2 节引过的《汉书·苏武传》"朝鲜杀汉使者,即时诛灭",这句的"诛灭"也是并列结构的复合他动词。④

(2)"死"字的"他动:自动"比例最低,平均要用 43 次自动式的"死"字才用一次使动式。原因很简单:第一,使动式的功能是制造他动式,"死"字已经有他动词"杀"字跟它搭配,不必多此一举。第二,"死+宾语"包含三种意义(李佐丰 1983:126—127):

  (一) 其北陵,文王之所辟风雨也,必死是间。(《左·僖三十二年》)[死在这里]
  (二) 然子死晋国,子孙必得志于宋。(《左·定六年》)[为晋国而死]
  (三) "死吾父而专于国,有死而已"。(《左·襄二十一年》)[弄死了我父亲]

(一)、(二)"死"字后面带的都是关系宾语,例(一)表示处所,例(二)表示原因、目的。例(二)这种句子,是"死"字的特殊用法,先秦文献中常见。上面引过的"尔射死艺"(《左·成十六年》)就是一例。其他如《论语·宪问》"桓公杀公子纠,召忽死之,管仲不死"、《孟子·梁惠王》"君行仁政,其民亲其上,死其长"等也是这种用法。因为"为某某而死"的"死某某"占据了使动式"死某某"的形式位置,而"杀"字又占据了"死"字使动用法的语意位置,所以"死"字的使动用法极少见,九部书只出现 4 次,例(三)就是其中一例。因此我们可以说,"死"字是道道地地、98% 的自动词。

233

4.2 第二个理由是"推堕"、"激怒"、"攻下"等所谓动补结构在前汉只出现于(甲)型句,不出现于(乙)型句:

(甲) 施事者+复合动词+受事者

(乙) 起词+复合动词

比方说,"恐帝长大后见怨"出现于《汉书·云敞传》。我们按照类似的形式,用"推堕"、"射伤"造两个句子。*"孝惠推堕车下后,大呼求救",*"郤克射伤后,流血至履"。这种句子是合乎文言文法的,但根据我们的观察,《史记》里却不出现。这种句子并不是完全没有,前人引过:

> 父战死于前,子龁伤于后。(《汉书·贾捐之传》)
> 凡山林之高,非削成而崛起也。(《潜夫论·慎微》)
> 山谷之卑,非截断而颠陷也。(同上)

这些都是后汉的例。《潜夫论·浮侈》"或纺綵丝而縻,断截以绕臂","截断"、"断截"词序相反,两个都是并列结构。其他两例出现场合是平行结构。平行结构对于语法的限制总是放宽些。因此,我们目前认为在两汉时代,"推堕"、"射伤"类的复合词只出现于(甲)型,"V死"、"缩小"类复合词只出现于(乙)型,两者出现场合互补。

为什么"推堕"、"攻下"、"击败"、"射伤"等复合词在两汉时代后面一定要带着宾语? 这是因为"堕"、"败"、"伤"等下字在复合词中仍是使动(或他动)用法,后面需要有宾语撑着。

4.3 第三个理由是动补结构"V死"的晚出。这里问题不在动补结构"V死"的出现和其他所谓动补结构有先后之别,而在时间差距何以如此之大。第2节给"施+V死+受"断代是用比较宽的标准,它最早也不会早过五世纪初年。如果"推堕"、"击败"等在司马迁(公元前145—前86?)《史记》里出现的复合动词是动补结构,那么动补结构"V死"至少要晚出五百年,尤其是"V死"在先秦两汉文献中俯拾即是,更令人觉得费解。

解决的办法是承认"射伤"、"推堕"等复合词的构成程序和"V 死"不同。"射伤"等是先把下字使动化变成他动词,然后附加在"射"、"击"、"推"等上字的后面。"V 死"是直接把自动词"死"字附加在"V"的后面。这两种复合词构成程序不同,所以词性不同,出现场合也不同。同样的,后汉的带着宾语的"减轻"、"填满"大概也是并列结构。

五 动补结构的形成方式和产生时代

5.1 第 2 节已经说明五世纪初有"是邻家老黄狗,乃打死之"这样的句子。这是动补结构的来源之一。现在讨论另外的一个来源,也就是"击败"、"射伤"等怎样从"他动 + 他动"的并列结构转成"他动 + 自动"的动补结构。引起这种转换的因素很多,根据它们的产生年代可以估计第二种动补结构的产生年代。

第一个因素是清浊别义的衰落。"败"、"折"、"断"、"坏"都有两读,清音声母是他动词,浊音声母是自动词或既事式(周祖谟 1966:116—118),例如:

*k-: *g- 见(古甸切):现(胡甸切)　　*p-: *b- 败(补败切):败(薄迈切)
　　　 解(古买切):解(胡买切)　　　　　　 覆(芳福切):复(扶富切)
　　　 降(古巷切):降(户江切)　　*t-: *d- 折(之舌切):折(市列切)
　　　 繫(古谐切):繫(胡计切)　　　　　　 属(章玉切):属(时玉切)
　　　 坏(音怪切):坏(户怪切)　　　　　　 著(陟略切):著(直略切)
　　　 挟(古洽切):挟(侯夹切)　　　　　　 断(都管切):断(徒管切)

这种用清浊之别来区别词性的构词法我们叫做"清浊别义"。从秦代开始,就有用"败"、"折"、"断"等字作下字的复合动词:

击败　与秦击败楚于重丘。(《史记·田敬仲完世家》)

  击断 乃下石乞、壶黡攻子路,击断子路之缨。(同上,《仲尼弟子列传》)
  啮断 或斗,啮断人若耳若指若唇,论各可(何)殴(也)。(《睡虎地秦墓竹简》,186)
  斗折 斗折脊项骨,可(何)论?比折支(肢)。(同上,183)
  椎坏 饶燕士果悍,即引斧椎椎坏之。(《汉书·匈奴传》)

  据上所论,"击败"的"败"在前汉是他动词,读作"补败切",帮母。清浊别义衰落后,"败"字只有浊音一读,並母。"击败"的"败"读作並母,对"败"字清浊有别的人来说,"击败(並母)"是他动词带着自动词。这样,并列结构的"击败(帮母)"就转成动补结构的"击败(並母)"。

  "败"字从两读变为一读,六世纪的文献里还有记载。陆德明《经典释文》(583—589)《序录》里说:"及夫自败蒲迈反败他补败反之殊,自坏呼怪反坏撤音怪之异,此等或近代始分,或古已为别,相仍积习,有自来矣。"颜之推(513—?)《颜氏家训·音辞篇》说:"江南学士读左传口相传述,自为凡例。军自败为败,打破人军曰败补败反……此其穿凿耳。"

  清浊别义可以远溯到汉藏共同语。[5]当清浊别义在口语中活跃时,不必用文字点明,人们自然而然地会按照字的不同用法说出清浊两音,倒是在清浊别义衰落时,才需要在经典的诠释中注明。最早关于清浊别义的记载大概是晋代吕忱的《字林》。《尔雅·释诂》"坏,毁也",《释文》云"《字林》坏自败也,下怪反";《礼记·问丧》"如坏墙然",《释文》云引《字林》云:"坏音怪"。我们知道,《经典释文》是四声别义、清浊别义的总汇。这样看来,清浊别义作为能产的构词法,在东汉已开始衰落,到六世纪渐趋灭亡。

  上面的论证假设"败"字在古代确实曾有清浊两读。《经典释文》里清浊两读的"读破",有些可能是人为的读书音。"败"、"坏"、

"断"、"别"等《释文》两读而口语一读的字,口语保存的都是浊音声母的自动词,所以我们相信古代确实曾有两读。退一步着想,清浊别义的衰落是事实,衰落以前一定会有更多的动词可以清浊两读,只要其中有一批从两读变为一读,而仅有一读的是浊音声母的自动性,上面的论证就不受影响。

现在再举两个类似的例子。福州话"上"字两读,[6]他动式或使动式读 tsʻuoŋ²,声母送气;自动式读 suoŋ²,声母不送气。"平"字两读,他动式或使动式读 ₋pʻaŋ,声母送气;自动式读 ₋paŋ,声母不送气。福州话用送气、不送气之别来分辨他动、自动的这种构词法,看来是上古某种前缀的遗迹。如果没有现代方言的记录,后人在辞书上看到福州话"上"、"平"两字的读破,恐怕也会说"此其穿凿耳"。此外,英语的 thank "感谢"曾经是 think "想"的过去式,英语"我感谢你"本义是"我曾经想念过你"。现在 thank 是现在式,过去式是 thanked。由于英语强式三时变化(drink, drank, drunk; sing, sang, sung)的衰落,thank 就从过去式转为现在式。同样地,由于清浊别义的衰落,"击败"、"击断"等并列结构也就转为动补结构。

第二个因素是使动式的衰落。后世的文言,受了先秦典籍的影响,一直在用使动式,所以使动式在口语中衰落的年代不容易直接判断。志村良治(1974)做过一项类似的研究。他的设想是:两汉有"射伤、斫破、击断、椎坏"等复合动词,如果"伤"、"破"、"断"、"坏"等只能用作自动词,这些字就不能用作复合他动词的上字。结果他在东汉到南北朝的佛经里找出若干"断"、"坏"、"破"、"伤"用作上字的例,例如"断截、断除、断绝、断决"、"坏败(也有'败坏')、坏烂(也有'烂坏')、坏破"、"破除、破裂、破碎"、"伤败、伤损",可惜他没有注出这些复合词是否后面带着宾语。

清浊别义的衰落和使动式的衰落,两者异曲同工:前者把"击败"、"击断"等下字两读的并列结构变成动补结构,后者把"射伤"、"攻下"等下字没有清浊两读的并列结构变成动补结构。而且使动式的衰落也是清浊别义衰落的一个原因,估计两者发生的年代相差不远。

第三个因素是"隔开式"动补结构的产生,如上面引过的"排〔扑〕船坏耳"(《幽明录》)、"当打汝口破"(同上)、"今当打汝前两齿折"(《贤愚经》)等。这类句法产生于五世纪,"破、折、坏"在这种句型中都是自动词或形容词。《贤愚经》同段还有一句:"汝何以辄打折其脚"。"斗折"(《睡虎地秦墓竹简》,183)在秦代是并列结构,"折"读清音章母。"打折"在南北朝由于"打汝前两齿折"的感染,变作动补结构,"折"读浊音禅母。

第四个因素是"动+形"式复合词的产生,例如:

恐帝长大后见怨。(《汉书·云敞传》)
叟,缩也,人及物老皆缩小于旧也。(《释名·释亲属》)
田,填也,五稼填满其中也。(《释名·释地》)
汉氏减轻田租。(《汉书·王莽传》)
我不独食,果自减少。(《百喻经》,《大正藏》,4,557 中)

"长大"、"缩小"、"减少"这些不带宾语的"动+形"复合词,对"减轻"、"填满"、"射伤"、"攻下"等汉代的并列结构会起感染作用,使后者变成动补结构。

赵元任(1979:207)讨论动补结构时说:"常用的结果补语,大概是形容词多于动作动词。"现代的动补结构,是积累不同时代的产品。某种形式产生得早,积累的时间就越长,存货就越多。这样看来,"动+形"型的动补结构比"他动+自动"型的产生得早。

上面说了四个产生第二种动补结构的因素。这四个因素都发生在三世纪到六世纪之间,所以我们估计"击败"、"射伤"等成为动补结构也发生在六朝。

5.2 现在再讨论三个一般性的问题。

第一,上面谈到的"射伤"、"击败"等复合词从并列结构变成动补结构,这种现象叫做"重新分析"。这就是说,同样的语素,同样的词序,在先后两个不同的阶段,被理解为两种不同的结构。这种现象跟研究现代语法的学者所谈的"结构歧义"相似,例如"在黑板上写字"(朱德熙1980:169—192);只是我们所谈的是共时性的现象,这里所谈的是历时性的现象。

历史语法学一直有个理论上的问题:当一个新兴的结构出现时,老一辈人的语法里没有这种结构,他们怎么听得懂?"重新分析"论提出了一种解释:字面上没起变化,字面所表示的结构却受了演变的影响在"潜移默化"。这样,老幼两辈虽然用新旧两种不同的结构,说的却是同样的话,照样可以互相了解。

第二,从先秦到唐代,汉语有个"自动词化"的趋势。最极端的例子是吴语"杀"字在复合词中被"死"同化而变成自动词,作为"死"讲。另外"坏、败、断"本来有清浊两读,一是自动,一是他动,而后来只保存了浊音的自动词,这也是"自动词化"的结果。最常见的是一个动词在先秦两汉时自动、他动两用,而且如第4.1节的字表所示,"灭"、"败"、"伤"等字他动用例占压倒优势;到了唐代以后只有自动一用,或者自动用法的频率超过他动用法。现代汉语不能说＊"破了他的杯子"、＊"断了他的铅笔",总得说成"碰破"、"摔破"、"压断"、"掰断",如果没有具体的他动词可用,就说"弄破"、"弄断"。单音节的他动式既然被双音节的动补结构替代,结果是只剩下自动式,或者减低他动式的使用频率。因为我们现代的语感形成于唐代"自动词化"以后,就不免会产生一种错觉,以为"击断"、"击败"等复合动词的下字在前汉也是自动词。

第三,原始汉语有套由各种词缀或声母清浊交替组成的构词法。目前可以证明的有＊-s后缀(梅祖麟1980)、＊s-前缀(李方桂1980:24—27)、*-r-中缀(蒲立本1973:118)⑦以及清浊别义。这些音变构词法逐渐衰落,唐代完全灭亡。这是上古、中古时代很重要的演变,甚至于可以说汉语改变了类型,从藏文那样富有音变构词法的综合类型的语言变成分析类型的语言。

在音变构词法衰落的过程,有若干新兴的形式来替代失去的语法功能。大部分担任补偿作用的新兴形式和古老形式只是功能相称,但没有源流关系。清浊别义似乎结局不同。清浊别义的主要构词功能是分辨他动、自动;清音声母是他动词,浊音声母是自动词。上面看到清浊别义的衰落是动补结构的产生因素之一,两者之间有源流关系。更有意思的是"折(禅母)"、"断(定母)"、"败(並母)"这种自动词有既事式的含意,给动补结构吸收进去以后,又因为动补结构的结果补语有完成貌的语法意义,在十世纪促成完成貌"了"字的产生(梅祖麟1981)。套句《文心雕龙》的话,也许可以说"清浊别义告退,而动补结构方滋"。

六 余论:中古时期起词的施受关系的中立化

6. 在只有(甲)、(乙)两型的时代,"V杀"、"V死"和起词的施受关系非常明确,"V杀"前面一定是施事者,"V死"前面一定是受事者。

(甲)施+V杀+受:岸崩,尽压杀卧者。
(乙)受+V死:百余人炭崩尽压死。
(丙)施+V死+受:是邻家老黄狗,乃打死之。
(丙′)起+V死:何意二师并皆打死?

一旦(丙)型出现,尤其是(丙′)型出现以后,不看上下文,有时简直无法断定"V死"前面的起词是施事者还是受事者。在这种情形下,"V死"前面起词的施受关系已经中立化(neutralize)了。

赵元任(1979:45—46)认为现代汉语里的主语和谓语的语意关系是话题和说明(他的"主语"即本文的"起词"),原因就是因为主语和谓语的施受关系模棱两可。比方说,"鱼吃了"可以理解为"鱼(把食)吃了",也可以理解为"鱼(被猫)吃了";"大猫压死了"可以理解为"大猫(把小猫)压死了",也可以理解为"大猫(被汽车)压死了"。汉语主谓的语义关系是否从古到今都是"话题/说明"?我们至少知道"V 死"在五世纪以前的施动方向非常明确,我们也曾经推论在汉代"射伤"、"击败"的起词是施事者,而"缩小"、"长大"的起词不是施事者。就这些复合动词来看,施受关系的中立化大概是从唐代才开始的。这种中立化是否是个孤立的现象?这就牵涉到一个大问题:从先秦到唐代其他的语法变化是否也显示施受关系的中立化?

我们认为有七种演变跟这个问题有关,几乎每种演变都牵涉到相当复杂的问题,尤其是施受关系的中立化在各种演变中的发生时期不同,不可一概而论。这个题目以后还需要仔细研究,下面只是说个大纲。

(1)上古施事者作起词,后面用"能"和"可以"[8]((甲)、(乙)),受事者后面用"可"((乙)),中古时期这种对立消失((丙)、(丁))。

(甲)孰能一之?(《孟·梁惠王上》)。
我能为君辟土地,充府库。(《孟·告子下》)
(乙)燕可伐与……孰可以伐之?则应之曰:为天吏,则可以伐之。(《孟·公孙丑下》)
(丙)人之生也,可不服牛乘马乎?服牛乘马可不穿落之乎?(郭象《庄了》注)
(丁)大唐国能有几人。(《祖堂集》,2.57)
(丁′)相识满天下,知心能几人?(同上,3.44)
(戊)方今大王之兵众,不能十分吴楚之一。(《史记·淮南王安传》)

两汉"能"跟"不"、"未"连用,意思是"不及"、"不到"((戊))、"不能",后面紧跟着"数词·名词"(杨树达《词诠》"能"字下)。十世纪产生"能有几人",前面取消"不"字,在"能"和"数·名"之间嵌进"有"字(比较(丁'))。现代汉语"这鱼能吃吗"可以理解为"这鱼还能吃食吗",也可以理解为"这鱼还能让人吃吗",上古则要在"可"、"能"两字之间做强制性的选择:"此鱼能食乎","此鱼可食乎"。

(2) 中古新兴的"V 得"、"V 得 R"、"V 不 R",功能和"可"、"能"类似。但这种新兴的可能式,前面的起词施受两可。

  (甲) 起词是施事者:
    谁言寸草心,报得三春晖。(孟郊《游子吟》)
    暝鸟飞不到,野风吹得开。(王贞白《夏云》)
  (乙) 起词是受事者:
    数茎白发那抛得。(杜甫《乐游园歌》)
    深水有鱼衔得出。(杜荀鹤《鸬鹚》)
    杜鹃认名呼得下。(方干《题长洲陈明府小亭》)

(3) 上古有清浊别义的构词法:清音声母是他动词,前面的起词是施事者,浊音声母是自动词,前面的起词是受事者或中性的主语,如"败(帮母)、败(並母)"、"折(章母)、折(禅母)"。清浊别义在中古消失。

(4) 上古有使动式,把名词、自动词、形容词放在表示施事者和受事者的两个名词之间。这种依靠语序的"使动转换"在中古消失。

(5) "见"字在上古是受动标志((甲)),从魏晋开始,"见"字失去标志受动的功能((乙))(吕叔湘 1955:46—50):

  (甲) 盆成括见杀。(《孟·尽心下》)
  (乙) 后布诣允,陈卓几见杀状。(《魏志·吕布传》)[董卓几乎杀了我]

(6) 上古汉语"VP 者"的"者"指"VP"的施事者((甲)),"所V"的"所"指"V"的受事者((乙)),即使"VP 者"表示受事,"VP"中

会有明确的标志((丙))。⑨(朱德熙 1983:16—31)

> (甲) 不救火者比降北之罪。(《韩非子·内储说上》)
> (乙) 鱼,我所欲也,熊掌,亦我所欲也。(《孟子·告子上》)
> (丙) 治于人者食人,治人者食于人。(《孟子·滕文公上》)
> 士之急难可使者几何人?(《管子·问》)

"所"、"者"对立的前提是"VP"中有施受之别。

晚唐"底"字兴起,替代"者"、"所"两字的功能,"V底"可指受事((丁)),也可指施事((戊)):

> (丁) 师却云:不会不疑底,不疑不会底。(《祖堂集》,1.106)[不懂得不怀疑的事情,不怀疑不懂得的事情]
> (戊) 有俗官问:蚯蚓断两头,佛性阿那个头?……洞山和尚云:即今问底在阿那个头?(同上,5.34)[现在问题的在哪个头]

(7) 上古自动、他动的区别比较严,他动词前用否定词"弗、勿",其中包孕宾语代词"之"字,自动词前用"不、毋"(丁声树 1933;吕叔湘 1955:12—35)。"起词+他动词"的句式表示被动。⑩中古以后省略"之"字比较自由,现代口语的代词在宾位只能指代动物性的名词(包括人),不能指非动物性的名词。宾语代词强制性的省略也是施受关系不明的一个原因。

以上所列的几种演变互相关联,但不容易做具体的结论。我们有两个初步的看法:(1)古代语法对于施受关系的区别比较严格,近代比较松懈。可能汉语演变的趋势是从"主语/谓语"到"主题/说明"。这里所说的"主语/谓语"是西洋语法的用法。主语、谓语或是施事者和动作,或者是体词和属性。当然"主语/谓语"和"主题/说明"只有程度上的差别,并没有质的差别。

(2) 在六朝以前,辨别施事者和受事者并不困难,至少比现在容易。"能V"、"可以V"、"V杀"、"射伤"、清音声母的动词(如"折(章母)")的起词是施事者。"可V"、"V死"、"缩小"、"见V"、浊音

243

声母的动词(如"折(禅母)")的起词是受事性或中性的体词。后来,由于上述的区别衰落,于是就发展"把"字句和"被"字句——尤其是《世说·言语》"祢衡被魏武谪为鼓吏"这样的句子——直截了当地把"被"字、"把"字放在施事者、受事者的前面,作为标志。演变的趋势可能是:中古以前施受关系主要是在动词或动词组里区别,而这种区别是强制性的。中古以后主要是在动词组以外区别,而这种区别是任意性的。

附 注

① 据黄晖《论衡校释》改"扬疾"为"阳侯"。《论衡·感虚》云:"传书言,武王伐纣,渡孟津,阳侯之波,逆流而击。"《汉书·扬雄传》注,应邵曰:"阳侯古之诸侯,有罪,自投注,其神为大波。"

② 参见注⑨。

③ "灭"字是他动词,见第4.1节。

④ 除了自动、他动两用的"灭"字以外,上古汉语还有使动式"威"字(许劣切)。"威"字 * smjiat＞xjwät 比"灭"字 * mjiat＞mjät 多了个使动前缀 * s-(虽然 * s-前缀除了派生使动式以外,还有其他构词功用)。《诗·小雅·正月》"燎之方扬,宁或灭之,赫赫宗周,褒姒威之",两联一用"灭"字,一用"威"字,不能都改成"灭"字。后两句是说,"褒姒〔的淫妒〕要致使宗周灭亡"。

⑤ 李方桂(1933:151)指出藏文动词里 g-:kh-、d-:th-、b-:ph-、dz-:tsh- 的交替有构词功用。其他学者以为浊音声母(g-等)是自动式,清音声母(k-、kh-等)是他动式。李先生认为他们把问题看得太简单。

⑥ 引自桥本·余霭芹(1984)的未刊书稿。书中说资料是厦门大学张次曼先生供给的。

⑦ 我将有专文讨论 * s-前缀和 * -r-中缀的构词功用。

⑧ "可以"另外还有个用法:"片言可以折狱者,其由也与"(《论语·颜渊》),起词"片言"同时又是"以"字的介词宾语,犹言"可用片言折狱者"。这种用法这里不谈。

⑨ 朱德熙先生(1983:20)指出,"VP者"也有不带标志而表示受事的,如"黥者"、"刖者"等,这是因为"黥"、"刖"等的主语经常指受事,此外还有其

他的例外。但例外的例子少见。

⑩ 这是笼统的说法。上古哪些动词该算他动词是个悬案。我目前的看法是:(1)跟浊音声母自动词搭配的清音声母的动词算作他动词,(2)他动词的必要条件是使宾语本身产生变化,如"杀"、"伤"、"毁"、"坏"等,(3)不使宾语本身产生变化的动词只能算作准他动词,如"入"、"在"、"冠"等。《孟子》有"孺子将入于井"(《公孙丑》上),又有"赤子匍匐将入井"(《滕文公》上);"在于王所者"、"在王所者"(《滕文公》下);"许子冠乎?"……曰:"冠素"。(《滕文公》上)。"冠"字后面带宾语,如"冠素";"许子冠"主语后面单用"冠"字,但"许子冠"不是受动,这是因为"冠"字不是道地的他动词。

参考文献

丁声树 1933:《释否定词"弗"、"不"》,《庆祝蔡元培先生六十五岁论文集》下册,967—996。

李方桂 1933:Certain phonetic influences of *the* Tibetan prefixes upon the root initials (《藏文前缀对词根声母的若干音韵影响》),《史语所集刊》4.135—157。

—— 1980:《上古音研究》。

李佐丰 1983:《先秦汉语的自动词及其使动用法》,《语言学论丛》第十辑,117—144。

吕叔湘 1955:《汉语语法论文集》,46—50《"见"字的指代作用》;12—35《论"毋"与"勿"》。

梅祖麟 1980:《四声别义中的时间层次》,《中国语文》1980 年第 6 期,427—443。

—— 1981:《现代完成貌句式和词尾的来源》,《语言研究》创刊号,65—77。

潘允中 1980:《汉语动补结构的发展》,《中国语文》1980 年第 1 期,53—60。

蒲立本 1973:E. G. Pulleyblank, Some new hypotheses concerning word families in Chinese (《关于汉语词族的若干新假设》), *Journal of Chinese Linguistics* 1.111—125。

桥本·余霭芹 1984(未刊):Anne O. Yue-Hashimoto, *The Suixi dialect*

of Leizhou(《雷州半岛的遂溪方言》).

太田辰夫　1958:《中国语历史文法》(东京,江南书院)。

王　力　1958:《汉语史稿》(中)。

──　1965:《古汉语自动词和使动词的配对》,《中华文史论丛》第六辑,121—142。

王　瑛　1982:《云梦秦墓竹简所见某些语法现象》,《语言研究》总第二期,130—134。

余健萍　1957:《使成式的起源和发展》,《语法论集》第二集,114—126。

赵元任　1979:《汉语口语语法》。

志村良治　1974:《漢語における使成複合動詞の成立過程の検討》(《汉语使成复合动词形成过程的探讨》),《东北大学文学部研究年报》第24号,143—168。

周法高　1961:《中国古代语法》造句编(上),174—189"谓词作的好像后代'补语'的成分"。

周迟明　1958:《汉语的使动性复合动词》,《文史哲》4.175—226。

周祖谟　1966:《问学集》,81—119《四声别义释例》;406—433《颜氏家训音辞篇注补》。

祝敏彻　1958:《先秦两汉时期的动词补语》,《语言学论丛》第二辑,17—30。

──　1981:《从〈史记〉、〈汉书〉、〈论衡〉看汉代复音词的构词法》,《语言学论丛》第八辑,142—156。

朱德熙　1980:《现代汉语语法研究》,169—192《汉语句法中的歧义现象》。

──　1983:《自指和转指:汉语名词化标记"的、者、所、之"的语法功能和语义功能》,《方言》第5期,16—31。

唐代、宋代共同语的语法和现代方言的语法*

现代汉语方言都有以下四种结构：(甲)处置式，(乙)"张三打死李四"这种〔施事＋动补＋受事〕结构，(丙)动补结构的两种可能式，如"打得死"、"打不死"，(丁)体貌词尾"了"、"过"、"着"。方言语法不同之处在于所用的虚词不同，但基本上各大方言都有这四种以及其他的结构。

这四种结构上古、早期中古都没有，于是需要解释何以现代方言都会不约而同地产生这四种结构。本文认为这些结构最初发生于以长安为标准的唐代北方方言。当北方方言在晚唐宋初变成全国的共同语，这四种结构也散播到其他方言。

文章重点在解释何以闽语没有一个可以出现于动宾之间的完成貌词尾。笔者认为状态补语是完成貌词尾的前身。闽语没有〔动＋状态补语＋宾〕这样的结构，所以也没有〔动＋完成貌词尾＋宾〕。

一 概 说

首先想谈一下为什么要写这篇文章，为什么会从研究方言语法的角度想到唐宋时代共同语的语法这个观念。[①]

---

* 本文原载《中国境内语言暨语言学》1994 年第 2 期。

第一,汉语语法史是四十年代才兴起的一门学问,很多方面需要向汉语音韵史借镜。从高本汉开始,音韵史和方言学结合在一起研究,以致成果远远超过清儒。历史语法和方言语法结合在一起研究,也是早晚要走的一条路。

另一方面,方言音韵的研究,一直是拿《切韵》音系作为基点;《方言调查字表》就是按照《切韵》音系排列的。把各地方言的音系放在《切韵》音系框架中,历时演变一目了然。语法史中缺少一个和《切韵》音系在音韵史中地位相当的概念,以致描写方言语法往往只着重某个方言的特殊语法,跟普通话相同的就一笔带过。我想,无论是研究汉语语法史还是方言语法都需要一个类似《切韵》音系的概念,而这个概念就是唐宋时代共同语的语法。

第二,翻检王力《汉语史稿》(中)(1958)、太田辰夫《中国语历史文法》(日文本,1958),就会发现不少现代汉语常用的结构都是晚唐或北宋兴起的,例如:(甲)处置式:"莫把杭州刺史欺"(白居易《载醉客》),(乙)"张三打死李四"这种〔施事+动补+受事〕结构,其中动补结构②是使成复合动词,如"打死"、"吹散"、"钩破"等,(丙)"打得死"、"打不死"这种动补结构的可能式。唐代还有"打未死"这种表示否定的实现式,相当于现代汉语的"没打死"(梅祖麟1981:74),(丁)体貌词尾"了"、"过"、"着"。③

一般说来,各地方言都有(甲)—(丁)四项,但用的虚词可能不同。例如袁家骅先生(1960:14)曾经指出:"北京人说'吃了饭了',苏州人说'吃仔饭哉',广州人说'食咗饭咯'。"结构是:〔动词+完成貌词尾+宾语+语助词〕。三个方言用同样的结构,所用的虚词不同。完成貌词尾用"了"、"仔"、"咗";表示新情况的语助词用"了"、"哉"、"咯"。其他(甲)、(乙)、(丙)三项情况类似,这里不一一举例说明。下一步的问题是这些各地方言中的新兴语法结构是怎么来的？我想，不见得是各个方言中个别地独立发展出来的；大概是在唐宋时代的京师语言中先兴起，然后这些结构，甚至于连带着虚词，再散播到各地的方言中去的。

第三，赵元任先生是汉语方言学的创始者，但他对于方言语法的看法跟我们不同。赵先生说(1980:8)："在文法方面，中国各地方言最有统一性。除去一些小的分歧：像吴语、粤语的间接宾语放在直接宾语之前，而国语(跟英语一样)正好相反，还有南方的能性补语(potential complements)的否定次序略有不同等等。另外再除去一些词尾跟语助词的不同，其实各方言之间还可以找出相当接近的对应。咱们可以说，中国话其实只有一个文法。即使把文言也算在内，它的最大的特点只在单音节词多，复词少，还有表示地方、来源的介词组可以放在主要动词之后，而不放在前面。除此以外，实质上，其文法结构不仅跟北平话一致，跟任何方言都一致。因此把北平话的文法称为中国语的文法，比把北平话叫中国话更有理。"这段话有一部分我们赞成，另有一部分值得商榷。

赞成的部分是，汉语若干方言的若干语法现象是结构相同，只是所用的虚词不同，例如上面说过的北京人说"吃了饭了"，苏州人说"吃仔饭哉"等等。赵先生所说的"在文法上，中国各地方言最有统一性"就是指这种现象。

值得商榷的有两点。第一点是赵先生所说的"即使把文言也算在内……，实质上，其文法结构不仅跟北平话一致，跟任何方言都一致"。按照一般的看法，文言是以先秦典籍为典范的一种书面语言；其实各时期的文言都有当时的口语成分掺杂在内。赵先生认为文言的文法结构跟北平话一致，这似乎是说从先秦到现在，汉语的语法一直保持不变。

上面所说的四种语法结构都是上古没有的，也是文言不常用的：(甲)处置式，(乙)由"打死"、"吹散"、"钩破"这种使成复合动词构成的〔施+动词+结果补语+受〕句式,(丙)动补结构的可能式和否定实现式,(丁)体貌词尾"了"、"着"、"过"。

说得更具体一些,一直到晚唐,汉语没有"着"、"了"、"过"这种表示体貌(aspect)的动词词尾。换句话说,动词和宾语之间不能插入体貌词尾。"吃了饭了"唐末要说"吃饭了也";"吃了饭就走了"唐末要说"吃饭了便去"或者"食饭已乃去"。此外文言一般不用"了"、"过"、"着"。明显的例子是赵良嗣《燕云奉使录》(1120,1123年)白话成分颇高,里面用"了"、"着"。宋代李焘《续资治通鉴长编》和杨仲良《续资治通鉴长编纪事本末》据此把白话改作文言,"了"、"着"都取消了。例如《奉使录》"屯着人马,专地等候回使相报"、"不先下了燕京",《纪事本末》分别改作"时屯兵候使回"、"若不得燕京"(参看梅祖麟1980:46—49)。

第二点值得商榷的是赵先生所说的"在文法上,中国各地方言最有统一性"。上面看到北京话、苏州话、广州话都有完成貌词尾。但是闽语却不一样。

北京话说"我吃了"、"我吃了饭了",台湾闽南话说"我食饱",是用动补结构来表示。北京话说"他正在睡着",闽南话说"伊 te² 睏"。北京话说"我去过",闽南话说"我 bat。去",也说"我去(k'i°)过(kue°)"、"我 bat。去过"。闽南话不但不用完成貌词尾"了",也不用其他的完成貌词尾。所以袁家骅(1960:277)说:"总的看来,闽南话的'体',基本上没有采用'动词+词尾'这个形式,而是用动词前加状语或动词后加补语的方式表示的。(参看郑良伟1990)"

本文主要目的之一是想解释为什么闽语没有产生完成貌词尾,为什么官话、吴、粤等其他方言会产生完成貌词尾。此外也想说明,闽语虽然没有完成貌词尾,也少用其他体貌词尾,它的体貌体系还是属于晚唐的格局。

把上面种种想法集在一起,本文打算提出一套假设:

(1)（甲）中国现代各地方言的语法结构基本上是一致的,不同之处在于各方言用自己的虚词。换句话说,"结构相同,虚词不同"是汉语方言在语法方面的特征。

（乙）汉语方言之所以结构基本上一致,是因为它们都用近代——也就是唐宋时期兴起的——语法系统。其中又可以分成两个时间层次。唐末以前已经形成的结构,每个大方言都受到影响。唐代以后才兴起的结构,影响到闽语以外的方言,只有一小部分影响到闽语。

（丙）(i) 隋唐统一中国。以长安、洛阳为标准的早期官话,至晚在晚唐变成全国的共同语。以后宋元首都(汴梁、大都)都在北方,还是用北方官话作为共同语。

(ii) 以"京师语音"为标准的共同语兴起后,非官话地区开始流行双方言制,同时又由移民带来官话的影响,以致各种方言中本来分歧的语法向共同语看齐。

上面提出来的几个论点,不是一两篇文章可以说得清楚的。本文主要是想拿(丁)项体貌系统中的一部分来做个实验,看看是否各地方言都有表示完成貌的词尾,是否都有表示新情况的语助词,此外还要注意各地方言中这两种虚词在句子里的配搭和分布。目的是为了说明就这两种虚词来看,各地方言的体貌系统都是晚唐以后的格局。其中的关键问题是为什么北方官话在唐宋之际产生完成貌词尾,而闽语一直没有产生完成貌词尾。

进入正文以前还想做三件事。第一,说明(乙)项"张三打死李四"这种结构是唐代兴起的。第二,说明"穿破"、"穿未破"、"穿得破"、"穿不破"这四种动补结构的实现式、可能式是中唐以后兴起的,而且闽南话的"穿有破"、"穿无破"、"穿 e^2 破"、"穿 be^2 破"是跟晚唐的四式结构相同,虚词不同。第三,从文献方面说明至晚在晚唐,以长安、洛阳为标准的早期北方官话,已经成为全国的共同语。

证据之一是在泉州编写的《祖堂集》,用的不是闽语而是早期北方官话。由于篇幅的限制,以上三点都只能简略地讨论。

第一,用"V"代表及物动词,"V 死"是动补结构,"V 杀"是由两个及物动词并立而组成的复合动词,不是动补结构。从先秦到南北朝末年,基本上只有两种句式:〔受事+V 死〕和〔施事+V 杀+受事〕,例如(梅祖麟,待刊;1990:200):

(2) 压杀:岸崩,尽压杀卧者,少君独得脱,不死。(《史记·外戚世家》)

压死:暮寒卧炭下,百余人炭崩尽压死。广国独得脱。(《论衡·吉验》)

烧杀:火从藏中出,烧杀吏士数百人。(《论衡·死伪》)

烧死:见巢蕉尽堕地,有三觳觫烧死。(《汉书·五行志》)

两汉、魏晋还没有〔施事+V 死+受事〕这种句式。当时可以说"大猫压杀小猫"、"小猫压死(矣)",但是不能说"大猫压死小猫"。太田辰夫(1987:197)指出最后一种句式要到唐代才出现。

(3) 律师律师,扑死佛子耶?(《开天传信记》,《太平广记》卷九二引)

主人欲打死之。(《广古今五行记》,《广记》卷九一引)

是邻家老黄狗,乃打死之。(刘义庆《幽明录》,《广记》卷四三八引,但《古小说钩沈》作"杀")

《幽明录》一例有异文,而且是南北朝的孤例。因此,太田先生认为这种句式到唐代才产生。我们赞成他的说法。

〔施事+V 死+受事〕这种句式,各地方言都有。例如"张三打死李四",闽语说"张三拍死李四",吴语说"张三打煞(脱)李四"。这种句子都是晚唐以后兴起的。

第二,"穿得破"、"穿不破"这种动补结构的可能式,太田辰夫先生(1987:219—220)已曾举例说明它们在晚唐产生,这里不赘。此外晚唐表示否定的实现式是"V未R"(梅祖麟 1981:74),例如"眠未着"(杜荀鹤《宿村舍》,《全唐诗》,7982)、"听未足"(方干《郭中山居》,7478)、"行未到"(方干《题赠李校书》,7489)、"听未惯"(韩愈《郑群赠簟》,3776),相当于现代汉语的"没睡着"、"没听够"、"没走到"、"没听惯"。据此,实现式和可能式在晚唐的四种形式是:

(4)　　　　实现式　　　　　　　可能式
　　　VR　　　V未R　　　　V得R　　　V不R
　　　穿破　　穿未破　　　穿得破　　穿不破

现代各地方言都有这四种形式,但是同中有异。例如官话和吴语的"没VR"词序和"V未R"不同,粤语除了"VmR"(相当于"V不R")以外,还有"Vm得R"(张洪年 1972:120)。闽语比较特殊,例如闽南话就有八种形式:

(5)　　　　实现式　　　　　　　可能式
　　穿有破　　穿无破　　　穿 e² 破　　穿 be² 破
　　有穿破　　无穿破　　　e² 穿破　　be² 穿破

按照罗杰瑞(Norman 1989:337)的说法,〔e²〕的本字是浊母的"解"字,中古音 ɣai,〔be²〕是否定词〔m〕和"解"的合音词,然后再声母非鼻音化。闽语和晚唐相比,可见也是结构相同,虚词不同;其他几个形式虽然用法不同,但在结构上只是颠倒词序:

(6)　　　　实现式　　　　　　　可能式
　晚唐:穿破　　穿未破　　　穿得破　　穿不破
　闽南:穿有破　穿无破　　　穿 e² 破　穿 be² 破

总起来说,现代各地方言里动补结构的实现式和可能式,都是以例(4)所列的晚唐四式为基础而发展出来的,所以都是晚唐以后的格局。

第三,从文献方面可以看到唐代的北方话至晚在唐末已成为

253

全国的共同语。(i)《祖堂集》是最早的一部禅宗史,在泉州编成,序写在南唐保大十年(952)。书中所记主要是福州雪峰义存禅师(822—908)一系在福州、泉州、漳州的历史,所记录的其他宗派大多活跃于湖南、湖北、江西、广东、浙江。这部在泉州编成、主要纪录雪峰义存一系在福建传播的禅宗史,语法词汇和八、九世纪在西北边陲写成的敦煌变文大同小异。《祖堂集》的语法和闽南话确实有很多相像的地方;那是因为唐末北方官话的成分还保存在闽语里,而不是《祖堂集》反映当时闽语独特的语法(见下)。(ii)北宋沈括(1031—1095)钱塘(杭州)人,所著《乙卯入国奏请》(1075)是很通顺的,用北方话写的语体文。(iii)《朱子语类》是南宋最有代表性的白话资料。朱熹(1130—1200)安徽婺源人(今江西),在世最后三十年集徒讲学,学生各自写下语录,汇集在一起,分类纂编成《朱子语类》。朱子门人来自江南各地,包括浙江的永嘉、嘉兴、天台,福建的邵武、建阳、莆田、泉州,江西的临川,广东的潮州,安徽的宣城。《朱子语类》用的是官话,偶尔有些江南方言的语法成分掺杂在内(参看梅祖麟1988:199)。

我们说《祖堂集》、《朱子语类》、《乙卯入国奏请》用官话方言,是基于两层考虑。第一,这些白话文献我们看得懂。现在有些用方言写的作品,如香港报章上用粤语写的笑话故事,用吴语写的小说《海上列花传》、《九尾龟》,用闽语写的《荔镜记戏文》等等。碰到这类作品,只懂得官话方言的读者读起来非常困难,其难懂的程度超过《祖堂集》、《朱子语类》。这就说明,一般人能懂的白话文献只限于以官话方言为基础的。

第二,罗杰瑞(Norman 1988:182;1971:23—24)曾经提出辨别南北方言的几个标准,其中三个是用虚词:
(7)(甲)否定词:最简单的否定词,北方话用双唇塞音声母的
"不"或同源词。南方方言用(双唇)鼻音声母,如福州

ŋ²、厦门 m²、梅县 ₌m、广州 ₌m 唔(按:苏州话的 fɤ²、温州话的 fu 可能是例外)。

(乙) 第三身人称代词:北方话用舌尖音声母的"他",南方话用舌根音声母或零声母,如福州、厦门、上海"伊",梅县"其",广州 k'øy"渠"。

(丙) 规定词:北方话用舌尖音声母的"的"或同源词,南方话用舌根音声母或零声母,如福州"其"₌i、₌ki,厦门 ₌e,梅县、广州"嘅" kɛ²。

《祖堂集》、《乙卯入国奏请》、《朱子语类》用"不"、"他"、"底"。按照这三个标准,《祖堂集》等的方言基础是北方话。

《祖堂集》的情形需要补充一下。第三身人称代词主要用"他",也用"伊"。最简单的否定词用"不"。此外闽语还有两个特殊的虚词。(i)方位介词"著"。北方话说"坐在椅子上",厦门话说"坐 ti² 椅顶",福州话说"坐 tyɔ²₌ 椅悬顶"。〔ti²〕、〔tyɔ²₌〕都是"著"字(参看梅祖麟 1989)。(ii)远指词"许",如福州话 ᶜhi、潮州话 ᶜhɯ。台湾闽南话的 hit₌ 是"许"ᶜhi 和"一"it₌ 的合音词。方位介词"著"字在刘宋《世说新语》和东吴康僧会译的《六度集经》中已经出现了(太田 1987:211),远指词"许"则最早出现在南朝的乐府(魏培泉 1990:58)。这两个虚词的分布一开始就偏南。据此,闽语中的远指词"许"、方位介词"著"一直可以远溯到南朝,而且历来也知道这两个虚词的写法。如果《祖堂集》的方言基础是闽语,第三身人称代词应该用"伊",远指词用"许",方位介词用"著"。但事实上《祖堂集》主要用"他",间或用"伊";用"那",不用"许";主要用"在",间或用"著"(如《祖》2.041.06;2.008.08)。这些现象都说明《祖堂集》主要是用早期官话,偶尔渗入南方话的成分。

据上所述,禅宗南宗各种宗派之间交谈争论用的可能是方言,朱门师徒论学用的也可能是他们自己的方言,但写下来的语录都是用早期官话。由此可知双方言制至晚从晚唐开始已经流行。这里所说的"双方言制"就是南方人不但会说自己的方言，还会说北方话。另一个原因是众所周知的一波一波的从中原地带迁到华南的移民。上面看到否定词、第三身人称代词、规定词这些基本虚词，南北的差别跨越闽、粤、吴、客等方言，可以想像是时间悠久，同时可以想像唐宋时期中国方言的内部分歧还是很大。但根据(1甲)的说法，现代各地方言的语法结构基本上是一致的。这是很值得注意的现象，(1丙)用共同语的兴起和双方言制的流行来做解释。

二　近代汉语的体貌和情态

2.1　绪言

上古、中古汉语(所谓"文言")表示动作的时间关系，基本上只有两个位置。一个是动词前面，如副词"曾、尝、方、且、将、正、浸、已、既、未"。另一个是句末，如语助词"矣"。此外中古还有句末的动词"已、毕、讫、竟"，如"叙情既毕，便深自陈情"(《世说·言语》)、"作数曲竟，抚琴曰……"(《世说·伤逝》)。"叙情既毕"、"作数曲竟"这样的句子是主谓结构；拿动宾结构"叙情"、"作数曲"作为主语，"既毕"、"竟"作为谓语。

上古、中古在谓语中表示情态(modality)的位置，基本上也只限于动词之前，如"可、能、得、必、宜、当、须"等。如果要表示可能，只能在动词前面加"能、可、得"。唯一的例外是从东汉一直到晚唐，还有"VO 不得"，例如太田(1987:218)引的"且使妾摇手不得"(《汉书·外戚传》)、"田为王田，卖买不得"(《后汉书·隗嚣传》)、"太原兵敌回鹘不得"(《会昌一品集》)。但是唐代只有"V(O)不得"，没有"V 不得 O"。宋代才出现"V 不得 O"，例如(太田 1987:219)：

(8) 在古虽大恶在上,一面诛杀,亦断不得人议论。(《河南程氏遗书》,12)

若理不相关,则聚不得他。(《朱》,3)

近代(唐宋)和上古、中古的主要差别在于:(i)产生了体貌词尾"着"、"了"、"过",(ii)产生了动词后面的种种补语成分,例如晚唐已出现了"动词+结果补语"的实现式,可能式的四个形式"V-RC"、"V未RC"、"V得RC"、"V不RC"。于是,宋代就有这样的谓语结构:

(9) V-XO

"-X"代表表示体貌或情态的成分。X有种种可能:(i)表示体貌的"着"、"了"、"过",(ii)表示完成貌的结果补语,如"打死"的"死"、"穿破"的"破",(iii)表示可能或不可能的情态中缀,如"穿得破"、"穿不破"的"得"、"不"。这样一来,动宾之间就多了一个表示体貌或情态的成分。

我们观察体貌、情态表现方法的发展史,主要注意三方面:(甲)X的种类;(乙)种种X出现的年代;(丙)跟动词黏得紧不紧;如果X能嵌在V和O之间,如(8),就算黏得紧;否则形成VOX,就算黏得不紧。从这个角度来看,上古根本没有X。中古有,但种类不多,而且和动词黏得不紧。近代不但X的种类繁多,而且动词黏得越来越紧。

唐宋之际又是一个转折点。唐代只有词尾"着"(太田1987:212),没有词尾"过"、"了"(太田1987:206—207,213)。唐代的词序是"VO了,VP$_2$"。宋代"了"字挪前才产生"V了O,VP$_2$",于是"着"、"过"、"了"三种词尾都已具备。

现代各地方言表现体貌、情态的手段也可以从这个角度去观察。各地方言都有"V-XO",所以都是近代的格局。但是种种X的形成时代不同,近代又可以分成两个层次。下面就要围绕这些问题,拿"吃了饭了"、"吃了饭就去"这样的句子作为实例,简约地综述它们的演变史,再去看各地方言是否有它们的痕迹。

2.2 完成貌词尾的来历及其相关问题
2.2.1 简史

现代汉语的"吃了₁饭了₂"用两个"了"。"了₁"是完成貌词尾,它主要出现在两种句子里面。一种就是"V 了₁O 了₂",如"吃了饭了"。第二种是"吃了(饭)就去",其中有两个分句,"了₁"出现在第一个分句;这种句子的结构是"V 了₁(O), VP₂"。

"了₂"是句末语助词,表示新情况的出现,典型的用法是"下雨了₂"、"不下雨了₂"、"来了₂"。此外就是跟"了₁"配合,形成"V 了₁O 了₂"。如果有人问"吃了饭没有",用"已经吃了"回答,"吃了"的"了"是"了₁ 了₂",实际说话的时候,两个"了"融合成一个。(赵元任 1980:133)

"吃了饭"还需要接下去说点什么,像"吃了饭就去"、"吃了饭我们就来了"这类的话。"吃了饭了"可以打住,不需要接下去。碰到数量化宾语,情形稍微不同(参看朱德熙 1982:209; Li and Thompson 1981:270—279)。为了把问题简单化,下面避开带数量化宾语的句子,把重点放在"V 了₁O 了₂"和"V 了₁(O), VP₂"这种句型中"了₁"、"了₂"的来历。

《祖堂集》里有两段可以说明晚唐的情形:

(10) 有一日斋后忽然有一僧来具威仪……师曰:"吃饣也未?"对曰:"未吃饭。"师曰:"去库头觅吃饭。"其僧应喏便去库头。当时百丈造典座,却自个分饣与他供养,其僧吃饭了便去。(《祖》,4.37)

(11) 师问:"僧吃饣也未?"对曰:"吃饭了也。"(《祖》,4.16)

两相比较,现代和晚唐的对应关系是:

(12)　　　晚唐　　　　　　　现代
　　吃忏了也(VO了也)　　　吃了饭了(V了$_1$O了$_2$)
　　吃饭了便去(VO了,VP$_2$)　吃了饭就走(了)(V了$_1$O,VP$_2$)
　　吃忏也未　　　　　　　吃了饭没有
　　未吃饭　　　　　　　　没吃饭

《祖堂集》里还有两个值得注意的现象。第一,"V了O"的用例一个也没有(曹广顺1986:202)。此外按照曹广顺先生(1986:202,注11)的说法,唐诗、五代词和变文里总共只有5个用例:[4]

(13) 几时献了相如赋,共向嵩山采获苓。(张乔《赠友人》)
　　将军破了单于阵,更把兵书仔细看。(沈传师《寄大府兄侍史》)
　　林花谢了春红,太匆匆。(李煜《乌夜啼》)
　　见了师兄便入来。(《变》,396)
　　唱喏走入,拜了起居,再拜走出。(《变》,211)

据此,"V了O"在唐代还没有形成。《祖堂集》里代表传入闽地的早期官话,其中也没有"V了O"。

第二,《祖堂集》里"VO了也"独自成句,可以打住。"VO了"不能独自成句,需要再加另外一个分句才能打住。这是刘勋宁分析133条用作动词或虚词的"了"字所得的结果,例如:

(14) (A) V(O)了VP$_2$
　　　其时天降白乳,入口味如甘露,食了轻建〔健〕,乃作是言……(《祖》,1.61)
　　　师游西院了归山次,问泯典座……(2.112)
　　(B) V(O)了♯VP$_2$
　　　仰山见了,贺一切后,向和尚说……(5.82)
　　　师与紫璘法师共论义次,各登坐了,法师曰……(1.118)
　　(C) V(O)了也♯♯
　　　法师曰:便请立义。师曰:立义了也。法师曰:立是什么义? (1.118)
　　　师曰:何不问老僧? 僧曰:问则问了也。(1.156)

259

A、B两式里的"V(O)了"都是不自由的,后面总有后续分句承接。A和B的差别只在B中的"了"后有以"♯"号代表的停顿。C式则是自由的,不需要加别的成分就可以打住。

《祖堂集》里"VO了"、"VO了也"的用例在《敦煌变文集》里也看得到,例如:

(15)(甲)上来第一,说不会重德了也。(《变》,692)
　　　　上来总是第一,明成长教示了也。(《变》,687)
　　(乙)有于〔相〕夫人于石室比丘所,受戒了,归来七日满,身终也。欢喜国王出天丈〔仗〕,如法殡葬后。(《变》,778)

只是《变文集》中"V(O)了也"用例不多;而且《祖堂集》有引得,《变文集》没有;《变文集》中"V(O)了"、"V(O)了也"用例的分布不容易看得很真切。

据上所述,晚唐五代的早期官话(1)有个表示事情完成的"了"字,另有个表示新情况的出现的语助词"也"字;(2)"V(O)了"是不自由的,后面需要加上后续分句或其他成分才能打住;(3)"V(O)了也"是自由的,本身就是独立的句子,可以打住。现代汉语(1')有个完成貌词尾"了$_1$",另有个句末语助词"了$_2$";(2')"V了$_1$(O)"是不自由的,不能打住;(3')"V了$_1$O了$_2$"(以及"V了"<"V了$_1$了$_2$")是自由的,可以打住。从这个角度去看,现代汉语体貌系统的结构,在晚唐已具轮廓。

以后官话方言里的发展可以分成三个阶段来叙述(参看太田 1987:358—359;杨联陞 1957:199—200,207)。

(16) 第一阶段(晚唐五代)
　　(甲)吃饭了便去　　(乙)吃饭了也　　(丙)门开也
　　　　VO了,VP$_2$　　　　VO了也　　　　VP也
　　第二阶段(宋元)
　　　　吃了饭便去　　　　吃了饭也　　　　门开也

| V 了 O, VP₂ | V 了 O 也 | VP 也 |

第三阶段(元末至今)

| 吃了饭就去 | 吃了₁饭了₂ | 门开了₂ |
| V 了 O, VP₂ | V 了₁O 了₂ | VP 了₂ |

第一阶段的特征是"了"字出现在宾语的后面,也是在前一分句的句末。第二阶段的演变是:VO 了＞V 了 O,然后"了"字虚化,从状态补语(phase complement)变成词尾。第三阶段的演变是句末的"也"被"了"替代,而且词尾"了"和语助词"了"都元音弱化变成〔.lə〕,以致表示完成貌的词尾和表示新情况的语助词在字形上、音韵上都混而为一。

2.2.2　VP 也,VO 了也,V 了 O 也,V 了 O 了

上面谈到"VP 也"、"VO 了也"、"V 了 O 也"等结构,现在要举例说明它们的历史。

VP 也

从南北朝开始,用句末语助词"也"表示新情况的出现(太田1987:357—358)。

(17) 石贤者来也,一别二十余年。(《幽明录》)
　　 门已开也。(隋·《佛本行集经》卷一七)
　　 事事无成身老也。(白居易诗)
　　 碑动也。(《妖乱志》,《广记》卷二九〇引)
　　 阿与,我死也。(《旧唐书·安禄山传》)
　　 低声向人道知也。(冯衮诗)
　　 自得五阴后,忘却也。(《祖》,1.115)
　　 僧问:居此多少年也?(《祖》,4.86)
　　 师云:箭过也。(《祖》,3.35)

请注意,这种"也"用法和上古不同。上古的"也"主要是表示判断语气。上面例中的"也"却是表示新情况的出现,和上古的"矣"相当。例如"门已开也"就是《左传》宣二年的"寝门闢矣",现代汉语

说"门已经开了₂";"知也"就是《左传》宣二年的"吾知所过矣";"身老也"就是《左传》僖十年的"今老矣"。上古句末的"矣",按照王力主编《古代汉语》232—234页的说法,"总是把事物发展的现阶段作新的情况告诉别人"。赵元任先生(1980:395,134)也把现代句末"了₂"的主要用法解释为表示新情况的出现。中古的"也"、上古的"矣"、现代的"了₂",这三个语助词出现地位和语法意义都一样,我们用同样的分析法,都认为它们是表现新情况的出现。太田先生猜想"也"的本字是"矣"或"已",我们觉得"矣"的可能性大些。

<u>VO了也＞V了O也＞V了O了</u>

"V(O)了"后面加"也",就形成可以独立成句的"V(O)了也",例如(太田1987:357):

  (18) 道吾曰:早说了也。(《祖》,1.173)
    僧曰:问则问了也。(《祖》,1.156)
    师问:僧吃饣也末? 对云:吃饣了也。(《祖》,4.16)

下一步(第二阶段)"了"字挪前,"V了也"不变,"VO了也"变作"V了O也",例如(太田1987:357,359):

  (19) 被百姓唤作贼臣,已撕擗了也。(《山西军前和议奉使录》,《三朝北盟会编》卷六三,6)
    致他死后,便是恁懑不肯推戴,故杀了他也。(《遗史》,《三朝北盟会编》卷八三,8)

以上是十二世纪北宋末年的情形。

这种格局一直维持到元明之际的《老乞大》、《朴通事》(杨联陞1957:200):

  (20) V了O也:
    马敢吃了草也。(《老》,59)
    拣定了马也。(《朴》,153)
    V也:

我去也。(《老》,68)
参儿高也,敢是半夜了。(《老》,103)
V了也:
雨晴了也。(《朴》,239)
驰驮都打了也。(《老》,82)

《老乞大》里面同时还有"V了O了","VP了$_2$":

(21) V了O了:这店里都闭了门子。(《老》,90)
VP了$_2$:参儿高也,敢是半夜了。(《老》,103)
明星高了,天道待明也。(《老》,104)

最后两句,是"了$_2$"、"也"互用的例。《老乞大》、《朴通事》虽然作于元末,我们现在能看到的最早的版本,却是明代改过的。其他明代白话作品中"V了O了"更是常见,南宋《朱子语类》里已经有"VP了$_2$"(太田1987:357)。在"VO了也>V了O也"这种演变发生的同时,"VO了,VP$_2$>V了O,VP$_2$"也在发生。这两种演变都是"了"字挪前,其实是同一种演变。沈括《乙卯入国奏请》(1075)就有不少"V了O,VP$_2$",赵良嗣《燕云奉使录》(1120,1123)也有:

(22) V了O,VP$_2$
(甲) 后来萧禧已受了圣旨,乃改臣等为回谢。(《乙卯入国奏请》)
因萧禧已受了圣旨,乃改差臣等作回谢之意。(同上)
(乙) 本朝取了燕京,却要系官钱物。(《燕云》,《三朝北盟会编》,卷四,5)
一住半年,滞了军期,更不遣回使。(同上,卷一一,6)

据上所述,"VO了>V了O"这种"了"字挪前演变发生在十一、十二世纪,以致以前的"VO了也"变成"V了O也",以前的"VO了,VP$_2$"变成"V了O,VP$_2$"。换句话说,第二阶段的绝对年代是宋元。

从这个角度来看,广州话的"食咗饭咯"、苏州话的"吃仔饭

263

哉",结构上和"吃了饭也"(V 了 O 也)相同;完成貌词尾在宾语之前,完成貌词尾和句末语助词用两个不同的虚词;所以都是第二阶段的产物。

"了"字的虚化

另外一个演变是"了"字的虚化——从动词变成状态补语,再从状态补语变成完成貌词尾。不过应该指出,这三种形式的"了"长期共存,并不是新的形式出现以后旧的就消灭。

现在先解释"状态补语"这个名词。"状态补语"(phase complement)是赵元任先生(1980:228—230)提出的词类。他给"状态补语"下的定义是"有几个补语是表示首位动词的动作状态(the phase of an action),而不是动作的结果或目的",下面又举了几个状态补语的例:"着〔tṣau〕"(如"碰着"、"逮着")、"到"(如"碰到")、"见"(如"听见"、"遇见")、"完"、"过"(如"错过")。

现代汉语的状态补语(PC)有两个语法特征。第一,能形成动补结构的可能式,如"逮得着"、"逮不着"、"碰得到"、"碰不到"等等。在这方面,状态补语和其他结果补语一样,"穿破"、"打死"、"折断"等"V-RC"也能形成"穿得破"、"穿不破"等等。第二,一般的"V-RCO"可以拆开来说,例如"穿破鞋子"是"穿鞋子而鞋子破了","打死张三"是"打张三而张三死了"。但是"V-PCO"却不能这样拆开来说,"逮着耗子"不等于"逮耗子而耗子着了","打完网球"不等于"打网球而网球完了"。

回来看"了"字在唐宋时的词类。"了"字用作动词有李后主的名句为证:"春花秋月何时了"。《敦煌变文集》中常见"动(宾)+副+了"的结构,如"拜舞既了"(205)、"升座已了"(460)、"地上筑境(坟)犹未了"(105),前面的副词说明"了"字用作动词。北宋"VO了"的"了"挪前以后,"了"字仍旧用作动词,《乙卯入国奏请》中例子很多,如"地界事已了,萧琳雅已受了擗拨文字,别无未了"、"公事已了十分,但北朝道了,便了也"。

"了"字在唐代也用作状态补语,证据之一是"了"字出现在"V不了"、"V得了"这种动补结构的可能式,例如(梅祖麟1981:74):

(23) V得了:将谓岭头闲得了。(成彦雄《松》,《全唐诗》,8627)
V不了:自冬历夏,搬运不了。(《谈宾录》,《广记》卷二三九引)

另一个判断标准是:用作状态补语的"了",意义上跟现代的状态补语"完"相当。请看下面的两个例:

(24)(甲)如是与君解了也,我闻次弟处唱将来。(《变》,521)
(乙)前解长行文已了,重宣偈诵唱将来。(《变》,497)

(甲)、(乙)分别是两段韵文的结尾两联,出现地位相同,(24)(乙)上句意思是"前面解释长行文已经完结",其中"了"字意思是"完"。两相比较,(24)(甲)应读作"这么样给您解释完了$_2$……",变文的"了"是现代的"完",变文的"也"是现代的"了$_2$"。

《变文集》中用作状态补语的"了"还有:

(25)(甲)我是天女,见君行孝,天遣我借君偿债。今既偿了,不得久住。(《变》,887)
(乙)兵马既至江头,便须宴设兵士。军官食了,便即渡江。(《变》,20)
(丙)子胥祭了,发声大哭。(《变》,21)

(甲)句前文说天女"织经一句"替董永还债,"今既偿了"是"今既偿完","了"是状态补语。至于(乙)(丙)两句,因为"食"、"祭"是有时间幅度的动作动词(action verb),我们觉得这两句的"了"也是状态补语,意思是"完"。

至于状态补语"了"字维持到什么时候,请看下面一句:

(26) 我写了这个契了。(《老乞大》,156)

十八世纪的《老乞大新释》重写《老乞大》,这句作(张泰源1986:91):

265

(27) 我写完这契了。(《老新》28,前8)

两相比较,可见元明之际的《老乞大》里的"我写了这个契了",第一个"了"字应读作状态补语。在十四世纪的《老乞大》和十八世纪的《老乞大新释》这段时间之间,状态补语"了"继续虚化而全部变成词尾,"完"、"好"等补语就用来替代以前的状态补语"了"字。

表示完成貌的"了"字在《敦煌变文集》中可以看到少数用例,例如(张洪年 1977:62—63):

(28) 王陵只是不知,或若王陵知了,星夜倍程入楚,救其慈母。(《变》,44)
迷了,菩提多谏断。(《变》,521)
圣君才见了,流泪两三行。(《变》,772)

用现代汉语来打个比方。我们可以说"讨论完这件事情,再去讨论那件事情",可是不能说 *"知道完这件事情,再去知道那件事情"。差别在于"讨论"是动作动词,"知道"是成就动词。同样的,(28)例中的"知"、"见"、"迷"是没有时间幅度的成就动词,后面的"了"不能读作"完"义的状态补语,只能读作表示完成貌的词尾。

上面说的现象可以帮助我们了解"了"字虚化的过程。在晚唐敦煌变文中,(24)例的"解"(解释)、(25)例的"偿"、"食"、"祭"都是动作动词,紧跟在它们后面的"了"字几乎一定是状态补语,意思是"完"、"完成"。(28)例中成就动词"知"、"见"、"迷"后面的"了"都是完成貌词尾。由于这两类动词的语意结构参差不齐,但形式上都是单音节的及物动词,下一步的发展就是把"知"、"见"、"迷"等后面"了"字的语法意义用在"偿"、"食"、"祭"等后面的"了"字身上,把这些动作动词的时间幅度压缩成一个点,促成"食了(O)"、"偿了(O)"中"了"字的虚化。

2.2.3 陕北清涧话中词尾"也"和"了也"的遗迹

刘勋宁(1985)说明他的家乡话——陕北清涧方言——一直到

现在还有表示新情况的"也"〔.ɛ〕,也有"了也"。清涧方言的动词词尾是"了"〔.lɔ〕,句末语助词是〔.lɛ〕,〔.lɛ〕是"了也"的合音词,例如:

(29) 陕北清涧话句末"也"〔.ɛ〕:
  你哪儿去也?
  我山里去也。
  大了他自然儿解开也。(大了他自然明白了)
 词尾"了"〔.lɔ〕:
  吃.lɔ再算。
  步行.lɔ十五天。
 句末〔.lɛ〕:
  下上雨.lɛ。(下起雨了)
  老赤天明.lɛ。(天大亮了)
  衣裳早收.lɛ。

按照刘氏的说法"下上雨.lɛ"、"衣裳早收.lɛ"更早是"下上雨了也"、"衣裳早收了也"。此外刘氏还举例说明其他北方官话方言——山西文水、河北昌黎、内蒙古包头等——其中词尾"了$_1$"和句尾"了$_2$"发音不同,"了$_2$"是"了也"的合音词。文水、包头也有句尾"也"。

  清涧话这种现象的意义有二。第一,上面看到在福建写成的《祖堂集》中有句末"也"、"了也",在华北写成的《山西军前和议奉使录》、《老乞大》、《朴通事》也有。下面会看到闽南话也有"也"、"了也"。清涧话在西北,闽语在东南,都有句末"也"、"了也",参照文献上的分布,也是华南华北都有,可见"也"、"了也"曾经是"四方之通语"。闽南话的"也"、"了也"是唐末从中原传入的。

  第二,句尾"了$_2$"的来源是"了也"。杨联陞先生(1957:200)曾经说过:"了也"颇像"了啊"合成的"啦"。太田先生(1987:360)也曾指出威妥玛(T. Wade)的《语言自迩集》中有这样的例:

(30) 请坐喇。(《正音咀华》)
走着逛拉！(《儿女英雄传》,38回)
你道如何啦阿？(《儿》,10回)

这样看来,北京话在十九世纪句尾的语助词是"啦"〔la〕,"啦"是"了也"的合音。以后元音弱化,词尾"了$_1$"liao和句尾"啦"la都变成.lə,再加上用同一个方块字"了",于是"了$_1$"和"了$_2$"在音韵上和书面形式上都混而为一。

2.2.4 闽南话的情况

我们认为闽南话保存着唐末体貌系统的轮廓是基于两层考虑。第一,从消极的方面看,闽南话没有完成貌词尾。吴语的"吃仔饭哉"、粤语的"食咗饭咯"都用完成貌词尾"仔"、"咗",只是不用官话方言的"了$_1$"。闽南话不但不用"了$_1$",其他完成貌词尾也不用。这是各地方言中最特殊的。

第二,从积极的方面看,本文(16)所列第一阶段的三种句法结构在台湾的闽南话里都保存着。

(31)　　　《祖堂集》　　　　　闽南话
　　　(甲) 吃饭了便去　　　　饭食了后 to² 去 .a
　　　　　 VO 了, VP$_2$　　　　OV 了后, VP$_2$
　　　(乙) 吃饭了也　　　　　饭食了 .a (饭吃完了)
　　　　　 VO 了也　　　　　　OV 了也
　　　(丙) 门开也　　　　　　门开 .a
　　　　　 VP 也　　　　　　　VP 也

此外闽南话的"OV了"不能独立成句。闽南话"OV了"出现时,后面不是带着另一个"VP",就是带着表示新情况的"也"。这也和"了"字在《祖堂集》里的分布相同。

此外《祖堂集》本身就是说明唐末早期官话传入闽地的记录。书中所记主要是福州雪峰义存禅师一系在福州、泉州、漳州的活动。第一节已经说过《祖堂集》第三身人称代词主要用"他",否定词用"不",规定词用"底",不用远指词"许",难得用方位介词"著",本节又看到(甲)、(乙)、(丙)这三种句法结构都在晚唐五代的变文中出现,更可以说明在泉州编成的《祖堂集》主要是用早期官话。

第一、第二两项放在一起正好说明闽南话是第一阶段(晚唐五代)的格局。本节以闽南话为例是为了方便,福州话基本上也是这种格局。

闽南话的"VP 也"

台湾的闽南话有个句末的语助词〔.a〕,表示新情况的出现。语助词〔.a〕的调值随前字调值高低和调型而有不同。〔.a〕的本字是"也",例如:

(32) 闽南话:死.a ‖门开 .a ‖骂 .a

闽南话的"死 .a"就是《旧唐书》的"我死也","门开.a"就是《佛本行集经》的"门开也"(参看(17))。

闽南话的"OV 了也"

《祖堂集》里常见"V(O)了也",如"吃饭了也"、"早说了也"。闽南话跟它对应的有两种句子,一种词序完全相同,如:

(33) 闽南话"VO 了也":已经看三本了也(已经看了三本了)

但是最常见的另一种用"OV"词序:

(34) 闽南话"OV 了也":伊饭食了也(他饭吃完了)
　　　　　　　　　　　阿英衫洗了也(阿英衣服洗完了)
　　　　　　　　　　　伊𫝏课写了也(他功课写完了)

闽南话"洗了"、"写了"、"食了"里的"了 liau"是个状态补语,不是个动词词尾,意思是"完"。晚唐五代有些"OV 了也"结构完全相同,例如:

(35)《变文集》OV 了也:

>我闻解了也,次弟处唱将来。(《变》,529;比较(24))

意思也跟闽南话的"OV 了也"一样:"'我闻'这段经文解释完了₂"。历史上的北方官话也不乏"OV 了也"的例,2.2.2 节例(20)就曾引过"驮驴都打了也"(《老》,82)。以上是闽南话和《变文集》、《老乞大》相像的地方。

但是闽南话的"V-PC"("PC"代表状态补语 phase complement)如"V 煞"(V 完)、"V 成"、"V 了"一定要在句末,不能在句中。所以"V-PC"和光杆宾语在同一句里出现时,宾语一定要前移(郑良伟 1990:5;杨秀芳 1990:49),否则不合语法。

(36) 闽南语 * "V 了 O 也": * 我食了饭也

　　　　　　　　　　　　* 阿英洗了衫也

　　闽南话* "VO 了也": * 我食饭了也

　　　　　　　　　　　* 阿英洗衫了也

至于为什么闽语选择"OV"词序,可能跟例(2)所说的现象有关,本文不能详论。晚唐五代既然有不少"升座已了"、"地上筑境〔坟〕犹未了"、"拜舞既了"的句子,当时"VO"后面的"了"至少有一部分还是动词。因此,"VO 了也"这种句法的"吃饭了也"结构可能是递进式的主谓结构〔(VO)s(了)p〕s'〔也〕p',也可能是较简单的(VO)s(了也)p。反正动词"吃"和动词"了"不在同一直接成分(immediate constituent)之中。"VO 了也"、"VO 了,VP₂"从中原传入闽地后,闽语作了两种调整。一个是宾语挪前,另一个是用"V-PC"式的"V-了"来替代原来分开的"V"和"了"。

<u>闽南话的"(O) V-了,VP₂"和"VP₁ 了后,VP₂"</u>

闽南话有两种句子跟晚唐的"VO 了,VP₂"相当。一种是:"OV-了,VP₂"。

(37) 闽南话"OV-了, VP$_2$":
　　伊饭食了, to² 去 .a (他吃完饭就去了)
　　阿英涂骹扫了换去 l², 拭眠床(阿英地扫完接着去擦床)
　　阿英手洗了始倚来食饭(阿英手洗完才靠过来吃饭)
　　电风修理了 $_c$liam $_c$p'i ko² $_c$p'ai 去(电扇修完马上又坏掉)

以上"食了"、"扫了"、"洗了"、"修理了"都是动词后带状态补语"了"。

　　晚唐"V(O)了, VP$_2$"表示做完了一件事, 又做另一件事, 也可以表示某一件事发生以后, 又发生另一件事。表示这种承前接后关系, 闽南话最常用的手段是前一分句的末尾加"了后(liau au)", 例如:

(38) 闽南话"VP$_1$ 了后, VP$_2$":
　　阿英衫洗了后 to² 出门 .a (阿英洗了衣服后就出门了)
　　伊听见 tsit 项 tai tsi 了后, ko² k'a 觉得好笑(他听见这项事以后, 更加觉得好笑。董同龢 1959:748)
　　经过几日了后, $_c$tu $_c$tu a si ti 九月初九(经过几天以后, 恰巧是在九月初九。出处同上)

"了后"前面的"VP$_1$", 结构没有什么限制, "VO"也行, "OV"也行。句末的"了后"在《祖堂集》里已经出现:

(39)(甲) 师委得这消息, 便下山来, 迎接归山, 一切了后, 请寺主上禅床。(《祖》, 4.58)
　　(乙) 沽书一切了后, 药山问……(《祖》, 1.177)

(乙)句跟"受戒一切了, 浯白和尚"(《祖》, 2.50)比较, 可知句末"了后"的用法和"了"同。"VP$_1$ 了后, VP$_2$"是"VP$_1$ 了, VP$_2$"的异型。

　　除了(39)这种例句以外, 还有其他理由可以说明"了后"是第一阶段(晚唐五代)的产物。第一、第二阶段最大的区别在于: 第一阶段"了"字在前一分句的末尾; 第二阶段"了"字还属于前一分句,

271

但已挪到宾语之前。产生"了后"的方式是在"了"后加"后"字。设若发生在第二阶段(宋元),这时的词序是(40甲),加上"后"字变成(40乙):

  (40)(甲) V 了 O, VP$_2$: 吃了饭便去

    (乙) * V 了后 O, VP$_2$: * 吃了后饭便去

(乙)句是个不通的句子。

  其次,在敦煌变文、《祖堂集》里跟"了后"同型的还有"了手"(《变》,155,157)、"已后"(《祖》,5.136)、"毕手"(《祖》,3.31),都是在表示完成的动词后面再加一个音节。在南北朝到唐朝这段时间,常见〔动(宾)+完成动词, VP$_2$〕这样的复句(梅祖麟1981:68),完成动词包括"了、已、毕、竟、讫",在这种句式里的完成动词的后面,加上"后"或"手",就产生"毕手"、"了手"、"已后"。"了后"也是同时期、同一方式的产物。

  综上所述,晚唐"OV了, VP$_2$"的"了"有两种功能,一种表示完成体貌,另一种承前接后。闽南话里,前一种由(甲)"OV-了, VP$_2$"中的状态补语"了"承继,后一种由(乙)"VP$_1$了后, VP$_2$"中的"了后"承继。当然,(甲)也有承接功用,(乙)也表示"VP$_1$"所指的事情业已完成。

  另一方面,闽南话"OV-了也"这一类型的句子(如"阿英衫洗了也"、"伊功课写了也"),句末的语助词"也"去掉,会变成不完整的句子:

  (41)闽南话 * SOV-了: * 阿英衫洗了

       * 伊功课写了

弥补的办法,一个是后面加"也",恢复(34)的面目;另一个办法是后面加个分句,结果像(37)。闽南话"OV了"不能独立成句,这也

跟《祖堂集》里"VO 了"不能独立成句一样。

总起来说,闽南话用"OV 了(后)VP$_2$"、"OV 了也"、"VP 也";没有"V 了 O";"OV-了"不能独立成句。这些语法特征都说明闽语还保存着唐体貌系统的格局。

2.2.5 "VO 了＞V 了 O"这个挪前演变是怎样产生的?为什么闽语没有产生完成貌词尾?

完成貌词尾"了"的产生过程是近代语法史中的重要问题。正好闽语没有完成貌词尾。现在把这个问题的一正一反两面放在一起看。

完成貌词尾"了"字的产生牵涉两个问题:一个是唐宋之际"了"字的挪前演变,另一个是"了"字挪前以后的虚化。后者在 2.2.2 节约略地谈过。这节把注意力放在前一个问题:"VO 了"的"了"是什么条件下挪到宾语前面去的?

闽语跟这个问题的关系是这样的。第一,上面刚说过闽语的体貌系统是承继晚唐五代的格局。也许有人会想,闽语没有产生完成貌词尾是因为闽语没有跟宋代以后含有"V 了 O"的方言接触。但是经历貌词尾"过"产生于宋代(太田 1987:206—207),这时已有"V 了 O"词序。闽南话、福州话都用词尾"过"。显然闽语曾经和宋代或宋代以后的官话方言接触,而且在"过"方面,受到它的影响。第二,吴语、粤语跟官话方言的"V 了 O 也"("吃了饭也")接触以后,发展出来"V 仔 O 哉"、"V 咗 O 咯",我们认为是受了官话方言的结构影响。在浙南闽语和吴语接触,在广东潮州话和粤语接触,所以闽语接触到的方言,其中有完成貌词尾的,不仅是官话。闽语不但自己没有发展出来完成貌词尾,跟有完成貌词尾的方言接触后,仍然没有完成貌词尾。这是怎么回事?

我们假设唐宋之际的早期官话有某种条件 Y,能导致宾语后的"了"字挪前,促成"VO 了＞V 了 O"这个演变。闽语缺少这个

273

Y，所以虽然接触到"V了O"、"V仔O"、"V咗O"，仍然把这种结构拒之门外。现在就要想法找出Y这个条件。

"VO了>V了O"这个"了"字挪前演变发生在唐宋之间。晚唐五代已有零星的"V了O"的用例(见(13))，宋代才大量出现。

至于为什么"了"字会挪前，以前有两种说法。(甲)说是笔者(梅祖麟1981)提出的。晚唐出现"动+结果补语+宾"(V-RCO)这种结构(参看(3))，其中的"RC"(如"打死"、"穿破"、"折断"的"死"、"破"、"断")表示完成貌的语法意义。因为在动词和宾语之间可以插入一个表示完成貌的成分，如"死"、"破"、"断"等结果补语，只是没有专词来担任这个角色，所以当"了"挪前占据这个位置时，并不是无中生有，而是把以前用"破"、"断"、"死"等结果补语来表示的完成貌，集中在一个唯我独尊的"了"字身上。

(乙)说认为晚唐或更早有"V却O"、"V着〔tʂau〕O"、"V得O"等结构，里面的"却"、"着"、"得"是状态补语(PC)。这些"V-PCO"是"V了O"的开路先锋。"VO了"变成"V了O"其实是由于模仿作用而"了"字占据"却"、"得"、"着"在动宾之间的位置。主张(乙)说的学者颇多，如张洪年(1977:64—65)、曹广顺(1986:195—196)、太田辰夫(1958:226)。

(甲)、(乙)两说都肯定"VO了"中的"了"字挪前是由于模仿作用，不同之处在于模仿的对象。(甲)说认为是"V-RCO"中的RC(结果补语)；(乙)说认为是"V-PCO"中的PC(状态补语)。最近看到闽语里的现象，我现在觉得(乙)说是对的。

先看一些晚唐五代"V着O"、"却O"、"V得O"的例：

(42) V着O(王力1958:309)：
马前逢着射雕人。(杜牧诗)
还应说着远游人。(白居易诗)
道着姓名人不识。(同上)

衔泥点污琴书内,更接飞虫打着人。(杜甫诗)
方响闻时夜已深,声声敲着客愁心。(雍陶诗。"方响",乐器)
赵州云:遇着个太伯。(《祖》,2.41)

这一类的"着"演变到现代汉语里,读重音[tʂau],所以是状态补语。

(43) V 却 O(曹广顺 1986:195—196):
见泥须避着,莫入污却鞋。(王梵志诗)
篱边老却陶潜菊,江上徒逢袁绍杯。(杜甫《秋尽》)
吾早年好道,常隐居四明山,从道士学却黄老之术。(《宣室志》)
太宗尝罢朝,自言:杀却此田舍汉。(《大唐新语》)
百丈收却面前席,师便下堂。(《祖》,4.40)
急手出火,烧却前头草,后底火来,他自定。(《变》,86)
缆却扁舟蓬底睡。(李珣《南乡子》)

"却"本来有"退却、掉、去"的意思。由于虚化,到晚唐五代"去、掉"这种表趋向的实词义逐渐消失,像"缆却扁舟"、"学却黄老之术"的"却",所表示的几乎只是完成貌。

(44) V 得 O:
臣见陛下饮似不乐,臣与陛下邀得一个饮流。(《变》,221)
今日射得半个圣人。(《祖》,575)
然窃于水滨拉得范相国来,足以补其尤矣。(《集异记》,《太平广记》卷三〇九引)

晚唐五代的状态补语还有"见"(如"听见"、"闻见"、"遇见")、"取"(如"接取"、"领取"、"听取")、"将"(如"领将"、"持将"、"收将")(志村 1967:278—281)。这里不一一举例。

2.2.2 节例(23)—(25)曾经说明"了"字在晚唐五代也有状态补语的用法。但是"了"这个状态补语跟"却、着、见、将"等其他状态补语有一点不同:如果动词带着宾语,"了"字一定出现在宾语之后。

于是,按照张洪年、曹广顺以及我们现在的看法,"VO 了＞V 了 O"这个"了"字挪前的原因是:

(45)(甲)晚唐五代有若干〔动 + 状态补语 + 宾〕的结构,如"V 却 O"、"V 得"、"V 着〔tṣau〕O"。

(乙)"了"字也有一部分是状态补语,但"了"字在晚唐五代总是处在宾语之后。

(丙)由于模仿作用,"了"字占据"却"、"得"、"着"在动宾之间的位置,形成"V 了 O"。

以后"V 了 O"中的"了"再继续虚化,变成完成貌词尾。

以前的学者也曾举出若干词汇中的现象,可以引申来说明"了"、"却"之间的词汇替换。

(i)曹广顺先生(1986:197)指出:

(46)《续古尊宿语要·白云端和尚语录》中收了洞山和尚的一首诗:"天晴盖却屋,乘时刈却禾,输赋皇租,鼓腹唱讴歌。"到了《灵隐大川济禅师语录》,其中"却"均被改作"了",变为"趁晴盖了屋,乘时刈了禾,输纳皇租了,鼓腹唱讴歌"。

(ii)"忘却"是个熟词在《刘知远诸宫调》、《西游记》、《拍案惊奇》初刻二刻里常见(香坂顺一 1967:324)。《祖堂集》里的"忘却什么路"(《祖》,2.137)现在说"忘了什么路"或"忘掉什么路"。

(iii)赵元任先生(1980:134)说过,北方官话里的"死了"其实是"死了$_1$了$_2$"而两个"了"合并为一,在吴语里作"死脱哉",闽南话里作"死去也",其他方言里作"死掉也"。"死却"在《祖堂集》里出现(2.87),此外还有"占却也"(2.60)、"忘却也"(1.115)、"污却也"(5.104)。我们假设"死却也"差不多在同时出现。北方官话里"了$_1$"替代"却","了$_2$"替代"也"。其他方言里"掉"、"脱"、"去"含有趋向意的状态补语替代"却","哉"、"了$_2$"替代"也",结果就造成赵先生所说的现象。这类例子也可以说明，普通话的"了$_1$"有两种：一种相当于其他方言的状态补语；另一种在有词尾的方言里相当于词尾"仔"、"咗"等，像闽语这样没有词尾的方言相当于助动词"有"（参看郑良伟1990：17）。

但是以上从词汇着想的论证似乎不能令人信服。闽语正好没有完成貌词尾，所以想从闽语做更进一步的探讨。

闽南话有"动+结果补语+宾"的结构，如"拍死伊"（打死他）、"掀开镜台要梳妆"等等。按照（甲）说，"V-RCO"是产生"V+完成貌词尾+O"的条件。闽语有"V-RCO"，但是没有完成貌词尾。这就说明（甲）的说法有问题。

最值得注意的现象是闽南话有状态补语"煞"、"成"、"了"、"完"、"去"等，是"V-PC"和宾语在同一句中出现时，宾语一定要前移（郑良伟1990：5；杨秀芳1990：49）。本文的"状态补语"郑良伟先生叫做"时段语"（phase marker），定义略有不同。他说："时段语在普通话里基本是动词词尾，在台湾话里却是句尾词。其中'起来'、'落去'、'煞'、'成'虽然也跟着动词，但如有宾语，宾语一定要前移。没有不前移的例子。"换句话说，台湾话没有"V-PCO"，只有"OV-PC"、"VOPC"。下面转引郑良伟（1990）的例句。

(47) 台湾闽南话"OV-PC"、*"V-PCO"
   （甲）V 煞：(a)代志犹未做煞（事情还没有做完）
            (b)* 犹未做煞代志
   （乙）V 成：(a)亲情一定会做成（婚事一定能谈成）
            (b)* 一定会当做成亲事
   （丙）V 了：(a)阿英衫洗了也（阿英衣服洗完了）
            (b)* 阿英洗了衫也
   （丁）V 完：(a)电影看完也（电影看完了）
            (b)* 看完电影也

郑良伟(1990:5)说明,老年人说台湾话不说(甲 b)、(乙 b),年轻人渐渐开始用(甲 b)、(乙 b),是受普通话的影响。下面的例是动词带数量化宾语。

  (48)台湾闽南话"VOPC"、*"V-PCO"
   (戊)VO 去:(a)已经食三碗去也(已经吃掉三碗了)
    (b)* 已经食去三碗也(台北地区可以说,台湾南部不可以)
    (c)比较:"上曰:汝殊未,我打却三竖柜也"(《大唐传载》;太田 1987:359 引)
   (己)VO 了:(a)已经看三本了也(已经看了三本了)
    (b)* 已经看了三本也

  还有个非常值得注意的现象。就一般老年人来说,台湾话的"过"可以出现在宾语的前面(庚 a-癸 a),也可以出现在后面(庚 b-癸 b)(郑良伟 1990:6):

  (49)台湾闽南话:"(bat₃)V 过 O"~"(bat₃)VO 过"
   (庚)(a)捌食过日本料理(吃过日本菜)
    (b)捌食日本料理过
   (辛)(a)来美国食过头路(来美国做过事)
    (b)来美国食头路过
   (壬)(a)拢唔捌读册(都没有念过书)
    (b)拢唔捌读册过
   (癸)(a)犹唔捌一日食过四顿饭(从来没有一天吃过四顿饭)
    (b)犹唔捌一日食四顿饭过

  经历貌词尾"过"产生于宋代。它的产生过程是把从空间经过的"V 过"(49(甲))用在时间场合(49(乙))(太田 1987:206—207;王力 1958:311—312):

  (50)(甲)穿过须弥,无所里碍。(《方广大庄严经》,12)

　　　　蝦蟆跳过雀儿浴。(韩愈诗)
　　(乙)合看过底文字也不看。(《朱子语类》,10)
　　　　须是入去里面逐一看过是几多间架几多窗棂。(同上)

　　完成貌"V了O"是从"VO了"演变来的。经历貌"V过O"不是从*"VO过"演变来的;据目前所知,"V过O"从来没有经过*"VO过"的阶段。⑤台湾话"(捌)VO过"这种句法说明,在接受外来的"V过O"时,闽南话还是尽量想法调整一番,改作"VO过",以期和原有的"OV-PC"、"VOPC"词序一致。

　　上面说的可以归纳成几点:(i)闽南话习用"OV-PC"。这种跟其他方言不同的词序大概是相当古老的,至少可以追溯到中唐,可能跟例(2)显示的"OV-RC"词序有关。(ii)由于"OV-PC"早已根深蒂固,遇到跟这种词序不同的外来的"V过O"、"V却O"就把它们调整过来,变成"(bat₃)VO过"、"VO去"。⑥(iii)闽语既然本来没有*"V-PCO",也排斥外来的"V-PCO",这个方言就没有条件可以使表示完成的状态补语挪前。质言之,"完"、"了"、"煞"这些闽语里表示完成的状态补语,在句中出现总是维持"OV 完"、"OV 了"、"OV 煞"的词序。(iv)这也就是闽语没有完成貌词尾的原因。反过来看,唐宋早期官话有种种"V-PCO",而且出现频率颇高,所以促成"VO了＞V了O"这种移位演变。

　　也许有人会说,闽南话的"有V"往往跟官话方言的"V了₁"用法一样,例如:

　　(51)　　　　闽南话　　　　　普通话
　　　　(甲)前日我有看电影　前天我看了电影
　　　　(乙)你交代的代志　　你交代的事情,我已经做了
　　　　　　我已经有做也　　(或者:我已经做了你叫我做的事情)

官话方言的"V了₁"的功用既已由闽语"有V"满足了,所以闽语不必产生"V+完成貌词尾+O"。我们认为这并不是关键的因素。广东

话"有冇去"可以用"有去"回答,相当于普通话的"去了"。"有冇做咗?"(做了没有?),肯定的回答可以用"有做"或"做咗",都跟普通话"做了"相当。广东话"有 V"跟一部分普通话的"V 了$_1$"相当,依然产生完成貌词尾"咗"。可见"有 V"之有无,不是个关键的因素。

从完成貌的发展史可以得到若干关于语法演变规律的启示:

(甲) "了"字虚化的过程可以分成三个阶段:(i)动词,(ii)状态补语,(iii)词尾。另一方面,我们看到这三种形式长期共存。晚唐五代这三种形式都已具备,现在还是这样。变化的是这三种形式的比例。

(乙) 一个汉语方言有"V-PC$_1$O"、"V-PC$_2$O"、"V-PC$_3$O"等等,是这个方言产生"V + 完成貌词尾 + O"的必要条件。换句话说,如果一个方言有完成貌词尾(如"了"、"仔"、"咗")出现在动宾之间,那么这个方言更早有状态补语出现在同样的位置。

(丙) 为什么"了"字需要挪前? 为什么"了"字不一早就出现在动宾之间? 大概是因为远在魏晋南北朝,"了"字基本上是个不及物动词。相反的,唐代其他的几个状态补语如"却"、"着"、"得"、"将"、"取"、"见"在先秦两汉都是及物动词,例如"却"字常见的用法就有"却之不恭,受之有愧"等等。因此"V 却"、"V 得"、"V 见"等最初是两个及物动词组成的并列结构,这种复合动词还是及物动词,当然出现在宾语之前。等到"V-RCO"(如"打死他")在中唐兴起以后,"V 却"、"V 得"、"V 着"等由于模仿作用开始虚化,"却"、"着"、"得"等从动词变作状态补语。同时"VO 了"的"了"也虚化变成状态补语。在这种情形下,及物/不及物之别给取消了,因而"了"字也可以挪前占据"V-PCO"中 PC 的位置。

三 余论和结论

本文说明汉语方言之所以语法结构基本上一致,是因为它们都用近代的——也就是唐宋时代共同语的——语法系统。具体的例证拿新兴的"V-XO"这种谓语作为重点。"X"代表表示体貌或情态的成分,包括"V-RC"("打死")中的RC("死"),"V得RC"("穿得破")、"V不RC"("穿不破")中的"得"、"不",还有体貌词尾"了"、"过"、"着",现代的状态补语"着〔tṣau〕"、"完"、"到",晚唐的状态补语"却"、"着"、"得"等等。

在泉州编写的《祖堂集》(952)用的是早期官话,闽语还保存着其中的体貌系统。以《祖堂集》中的"吃饭了也"为例,这种句式的演变如下:

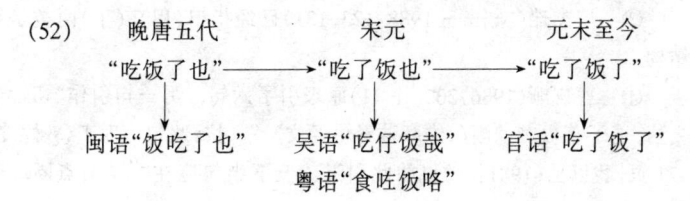

```
(52)    晚唐五代              宋元              元末至今
      "吃饭了也" ———→ "吃了饭也" ———→ "吃了饭了"
           ↓                ↓                ↓
      闽语"饭吃了也"    吴语"吃仔饭哉"    官话"吃了饭了"
                      粤语"食咗饭咯"
```

方言之间的相互影响,我们往往只想到"拷贝"(抄录)这一种形式。甲方言受到乙方言的影响,在这种观念下就是甲方言把乙方言的特征拷贝到自己身上。何大安先生的《规律与方向:变迁中的音韵结构》(1987)突破了这种"拷贝"的理论架构。一个方言有自己的音韵结构,遇到外来的影响,可以采取种种手段来适应。可以拷贝,可以调整后吸收,也可做选择性的抗拒。

语法中有类似的现象。中原的"V 却 O"、"V 过 O"在闽南话里变成"VO 去"、"(bat₃)VO 过"代表一种调整后的吸收。闽语不产生完成貌词尾是种抗拒——因为跟本身的语法结构不合。吴

281

语、粤语产生"吃仔饭哉"、"食咗饭咯"是受了宋元官话"吃了饭也"的结构影响,但用自己的虚词。动补结构的可能、实现正反四式在闽语里变成八式,其中牵涉到词汇替代和词序演变。这形形色色的演变类型需要做更进一步的探求。本文主题其实是"变迁中的语法结构",副题是"方言在共同语影响下的语法演变"。当然,这只不过是初步的尝试。

附 注

① 本文写作期间受蒋经国基金会、法国东亚语言研究所的资助。若干想法 1989 年跟史语所二组、清华大学语言研究所的同行讨论过,最近又在东亚语言研究所继续讨论。杨秀芳、林英津、魏培泉三位给我很多宝贵的意见。在此一并表示衷心的感谢。

② 本文"动补结构"是狭义的用法,相当于太田先生(1987:196)的"使成复合动词"、王力先生(1958:403)的"使成式"。

③ 罗杰瑞(Norman 1988:123,131)已经指出(甲)、(丁)两类是新兴的结构。

④ 曹广顺(1986:202,注 11)原来引了六句。另一句引作"切怕门徒起妄情,迷了菩提多谏断(《维摩诘经讲经文》)"。按:此句出现于《敦煌变文集》521 页,我以前(1981:66)也如此引过。但下半句应在"了"后点断。所以本文只转引曹文的五句。

⑤ 刘坚先生指出,上海话说"我从来没看见伊过"(我从来没有看见过他)、"侬阿曾看见伊过?"(你有没有看见过他?)。可能文献中有"VO 过"词序的例句,只是目前还没看到。

⑥ 吕叔湘(1955:62)提到一个现象可能跟"V 却 O"、"VO 去"词序的问题有关:"又唐人小诗有'草色青青柳色黄'一首,《老学庵笔记》(4.11)云,贾至与赵嘏集中皆有之(案《全唐诗》编入贾集);其第三句'东风不为吹愁去'者,放翁云,'至诗中作"吹愁去",嘏诗作"吹愁却","却"字为是,盖唐人语,犹云"吹却愁"也'。"

参考文献

张洪年(Samuel Cheung) 1972:《香港粤语语法的研究》。

—— 1977：Perfective particles in the Bian Wen language, *Journal of Chinese Linguistics* 5.1.55—74.

张泰源 1986:《"了"字完成式的语意演变研究》,台大中文所硕士论文。

赵元任 1928:《现代吴语的研究》。

—— 1980:(丁邦新译)《中国话的文法》。

郑良伟 1990:《台湾话和普通话的时段—时态系统》,第一届国际中国境内语言暨语言学研讨会。

志村良治 1967:《中古漢語の語法と語彙》,牛岛德次等编著《中国文化丛书》 1.《言语》,254—295。

朱德熙 1982:《语法讲义》。

何大安 1987:《规律与方向:变迁中的音韵结构》。

香坂顺一 1967:《近世·近代漢語の語法と語彙》,牛岛德次等编著《中国文化丛书》 1.《言语》,296—356。

Li, Charles and S, Thompson 1981: *Mandarin Chinese*.

刘勋宁 1985:《现代汉语句尾"了"的来源》,《方言》1985.2.128—133。

刘 坚 1985:《近代汉语读本》。

吕叔湘 1955:《汉语语法论文集》。

梅祖麟 1980:《三朝北盟会编里的白话资料》,《中国书目季刊》14.2.27—52。

—— 1981:《现代汉语完成貌句式和词尾的来源》,《语言研究》1.65—77。

—— 1989:《汉语方言虚词"着"字三种用法的来源》,《中国语言学报》3.193—214。

—— 1990:《唐宋处置式的来源》,《中国语文》1990.5.191—206。

Norman, Jerry 1971: A characterization of the Min dialects, *Chilin* 6.1.

—— 1988: *Chinese*.

—— 1989: What is a Kejia dialect?, *Proceedings of the Second International Conference on Sinology* (Section on Linguistic and Paleography), 323—334.

潘维柱、杨天戈 1984:《宋元时期"了"字的用法,兼谈"了"字虚化的过程》,《语言论集》2.71—90。

太田辰夫 1958:《中国语历史文法》(日文原版,江南书院)。

—— 1961:《〈敦煌变文集〉口语语汇索引》(油印本)。
—— 1987:《中国语历史文法》(蒋绍愚、徐昌华译),北京大学出版社。
董同龢 1959:《四个闽南方言》,《史语所集刊》30.729—1092。
曹广顺 1986:《祖堂集中的"底(地)"、"却(了)"、"着"》,《中国语文》1986.3.192—202。
王力 1958:《汉语史稿》(中)。
—— 1962:《古代汉语》。
魏培泉 1990:《汉魏六朝称代词研究》,台大中文所博士论文。
杨秀芳 1990:《从历史语法的观点看闽南话的"了"及完成貌》(待刊稿)。
杨联陞 1957:《老乞大朴通事里的语法语汇》,《史语所集刊》29.197—208。
袁家骅 1960:《汉语方言概要》。

The Grammar of T'ang-Sung *Koine* and the Grammar of Modern Chinese Dialects

The paper observes that almost all Chinese dialects have the following constructions: (A) the disposal construction, (B) verb + resultative complement construction, (C) the positive and negative forms of the potential complement, (D) aspect markers which can occur between the verb and the object. Since none of these constructions occur in Old Chinese or Early Middle Chinese, the question then arises why modern Chinese dialects have these and other constructions in common.

The author proposes the thesis that these constructions first emerged in the northern dialect of the T'ang capital Ch'ang-an. When that northern dialect became the *koine* during the late T'ang and early Sung, these constructions spread to other dialects. This explains why modern dialects use the same structures but often employ different grammatical particles.

The bulk of the paper tries to account for the non-occurrence of V + perfective aspect marker + O in Min dialects. The author claims that V + phase complement + O is the necessary antecedent for the development of V + perfective aspect marker + O. Since Min dialects lack the former, they also do not have the latter.

几个闽语语法成分的时间层次[*]

闽语的语法成分分别属于四个时间层次：远古、秦汉、南朝、晚唐。晚唐层次的成分有(一)表示新情况的句末语助词 .a"也"，如闽南语"门开.a"，(二)〔(O)V 了也〕中的"了也"liau-3 .a，如"伊饭食了也"，(三)〔VO 了，VP₂〕，〔OV 了，VP₂〕，如"阿英洗衫了始去睏"、"阿英衫洗了始去睏"，(四)连接词 liau-3 au-6"了后"以及 lian-2 bue-3 tshiu-3"连尾手"的词尾"手"。南朝层次的成分有(五)方位介词 ti-6"着"，(六)询问词 ti-6"底"，(七)远指词 hi-3"许"，闽南语 hit-7(那)是"许一"的合音词。秦汉层次的成分有(八)规定词"其"，闽南话 e-2，福州话 ki-2。(九)闽语第一人称复数包括式和排除式的对立来自非汉语的底层，也就是南亚族、南岛族或傣族所说的语言。从这几个闽语语法成分的来源来看，有三波汉人先后来到闽地，各自带来自己的方言，层层积累而形成闽语。汉人来到以前，闽地的原居民是百越民族。

一 引 言

我们在文献上看到古代的语法现象，往往想知道这种语法现象是否还保存在现代方言里。[①] 研究方言的，还有说这种方言的，

---

[*] 本文与杨秀芳合著。原载《中央研究院历史语言研究所集刊》第六十六本第一分，1995 年。

也想知道方言语法成分的来源。把文献里的语法现象和方言语法串联起来,就是方言历史语法的任务。本文打算讨论几个闽语语法成分的来源。闽语主要是指闽南话,同时也会谈到其他闽语方言。"语法成分"包括虚词、语法结构、第一人称复数代词包括式和排除式的对立等等。"闽语语法成分"是指普通话所没有的,其中包括几类。(甲)原来是"中国之通语",后来在其他方言里消失,保存在闽语里。(乙)还有一类乍一看像是闽语的特殊语法,例如句尾助词 .a。等到认出本字——也就是这个虚词在早期文献中的写法——却是"似曾相识",在普通话以外的北方方言里也有。(丙)另一类是魏晋南北朝时代,或者更早,已是江南的方言语法,流传到现在,还是方言语法。除了这三类以外,还有若干混合型的语法成分,留到下面讨论。

本文既是闽语语法史的初探,首先应该简单地讨论一下闽语史。在这方面研究最深入的是罗杰瑞(Jerry Norman 1979, 1983, 1988, 1991; Norman and Mei 1976)。第一,他指出有些字在闽语里有三种语音,分别属于三个音韵层次,如厦门话"石"tsioʔ₈, siaʔ₈, sik₈;"席"tshioʔ₈, siaʔ₈, sik₈;福州话"悬"ₑkeiŋ, ₑheiŋ, ₑhieŋ。这三个音韵层次相当于汉代的上古音、以金陵为标准的南朝音、以长安为标准的唐代音。第二,他指出汉人大批进入闽地最早是汉代,带来汉代的上古音。更早,福建的原始居民是南亚族以及其他少数民族。因此,闽语中保存着来自南亚语的借字,如福州 ₑtøiŋ、建瓯 ₑtoŋ、厦门 ₑtaŋ"巫师"。第三,他指出《方言》郭璞注里所说"江东"或"江左"的若干方言词,现在保存在闽语里。罗杰瑞(1983)据此认为南北朝时代中国有两大方言,以长江为界,南方的是古江南方言。后来受北方方言影响较深的变成吴语,受影响较浅的就是现代的闽语。

下面会看到,闽语的几个语法成分也分别属于四个时间层次:

远古、上古、南北朝、晚唐。此外第一人称复数代词包括式和排除式的对立是"百越"民族语言的遗迹。

二　晚唐的层次

现代汉语的"吃了$_1$饭了$_2$"用两个"了"。"了$_1$"是完成貌词尾,它主要出现在两种句子里面。一种就是〔V 了$_1$ O 了$_2$〕,如"吃了饭了"。第二种是"吃了(饭)就去",其中有两个分句,"了$_1$"出现在第一个分句;这种句子的结构是〔V 了$_1$(O),VP$_2$〕。"了$_2$"是句末语助词,表示新情况的出现,典型的用法是"下雨了$_2$"、"不下雨了$_2$"、"来了$_2$"。此外就是跟"了$_1$"配合,形成〔V 了$_1$　O 了$_2$〕。如果有人问"吃了饭没有",用"已经吃了"回答,"吃了"的"了"是"了$_1$了$_2$",实际说话的时候,两个"了"融合成一个(赵元任 1980:133)。

《祖堂集》(952 年序)里有两段可以说明晚唐的情形:

(1) 有一日斋后忽然有一僧来具威仪……师曰:"吃饣也未?"对曰:"未吃饭。"师曰:"去库头觅吃饭。"其僧应喏便去库头。当时百丈造典座,却自个分饣与他供养,其僧吃饭了便去。(《祖》,4.37)

(2) 师问:"僧吃饣也未?"对曰:"吃饭了也。"(《祖》,4.16)

两相比较,现代和晚唐的对应关系是:

(3)　　晚唐　　　　　　　　　　　现代
　　　吃饭了也〔VO 了也〕　　　　吃了饭了〔V 了$_1$O 了$_2$〕
　　　吃饭了便去〔VO 了,VP$_2$〕　　吃了饭就去〔V 了$_1$O,VP$_2$〕
　　　吃饣也未　　　　　　　　　吃了饭没有
　　　未吃饭　　　　　　　　　　没吃饭

很明显的,晚唐和现代之间产生过词序的演变。"了$_1$"的前身本来是在第一个分句的句末、宾语之后,现在移到动宾之间的位置。按照曹广顺(1986:202,注 11)的说法,唐诗、五代词和变文总共只有五个〔V 了 O〕的用例,《祖堂集》一个也没有。由此可知〔VO 了〕>〔V 了 O〕这个词序演变发生在十世纪左右。

晚唐时代,表示新情况的句末语助词"也"字,除了出现于〔VO 了也〕这种结构以外,也可以不带"了"字,直接在动词或动词组后面出现(太田 1987:357—358):

> (4) 石贤者来也,一别二十余年。(《幽明录》)
> 门已开也。(隋《佛本行集经》卷一七)
> 事事无成身老也。(白居易诗)
> 碑动也。(《妖乱志》,《广记》卷二九〇引)
> 阿与,我死也。(《旧唐书·安禄山传》)
> 低声向人道知也。(冯衮诗)
> 自得五阴后,忘却也。(《祖》,1.115)
> 僧问:居此多少年也?(《祖》,4.86)
> 师云:箭过也。(《祖》,3.35)

请注意,这种"也"用法和上古不同。上古的"也"主要是表示判断语气。上面例中的"也"却是表示新情况的出现,和上古的"矣"相当。例如"门已开也"就是《左传》宣二年的"寝门闢矣",现代汉语说"门已经开了₂";"知也"就是《左传》宣二年的"吾知所过矣";"身老也"就是《左传》僖十年的"今老矣"。至于中古的"也"和上古的"矣"是否为同一个语助词,我们暂持保留态度。

下面就要举例说明,闽南话还保存着〔VP 也〕、〔VO 了, VP₂〕这几种晚唐的语法结构,另外还有蜕变自晚唐〔V(O)了也〕、〔VO 了, VP₂〕的句型。

(一) 闽南话的〔VP 也〕

台湾的闽南话有个句末的语助词〔.a〕,表示新情况的出现。语助词〔.a〕的调值随前字调值高低和调型而有不同。〔.a〕的本字是"也",例如:

(5) 闽南话:死.a|门开.a|骂.a

闽南话的"死.a"就是例(4)引过的《旧唐书》"我死也","门开.a"就是《佛本行集经》的"门已开也"。

(二) 闽南话的〔(O)V 了也〕

《祖堂集》里常见〔V(O)了也〕,如"吃饭了也"(4.16)、"立义了也"(1.118)、"到了也"(3.38)、"问则问了也"(1.156)、"彼中已有人占了也"(2.52)。前两句"了"字可能是完成补语,意思和现代汉语的"完"相当,后三句却像语助词。《祖堂集》的"了"大概有实词、虚词两种用法(杨秀芳 1991:233—235)。

闽南话只有〔(O)V 了也〕的句子,而没有〔VO 了也〕的句子。例如:

(6) 闽南话:伊饭食了也(他饭吃完了)
伊食了也(他吃完了)
阿英衫洗了也(阿英衣服洗完了)
伊写了也(他写完了)

闽南话"洗了"、"写了"、"食了"里的"了 ^{c}liau"是个状态补语(phase complement),不是动词词尾,意思是"完"。它紧跟在动词后面,成为一个紧密的述补结构。

闽南话没有〔VO 了也〕的句子,例如不能说*"伊食饭了也"、*"伊洗衫了也"。闽南话作补语的"了"只能接在动词后面。"了"若放在〔VO〕结构的后面,一定是在"了"已经虚化为连接词的情况下,也就是在〔〔VO〕了,VP$_2$〕的句型结构下。

到目前为止,我们还不曾发现历史文献中有〔OV 了也〕的句子。从〔VO 了也〕的句型出发,"了"字移到动宾之间,虚化后便成为现代汉语的完成貌动词词尾"了$_1$"(梅祖麟 1981:76)。宾语前置,便成为闽南语〔OV 了也〕句型的来源(杨秀芳 1991:254)。

闽南语〔OV 了也〕的"了"是实词补语的性质;但是《祖堂集》

〔V(O)了也〕的"了",除了作补语外,却也有作语助词的可能(详上文)。由于词汇的演化一般总是由实到虚,而非由虚到实,所以我们揣测,闽南话〔OV 了也〕句型的来源〔VO 了也〕,应是"了"字作实词补语的那一种类型,而非已虚化的那一种。

(三) 闽南话的〔VO 了, VP$_2$〕、〔OV 了, VP$_2$〕

《祖堂集》"吃饭了便去"这种句子,"了"字有两种功用。一种是作为状态补语,表示吃饭这件事已经完毕;"吃饭了也"里的"了"功用相同。另一种功用是承前继后,连接两个分句,表示一件事情做完做第二件事情。这两种功用分别由闽南话两种词序的句型承继。〔VO 了, VP$_2$〕的"了"主要担任承前继后的连接;〔OV 了, VP$_2$〕的"了"主要表示一件事情的完成,词序则由《祖堂集》的〔VO 了, VP$_2$〕变成〔OV 了, VP$_2$〕。

(7) 闽南话〔VO 了, VP$_2$〕
　　(a) 煮饭了 suaʔ 落去煮菜。(煮饭后接着煮菜)
　　(b) 阿英洗衫了始去睏。(阿英洗衣服后才去睡)
(8) 闽南话〔OV 了, VP$_2$〕
　　(a) 饭煮了 suaʔ 落去煮菜。(饭煮好接着煮菜)
　　(b) 阿英衫洗了始去睏。(阿英衣服洗完后才去睡)
　　(c) 手洗了始倚来食饭。(手洗好才靠过来吃饭)

用〔VO 了〕词序的句子,〔VO〕是个很紧密的动宾结构,宾语读独立调。这似乎说明(7)的结构是〔〔VO〕了, VP$_2$〕,"了"的功用是连接两个分句。用〔OV 了〕词序的句子,〔OV 了〕的动词要变调,因为本来"了"是动词的补语,但已进一步虚化。(8b)的"洗了"相当于普通话的"洗完",意思是说衣裳一件一件洗,一直到洗完才去睡觉;"了"是还保存着"了结、完毕"的实词意义。(8c)的"洗了"相当于普通话的"洗好"(因为手是不能被洗完的),意思是洗手这个动作完满结束后才靠过来吃饭;"了"字的虚化程度较深。

(四) 闽南话的"连尾手"和"了后"

闽南话有个连接词"连尾手 lian ᶜbue ᶜts'iu"(随后),例如(杨秀芳 1991a:261):

(9) 伊八点出门,连尾手电话着来。

还有个连接词"了后ᶜliau au²",有两种用法(杨秀芳 1991b:248):

(10) (a) 伊本来住台北,了后搬去台南。(他本来住台北,后来搬去台南)
(b) 经过几日了后,tu tu a(恰巧)是 ti(在)九月初九。(例句转引自董同龢 1959:748)

"连尾手"出现在第二分句的句首。"了后"出现在第一分句的句末,也出现在第二分句的句首。现在要说明"了后"和"连尾手"的词尾"手"字都是承继晚唐。

晚唐"手"字可以用作词尾,加在表示时间关系的单音词后面,形成"了手"、"急手"、"毕手"等复词。

(11) 晚唐的"～手"

了手:诛陵老母妻子了手,所司奏表于王。(《变》,94)
秋胡辞母了手,行至妻房中。(又,155)
拜王了手,便即登呈(程)。(又,157)
战已了首[手],须臾黄昏,各自至营。(又,89)
辞妻了道[道＝首＝手]服得十袟文书……便即登程。(又,155)
命尽惶惶是了手。(《祖》,3.93)

急手:急手出火,烧却前头草。(《变》,86)
急守[手]趁贼来。(又,88)
念佛急手归舍去。(又,828)

毕手:有僧与疎山和尚造延寿塔,毕手白和尚,和尚便问……(《祖》,3.31)

晚唐"后"字可以用作词尾,加在"已"、"了"之后,形成"已后"、"了后"。"已后"就是现代的"以后"。

  (12) 十有余年,勿弘吾教,当有难起,过此已后,善诱迷人。(《祖》,1.88)

    师云:分明记取,已后举似作家。(《祖》,4.110)

  (13)(a) 便下山来迎接归山,一切了后,请寺主上禅床。(《祖》,4.58)

   (b) 上法堂礼拜,一切了,侍立。(《祖》,4.82)

比较(13)(a)、(13)(b),可知"一切了"后加"后"字就产生"一切了后"。请注意,"已后"在句首句末都可以出现。

  现在尝试解释"了后"、"已后"、"毕手"、"了手"的形成过程和用法演变。表示一件事发生以后另一件事发生,南北朝和唐代用的句式是〔VP₁ 了, VP₂〕,"了"字用在第一分句的句末。在"了"的位置还可以用"毕"、"竟"、"讫"、"已"这几个完成动词(梅祖麟 1981:68—69)。第一分句句末的"已"、"了"、"毕",加上"～手"就形成"了手"、"毕手";加上"后"就形成"已后"、"了后"。这是第一个步骤。

  下一步是语词化(lexicalize),变成熟语。"了"、"已"、"毕"、"竟"本来是动词,在〔VP₁ 了〕、〔VP₁ 已〕等里面作为〔VP₁〕的述语。"了后"、"已后"本来表示"完毕以后",其中有两个意思;变成熟语后,就跟"以后"一样,只有一个意思。而且,变为熟语后,还能在第二分句的句首出现。上面看到"了手"出现在第一分句句末,"毕手"出现在第二分句句首,"已后"两种用法都有。这就是熟语化以后的用法演变。跟北方话的"以后"一样,闽南话的"了后"既可以出现于第一分句句末,又可以出现于第二分句句首,是个典型的连接词。

  词尾"手"的用法可能是从"动手"、"着手"这样的语词开端。这些表示开始的语词既可以用"手"字,由于模仿作用,表示完结的

293

也可以。于是产生"了手"、"毕手"。"连尾手"用词尾"手"字,句首的用法和"毕手"、"急手"一样,可见也是承继晚唐遗风。

小结:众所皆知,北京话说"吃了饭",吴语说"吃仔饭",粤语说"食咗饭"。除了闽语以外,现代各地方言在动宾之间都能嵌入个完成貌词尾,但是所用的虚词不尽相同,从语法史的观点来看,"吃了饭"、"吃仔饭"、"食咗饭"都是十世纪唐代以后的句型。

闽语有两点与其他方言不同。第一,还保存着〔VO了,VP₂〕句式,以及晚唐〔VO了也〕"了"作补语的用法,不过宾语已前移为〔OV了也〕。第二,闽语虽然有连接词"了后",也有"洗了"、"食了"、"煮了"等带"了"字的动补结构,但"了"字没有变成完成貌词尾,闽语也没有其他虚词用作完成貌词尾。其原因我们(梅祖麟1991)认为状态补语是完成貌词尾的前身,而闽语一直没有〔动词—状态补语 宾语〕这样的结构。从上面所说的两点来看,闽语最接近晚唐的语法。

本节讨论的句式不都是闽语独有的。刘勋宁(1985)指出,陕北的清涧话还在用句末表示新情况的"也.ε",还在用〔V(O).lε〕,〔.lε〕是"了也"的合音词。

三 南朝的层次

南朝的成分在闽南语里有(五)"许ᶜhi",远指词,(六)"底 ti²",询问词,(七)方位介词"着 ti²"。

(五) hit₀ = "许一",远指词[②]

闽南话远指用 h-声母,例如ᴄhia(那儿)、ᴄhe(那个)、hit₀ui²"□位"(那里)、hit₀ᴄe(那个)、ᴄhiai(那些)。现在说明 h-是远指代词"许"的声母。

"许"字在若干闽语方言里有单独用作远指词的。例如福州话

ᶜhi ˪peiŋ"许边"(那边)、ᶜhi zieʔ˳(＜ts-)"许只"(那只);潮州话ᶜhu˳ tshoʔ˳"许撮"(那些)、ᶜhu˳ koʔ"许□"(那儿)。温州东南的永中,远指词ᶜhi 是"许"字(郑张尚芳 1964:35),厦门话"k'uā° 看 zǐ 皆 k'uā° 看ᶜhi 许"(看这看那)(《普通话闽南话方言词典》880 页"许"字下)是俗语中单用ᶜhi "许"的例。

"许"字单用作为指示词的最早用例,见于南朝乐府:

  (14) 重帘持自障,谁知许厚薄。(《子夜歌》,《清商曲辞一》)
    风吹冬帘起,许时寒薄飞。(同上)
    督护初征时,侬亦恶闻许。(宋武帝《丁督护歌》,《清商曲辞》)
    团扇复团扇,持许自遮面。(《团扇郎》,同上)
    新来诚可感,为许得新怜。(陈后主《三妇艳诗》,《相和歌辞十》)
    相送劳劳渚,长江不应满,是侬泪成许。(《华山畿》,《乐府诗集》)

"尔"、"如"在魏晋南北朝用作指示词,和"那"相当。当时也用"如许"、"尔许"(梅祖麟 1983:46)。"尔许"、"如许"、中的"许"字,受了"尔"、"如"的沾染,也有"那"义,于是单用"许"字,也能作远指示词。

台湾闽南话 hit˳字是"许"和"一"的合音词ᶜhi＋it˳＞hit˳。龙溪话表示"那"义的字作 hik˳,"一"字音 ik˳(董同龢 1959:893, 896);hik˳ 也是"许"和"一"的合音词:ᶜhi＋ik˳＞hik˳。这种情形就像普通话 zhèi 是"这一"的合音词,nèi 是"那一"的合音词。

(六) 询问代词 ti²"底"

台湾闽南话 ti²˳si"底时"(何时),厦门话 ti²˳e"底□"(哪个),潮州话 ti²˳pōi"底畔"(哪边),福州话 tie² zieʔ˳(＜ts-)"底只"(哪只)、tie²ᶜnoe"底□"(哪儿)都是带"底"的询问词。

  (15) 寒衣尚未了,郎唤侬底为?(《子夜秋歌》,《乐府诗集》)
    腹中如汤灌,肝肠寸寸断,教侬底聊赖?(《华山畿》,同上)
    思欢不得来,抱被空中语。月没星不亮,持底明侬绪?(《读曲

歌》,同上)(周法高 1957:208 页引)

"底"和"许"出处相同,都是南朝乐府,现在的分布偏南,当是古江南方言的遗迹。

唐代颜师古《匡谬正俗》卷六"底"条云:"问曰:俗谓何物为底(丁兒反)。"丁兒反的"底"字是阴平调,闽语的"底"字是阳去调。这可能是颜师古的反切注音不注调。唐代近体诗里的询问词"底"是个仄声字,[3]与颜师古"丁兒切"的阴平调不合。

(七) 方位介词"著":厦门话 ti², 福州话 tyɔʔ。

厦门话"坐[ti²]椅顶"、福州话"坐[tyɔʔ。]椅悬顶",意思都是"坐在椅子上"。厦门话[ti²]是个阳去调的"著"字,福州话[tyɔʔ。]是个阳入调的"著"字。方位介词的"著"字在闽南读阳去,在闽东北读阳入,这种分歧看来在共同闽语阶段已经存在了。(参看梅祖麟 1989:196—197)

方位介词"著"最早出现于六朝的文献(太田辰夫 1987:211;王力 1958:308—309):

(16) 取仁王尸及首,连之以金薄,其身坐著殿上。(吴·康僧会译《六度集经》,《大正藏》,Ⅲ,6 下)
  婢妾悬著床前。(同上,Ⅲ,18 上)
  刻木作斑鸠,有翅不能飞,摇著帆樯上,望见千里矶。(晋乐府)
  畏王制令,藏著瓶中。(刘宋·求那跋陀罗译《现在过去因果经》,Ⅲ,621 下)
  长文尚小,载著车中……文若亦小,坐著膝前。(《世说·德行》)
  既还,蓝田念文度,虽长大,犹抱著膝前。(《世说·方正》)
  法力素有膂力,便缚着堂柱。(梁·任昉《述异记》,《广记》卷三二七引)

据上所述,闽语的[ti²/tyɔʔ。]和方位介词"著"字音义俱合。而且知端两系在闽语里不分,产生在《切韵》以前。从文献来看,方位介词"著"字最早的用例也是出现于六朝。由此可见[ti²/tyɔʔ]"著"是唐代以前闽语的介词。

上面所说的"著"、"底"、"许"三个虚词,有两个还部分保存在吴语里。④"允许、许愿"的"许"苏州话、上海话白读都作[ʰhE](《汉语方音字汇》(第二版),136;汪平 1987:69;钱乃荣 1989:124)。苏州话、上海话的"辣海"[laʔ˛ʰhE],意思是"在、在那儿",例如"王先生阿辣海?勿辣海"(王先生在不在?不在)。上海话又有"海头"一词,加在名词后面,意思是"那里、那儿",如"小囡辣娘舅海头吃饭"(孩子在舅舅那里吃饭)。"辣海"、"海头"的"海ʰhE",本字是"许"。⑤因此,远指词"许"在江南方言的分布,除了闽语以外,还包括南昌[ʰhe](李荣 1980:140),温州[ʰhi],上海、苏州[ʰhE]。

浙南还保存着方位介词"著";"著"字青田话读[ts₁],温州话读[z₁](参看梅祖麟 1989:40)。

(17)　　　　　　坐在那里(搭)　　　丢在桌子上
青田话　　　　　坐[ts₁ ta]　　　　　㧳[ts₁]桌子
温州话　　　　　坐[z₁ ta]　　　　　㧳[z₁]桌子

保存在闽语和部分吴语的方位介词"著"和远指词"许"都是南朝时代古江南方言的遗迹。

四　上古、远古的层次

(八) 闽南话[˛e]"其"(的),规定词

闽语用"其"作规定词。福州话"我[˛ki]书"意思是我的书,说快了[˛ki]在开音节后变成[˛i]。厦门话规定词用[˛e],潮州话用[˛kai],永安话用[˛ke]。"其"字《切韵》群母"渠之反"。我们(梅祖麟 1982:120)以前说过,上述闽语里的规定词,本字都是"其"字。这里不赘。

先秦"其"字可以用作规定词,例如《书经·康诰》"孟侯,朕其弟,小子封",《公羊传》成公十年"卫侯之弟黑背率师侵郑",一个用"其",一个用"之"。现代汉语都说"的"。此外"其"字用作规定词常引的例还有《书经·多士》"罔不配天其泽",《左传》庄公二十年"非此其身"(参看俞敏 1949)。

以上只不过是说语源。至于"其"在闽语里的用法,除了厦门话"我其册"、福州话"我其书"这类可以远溯先秦,至少还有两种用法是分别受晚唐"底"字和南方"个"字的用法的影响。

简单地说,上古的"之"、"者"和唐代的"底"区别在于:

(18)　　　名——名(领属)　　动—名——名　　形____动—名____
之　先秦　秦人之弟(《孟》)　　执戟之士(《孟》)
者　先秦　_____　　_____　　老者　始作俑者(《孟》)
者　两汉　_____　　定殷者将吏(《史》)　老者　窃钩者(《史》)
底　唐宋　我底学问(《陆语》)　吃草底汉(《祖》)　老底　有纵迹底(《祖》)

先秦"之"、"者"出现范围互补,唐代出现的"底"是这两种范围的总合。换句话说,"这本书是我的"、"偷书的"先秦两汉以及后代的文言不能说＊"此书乃我之"、＊"偷书之"。规定词"之"和"其"根本不能在名词组的末位出现,只能出现在名词组的中间位置。"者"字正相反。"秦人之弟"在先秦不能改为＊"秦人者弟"。〔VO 者 N〕型的结构在汉代出现,逐渐扩充范围。"底"字在名词组的末位和中间部分都能出现(吕叔湘 1955:51—58;梅祖麟 1988a)。

闽语"其"(福州[ki]、厦门[e]等)表领属的用法是承继先秦,其他用法是受了"底"字种种用法的影响而产生,如闽南话"好 e"(好的)、"银 e"(银的)、"做木 e"(木匠)、"换帖 e"(结拜兄弟)。这些名词性结构唐宋时代的北方话说"好底"、"银底"、"换帖底"等等。因为当时北方话"我底书"相当于闽语"我其书",闽语的

"其"字受了"底"字名词化词尾这种用法的影响,也用来表示名词化词尾,于是产生"好其"、"银其"、"换帖其"这一类的名词性结构。

同样的,闽南话的[$_c$e]可以用作姓氏或单名的词尾,表示昵称或尊称,例如"张$_c$e、王$_c$e、赵$_c$e"、"平$_c$e、玉$_c$e、英$_c$e"。"张底"这种字眼产生于唐代:

(19) 湜惊美久之,谓同官曰:知无?张底乃我辈一般人,此终是其坐处。(《隋唐嘉话》;太田辰夫1987:327引)

受了这种"底"字用法的影响,闽南话于是产生"张其"、"王其"、"玉其"、"英其"等等。

南方方言往往量词和规定词用同一个虚词,如粤语阳江话[^{c}ŋɔ kɔ²]"我个"(我的)、[jɐt₂ kɔ² $_c$jɐn]"一个人";梅县客家话[$_c$ŋai kɔ²]"我个"(我的)、[jit₂ kɔ² $_c$nin]"一个人"。闽南话也是规定词、量词用同一个虚词:

(20) 一个人　　厦门 tsit₂ $_c$e $_c$laŋ　　潮州 tsek₂ $_c$kai $_c$naŋ
　　 我的书　　　　　^{c}gua $_c$e ts'e²　　　　^{c}ua $_c$kai $_c$tsŋ

不过粤语客家话是量词"个"用作规定词;闽南话是受了南方方言的影响,规定词用作量词。据上所述,闽南话[hit₂ $_c$e](那个)的本字是"许一其"。

这一节说明,闽南话[$_c$e]、福州话[$_c$ki/$_c$i]的语源是"其",表领属的用法承继先秦,名词化词尾的用法是受了唐代中原"底"字的影响而形成,闽南话[$_c$e]字的量词用法是受了南方方言的影响。总起来看,闽语"其"字是个混合型的语法成分。

(九)第一人称代词复数包括式和排除式的对立

现代汉语方言,只有北方官话和闽语(以及少数吴语)第一人称复数代词分辨包括式和排除式。官话现在用"咱们"、"我们",更早在《刘知远诸宫调》里用"咱"和"俺","俺"是"我们"的合音词。

闽语的包括式、排除式如下：

(21)	厦门	潮州	福州
我们	ᶜgun, ᶜguan	ᶜuŋ, ᶜo	ᶜŋuai kɔʔ, ᶜnøyn
咱们	ᶜlan	ᶜnaŋ	ᶜnaŋ ᶜŋa(<k-)kɔʔ, ᶜnøyn

闽语表示包括式的语词，显然跟"咱们"、"咱"来源不同。

排除式和包括式的区别，在宋代以前的文献里找不到来源。罗杰瑞指出，北方官话之所以有包括式、排除式之别，是受了阿尔泰语的影响；闽语之所以有包括式、排除式之别，是因为闽语有非汉语的底层（参看梅祖麟 1988b）。汉人来到以前，福建是非汉族的居住区。按照现在东南亚语言的分布，古代东南沿海一带的非汉语可能有台语、南岛语、南亚语三种。这三种语言都分辨包括式、排除式。

下面用越南语以及越南境内的 Chrau 语代表南亚语，台湾的泰雅语代表南岛语。台语系中现代暹罗语没有这个区别，但泰国和老挝境内用古台语写的碑文里有，阿萨密（Assam）的卡姆提（Khamti）语和云南的布依语还保存着这个区别（松山纳 1962）。

(22)	古台语	布依语	泰雅语	越南语	Chrau
咱们	rau(A2)	zau(A2)	taʔ	chúng ta	von
我们	tuu(A1)	tu(A1)	sami	chúng tôi	khanaúh, khây, ănh (ănh "我")

目前我们不知道闽语包括式和排除式的语意区别借自底层的哪个或哪几个语言。根据词汇的证据，我们知道南亚族远古时代曾在闽地居住，但不知道台族、南岛族是否在汉族来到以前也曾在闽地居住。用个笼统的说法，闽语里包括式和排除式的区别，是百越民族的遗迹。

五 结 语

过去研究方言史以音韵为主,先后有两种看法。高本汉(1954:212,注2)认为除了闽语以外,其他汉语方言都导源于中古汉语。其实闽语音系有一部分也可以看作中古音的后代;它的南朝层次和《切韵》音相当,文读层次和晚唐的读书音相当。高氏的中古音是把《切韵》音和晚唐音混在一起。这是第一种看法。第二种看法以罗杰瑞(1988:181—183,210—214)为代表。他认为不但闽语是层层积累而形成,粤语和客家话在音韵、词汇方面也有古江南方言的底层。

这两种看法相辅相成,并不冲突。历史上至少有三次汉人大批迁移到闽粤地区:东汉、东晋、晚唐。因此南方方言或多或少在音韵上都保存着这三个时代的遗迹。另一方面,唐代长安是整个东亚东南亚的政治文化中心。日本汉音、高丽音、汉越语都是反映以唐代长安为标准的早期官话。中晚唐的京师音由移民或其他方式也波及当时各地的方言。这就是高氏"现代方言导源于中古音"之说的历史背景。

我们在另一篇文章(梅祖麟1991)着重现代各地方言共同的语法现象,结果看到的是唐宋时代在早期官话里兴起而散播到各地的若干语法结构。以闽南话为例,这些新兴结构包括(甲)经历貌词尾"过":"捌食过日本料理",(乙)动补结构的实现式和可能式,如"穿有([u²])破"、"穿无([bo])破"、"穿 c² 破"、"穿 be² 破",(丙)本文第(八)节所说的闽南话"其"字兼有规定词和名词化词尾的两种功用。套用高本汉的观点,我们也可以说现代各地方言的语法成分有一大部分导源于唐宋的早期官话。

本文主要着重闽语的特殊语法现象。所讨论的九个闽语语法成分，分别属于晚唐、南朝、上古、远古这四个时间层次，此外还有非汉语的底层。古江南方言的方位介词"著"、指示词"许"也都保存在吴闽方言里。我们从语法观点所得到的结论，正好跟罗杰瑞从音韵和词汇所得的结论相同。这种层层积累的语法现象，是了解闽语早期历史的重要资料。

附 注

① 本文写作期间，承何大安、林英津、魏培泉几位批评指正，又得到国科会、蒋经国基金会、康奈尔大学东亚研究所胡适纪念奖助金（Hu Shih Memorial Award）的支助，谨此一并申谢。

② 第(五)、(六)两节引用的闽方言资料，大部来自《汉语方言词汇》，文中不一一注出。

③ 唐代近体诗里的询问词"底"字是个仄声字，如张相《诗词曲语辞汇释》101—102页所引的王维《慕容承携素馔见过》"空劳酒食馔，持底解人颐？"，又《愚公谷》"缘底名愚谷，都由愚所成"；杜甫《可惜》"飞花有底急？老去愿春迟"；白居易《寒食日寄杨东川》"不知杨六逢寒食，作底欢娱过此辰？"，又《早出晚归》"若抛风景常闲坐，自问东京作底来？"

④ 章炳麟《新方言·释词》"今常州谓'何'为'底'"。赵元任《现代吴语的研究》100页"什么"条下：溧阳、金坛"底"，丹阳"底告音"，靖江"低告皆音"，常州绅"dia爹音"，常州乡"dea爹上音"。西北部吴语可能还保存着询问词"底"字。

⑤ 潘悟云先生告知，"辣海"的"海"本字是"许"，谨此申谢。

参考文献

丁邦新 1983：Derivation time of colloquial Min from Archaic Chinese,《史语所集刊》54.4:1—14。

太田辰夫 1987：《中国语历史文法》（蒋绍愚、徐昌华译），北京大学出版社。

王力 1958：《汉语史稿》中册。

北京大学中国语言文学教研室 1964：《汉语方言词汇》。

——1989:《汉语方音字汇》第二版。
吕叔湘　1955:《汉语语法论文集》,科学出版社,北京。
李　荣　1980:《吴语本字举例》,《方言》1980:137—140。
汪　平　1987:《苏州方言的特殊词汇》,《方言》1987:66—78。
周法高　1957:《中国古代语法·称代编》,《中研院史语所专刊之39》。
松山纳　1962:《共通タイ語の人稱代名詞の體係について》,《东京外国语大学论集》9:1—8。
俞　敏　1949:《汉语的"其"跟藏语的 gji》,《燕京学报》37:57—94。
高本汉(Karlgren, Bernhard)　1954: Compendium of phonetics in Ancient and Archaic Chinese, *Bulletin of the Museum of Far Eastern Antiquities*, 26:211—367.
袁家骅等　1960:《汉语方言概要》,文字改革出版社,北京。
曹广顺　1986:《祖堂集中的"底(地)"、"却(了)"、"著"》,《中国语文》1986:192—202。
梅祖麟　1981:《现代汉语完成貌句式和词尾的来源》,《语言研究》1:65—77。
——1982:《跟见系谐声的照三系字》,《中国语言学报》1:114—126。
——1983:《敦煌变文里的"煞没"和"乿(举)"字》,《中国语文》1983.1:44—50。
——1988a:《词尾"底"、"的"的来源》,《史语所集刊》59.1:141—172。
——1988b:《北方方言中第一人称代词复数包括式和排除式对立的来源》,《语言学论丛》第十五辑:141—145。
——1989:《汉语方言里虚词"著"字三种用法的来源》,《中国语言学报》3:193—216。
——1991:《唐代、宋代共同语的语法和现代方言的语法》,《第二届中国境内语言暨语言学国际研讨会论文集》(中央研究院,台北):35—61。
张振兴　1983:《台湾闽南方言纪略》,人民出版社,福建。
董同龢　1959:《四个闽南方言》,《史语所集刊》30:729—1042。
杨秀芳　1991a:《台湾闽南语语法稿》,大安出版社,台北。
——1991b:《从历史语法的观点论闽南语"了"的用法——兼论完成貌助词"矣"("也")》,《台大中文学报》4:213—283。
——1992:《从历史语法的观点论闽南语"着"及持续貌》,《汉学研究》

10.1:349—394。

厦门大学中国语言文学研究所汉语方言研究室　1982:《普通话闽南方言词典》。

赵元任　1980:《中国话的文法》(丁邦新译),学生书局,台北。

刘勋宁　1985:《现代汉语句尾"了"的来源》,《方言》1985:128—133。

郑张尚芳　1964:《温州音系》,《中国语文》1964:28—60,75。

钱乃荣　1989:《上海方言俚语》,上海社会科学出版社。

罗杰瑞(Norman, Jerry)　1979:《闽语词汇的时代层次》,《方言》1979:268—274。

——1983:《闽语里的古方言字》,《方言》1983:202—211。

——1988: *Chinese*. Cambridge University Press.

——1991: The Min dialects in historical perspective, in Wang, William S. Y. ed., *Languages and Dialects of China*:325—360. *Journal of Chinese Linguistics monograph* series number 3.

Norman, Jerry and Mei, Tsu-lin　1976: The Austroasiatics in ancient South China: some lexical evidence, *Monumenta Serica* 32:274—301.

Chronological Strata in the Grammar of the Min Dialects

　　This paper shows that the grammatical component of the Min dialects is comprised of three strata which can in a general way be associated with specific historical periods and events: first, the Ch'in-Han imperial expansion which brought Old Chinese to Fukien; second, the migration from the Wu-Yueh region during the Southern dynasties; and third, a similar population movement from the North to Fukien towards the end of the T'ang dynasty. Examples are mostly drawn from Southern Min.

Grammatical constituents which came from the Late T'ang are: (1) the sentence-final inchoative particle .a 也, (2) the use of liau-3. a 了也 at the end of a sentence to mark the completion of an action, (3) the use of liau-3 to indicate the occurrence of an event before another in constructions such as [VO liau-3, VP_2] and [OV liau-3, VP_2], and (4) the suffix tshiu-3 in lian-2 bue-3 tshiu-3 连尾手 "thereafter, subsequently".

Grammatical particles which entered the Min dialects during the Southern dynasties are: (5) the locative particle ti-6 著, (6) the deictic particle hi-3 许 "that", which is part of the fusion word hit-7 "that" (< hi-3 + it-7 许一), and the interrogative particle ti-6 底.

The determinative particle, Amoy e-2, Fuchou ki-2, is etymologically 其 and came from Old Chinese.

From the non-Chinese substratum came the semantic distinction between inclusive "we" and exclusive "we" in the Min dialects; the donor language may be Austroasiatic, Austronesian, or Thai.

四声别义中的时间层次[*]

四声别义是上古汉语构词的一种方式,以往认为其中有一型是把名词变成动词,如"恶入声,名词/恶去声,动词",另有一型是把动词变成名词,如"度入声,动词/度去声,名词"。这里想说明这两种词性转化一先一后,动词变成名词在先,是承继共同汉藏语的构词法,名词变成动词在后,是类比作用的产物。此外把内向动词变成外向动词,如"买卖"、"學敩",也是四声别义中极古老的一型,附带在这里讨论。

一 以前的研究成果

1.1 关于四声别义,有两项结论是应该肯定的。第一,拿四声变读来分别词性是上古汉语的一种构词法。清代学者如顾炎武、钱大昕、段玉裁等认为"好上/好去"、"恶入/恶去"这样的"读破"是六朝经师所创造的读书音,在上古汉语里没有根据。[①]但是口语里也有类似的现象,比如北京话"背"、"磨"、"把"、"沿"、"钻"等字,用作名词时的声调跟用作动词时不同。[②]而且有些字,如"处去声,名词/处上声,动词"、"种去声,动词/种上声,名词",不但是北京话,在全国各地历史稍长的方言里,都有类似的音变。[③]此外像"入内,立位,结髻,责债"之类写法不同的同源字,也是用声调来区别词性和词义。这

---

[*] 本文原载《中国语文》1980 年第 6 期。

类的同源字上古汉语有不少,可见四声别义创始于六朝之说不合事实。

第二,就动词来看,基本词读非去声,转化出来的派生词读去声。《汉语史稿》中213—216页举出大量的例子。此外《说文》下定义一般是把基本义归给非去声的读法,比如"分,别也"的"分"是读平声的动词,不是转成名词的"分(份)"。《经典释文》里所收集的音释,碰到本义用本音读出,只注明"如字",碰到转化义的"读破",才用反切注音,而"如字"大多数是非去声,"读破"大多数是去声。一个语根靠声调变化孳生出来的语词,最初往往用同一个字形写,甲骨文、金文和先秦典籍中这类的例很多,等到后来加偏旁分辨时,偏旁通常加在代表读去声的派生词的字形上,比如"知智"、"责债"、"受入声授去"、"学入声敩去"、"阴荫"等。基本词和派生词固然不全是从非去声转成去声,但大多数是如此。

以上第一条是周祖谟先生提出的,[④]他还指出"读破"已经出现于郑玄《三礼》注,高诱《淮南》、《吕览》注等东汉经师的音释,而刘熙《释名》更是大量地用四声别义。第二条是王力先生提出的,[⑤]用《说文》和《广韵》做例证读音的根据。后来英国的唐纳先生和周法高先生又从《经典释文》和《群经音辨》里找出大量的例证。[⑥]有不少中外学者都接受这种说法,所以下面只讨论"去声别义"。

1.2 这套现象中最令人费解的是去声别义在语法方面的功能。一则是去声似乎能把名词转化成动词,如"恶入声,名词/恶去声,动词",同时又能把动词转化成名词,如"度入声,动词/度去声,名词"。为了方便起见,以下管这两型叫"动变名型"跟"名变动型"。二则是由去声别义所造成的词性转变种类繁多,理不出什么条例。王力只举了四类例子。唐纳和周法高都分成八类,比如后者就有名变动型、动变名型、形容词变成的他动式、方位词变成的他动式、动词变成的使谓式、既事式、副词等等。两位所编的字表,请参看本文的附录。

以往对类别繁多这个现象的看法可以分成两派。(1)去声别义不是把某个词类转化为另一个词类,而是区分基本词和派生词的手段。当语言有需要时,只要把非去声的旧有词变成去声就可以制造新词。这种看法可以拿唐纳 1959 年发表的论文做代表。有些学者如高名凯先生、俞敏先生、马伯乐先生根本否认汉语有词类,⑦但承认去声别义的存在,他们也属于这一派。(2)去声别义本来是把某个词类转化成另一个词类,其中有规律可循,后来去声别义渐渐僵化,只在语汇里留下遗迹,年深月久,以前显而易见的规律也变得模糊不清了。高本汉的《汉语概论》就是采取这种态度,⑧他同时指出这种现象在其他语言也是屡见不鲜,比如英语的 -s 表示名词的复数,也表示第三身动词的单数,拉丁文语尾 -um 在 dominum 中表示单数的宾格,但是在 hominum 中,却是表示复数的领格。这两派相同之处是认为各种不同的词性变化在同一个时期发生,而且也承认无法找出更合理的条例。

1.3 我们重新检讨这个问题是受了俞敏《论古韵合帖屑没曷五部之通转》一文的启发。⑨他指出"入内纳"、"立位"、"给饩"、"泣涙"、"接际"、"执贽"这几对同源词都是动词入声 -p 尾,名词去声 -d 尾。缉微通转和葉祭通转是形成于《诗经》以前的谐声字的一种特征,如"内"这个谐声字,在字形形成的时期收唇音韵尾 -b 或 -ps,⑩到了《诗经》时代转入微部的 -d 或 -ts,跟舌尖韵尾的字押韵,如《大雅·抑》四章"寐内"、《大雅·荡》三章"类懟对内"。《诗经》一般认为完成于公元前八九世纪,如此去声别义至少可以远溯到公元前八九世纪以前,也就是上古汉语的早期。俞文还引了一些甲骨文和金文的资料,数量虽然不多,但可以把年代推得更早。

初步认识了去声别义的年代,可以回来检讨以前的研究成果。唐纳和周法高两位先后编的去声别义字表,例子有二百项左右,里面包括两种资料,一种是谐声系列里的同源字,就是文字训诂学家所谓的"右文",如"结入髻去"、"锲入契去"、"入入内去"、"责入债去"、"内去纳入"等,这类占全部资料的一小部分。另一种是《经典释文》(583—589)里的"读破"。这两种资料的年代相差得很远,前后不止一千年,表里引的谐声字先秦已经出现了,最早在《诗经》以前;"读破"最早是东汉,晚的可以晚到六朝。这两种资料反映口语的程度也不同,周法高表里的谐声同源字,是经过一番审查,从高本汉《谐声系列里的同源字》里挑选出来的,⑪大多数反映上古口语。至于"读破",周祖谟等虽然已经证明不是六朝经师无中生有,但我们也不能因此就肯定历代经典音释里的一字两读,全部或者大多数都是反映口语中原有的区别。王力讨论《释文》中的"读破",就说:"我们还不敢断言在一般口语里完全存在着这些区别;但是,应该肯定地说,在文学语言里,这种区别是存在的。"(《汉语史稿》(中)217页。)周法高也认为,有不少"读破"是"汉魏六朝经师在读经典时所做人为的读音上的区别"(《构词编》38页)。

观察一个现象用晚出或层层积累的资料往往会遇到费解的疑案,我们猜想去声别义种类繁多,而动变名型和名变动型功能相反,这些不易解释的现象,资料芜杂要负一大部分责任。下面要做的断代工作主要是针对动变名型和名变动型,一则是这两型在字表里的例子最多,容易归纳出条例,《汉语史稿》也是把这两型排在最前面。二则是名词和动词最容易分辨,讨论其他类型的词性转变,在语法方面不免另生枝节。三则是这两型功能相反是上古汉语研究中有名的悬案,高本汉在1949年已经举过"恶入恶去"和"度入度去"这两个例,其实远在1896年康拉迪(August Conrady)已经认出这两型了。⑫

二 用去入通转做断代标准

2.1 现在先说大意,再一步一步地补充证据。

(1) 上古汉语里动变名型有二三十个去入通转的例。

(i) 动词入声 -p 尾,名词去声 -b>-d 尾:"入内"、"立位"、"泣泪"、"执挚(贽)"、"接际"、"给饩(既、气)"。

(ii) 动词入声 -t 尾,名词去声 -d 尾:"结髻"、"锲契"、"列例"、"率帅"、"越岁"、"脱蜕"。

(iii) 动词入声 -k 尾,名词去声 -g 尾:"织入织去"、"责债"、"畜兽"、"宿入宿去"、"塞入塞去"、"鬏髦"、"获入攫去"、"炙入炙去"。

(2) 名变动型唐纳和周法高两位总共只举了四个去入通转的例:"嗌入缢去"、"乐入乐去"、"恶入恶去"、"肉入肉去"。其中后头三个是"读破"。而且这四对都是入声 -k 尾,去声 -g 尾的例,此外没有 -p 跟 -b 或 -t 跟 -d 通转的例。

(3) 去入通转是上古汉语的一般现象,到了汉朝,尤其是东汉,韵文里去入通押已经很少见。罗常培、周祖谟两位对汉代韵文曾下过这样的结论:"去声字和入声字在一起押韵为数不多;而且只限于少数几部字"(《汉魏晋南北朝韵部演变研究》67 页)。

(4) 根据以上所说,可见动变名型在上古汉语早期(《诗经》以前)已经存在,而名变动型到去入通转衰退时期才兴起,绝对年代大概在战国跟东汉之间。

这里考察去声别义的方法跟以前有两点不同。第一,主要例证用的是写法不同的同源字,尽量避免单用《经典释文》或者其他经籍音释的"读破",即使使用,我们也会提出口语或汉藏比较的证据来说明两读不只限于读书音;而且 -p、-t、-k 三种韵尾,每种我们都要求至少有两三个确实反映上古口语的关键例。第二,考察去声别义的年代,先把词性转变分门别类,再一个一个类型地去考察其年代。

(1)、(2)、(3)是前提,(4)是结论,由前提到结论我们推理的过程是这样的:如果名变动型跟动变名型年代一样悠久,既然动变名型 -p、-t、-k 三种韵尾都有去入通转的例,总共有二三十个之多,那么名变动型也该有同样的例,数量上十来个总该有。事实上有没有呢?答案是没有,至少目前所掌握的资料里只有四对舌根韵尾的例,其中三对还是不太可靠的,而且舌尖音和唇塞音这两种韵尾我们连一对例子也没找着。

去入通转在这两型中的实例多寡悬殊,这个现象怎样解释呢?如果说名变动型缺少实例,是因为入声的名词不多,或者入声的名词不用作动词,只有平上两声的名词才用作动词,这两种解释显然不合情理。如果说名变动型本来有不少例,后来在语言演变过程中被淘汰了,那么动变名型为什么有如此多的例流传下来呢?

我们的解释是假设这两型活跃在不同的时期,这两个时期的音韵情况不同,以致这两型去入通转的例一多一寡。动变名型上古汉语早期就有,所以不但留下了缉叶和微祭通转的同源词,也留下了其他同部去入通转的同源词。在动变名型活跃的上古时期,去入两个调类的音值还很相近,去声在那时还有跟同部入声相配的辅音或复辅音韵尾 -b、-d、-g 或 -ps、-ts、-ks。[⑪] 名变动型兴起时,去入这两个调类的音值已经相差得颇远,入声仍有 -p、-t、-k 韵尾,去声已变成一种声调,跟其他两个声调(平声和上声)相似,所以由类比作用造成的名变动型没有或少有去入通转这类的音变,只有平去和上去。

上面所说的类比作用其实包括两种。一种是自然的,发生在口语里的,名变动型里有些字不但是经典音释里"读破",在口语里也是两读,如"种_{上声,名词}"和"种_{去声,动词}","道_{上声,名词}"和"導去声,动词",另外还有早期字书不载而存在于口语的两读,如北京话的"钉阴平/钉去声",福州话的"tøik₂毒/thauᵒ毒"("thauᵒ鱼",使鱼中毒)。[13]这些例显示名变动型曾经活跃于古代口语的某个时期,我们假设去声别义的构词法原来只能应用在非去声的动词身上,后来,大概是战国到两汉之间,在口语中扩充范围,也可以应用在非去声的名词身上,把这些字转化为动词,这就是第一种类比作用。第二种是人为的,限于读书音的,东汉经师开始"读破",魏晋六朝变为一时风尚,《经典释文》和《群经音辨》集其大成,这种似乎可称为学究式的类比模仿(learned analogy)。

我们着重去入通转,而忽略去声跟其他两声的关系,并不是因为动变名型和名变动型里平去和上去这两类不重要,原因是去入通转是有时代性的音韵特征,平去和上去这两种通转看来在任何时代都可以发生,不能帮助断代。而自从段玉裁提出"古……去入为一类"(《六书音韵表》卷一)以后,去和入在上古音里关系特别密切是古音家一致承认的。至于去声在各时代的音值以及去入关系密切的原因,固然各家有各家的说法,但是我们断代的标准,主要是根据去入的关系,从上古到两汉,由密切转为疏远这件事实,音值只占次要地位。另外有一点应该说明,本文引用唐纳和周法高两个字表里名变动型去入通转的例,如"恶入恶去"、"肉入肉去"等,并不是因为我们敢肯定上古口语中这些字也有两读;引这些例只是为了说明,用极宽的尺度,把"读破"和同源字一视同仁,名变动型在现成的资料中充其量只不过四个例,下面会用相当严格的尺度去审查动变名型中去入通转的例,能及格的有二十个左右,两相比较之下,更容易看出来名变动是晚起的一型。

2.2 上面说过,去声跟入声在上古汉语关系密切,到了东汉关系就变得疏远。现在要把这项结论的根据交代一下。

谐声字里去入通转的例不胜枚举,2.1里提到的同源词,有些就是去入通转的谐声字,尤其是下列入去转换互谐的例子:

入 -p:内 -b(去):纳 -p　　　赤 -k:赦 -g(去):螫 -k

伐 -t:岁 -d(去):泧 -t⑭　　　亦 -k:夜 -g(去):液 -k

剌 -t:赖 -d(去):獭 -t　　　弋 -k:代 -g(去):忒 -k

之类更足以显示去入两声在谐声字中关系的密切。

至于《诗经》以及其他先秦韵文里押韵的情形,我们是根据董同龢先生的说法(《汉语音韵学》312页)。平上去入通押的现象,江有诰在《唐韵四声正》里总共举出二百四五十字,董先生把只有汉以后证据的剔除,又有二十多字的证据是不是先秦也有问题,这些也剔除,从确用先秦材料的一百五十字左右的例,他所得的结论是:

(1) 平上去多通押。　　　(2) 去跟入多通押。

(3) 平上跟入通押的极少。

第(2)项说明去入两声在《诗经》时代关系相当密切。

去入通押在两汉各方言里的情形,罗常培、周祖谟两位曾经详细讨论过(《汉魏晋南北朝韵部演变研究》76—114页)。这些方言是:(1)《淮南子》,(2)崔篆著《易林》,(3)以司马相如、王褒、杨雄为代表的蜀方言,(4)以班固、班彪、马融、傅毅、杜笃、冯衍为代表的陕西方言,(5)张衡和蔡邕的韵文,因为这两个河南人的作品相当整齐谨严,所以《韵部演变研究》把他们分出来讨论。以上(1)、(2)、(3)是前汉,(4)、(5)是后汉,下面列表综述《韵部演变研究》的结论,有些作品如《急就篇》和《论衡》等因为去入通押太少,所以略去。韵部沿用原书名称,用李方桂先生的上古音系统标出入声音值;⑮跟入声韵屋部相配的是阴声韵侯部,但鱼屋去入通押,侯屋不通押,所以表上只列鱼屋。表的末了一行是出处。

两汉去入通押表

		淮南子	易林	蜀方言	陕西方言	张衡、蔡邕
1	之职 -ək	√	√			
2	幽沃 -əkw		(幽屋)			
3	宵药 -akw			一见		
4	鱼屋 -uk	√	√	√		二见
5	鱼铎 -ak	√	√			
6	支锡 -ik	一见		二见		
7	脂质 -it	一见	√	(祭质√)	(脂月√)	四见
8	祭月 -at	√	√	√(另有祭缉√)	√	二见(另有祭质二见)
9	微术 -ət					
《韵部演变研究》	80页	94页	86—87页	98页	104页

从上面的表看起来,前汉去入通押还颇常见,到了后汉,数量既少,而且只限于两三个韵部,去入通押到此时可以说是渐趋消失了。

王力在《南北朝诗人用韵考》里指出"去声寘至志未霁祭泰怪队代都有与入声相通的痕迹",此外大概还有废韵(《汉语论文集》35页)。再往上推,丁邦新先生分析魏晋韵文的结论也是说去入通押只是限于 -d、-t 韵尾的字(《魏晋音韵研究》英文 229 页),[16]这个时期去入通押的例子还相当多。

魏晋平上去入通押表

	平声	上声	去声	入声
平声		15	16	
上声			30	
去声				86

综合以上所说,可见从东汉一直到南北朝,由上古脂微祭三部来的去声,都有和入声相通的痕迹,但一般来说,去入通押非常罕见。

东汉著作中刘熙的《释名》情形特殊,这本书"之职"、"幽沃"、"宵药"、"祭月"等几个韵部都有去入相通的例,有些韵部例子还很多。罗常培、周祖谟两位指出书中有两种现象:(1)平上去三声字取入声字为训,或入声取平上去三声字为训,如"消,削也"、"始,息也"、"慝,态也"、"肉,柔也";(2)取同字为训,但四声读法不同,如"宿,宿也"、"观,观也"、"济,济也"。(《韵部演变研究》106页。)到了汉末刘熙的时代,"读破"和四声别义已成为训诂的一种学说。以前我们讨论的是韵文。《释名》是声训兼义训的字书,也是部训诂理论和实际语言相混杂的书,所以书中去入通转之频繁和普遍,一小部分也许是反映作者的方言,而大部分是反映他对训诂的看法。本书跟当时其他著作在语音方面的分歧,也是我们把他看作例外的原因。

三　用汉藏比较做断代标准

3.1　这段的大意是:

(1) 上古汉语早期的 -s 尾音失落后变成去声,因此去声跟非去声之别原来是有 -s 尾跟没有 -s 尾之别。

(2) 汉语的去声跟藏文的 -s 同源;共同汉藏语的 -s 在藏文里大致保留不变,但在 -n、-r、-l 后变成 -d 以后再失落,-ds 直接变成 -d;[17] 在汉语里最初也是 -s,后来在上古汉语的某个时期变成去声。

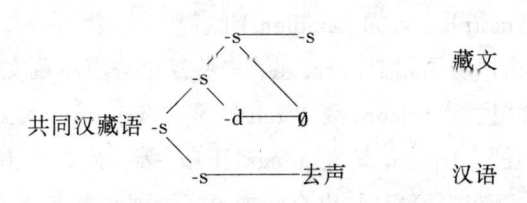

```
                    -s------s
                   /      
                 -s           藏文
                /  \
共同汉藏语 -s ------- -d ----- ∅
                \
                 -s---------去声    汉语
```

(3) 藏文 -s 词尾的功用是：(a)做既事式的记号，如 dbug-pa 现在式，dbugs 既事式"掷，扔"。(b)做现在式的记号，如 'gebs-pa 现在式，bkab 既事式"盍，盖"；这个 -s 本来也许是 -d。[18](c)把动词转化成名词，如 'graŋ"数"，动词；graŋs"数"，名词。但藏文的 -s 词尾不能把名词变成动词。

(4) 根据以上所说，可见去声别义中的动变名型是承继共同汉藏语的一种构词法；名变动型在藏文和共同汉藏语中无源可溯，是后起的一型。

现在简单地叙述一下关于去声的来源这套理论发展的经过。奥德里古先生（Andre Haudricourt）看到古汉越语（汉代传入越南的汉语）里去声和越南语的问(hoi)跌(nga)两声对应，如"义" * ŋiar，越语 nghia（跌声）；"墓" * mag，越语 ma（问声）。[19]照马伯乐的说法，问跌两声来自 -s，[20]因此奥德里古假设去声是 -s 尾音失落后发生的，而上古音跟 -p、-t、-k 接触的去声是 -ps、-ts、-ks；如此"度动词，入声"写成 * dak，"度名词，去声"写成 * daks；"恶名词，入声" * ʔak，"恶动词，去声" * ʔaks。此后福来斯特先生（R. A. Forrest）注意到四声别义的构词功用跟藏文词尾 -s 相似。[21]按照蒲立本先生（E. G. Pulleyblank）的理论，假设《诗经》以前谐声字里的 -ps 因同化作用变成《诗经》时代的 -ts，可以解释缉葉跟微祭这四部的通转，[22]他又特别指出把汉语的去声 -s 跟藏文的 -s 相提并举的重要性："这种比较给我们开辟一条新的途径，使汉语跟藏语的亲属关系，不但只是建立在个别的同源词上，而是像印欧语一样地建立在构词典型（morphological paradigm）上。"[23]

除了构词功用相似以外，还有一些汉语去声跟藏文 -s 相配的同源词，如"世" * hrjabh，藏文 rabs；"雾" * mjəgwh，藏文 rmugs-pa "浓雾"；"昼" * trjugh，藏文 gdugs"正午"等。固然另有一些同源词藏文 -s 跟非去声相配，也有些去声字跟藏文没有 -s 的字相配。

藏文的 -s 词尾,只能出现于元音以及 -g、-b、-ŋ、-m 之后,不能出现于舌尖尾音 -n、-r、-l、-d 之后。下面每种尾音举两三个由加 -s 造成的动变名型的例,[23]藏文词义后头括弧内是汉语的同源字,动词如果引拟构的语根则加星号。

动词 lta-ba 看(睹,覩)　　　　名词 ltas 奇迹,预兆
　　　*go(bgo-ba) 穿衣服　　　　　gos 衣着
动词 *skyab(skyob-pa) 保护　　名词 skyabs 保护
　　spag-pa 蘸汤　　　　　　　　 spags 汤
　　sbug-pa 穿孔,穿洞　　　　　　sbugs 洞,孔
　　btsa-ba 生,产　　　　　　　　 btsas 产物,收穫
　　sem(s)-pa 想　　　　　　　　　sems 心(心)
　　snyam-pa 想,思(恁)　　　　　 nyams 灵魂,思想(念)
　　'gru-ba 努力,用心　　　　　　 'grus 努力

底下是双双成对的例,汉语动词非去声跟藏文零词尾相配,名词去声跟藏文的 -s 词尾相配。

	汉	藏		汉	藏
动词	量平 *liaŋ	'graŋ	名词	量去 *liaŋs	graŋs
	织入 *tjək	'thag		织去 *tjəks	thags 织成品
	接入 *tsjap	sdeb 现在式[25]		际去 *tsjaps	bsdebs 动词,既事式

以上的例可以说明汉语中动变名型的去声别义是承继共同汉藏语的一种构词法,同时也说明这一类型的年代悠久。

藏文动词的既事式一般带 -s 词尾,所以有人推想由加 -s 从动词变来的名词,原来就是动词的既事式,[26]但也有人认为 -s 是 sa"地方,处所"的减缩型。[27]前一种解释看来颇有道理,藏文的动词 sdeb "接"跟汉语的"接"相配,藏文没有名词可以跟汉语的名词"际"(《说文》"际,壁会也")相配,但既事式 bsdebs 跟他相配倒是颇合适的。

317

到现在为止，我们从汉语音韵史跟汉藏比较两方面说明动变名型的历史悠久，而这两种论证是相辅相成的。最初福来斯特和蒲立本两位把藏文的 -s 跟汉语的去声相提并举，就是因为看到藏文的 -s 跟汉语的去声在构词功用方面相似，但他们说得相当笼统。上面说过，藏文的 -s 有时出现于既事式，有时出现于现在式，另一种功用是把动词变成名词，于是我们很想进一步推论，汉语中只有动变名型是承继共同汉藏语的一种构词法。但以前持反对论的可以说，共同汉藏语的 -s 一方面能把名词变成动词，另一方面也能把动词变成名词，藏语只保存了后者，汉语两者都流传下来了。现在我们用汉语音韵史的内部证据，说明名变动型晚出，是上古汉语早期所没有的，这样就把刚才说的另一种解释排除了。此外上面的论证使汉语的去声跟藏文的 -s 词尾在构词功用方面配合得更密切，使我们更有理由相信上古汉语早期的 -s 遗失后变成去声。

3.2 至于《诗经》时代去声的音值，古音家的看法可以分成两派，李方桂先生认为去声没有 -s 尾音，蒲立本认为 -s 在华南方言一直保留到六朝，[28] 两派标四声的方法也不同：

	平声	上声	去声	入声
李方桂	无号	-x	-h	-p, -t, -k
蒲立本	无号	-ʔ	-s	-p, -t, -k

李先生认为《诗经》时代去声没有 -s 尾音，理由是《诗经》里有合调押韵的现象，假如此时去声仍有带 -s 的复辅音韵尾，《诗经》就会有 -k 跟 -ks、-t 跟 -ts、-ŋ 跟 -ŋs、-m 跟 -ms 之类的押韵，他说"这类的韵似乎不易解释"（《上古音研究》33 页）。下面用李先生的上古音系统标音，他代表去声的 -h，在《诗经》以前可以读成 -s，有时我们也写作 -s；好在我们的断代标准，主要是根据去入的关系是否密切，各时代去声的音值只占次要地位。

下一节动变名型的例证,还包括了一些汉藏比较的资料,用意是帮助我们确定一对汉语里的同源词的年代。这又可以分几方面来说:(1)有些去声字找得着藏文的同源词,去声字既是派生词,那么做它来源的基本词想来在上古汉语早期已经存在了,如此可见这对汉语里的同源词历史悠久,下面引的"岁" * skwjadh,藏文 skyod-pa"越过,时间之逝去"就是这样的例。(2)有些入声字找得着藏文的同源词,如此可知这个语根是承继共同汉藏语的,如"入" * njəp,藏文 nub"沉下去,西边"。以前说过,"内"是《诗经》以前形成的谐声字,这样更多了一层理由说明上古汉语早期已经有了"入内"这对同源词。不过一对去入通转的同源词,如果入声不是 -p 尾,即使入声字找得着藏文的同源词,我们只能说这对汉语里的同源词在去入通转衰退以前就存在了,因此所定的年代不能太准确。(3)难得的是有些动变名型的同源词,去声字跟非去字在藏文里都找得着同源词,去声配藏文的 -s 词尾,非去声配零词尾。这种例子最可贵,但数量不多。㉙

四 动变名型的例子

(1)—(6)是动词入声 -p 尾,名词去声 -b＞-d 尾:

(1) 入人执切　* njəp＞ńźjəp;内奴对切　* nəbh＞* nədh＞* nuədh＞nuâi ‖ 藏文 nub 沉下去,西边"。

(2) 立力入切　* gljəp＞ljəp;位于愧切　* gwjəbh(?)＞* gwjədh＞jwi ‖ 藏文 'klɯab"顿足,践踏"。‖ "入内"、"立位"这两对同源词是大家公认的。

(3) 泣去急切　* khljəp＞khjəp;涙力遂切　* gljəbh＞* ljədh＞* ljuədh＞ljwi ‖ 藏文 khrab-khrab"哭泣者"。"戾"甲骨文作"狝",《三体石经》"戾"古文作"狝"(李孝定《甲骨文字集释》3095

页);"涕"他计切 * khljəbh > * thjəbh > * thjədh > * thidh > thiei,《说文》"涕,目汁也","涕"甲骨文作"眔" * dəp(郭沫若《金文丛考》326—327页,《臣辰盉铭考释》)。"泣涙"俞敏首先提出,加上"戾"甲骨文作"狈"的旁证,大致可以算是证实了。"戾、莀、缕"等董同龢归在脂部(《上古音韵表稿》224页),王力归在"季类"(《汉语史论文集》62—63页),就是一般所谓的微部。从古文字学的观点来看,"戾"等似乎该属微部,"戾"字在《诗经》里跟脂部的字押韵,如《采菽》五章"维葵脆戾",《抑》一章"戾疾",可以看作脂微合韵。"涙"字中古是合口至韵,照李方桂的说法,微部的字在两个舌尖音之间会长出个合口介音 -u- (《上古音研究》46 页), * ljədh > * ljuədh,如果在脂部,合口就比较难解释,上面给"涙"注的上古音是微部。古籍有用"泣"来写"涙"的例,《吕氏春秋·恃君览》"吴起雪泣而应之",又《十一月纪》"吴起抿泣而应之"。

"涙、涕、眔 * dəp"的关系,这里我们可以试用包拟古先生(N. Bodman)的说法,⑩ gl->l-(涙), l->d-(眔), kh-l->th-(涕),而"眔"失落 -s 尾;平行的例:khl-> th-(贪), gl->l-(婪),而"今"是 k-声母,"林"也有跟舌根声母接触的痕迹,如"禁"k-。"泣涕"是缉脂通转,我们猜想 -əps(-əbh)先转为 -ədh,然后再脂微通转,变成 -idh,这大概是方言现象,"执挚"的关系也是缉脂。《经典释文》卷二《周易》萃卦的音义,"自目曰涕",读上声,"自鼻曰洟","洟(涕)"读去声,这可能是经师人为的"读破",可能是一个语词分裂为二。

(4) 执之入切 * tjəp > tśjəp > 挚, 贽脂利切 * tjiəbh > * tjiədh > tśi ‖ 藏文 'thebs "拿住,抓紧"。

《礼记·檀弓下》:"哀公执挚请见之",《释文》"执贽,音志";《周礼·春官·宗伯上》:"以禽作六挚,以等诸臣;孤执皮帛,卿执羔,大夫执鹰,士执雉,庶人执鹜,工商执鸡。"这两个例说明"执"用作动词,"挚"用作名词,意思是所执之物。

(5) 接即葉切　＊tsjap＞tsjəp；际子例切　＊tsjabh＞＊tsjadh＞tsjäi ‖ 藏文 sdeb 现在式，bsdebs 既事式"接连"。《说文》"际，壁会也"，"接"字和"际"字有时候也通用，《礼记·乐记》："射乡食飨，所以正交接也"，《孟子·万章下》："敢问交际何心也"。

(6) 给居立切　＊kjəp＞kjəp；饩许既切　＊hjəbh＞＊hjədh＞xjěi（"饩"字亦作"气"、"既"）。"给"是供给的意思，动词，如《左传》僖公四年"贡之不入，寡君之罪也，敢不共给"。"饩"是供给的食物，名词，如《考工记·玉人》："以致稍饩"，郑注："致稍饩，造宾客纳禀食也，饩或作气"。有时候也写作"既"＊kjədh，《仪礼·聘礼》："日如其饔饩之数"，郑注："古文既为饩"。《说文解字诂林》"给"字下（5823 a 页）引《说文古籀补补》说："古鉢：'芻易料昔给廪之鉢'，给廪当为掌廪谷之官，供给粢盛。"俞敏指出"给廪"就是"饩禀"，《管子·问篇》"问死事之寡，其饩禀何如？"，注："饩，生食；禀，米粟之属"。又作"既禀"，《礼记·中庸》："既禀称事"。

此外还有三个略有问题的例：

（a）吸许及切　＊s-N-kjəp＞＊hjəp＞xjəp；气去既切　＊khjəbh(?)＞＊khjədh＞＊khjěi ‖ 藏文 rŋub-pa "呼吸，内引"（《史语所集刊》47[1976]，605 页）。

"吸气"两字之间语法和意义的关系都跟"泣涙"相同，但缺乏旁证。

（b）盇胡臘切　＊gap＞ɣâp；盖古太切　＊kabh＞＊kadh＞kâi ‖ 藏文，现在式 'gebs，既事式 bkab，"盖"，动词；khebs "盖"，名词。俞敏只是说，"盇，覆也"（《说文》）是动词，"盖"是名词，"盇"经传通作"闔"，但没有举例证明"盖"字在较古的文献里只用作名词。

（c）合候閣切　＊gəp＞ɣâp；会黄外切　＊gwabh＞＊gwadh＞ɣwâi "会"甲骨文、金文作"造"、"佮"（李孝定《甲骨文字集释》0519

页,周法高《金文诂林》890—891页)。

"合会"有同样的问题,《史记·齐太公世家》"寡人兵车之会三,乘车之会六",这里"会"固然是名词,但资料年代颇晚;"合会"二字也有动名分用的例,《周易》乾卦"嘉会足以合礼"。金文"会"作"迨"是大家公认的,《戍角鼎》:"王命宜子迨西才于省",《保卣》"迨王大礼裋于周",《麦尊》"迨王客葊京彰祀",这几个"迨(会)"的用法很难说是名词。在没有把这些问题弄清楚以前;我们不敢正式引这三对例。

(7)—(12)是动词入声 -t 尾,名词去声 -d 尾:

(7) 结古屑切　*kit>kiet;髻古诣切　*kidh>kiei

(8) 锲苦结切　*khiat>khiet;契苦计切　*khiadh>khiei

(9) 列良薛切　*ljat>ljät;例力制切　*ljadh>ljäi

(10) 率(帅)所律切　*srjət>sjuět;帅(率)所类切　*srjədh>swi

(7)、(8)、(9)、(10)周法高跟唐纳都引过了,(10)"率、帅"需要解释一下。李荣先生(《中国语文》1980.1,16页)指出:(甲)"帅、率"两字古籍通用,(乙)《群经音辨》根据词性分去声入声。不论字形,动词是入声,名词是去声:"帅,总也,所律切","总人者曰帅,所类切";"率,……总也,所律切","率,将也,音帅"。(丙)在全国分去声入声的方言里,动词是入声,名词是去声。(丁)切韵系统韵书"帅、率"各有去声所类反(切)入声所律反(切)两读,但有个细微的差别,所类切小韵总是"帅"字当先,所律切小韵都是"率"字当先。从现代方言以及切韵系统的韵书看来,古代口语是分辨这两个语词的,动词是入声,名词是去声。

(11) 越王伐切　*gwjat>jwɐt;歲相锐切　*skwjadh>sjwäi ‖ 藏文 skyod-pa[㉛]

戉 *gwjat:歲 *skwjadh:劌 *kwjadh。甲骨文用"戉(钺)"做假借

字来写,"歲"金文从"步","越"从"走","步"、"走"意义相近,而"歲"、"越"都从"戉"得声,由此可见刘熙《释名》里说的"歲,越也"不但是声训而且是正确的义训。藏文的 skyod-pa 有几种意义,"行走"跟"歲"、"越"的意符相配,"逾越"跟"越"相配,"时间之逝去"跟"歲"相配;藏文没有 -ds 尾音,在藏文写法形成以前 -ds 已经变成 -d 了,那么 skyod 跟"歲"音义俱合,跟"越"也是音义俱合,但是"越" * gwjat 少了个 s-。"歲"是名词,甲骨文一般用作祭名,但也有用作"年歲"之"歲"的,孙海波引:"癸丑卜贞今歲受年弘吉在八月佳王八祀"(《考古社刊》5〔1936〕,48 页)。"越"是动词,《书经》里的"越、粤"往往用在时间词之前,如《召诰》"惟二月既望,越六日乙未"、"越若来三月",《酒诰》"越殷国灭无罹",《经传释词》卷二说,"越,犹及也",这种"越"的用法还保存时间逾越的味道。在音韵方面,两个字的差别是"歲"不但有变成去声的 -s 词尾,还有 s- 词头。

(12) 脱他括切 *thuat > thuât;蜕他外切 *thuadh > thwâi ‖ 藏文 lhod"松懈","宽裕"。

脱,动词。《说文》"蜕,蝉蛇所解皮也。"《庄子·寓言》:"予蜩甲也,蛇蜕也,似之而非也",这是景回答众罔两的话,意思是:"我是蝉的壳,蛇所脱的皮,像原形〔蝉、蛇〕而不是原形。"

(13)—(20)是动词入声 -k 尾,名词去声 -g 尾:

(13) 织之翼切 *tjək > tśjək,织职吏切 *tjəgh > tśi ‖ 藏文 'thag"织",动词;thags"织成品",名词。

(14) 责侧革切 *tsrik > tṣək,债侧责切 *tsrigh > tsai

(15) 畜许竹切 *hjəkw > xjuk,兽许救切 *hjəgwh > xjəu

(16) 宿思六切 *sjəkw > sjuk,宿思宥切 *sjəgwh > sjə̂u 宿,动词入声;星宿,名词去声。

(17) 塞苏则切 *sək > sək,塞先代切 *səgh > sâi 闭塞,动

词；要塞，关塞，名词。

(18) 鬀(髯)他历切 *thik＞thiek；髢特计切 *digh＞diei
鬀，剃发；髢，假发(《中国语文》1978.1,32 页)。

(19) 獲胡麦切 *gwrak＞ɣwak，擭胡化切 *gwragh＞ɣwa
獲，得也；擭，捕兽用的机槛。

(20) 炙之石切 *tjiak＞tśjäk 炙之夜切 *tjiagh＞tśja ‖
藏文 sreg-pa"烧，烤"，šakrag"烤肉"，字面是"肉烤"，参看《史语所集刊》47.4(1976)，601—602 页。

上面所举的例，或者两个同源词写法不同，或者口语也有跟"读破"一样的区别，总是有些理由使我们相信动词读入声，名词读去声不只是读书音里的"读破"，当然我们也不敢说每个例都反映上古口语里原有的区别。"织入织去"本来也只是"读破"，恰好藏文有一对同源词，动词没有 -s 尾，名词有 -s 尾，登时点铁成金，显示"织入织去"是反映共同汉藏语里的区别；下面列的 -k、-g 尾的例，是从唐纳和周法高字表里抄来的，都有点可疑。

(d) 度徒洛切 *dak＞dâk；度徒故切 *dagh＞duo
(e) 缚符钁切 *bjak＞bjwak；缚符卧切 bjuâ
(f) 涤徒历切 *diəkw＞diek；涤徒吊切 *diəgwh＞dieu
(g) 积资昔切 *tsjik＞tsjäk；积子智切 *tsjig＞tsjẽ
(h) 削息约切 *sjakw＞sjak；鞘，鞘仙妙切 *sjagwh＞sjäu

总起来说，我们不敢说(1)—(20)个个都反映上古口语原有的区别，但可以说 -p、-t、-k 三种韵尾，每种去入通转都有四五个可靠的动变名型的例。

从这些例子的内部音韵变化也可以看出来这型的历史悠久，上面已经说过此型中有缉微葉祭之类的通转。此外有些同源词中还有其他方面的音韵差别，比如"入内"、"泣淚"中古开合不同，"立位"、"越歲"上古还有复辅音声母的差别，这种差别反映上古汉语早期有种种词头。一对历史悠久的同源词，最初只有微小的音韵差别，在演变过程中，牵涉到其他后起的音韵变化，于是就化小为大，比如"入内"本来是 *njəp：*nəps，"内"的 -s 词尾，先把 -p 同化为舌尖韵尾 -t，正好"内"是舌尖声母，又是微部，结果就变成了合口（李方桂《上古音研究》35 页），这些音韵差别也是动变名型历史悠久的证据。相反的，下面会看到名变动型的四对例，每对都只是舌根音韵尾的去入通转，显得非常单调，这件事实本身固然不足以证明这型晚出，但也不免使我们疑心。

五　名变动型的例子

再看名变动型，唐纳跟周法高两位总共举了四个去入通转的例，都是 -k、-g 尾的。

（1）嗌伊昔切：喉也　*ʔjik＞ʔjiäk；缢於赐切：绞也　*ʔjigh＞ʔjĕ

《穀梁传》昭十九年："嗌不容粒。"《山海经·北山经》："食之已嗌痛。"《左传》桓十六年："夷姜缢。"又昭元年："缢而弑之。"

（2）肉　*njəkw＞ńźjuk；肉（《礼记·乐记》"肉好"、"廉肉"）*njəgwh＞ńźjĕu

"肉去肉入"两音，唐纳认为读入声的是名词，读去声的是动词，这项"读破"的来源是《经典释文》。《礼记·乐记》："宽裕，肉好，顺成，和动之音作。"《释义》卷十三："肉：而救反，肥也，注同。好；呼报反。"又："使其曲直，繁瘠，廉肉，节奏，足以感动人之善心而已矣。"郑注："繁瘠廉肉，声之鸿杀也。"《释文》卷十三："廉肉：如又反，注同。"周法高给下的案语是："《周礼·考工记·玉人》郑注："好，璧孔也。《尔雅》曰：'肉倍好谓之璧，[好倍肉谓之瑗，肉好若一谓之环]'。"《释文》卷九："肉倍：柔又柔育二反，下

325

同。"《乐记》"肉好"、"廉肉"之"肉"恐系"肉倍好谓之璧"之"肉"又名谓式用法。"(《构词编》59页。)这个例颇有问题。第一，唐纳是把用作谓语的形容词跟动词归成一类，我们不妨暂时接受他的看法。但是看了《乐记》的原文，很难决定那里的"肉"是不是用作广义的动词。第二，如果"肉好"、"廉肉"的"肉"确实是"肉倍好谓之璧"的"肉"，那么"肉倍好"跟"好倍肉"的"肉"是名词，意思是圆形物的边，"好"是其中的孔，而根据《释文》，这个用作名词的"肉"已经有去入两读，如此即使"肉"在《乐记》里转成动词，也不能算是入去通转的例。

(3) 恶，善恶，名词　*ʔak＞ʔak；恶，好恶，动词　*ʔagh＞ʔuo　‖藏文　'ag"坏"。

(4) 乐，喜乐，名词　*ŋlakw＞lak；乐，好也，喜欢，动词　*ŋragwh＞ŋau。

(3)"恶入恶去"、(4)"乐入乐去"都是"读破"的例子。"读破"最早出现于东汉经师的注释，要往上推，似乎只有先秦韵文和汉藏比较两宗资料可用。下面想说明，因为《诗经》以及其他先秦韵文里有合调押韵的现象，用这类资料并不能把这些字的两读推到上古音。

关于"恶"字，陆德明在《释文序录》里说："夫质有精粗，谓之好恶(並如字)，心有爱憎，称为好恶(上呼报反，下乌路反)。"《礼记·大学》："如好好色，如恶恶臭。"《释文》卷十四："如恶恶：上乌路反，下如字。"这就是"恶"字"读破"的出处。跟陆德明同时的颜之推已经认为"恶"、"好"两字的"读破"，"此音见于葛洪徐邈"(《颜氏家训·音辞篇》)。清代的顾炎武更想用韵文来证明先秦两汉"恶"字的读法跟《释文》相反。照他的看法，《楚辞·离骚》"好蔽美而称恶"的"恶"，跟"固"字押韵，"此…美恶之恶，而读去声"；汉刘歆《遂初赋》"为群邪之所恶"的"恶"，跟"落"字押韵，"此…爱恶之恶，而读入声"。(《音论》卷下,"先儒两声各义之说不尽然"条)顾炎武论证的前提是韵脚必须属于同一调类,也就是说,跟"固去声"字押韵的字一定是去声,跟"落入声"押韵的字一定是入声。我们在2.2节看到,去入通押在先秦跟前汉都相当普遍,顾炎武的前提既不能成立,我们就不能同意他的结论。另一方面看,假如"美恶"的"恶"只跟入声字押韵,"好恶"的"恶"只跟去声字押韵,这样也许有人认为可以把《释文》关于这个字的"读破"推到上古音。[32]顾炎武举的例说明《楚辞》跟刘歆的赋并非如此,《诗经》里"善恶"的"恶"也有去入通押的:

《小雅·雨无正》二章:"三事大夫,莫肯夙夜。邦君诸侯,莫肯朝夕。庶曰式臧,覆出为恶。"按:"恶"是"善恶"的"恶"。这里的韵脚是:夜去;夕入;恶入。

《周颂·振鹭》:"在彼无恶,在此无斁(射),庶几夙夜,以永终誉。"这里的"恶"董同龢认为是"善恶"的"恶"(《上古音韵表稿》47页),但是也有异说(江举谦《诗经韵谱》74页);"斁"字训"厌",是入声字,或作"射入"。此章的韵脚是:恶去?入?斁入;夜去;誉去。反正是去入合调。因此我们无法用先秦韵文来证明上古音"恶"字也有去入两读。

再回来看"乐"字,照《经典释文》的说法,这个字用作动词时有去声一读。《论语·雍也》:"知者乐水,仁者乐山。"《释文》卷二四:"乐:音岳,又五孝反,注及下同。""喜乐"、"快乐"的"乐"一向是读入声,《诗经》里有合调押韵的例:

《大雅·韩奕》五章:"蹶父孔武,靡国不到,为韩姞相攸,莫如韩乐。"按"乐"是"喜乐"的"乐",韵脚是:到去;乐入。

《大雅·抑》十一章:"昊天孔昭,我生靡乐。"按"乐"是"喜乐"的"乐"。这章的韵脚是:昭平;乐入;懆上;藐上;教去;虐入;耄去;平上去入合调。

327

以上"喜乐"的"乐入"有两次合调押韵;固然"喜乐"的"乐"也有只跟入声字押韵的例,如《郑风·溱洧》一章:乐入;谑入;藥入。用作动词的"乐"也有只跟去声字押韵的例,如《小雅·南有嘉鱼》一章:罩去;乐去。但既有合调押韵的用例,其他看起来不像合调押韵的例就不能用来证明"乐"用作名词时读入声,用作动词时读去声。况且《释文》给"知者乐水,仁者乐山"做的注也认为这个用作动词的"乐"有去入两读。

总之,上述四个名变动型去入通转的例,除"嗑入缢去"外,似乎都没有出于先秦的证据。所以我们只能立个假设:去声别义中名变动型是晚出的一类,所以上古汉语早期很少,甚至没有去入通转的例。

六　内向动词变外向动词

去声别义除了动变名跟名变动两型以外,另有种种类型,其中还有没有年代悠久的?我们猜想把内向动词变成外向动词,如"买卖"、"學斆",也是极古老的一型,原因是这型可靠的例相当多,而且去声跟其他三声都有通转的例。

应该说明一下,我们所谓的"内向动词"跟"内动词"不同。照一般的用法,"内动词"跟"外动词"是相对的,也有人管他们叫"不及物动词"跟"及物动词"。我们所谓的内向动词和外向动词都是及物动词,内向动词所代表的动作由外向内,如"买",外向动词所代表的动作由内向外,如"卖";周法高管"买卖"这一型的词义转变叫"彼此之间的关系"(《构词编》82页),也无不可。

以下八对例子里非去声是内向动词,去声是外向动词:

(1) 买莫蟹切　＊mrigx＞maï;卖莫懈切　＊mrigh＞maï
(2) 闻亡分切　＊mjən＞mjuən;问亡运切　＊mjənh＞mjuən

金文“闻”作“䎽”，闽语“问”字福州跟昭武阴去，这两个字的声母可能是清鼻音 * hm- ‖ 藏文 mnyan-pa, nyan-pa

(3) 受殖酉切 * djəgwx＞źjǝu；授承咒切 * djəgwh＞źjǝu

(4) 赊式车切 * hrjag(?)＞śja；贳舒制切 * hrjadh＞śjäi ‖ “赊”字鱼部，不知有没有 -g 尾，所以打问号。

(5) 貣(贷)他德切 * thək＞thək；贷他代切 * thəgh＞thâi ‖ 《孟子·滕文公上》：“又称贷而益之”，贷音入声(《群经音辨》四部丛刊续编本卷六10页下)，《左传》昭三：“以家量贷而公量收之”，《释文》卷十八“量贷：他代反”。

(6) 學胡觉切 * grəkw＞ɣåk；斆(學)户教切 * grəgwh＞ɣau ‖《礼记·檀弓下》：“叔仲皮學子柳”，郑注：“學，教也”，《释文》卷十一：“学子柳：學教反，教也，注同”。

(7) 籴徒历切 * diakw＞diek；粜他吊切 * thiagwh＞thieu

(8) 乞去讫切 * khjət＞khjət；乞去既切 * khjədh＞khjei ‖ 《广韵》乞，“与人物也”去既切，“求也，乞取之乞”去讫切。《十驾斋养新录》卷四引孔颖达《春秋正义》云：“乞之与乞，一字也；取则入声，与则去声。”又引《晋书·谢安传》：“安顾谓其甥羊昙曰：‘以墅乞汝。’”周法高引《齐民要术》卷八《作酱法》第七十：“乞人酱时，以新汲水一盏和而与之，令酱不坏。”(《构词编》84页)

至于为什么去声 -s 又能把动词变成名词，又能把内向动词变成外向动词，可能是因为 -s 在共同汉藏语里已经有了两种或两种以上的功用。乌尔芬登先生(Stuart Wolfenden)曾猜想藏文用作动词词尾的 -s 或许跟工具格(instrumental case)的 -s 同出一源，而这个 -s 表达的意义是动力的来源(“source whence”，《藏缅语构词纲要》58页)。藏文格位的各种词尾中 -s 出现在两处：第一，属格词尾 -kji、-gi、-gji、-'i、-ji 没有 -s，工具格词尾 -kjis、-gis、-gjis、-jis 有 -s，也有人管工具格叫主动者的记号；[33] 第二，目的格(accusative)词尾 -na 和方位格(locative)词尾 -la 没有 -s,离格(ablative)词尾 -nas 和 -las 有 -s,也有人管离格叫动力来源的记号。㉞引申乌尔芬登的意思,我们可以设想,共同汉藏语可能是把动力的来源和动作的方向看成一回事,也就是说动作是以动力的来源或主动者为起点,以目的或动作所及的地方为终点,站在主动者或动力来源的观点来看,动作是由内到外,由此到彼。这样也许可以解释为什么 -s 尾出现于藏文的工具格和离格,同时也以去声的身份出现于汉语的外向动词。

照上面的说法,汉语跟藏文的动变名型的 -s 也许跟藏文既事式的 -s 有关,这是第一种 -s;汉语外向动词的去声 -s 也许跟藏文工具格和离格的 -s 有关,最初可能是标动力来源的方向词尾,这是第二种 -s。这两种解释目前都只是臆测,也是将来汉藏语系比较研究的重要课题。

七 结 论

7.1 在总结之前,想说一下本文论点跟上古汉语有词类之说的关系。

本来四声别义是说明上古汉语有词类最好的证据。假如汉语在那个时期没有词类之别,为什么从一个词类转到另一个词类同时会有声调的变化?这种论证高本汉已经用过了(《汉语概论》90—91页),我们认为是很有道理的。但是以前持反对论的可以说,去声别义能把名词变成动词,又能把动词变成名词,也许还有其他种种功用,去声的功用不过是区别基本词和派生词,跟转变词类无关,再进一步就否认上古汉语有由构词法决定的词类(高名凯《汉语语法论》70—74页)。现在我们大致敢说,去声别义最初只能应用在动词身上,其转化结果有时是名词,有时是外向动词,原因大概是 -s 有不同的来源,此外或许另有其他因素在内,如各种词头、元音通转等,有的词头能使浊音声母清化,有的能使清音声母浊化,详细情形还弄不大清楚。就现在的了解,可以说上古汉语早期的动词是后面可以附加 -s 词尾的一种词类,名词是后面不可以加 -s 的词类,这样就从构词法的差别把这两种最基本的词类分开了。

7.2 本文的结论是说,从汉藏比较和汉语音韵史这两种不同的观点,都可以看出去声别义中的动变名型是上古汉语原有的,名变动型是后起的。在汉藏比较方面,我们认为汉语的去声跟藏文的 -s 同源,因为藏文的 -s 词尾只能把动词变成名词,不能把名词变成动词,所以汉语中的动变名型是承继共同汉藏语的一种构词法。在汉语音韵史方面,我们看到动变名型有二十来个去入通转的例,-p、-t、-k 三种韵尾俱全;相反的,名变动型只有四个 -k、-g 通转的例;因为去入关系密切是上古汉语的音韵特征,所以从这方面也可以把动变名型和名变动型划分成两个时代。

至于去声别义的全盘发展,我们认为在上古汉语早期是加 -s,功用主要是把动词变成名词,或许也能把内向动词变成外向动词;-s 尾变成声调以后,还是动变名型活跃的时期,然后扩大范围,由类比作用产生名变动型以及其他类型的词性转化,从东汉开始,历代的经师又发明了一些只限于读书音的"读破",大部分收集在《经典释文》里。

本文只能说明,就目前所掌握的资料来看,名变动型几乎没有能够证明是属于早期上古汉语的例,有也是个别的,到底有没有,还需要继续讨论。关于这一点,尤其希望读者指正。

附录一:

周法高去声别义字表(《构词编》50—87 页)

字表根据词性变化分成八类,各类再根据语音变化分成三型,即:A. 平上声和去声的差别,B.入声和去声的差别,C.清声母和浊声母的差别。下面完全沿用原来先分类再分型的办法。

一、非去声或清声母为名词,去声或浊声母为动词或名谓式

A. 1 王　2 子　3 女　4 妻　5 宾　6 衣　7 冠　8 枕　9 麈　10 冰　11 膏　12 文　13 粉　14 巾　15 種　16 首　17 蹄　18 棺　19 被　20 风　21 尘　22 名　23 间　24 道導　25 弟悌　26 泥　27 帆　28 旁傍　29 环(还)　30 盐　31 耳咡　32 田佃　33 鱼渔　34 家嫁　34a 丧

B. 35 嗌縊　36 乐

C. 37 朝　38 背揹　39 贼藏　40 干扞　41 坰迥　42 子字

二、非去声或清声母为动词,去声或浊声母为名词或名语

A. 1 采　2 数　3 量　4 行　5 将　6 监　7 思　8 操　9 令　10 守(狩)　11 缘　12 封　13 收　14 藏　15 处　16 爨　17 乘　18 卷　19 要　20 传　20a 转傳　21 缄　22 含　23 引(纼)　24 誉　25 缝　26 论　27 闻(问)　28 吹　29 称　30 裁　31 号　32 使　33 陈　34 擔　35 张　36 把　37 秉柄　38 饭(飺)　39 聚　40 坐座　41 弹　42 奉俸　43 经径

B. 44 度　45 帅　46 宿　47 炙　48 塞　49 鐰契　50 执贽　51 结髻　52 涤　53 责债　54 凿　55 削(鞘鞘)　56 畜兽　57 獲穫　58 积　59 織　60 欲慾　61 缚

C. 62 载　63 柱　64 增

三、形容词

1. 去声为他动式

A. 1 劳　2 好　3 善缮　4 远　5 近　6 空　7 齐　8 和　9 调　10 迟　10a 阴荫　10b 昭照　11 高　12 深　13 长　14 廣　15 厚

B. 16 恶

2. 非去声为他动式

A. 17 知　18 盛

B. 18a 易

3. 去声为名词

A. 19 两　20 难　21 齐(剂)

四、方位词

1. 去声为他动式

A. 1 左(佐)　2 右(佑)　3 先　4 后　5 中　6 下

2．非去声为他动式

A．7 上

B．8 纳内

五、动词

1．去声或浊声母为使谓式

A．1 沈 2 来(徕勑) 3 任 4 饮 5 观 6 咯

B．7 足 8 出

C．9 见

2．非去声或清声母为使谓式

A．10 去 11 毁 12 坏 13 败 14 喜 15 语 16 走 17 雨

六、主动被动关系之转变

1．上和下的关系

A．1 养 2 仰

B．3 杀 4 告

2．彼此间的关系

A．5 假 6 遣 7 受授 8 买卖 9 闻(问) 10 奉

B．11 借 12 乞 13 贷 14 學(斅) 15 答对

七、去声或浊声母为既事式

A．1 治 2 过 3 染 4 张(胀)

B．5 解 6 见现 7 系 8 著 9 属 10 折

八、去声为副词或副语

A．1 三 2 更 3 复

附录二：

唐纳去声别义字表

A．基本词是动词，派生词是名词 1 高 2 廣 3 过 4 观 5 廣 6 经径 7 结髻 8 捲卷 9 骑 10 研砚 11 刺 12 登镫 13 张帐 14 度 15 弹 16 涤 17 长 18 传 19 难 20 内纳 21 把 22 秉柄 23 封 24 缚 25 饭(饣) 26 缝 27 磨 28 责债 29 积 30 炙 31 纖 32 执 33 采(採)菜 34 操 35 刺 36 称 37 处 38 吹 39 裁 40 凿 41 藏 42 乘 43 聚 44 坐 45 塞 46 算笇 47 思 48 削 49 深 50 收 51 守 52

333

数　53帅率　54宿　55上　56树　57畜　58含唅(琀)　59号　60厚　61获攉　62画　63行　64欲慾　65缘(沿)　66量　67列例　68论　69染

B. 基本词是名词,派生词是动词　1家嫁　2间　3膏　4棺　5冠　6鱼渔　7中　8種　9道導　10弟悌　11蹄　12田佃　13泥　14女　15賓儐　16冰　17风　18帆　19旁　20名命　21文　22左佐　23子　24枕　25妻　26先　27首　28衣　29麐　30下　31后　32环还擐　33盐　34油　35右佑　36雨　37王　38耳聅　39肉

C. 派生词是使动式(causative)　1观　2乞　3近　4沈　5买卖　6借　7足　8出　9齐　10藉　11識幟　12善繕　13受授　14恶　15饮　16阴廕蔭　17好　18享(饗)　19學斅　20和　21永詠　22远　23来倈勑　24劳　25任

D. 派生词是表效果的(effective)　1禁　2过　3渴愒　4仰　5语　6答对　7听　8分　9奉　10祝　11刺　12将　13取娶　14从　15使　16施　17喜　18行　19回　20遗　21与　22援　23为　24临　25令

E. 派生词具有变狭的意义　1告诰　2轻　3陈　4少　5憶意　6呼　7厌　8衡横　9养　10引　11敛　12如

F. 派生词是被动的或中性的(passive or neuter)　1觉　2击　3知智　4张胀　5治　6动恸　7闻　8射　9散　10伤　11胜　12守　13盛　14离

G. 派生词是副词　1更　2並　3复　4三　5有又

H. 派生词用在复词(compounds)中　1巧　淫巧　2遣　遣车　遣奠　3观　观台　4骑　骑贼　5迎　亲迎　6中　中分　夜中　7濯　濡濯　8执　挚兽　9亲　亲家　10出　出日　11从　从母　从弟　12生　双生　13烧　烧石　14守　守臣　守心　守犬　15畜　畜牧

附 注

①②④　周祖谟:《四声别义释例》,《问学集》,1966,81—119页,原载《辅仁学志》13.1—2(1945)75—112页。

③　赵元任:《语言问题》,北京,商务印书馆,1980,54页(台北,台湾大学,1959,50页)。

⑤ 王力:《汉语史稿》中,1958,213—214 页。

⑥ G. B. Downer, Derivation by Tone Change in Classical Chinese(《古代汉语中的四声别义》), *Bulletin of the School of Oriental and African Studies* 22(1959),258—290;周法高:《中国古代语法·构词编》(1962),5—96 页,以下简称《构词编》。

⑦ 高名凯:《汉语语法论》,科学出版社,1957,65—84 页;陆宗达、俞敏:《现代汉语语法》,1954,32 页; H. Maspero, Préfixes et dérivation en chinois archaïque(《上古汉语里的前加成分和派生法》)*Mem. Soc. Ling. de Paris* 23 (1930), 313—327; Maspero, *La Langue Chinoise*(《汉语》), Conferences de l'Institut de Linguistique de l'Université de Paris(Paris, 1934)。

⑧ B. Karlgren, *The Chinese Language*(1949), 96—97, 周法高《构词编》13—14 页翻译了下面转述的那一段,请参看。

⑨ 俞敏:《论古韵合怗屑没曷五部之通转》,《燕京学报》34(1948),29—48 页。

⑩ 关于去声有 -ps, -ts, -ks 尾音,请看 3.1 节。

⑪ B. Karlgren, Cognate words in the Chinese phonetic series, *Bulletin of the Museum of Far Eastern Antiquities* 28(1956), 1—18。

⑫ A. Conrady, *Eine indochinesische Causativ-Denominativ-Bildung und ihr Zusammenhang mit den Tonaccenten*(《汉藏语系中使动名谓式之构词法以及其与四声之关系》), Leipzig, 1896。

⑬ 这是 Jerry Norman 告诉我的例;闽语"毒"字名动入去两读的还有厦门 tak₂/thau², 将乐 thu₂/thu², 永安 lo₂/heu²。参看 Carstairs Douglas, *Chinese-English Dictionary of the Vernacular or Spoken Language of Amoy*, (《厦门口语汉英词典》)(London, 1899), p. 545 "thau, to poison"; R. S. Maclay and C. C. Baldwin, *An Alphabetic Dictionary of the Chinese Language in the Foochow Dialect*(《福州语词典》)(Foo chow, 1870), p. 924 "t'au, to poison"。

⑭ "濊",《广韵》呼会,乌会,於废,呼括四切。这里用的是呼括切。《诗经·硕人》"施罛濊濊",《释义》"呼活反"(=呼括切)。

⑮ 本文注的上古音依据李方桂:《上古音研究》,北京,商务印书馆,1980;原载《清华学报》新 9 卷(1971)。但喉塞音以[ʔ]代['],以[ŋ]代 ng。标上古声调跟该书不同的地方,在 3.2 节里讨论。

⑯ Ting, Pang-hsin, *Chinese Phonology of the Wei-Chin Period: Recon-*

struction of the Finals as Reflected in Poetry(Taipei, 1975).

⑰⑱ W. South Coblin, Notes on Tibetan Verbal Morphology(《藏文动词形态学札记》), T'oung Pao 62 (1976), 61—62.

⑲ A. Haudricourt, Comment reconstruire le chinois archaïque(《怎样构拟上古汉语》), Word 10(1954), 351—364。关于越语声调的名称,请参看王力,《汉越语研究》,《汉语史论文集》,298 页。

⑳ H. Maspero, Études sur la phonetique historique de la langue annamite(《越语音韵史研究》), Bulletin de l'École Française d'Extrême-Orient 12 (1912), 1—126,特别是 102 页。

㉑ R. A. D., Forrest, Les occlusives finales en chinois archaïque(《上古汉语的塞音韵尾》), Bulletin de la Société de Linguistique de Paris 55(1960), 228—239.

㉒ E. G. Pulleyblank, The consonantal system of Old Chinese(《上古汉语的辅音系统》), Part 2：Asia Major(new series) 9(1963), 233.

㉓ Pulleyblank, Some new hypotheses concerning word families in Chinese(《关于汉语词族的几个新假设》), Journal of Chinese Linguistics 1(1973), 113—114.

㉔ 请参看注㉒㉓引的两篇文章。

㉕ 关于汉语 ts- 和藏文 sd- 的对应,请看：N. Bodman, Tibetan sdud "folds of a garment", the character 卒, and the ＊st-hypothesis(《藏文的 sdud "衣摺",汉语的"卒"与 ＊st-假设》)《史语所集刊》39(1969), 327—345。

㉖ S. Wolfenden, Outlines of Tibeto-Burman Morphology(《藏缅语系构词法纲要》)(1929), p. 58.

㉗ W. Simon, Certain Tibetan suffixes and their combinations(《若干藏文词尾及其组合》), Harvard Journal of Asiatic Studies 5(1941), 388—389.

㉘ Pulleyblank, Some further evidence regarding Old Chinese -s and its time of disappearance(《关于上古汉语 -s 及其失落时间的新证据》), Bulletin of the School of Oriental and African Studies 36.2(1973), 368—373.

㉙ 汉藏比较的例有不少是从龚煌城在 1978 年第 11 届国际汉藏语言学会议上宣读的论文里抄来的。Gong, Hwang-cherng, A comparative study of the Chinese, Tibetan, Burmese vowel system(《汉语、藏语、缅语元音系统的比

较研究》）。

㉚ N. Bodman, Evidence for l and r medials in Old Chinese(《上古汉语有 l 和 r 两个介音的证据》),1979 年第 12 届国际汉藏语言学会议上宣读的论文。

㉛ 我曾经讨论过这个例；Tsu-Lin Mei, Sino-Tibetan "year", "month", "foot", and "vulva",(《汉藏语的"岁"，"月"，"止"，"属"等字》),《清华学报》新 12 卷(1979),117—133 页。

㉜ 高本汉 Tones in Archaic Chinese(《上古汉语的声调》), *Bulletin of the Museum of Far Eastern Antiquities* 32(1960),139 页。他想用《诗经》押韵来证明"度"字用作动词读入声，用作名词读去声。

㉝㉞ R.A. Miller, Studies in spoken Tibetan I: Phonemics(《现代藏语研究,I,音位论》), *Journal of the American Oriental Society* 75.1(1955),46-51.

Chronological Strata in Derivation by Tone-Change

This paper stratifies derivation by tone-change in Classical Chinese (*wenyan*) into two chronological layers. It argues that the nominalizing process which derives nouns from verbs was already present in Early Old Chinese, and that the denominalizing process which derives verbs from nouns was late and due to analogical creation.

The author accepts the view of Wang Li and G. B. Downer which interprets tonal contrasts in cognate words as a system of word-derivation, with words in *pingsheng*, *shangsheng*, and *rusheng* as basic forms, and the corresponding *qusheng* words as derived. But he rejects previous studies on this subject based on the

Jingdian shiwen 经典释文 (583—589 A.D.) because this is a late text and the majority of the multiple tonal readings collected in it had no basis in actual speech. In particular he rejects the earlier conclusion, based on the *JDSW*, that in Old Chinese the *qusheng* derivation was already associated with a wide variety of grammatical shifts—verb to noun, noun to verb, causative formation, passive or neuter formation, etc.

Chinese historical phonology provides the first criterion for stratification. (1) In Old Chinese contact between *qusheng* and *rusheng* was frequent in all three types of final stops, *-p and *-bh, *-t and *-dh, and *-k and *-gh—where the final *-h, in F. K. Li's system used in this paper, stands for *qusheng*. From the 2nd century on such contact became rare and was limited to *-t and *-dh. (2) For the nominalizing process there are many instances of contact between these two tones in all three types of final stops.

*-p/ *-bh: 入 *njəp "to enter"/内 *nəbh "inside", 泣 *khljəp "to weep"/泪 *gljəbh "tear", 立 *gljəp "to ascend (throne)"/位 *gwjəbh "throne"

*-t/ *-dh: 越 *gwjat "to pass"/岁 *skwjadh "year", 列 *ljat "to arrange"/例 *ljadh "rule, usage"; 结 *kit "to knot"/髻 *kidh "hair-knot"

*-k/ *-gh: 责 *tsrik "to demand payment"/债 *tsrigh "debt", 畜 *hjəkw "to rear"/兽 *hjəgwh "animal"

Contact between *-p and *-bh is a characteristic feature of Early

Old Chinese, the period slightly earlier than the rime system of the *Book of Odes*. (3) For the denominalizing process, only four pairs exemplifying alternation between *qusheng* and *rusheng* were mentioned in previous studies by Downer and Zhou Fagao. All four involve alternation between *-k and *-gh. This suggests that the denominalizing process could not have been active before the 4th century B.C., when *qusheng* and *rusheng* began to lose their earlier phonetic affinity.

The second criterion is based upon Sino-Tibetan comparative studies. (1) *Qusheng* comes from an earlier *-s and is cognate to Written Tibetan -s. (2) In Written Tibetan, the addition of the *-s suffix can convert verbs into nouns, but not nouns into verbs. The implication is that the nominalizing function of the *qusheng* derivation was inherited from Proto-Sino-Tibetan, but not the denominalizing process.

According to this paper, the derivation of exodirectional verbs from endodirectional verbs, such as 买 * mrigx "to buy"/卖 * mrigh "to sell" and 學 * grəkw "to learn"/敎 * grəgwh "to teach", also belongs to the earlier stratum. The author further claims that the results achieved provide a morphological criterion for distinguishing nouns from verbs in Early Old Chinese.

说 上 声[*]

李方桂先生(1980)有篇文章讲声母和声调之间的关系,里面提到汉语声调史里两个不大好解释的现象:(1)官话方言里,次浊在古平声跟着浊音声母走,在古上声却跟清音声母走。例如全浊和次浊的平声变成阳平,全清和次清的平声变成阴平;但全浊的上声变成去声,次浊的上声不变。(2)邵雍的《皇极经世书》把次浊分为两类,上声的归入清类,其他三声归入浊类。

十多年前我写过一篇讨论上声来源和唐代四声调值的文章(Mei Tsu-lin 1970),其中一项结论认为唐代上声是高平短调,对於上声的调型我没有太大的把握,但对上声高调之说,一直深信无疑。[①]最近读李先生的文章,想到唐代上声高调和邵雍书里的现象有关,和《中原音韵》所常说的"上声起音"或许也有关。现在把一些初步的看法写下来,给太老师祝寿。

1. 有两种资料可以说明唐代八、九世纪上声是高调。元刻本《玉篇》神洪引唐《元和韵谱》(806—827):

平声者哀而安,上声者厉而举,去声者清而远,入声者直而促。

另一种是安然作于 880 年的《悉昙藏》(《大正新修大藏经》,卷八四,414):

我日本国元传二音,表则平声直低,有轻有重,上声直昂,有轻无重,

---

[*] 本文原载《清华学报》新十四卷一、二期合刊,1982 年 12 月。

去声稍引,无轻无重,入声径止,无内无外。平中怒声与重无别,上中重音与去不分。金则声势低昂与表不殊,但以上声之重稍似相合平声轻重,始重终轻,呼之为异,唇舌之间亦有差升(下略)。

"平声直低……上声直昂"是说平声低调,上声高调。[②]文中又说"上声直昂,有轻无重。……上中重音与去不分",这是指浊上变去。从这项音变可以推断上声和去声的相对调值:清上的调值比浊上高,浊上和去声调值相似,所以这两个声调合并;现在上声中全浊的这一部分并给去声,剩下来的清上比去声调值高。上面已经看到平声是低调,所以上声是平、上、去三声中调值最高的。

再谈浊上变去。显示这音变的资料有慧琳《一切经音义》(788—810),白居易《琵琶行》(815),韩愈在元和(806—821)中作的《讳辩》,这都是前人提过的(周法高1968:167;王力1957:21 和191;周祖谟1966:495—496)。由此可知:(1)浊上变去至晚在八世纪末已经发生。(2)长安音是浊上变去的方言之一;慧琳是疏勒国人,工作地点在长安大兴善寺(周法高1968:159),最足以证明这项结论;白居易和韩愈籍贯不同,但长安话既是唐代的标准语,我们猜想他们诗文里反映的也是长安音。

现代官话方言浊上变去不包括次浊,官话的祖语在唐代也是这样。周法高(1968:165—167)从慧琳《一切经音义》里引了四五十个浊上变去的例证,有些《广韵》的全浊上声字慧琳反切下字兼用上声和去声;有些全浊去声字,慧琳反切下字用上声;有些全浊上声字,慧琳在反切下面加"去声"。四五十个例子都是全浊上声,没有一个是次浊上声。上面引的白居易、韩愈的作品也是这样,但牵涉到的例子较少。

《元和韵谱》和上面引的安然《悉昙藏》这两项资料所描写的调值是浊上变去以后的声调系统,那时上声字只有次浊声母和清音声母,上声是高调。下面就要用次浊上声是高调这项结论来解释邵雍书里的现象。

2. 据《宋史》(卷四二七)的记载,邵雍(1011—1077)祖籍范阳,三十岁搬到河南,以后一直在洛阳讲学,周祖谟(1966:582)指出邵雍代表北宋的洛阳话,是很有道理的。

他的《皇极经世书》附有"正音图解",周祖谟(1966:585)说,"盖宋蔡季通辈所为由博反约者也"。一共十二音,例如:

六音	清:东丹帝	七音	清:乃奶女
	浊:兑大弟		浊:内南年
	清:土贪天		清:老冷吕
	浊:同覃田		浊:鹿荦离

六音是舌尖塞音声母端、透、定,等韵图里的全浊依照平仄的差别重新分配,仄声的全浊配全清,平声的全浊配次清。七音是次浊中的来母和泥母,上声算作清类,平去入算作浊类。其他牵涉到次浊的图表也是按照这个规律分配。周祖谟(1966:586—590)和李荣(1956:166—168)书上都有全部十二音的图表,这里不再重抄。

我们认为北宋洛阳话的上声调值最高,所以会出现这种现象。"清"、"浊"这两个名词往往有两个意思,一个是辅音声母在发音时声带是不是在颤动,也就是韵图上所说的"全浊"、"次浊"、"全清"、"次清"。一个是由声母清浊之别所形成的阴调和阳调;现在还保留清浊声母之别的方言里,阴调总是比阳调高。在邵雍时代,浊音声母还没有清化,这两对差别总是同时出现,不容易分辨,因此邵雍就把高调的次浊上声和清音声母归成一类,把非高调的次浊平、去、入三声和浊音声母归成一类。

前人对邵雍书里的现象的看法如次。周祖谟(1966:593)说:

> 若乃明母之分为清浊两类,正与疑母相似。其清声均为上声字,浊声则兼括平去入三声,浊声古读,固无疑义,而清声之音,盖浊音成分较少,或因声调之关系,读如西北音之 mb。今日之河南音,"母"、"马"、

"美"、"米"仍与明母无异。

李荣(1956:171)说：

> 在邵康节的时候,鼻音字、边音字的读法一定依上声或非上声而有所不同。吴语黄岩、温岭的鼻音字、边音字平、去、入三声字带浊流,上声字声门紧闭,不带浊流,可以引为旁证。

陆志韦(1946:79)说：

> 图里好像作为阴调的字,"五瓦仰,母马美米,乃奶女,老冷吕,耳"全都是上声字,……相配的所谓阳调字没有一个是上声字。邵氏的辨音又未必正确,他的方言的上声应当是升调。他好像把整个字的声调的上升跟辅音的阴阳弄糊涂了。

陆先生和我们的看法最相近,但他认为上声是升调,我们认为上声的高调的征性是解释这现象的关键。

李荣认为邵雍把上声的次浊字归入清类,是因为上声的次浊字声门紧闭,跟现代吴语的黄岩、温岭方言一样。李氏的意见可以有两种解释：第一种认为黄岩、温岭的上声调值特别高,造成"上声字声门紧闭,不带浊流"的现象。第二种认为黄岩、温岭上声字韵尾带着喉塞音,以致上声字声门紧闭。用第一种解释来看邵雍,跟我们的看法相同,无需辩正,下面只是针对第二种解释。

以前为了证明早期上古汉语的上声有喉塞尾音 -ʔ,我所引征的一条证据是：吴语的温州、闽语的浦城和建阳、海南岛的定安,这几个方言上声字还保存喉塞尾音,同时我也说,中古上声的短高调,是上古上声喉塞尾音失落后遗留下的痕迹(Mei 1970:88—89)。温岭、黄岩和温州相距不远,可能有人因此认为是同一类现象。但这种方言现象只能帮助我们推测早期上古汉语上声的性质,不能和十一世纪邵雍的洛阳话相提并论。要如此论证,似乎必需假设上古或中古上声的喉塞尾音,保存于温岭等方言,也保存于十一世纪的洛阳话,这假设的后一半还有商榷余地。

蒲立本(Pulleyblank 1978)差不多就是这样看法。他认为上古音上声有喉塞尾音,中古音一直到晚唐上声还保存这特征。

假如蒲氏的假设可以成立,那么从上古到唐末,汉语一直至少有四种辅音韵尾:入声的 -p、-t、-k 以及上声的 -ʔ。喉塞尾音 -ʔ 和音根塞尾音 -k 音值相近,在韵文中应该有互相押韵的现象。

实际上,入声 -k 尾字和上声字是否押韵呢?两汉的韵文罗常培、周祖谟研究过(罗、周 1958),魏晋的韵文丁邦新研究过(Ting 1975),我们去查这两部书,根本找不着上入协韵的现象,丁书魏晋平上去入相押表(229 页)如下:

	平声	上声	去声	入声
平声		15	16	
上声			30	
去声				86

此外两汉和魏晋的韵文中,各别韵部有去入相押(罗、周 1958:80—104; Ting 见上),各别方言偶而也有 -p、-t、-k 韵尾混合相押的现象(罗、周 1958:62—64; Ting 1975:224),在这种情形下,上声字不和入声 -k 尾字相押,是北方方言里上声在汉代以后没有喉塞尾音的有力的证据。个别在东南沿海地带的方言另当别论。

因此我们认为,喉塞尾音早期上古的上声很可能有,中古的上声几乎一定没有。至于邵雍书里的现象,单从理论的观点来看,用上声声门紧闭的假设可以解释,上声高调也可以解释,前一种解释的前提不能成立,所以我们采取后者。

邵雍(1011—1077)离安然《悉昙藏》(880)的时代不远。长安和洛阳是唐代的东西两京,长安缺粮的时候,整个朝廷搬到洛阳去就食(陈寅恪 1971:97),平时也是车轨交错,来往频繁,这两处的语音不会相差太远。此外我们知道至晚到九世纪末,李涪写成刊误《切韵》条的时候(895),洛阳话也发生了浊上变去这个音变。这样看来,十一世纪洛阳的次浊上声高调是承继九世纪长安话的上声高调。

3. 洛阳是北宋的文化中心,汴京(开封)是首都,两地相距不远,周祖谟(1966:582)已经证明了邵雍时代这两个方言韵类相同,他又说:"即是而推,则邵氏之书不仅为洛邑之方音,亦即当时中州之恒言矣。"宋代似乎没有其他关于调值的资料,再往下推,就到了《中原音韵》(1324)的时代。

关于《中原音韵》的声调系统,杨联陞(1969)指出三点:(1)《中原音韵》阳平的调值比阴平高,周德清在这书的"后序"和"正语作词起例"里屡次指出,唱高腔时该用阳平,不可用阴平。(2)《中原音韵》常说"上声起音",可见上声是高调。[③](3)河北南部、山东西部、河南东部、安徽淮北一带有不少方言阳平比阴平高,而且上声是高调,下面几个例子是按照杨先生所举的书目补充的:[④]

	阴平	阳平	上声	去声
郑州	13	42	54	31
济南	213	42	55	21
石家庄	23	53	55	31
徐州	313	53	35	51

《中原音韵》的音系基础一直有大都(北平)和中州(河南一带)两说,杨先生认为,根据调值的标准,《中原音韵》的方言基础是中州,我们完全同意他的看法。为行文方便,下面管冀南、鲁西、豫东、淮北那一带叫"中原"。

杨先生的文章使我们看到调值系统的保守性,《中原音韵》离现在有六百多年,中原方言依然保持旧有调值系统的轮廓。郑锦全(Cheng 1973:103)从另一个角度着手,也得到类似的结论。他收集了目前所能看到的方言调值资料,一共737处,其中347处是北方官话，202处是西南官话，然后分别统计四声中每一声的平均调值，结果是：

　　　平声：2.53　　　上声：3.25　　　去声：2.91　　　入声：3.03

平声平均调值最低，上声最高，跟安然《悉昙藏》所说的一样。看来唐代官话的祖语的调值系统，现代官话方言大致还能保存。

回到正题，再看西安、洛阳、开封的现代调值。⑤

	阴平	阳平	上声	去声
西安	21	24	53	45
洛阳	44	42	45	312
开封	24	54	55	31

三处上声都是高调，而且洛阳和开封上声调值最高。

现在沿着陇海铁路，从西往东，看看一路城镇的调值。

	阴	阳	上	去		阴	阳	上	去
西安	21	24	453	45	洛阳	44	42	45	312
临潼	31	15	353	45	郑州	13	42	54	31
渭南	453	15	353	45	开封	24	54	55	31
潼关	42	25	451	45	民权	34	43	55	21
灵宝	21	314	55	434	徐州	313	43	55	51
渑池	24	31	55	312					

从西安到洛阳，上面的资料有两个来源，在陕西境内，从西安到潼关，是白涤洲的遗著《关中方音调查报告》，这原来是浪波计上所表现的曲线，再改成声调字母，这项资料记声调的方法特殊，我们不敢用来作任何结论。灵宝和渑池是根据《方言与普通话集刊》第6本109页，和上列其他河南方言的来源相同。

很显明的，从西安到徐州，一路都有上声高调的方言，一到开封和洛阳，已经到了宋代中州地区的中心。这样看来，邵雍十一世纪洛阳话的上声高调和《中原音韵》(1324)的"上声起音"是一个来源。

4. 本文的结论是：

(1) 根据文献资料，可知上声高调最晚出现于九世纪的长安话，十一世纪的洛阳话和开封话，十四世纪的中原方言。

(2) 这些方言的上声现在还是高调。

(3) 所以上声高调在这些方言里至少有六百年的历史；西安话保持了一千多年，洛阳话至少保持了九百年。

这个结论和目前流行的看法不同。不少做过汉语方言调查的都说，从一个村子到另一个村子，调值就变得很厉害，把空间折成时间，在历史上调值想来也经过剧烈的变化，再进一步就说，拟构早期调值简直不可能。

上声高调是个显明的反面证据。中原地区上声高调的方言要找四五十处不成问题，⑥本文限于篇幅，只引了陇海路沿线的几处以及四个有代表性的中原方言，根据这些资料，用比较拟构的方法，上声早期的调值当然是高调，要知道所拟构的高调的年代，只好参考历史文献，结论和上面所说的相同。

为什么上面所讨论的方言调值特别保守？我们想到两个原因。(1)这些都是官话方言，浊上变去，平分阴阳，去声不分阴阳，从安然的《悉昙藏》看来，这些方言的调类型态在八、九世纪已经形成。(2)长安、洛阳、开封是唐宋时代的首都，又是文化中心。首都的方言是全国的标准语，影响力极大，四周的方言都向他看齐，变得一致。等到政治文化中心转移到他处，洛阳、开封丧失旧有地位的时候，以前受过影响的邻近方言调值还相当一致，互相支持，所以这一带的方言能长久维持旧有的调值。从北平到沈阳一路四声调值都和北平话差不多，⑦是现代方言的一个例子。

这里该指出，就声调史来看，北平的调值在官话方言中自成一系。北平是金元时代新兴的都市，现代北平话阴平比阳平高，上声低调,最早描写北平话调值的文献是十六世纪《老乞大朴通事谚解》里的"凡例"(Mei 1977),那时北平话已经是阴平比阳平高,上声低调。据此推论,北平话的调值系统恐怕在《中原音韵》时代已经和中原方言分了家。而且北平居北,唐宋时代洛阳、开封过来的调值影响鞭长莫及,北平变成首都以后,调值影响也还没达到洛阳、开封地区。

探讨调值系统的演变规律,我们还在学着爬的阶段,稍微难一点的问题就束手无策。洛阳、开封等方言的声调史是最好的练习题;这些方言调类简单,调值保守性强,文献资料又多,等到我们对几处的早期调值系统有了更清楚的认识,或许可以更进一步去推测这些地方以及邻近地区各个方言调值演变的规律。[8]

附 注

① 丁邦新(1975:10—12)认为唐代的上声是高升调,和我们的看法相近。Pulleyblank(1978)也讨论过唐代四声的调值,请参看。

② 我以前(Mei 1970:101—104)讨论过上引《悉昙藏》文句的意义,这里不再重复。

③ 王力(1962:787(54.1节)也说:"照我们的猜想,在元代的北方口语里,阴平是一个中平调,阳平是个中升调,上声是一个高平调,(《中原音韵》常说"上声起音","起音"就是转高音。)去声是个低降调。"《中原音韵》用"上声起音"这个语词,是在讨论某个曲牌某句某字应该用哪个声调的字。例如《中国古典戏曲论著集成》版第一集244页《满庭芳》:"…谁感慨兰亭古纸?自吟桃扇新词…",这是别人作的曲,引来作为模范,下面周德清按的评语说:"妙在'纸'字上声起音。""上声起音"又见于《醉高歌》(245页)、《骂玉郎》(245页)、《折桂令》(252页)等条下。

④ 郑州:《方言与普通话集刊》第六本(1959),109页;济南:《汉语方言词汇》(北京,1964),4页;石家庄:《河北方言概况》(天津,1961),64页;徐州:《江苏省和上海市方言概况》(南京,1960),2页。

⑤ 西安:《汉语方言词汇》,5页(这里引的西安调值和下一段引的略为

不同,因为资料来源不同)。洛阳和开封:《方言与普通话集刊》第六本,109页。

⑥ 《方言与普通话集刊》第六本,109页(《河南各地方音与北京语音调值比较表》);《河北方言概况》,64—67页;《方言与普通话集刊》第二本(1958)30—32页(《鲁西南声调与北京话声调的对应情况》);《方言与普通话集刊》第七本(1959),42—50页(《淮北方音》)。

⑦ 《河北方言概况》,64—67页;《方言与普通话集刊》第七本,14—18页("辽宁(九个地区)与北京声调对应关系")。

⑧ 本文初稿承郑锦全、桥本万太郎、丁邦新提出修改意见,谨志谢忱。

参考文献

中文以威妥玛拼音、英文字母为序:

安然　880:《悉昙藏》,《大正新修大藏经》,卷八四。

陈寅恪　1971:《隋唐制度渊源略论稿》,《陈寅恪先生论集》(台北:中央研究院史语所1971),此书原刊于1944年。

Cheng, Chin-ch'uan. 1973: A quantitative study of Chinese tones, *Journal of Chinese Linguistics* 1.1(1973).93—110.

《江苏省和上海市方言概况》(南京,1960)。

周法高　1968:《玄应反切考》,《中国语言学论文集》(香港,1968),153—179。原载于《史语所集刊》20(1948),359—444。

周祖谟　1966:《问学集》(北京,1966),《关于唐代方言中四声读法的一些资料》494—500;《宋代汴洛语音考》581—655。

周德清　1324:《中原音韵》,《中国古典戏曲论著集成》第一集(北京,1959)。

《方言与普通话集刊》第二本、第六本、第七本(北京,1958—1959)。

《汉语方言词汇》(北京,1964)。

《河北方言概要》(天津,1961)。

Li, Fang-kuei. 1980: Laryngeal features and tone development,《史语所集刊》51.1(1980),1—13。

李　荣　1956:《切韵音系》(北京,1956新一版)。

罗常培、周祖谟　1958:《汉魏晋南北朝韵部演变研究》(第一分册)(北京,1958)。

陆志韦 1946:《记邵雍〈皇极经世〉的"天声地音"》,《燕京学报》31 (1946),71—80。

Mei, Tsu-Lin 1970: Tones and prosody in Middle Chinese and the origin of the Rising Tone, *HJAS* 30(1970).86.110.黄宣范译作《中古汉语的声调和上声的起源》,《幼狮月刊》40.6(1974),69—76;又载于幼狮月刊社编《中国语言学论集》(台北,1977)175—197。

—— 1977: Tones and tone sandhi in 16th century Mandarin, *Journal of Chinese Linguistics* 5.2(1977).237—260.

白涤洲 1954:《关中方音调查报告》(北京,1954)。

Pulleyblank, E. G. 1978: The nature of the Middle Chinese tones and their development to Early Mandarin, *Journal of Chinese Linguistics* 6.2 (1978).173—203.

邵 雍 《皇极经世》,参看李荣1956和周祖谟1966。

丁邦新 1975:《平仄新考》,《史语所集刊》47.1(1975),1—15。

Ting, Pang-hsin 1975: *Chinese Phonology of the Wei-Chin Period* (Taipei, 1975).

王 力 1962:《汉语诗律学》(北京,1962新一版)。

杨联陞 1969:《中国语文劄记》,《史语所集刊》(庆祝李方桂先生六十五岁论文集),39.1(1969),205—215。

On the Rising Tone

The author argues that the Rising Tone was a high tone in the dialect of 9th century Ch'ang-an, 11th century Lo-yang, and 14th century Chung-yüan ("Central Plain") area because (1) Annen's *Hsi-t'ang tsang* (880) says that in the Ch'ang-an dialect "the Level Tone is level and low, ... and the Rising Tone is level and high",

(2) Shao Yung's (1011—1077) *Huang-chi ching-shih* marks sonorant initials in the Rising Tone as "clear", and those in the other three tones as "muddy", and (3) Chou Te-ch'ing's *Chung-yüan yin-yün* (1324) often uses the phrase "shift to a high pitch with the Rising Tone" (*"shang-sheng ch'i yin"*).

The Rising Tone is still a high tone in present-day Ch'ang-an, Lo-yang, K'ai-feng as well as in many localities in the "Central Plain" area—an area encompassing southern Hopei, northern Honan, western Shantung, and Anhwei north of the Huai River.

The remarkable persistence of the tonal value of the Rising Tone at these localities, according to the author, is due to the fact that Ch'ang-an, Lo-yang, and K'ai-feng were the capitals of the T'ang and the Sung, and that the prestige dialect of the capital spread to the neighboring towns, thus forming a mutually supporting network of conservative dialects. The fact that their tonal systems all inherited the same splits and mergers from the 9th century Proto-Mandarin tonal system is thought to be a contributing factor.

内部拟构汉语三例[*]

提要 本文举例说明内部拟构的功用。第一节用"叽里咕噜"、"希里呼噜"这类的四音状词来说明北京话里的"希"、"叽"在颚化以前是舌根音声母。第二节用"林/森"、"墨/黑"这类的同源词来说明像"黑"字这种和中古明母互谐的晓母,上古是 $*$ sm-。第三节用"见/现"、"繫(ji)/繫(xi)"、"折(zhe)/折(she)"、"败音拜/败薄迈切"这类清浊别义的同源词来说明"现胡甸切"、"繫胡许切"的中古匣母,上古是个浊塞音 $*$ g-。

零

内部拟构是欧美历史语言学家常用的手法之一,另外还有比较拟构、方言地理学、语言年代学、语文学(philology)等等。治汉语的却不怎么常用内部拟构。本文打算举三个例子来说明这种方法也能用来研究汉语音韵史。第一个例是关于北京话里舌根音的颚化,其他两例取自上古音,也是目前还有争论的两个问题。现在先说明"内部拟构"的定义。

霍凯特《现代语言学教程》(下)176—177 页说:[①]

> 内部构拟的方法应用于某种语言在它某个发展阶段上的描写资料($§38,1$),比方说,现代英语,或古典拉丁语,或当代乔克托语的描写资料。它的基本假设是:语言历史中的某些事件会在该语言的构造中留下可辨识的痕迹,找到这些痕迹就能推断出过去造成痕迹的变故。

---

[*] 本文原载《中国语文》1988 年第 3 期。

在这方面,历时变化的有一类现象非常重要。我们在§54,2中看到,语音演变引起的音系改组会造成形态音位交替(morpho-phonemic alternation)的不规则性,反之,一种语言在某一阶段上的许多不规则的形态音位交替也反映了过去的规则性遭到了音系改组的破坏。因此,仔细考察一种语言的形态音位的不规则性和这种语言的音系的分布状况,就应该能对过去的历史作出合理的推断。

霍凯特先生紧接着举了两个例,下面转引现代德语的例(179—180页):

> 德语有六个塞辅音/p t k b d g/;这些辅音在开头和中间都出现,但在音渡前面的位置只能听到/p t k/。以一个塞音收尾的名词和形容词词干,加上屈折词尾时,表现出两种不同的变化模式:
>
> 第一种模式:/tý·p/"类型":/tý·pen/,
> /tó·t/"死的":/tó·te/,
> /dék/"甲板":/déke/;
>
> 第二种模式:/táwp/"聋的":/táwben/,
> /tó·t/"死亡":/tó·de/,
> /tá·k/"白天":/tá·ges/。
>
> 这种现象在描写上可以用一种很简单的方式说明。我们给收塞音的词干按它们在元音词尾前表现出来的样子设立基本形式,例如:/tý·p-/、/tó·t-/、/dék-/、/táwb-/、/tó·d-/、/tá·g-/。如果后面没有词尾,我们就根据浊塞音不能出现在词末这条音位限制来说明词干末尾的/b d g/何以被/p t k/所代替。
>
> 这种情况再一次立即提示了一种历史的解释:在较早的德语中,塞音/b d g/可以出现在词的末尾;语音演变使得收尾的浊塞音与相应的清塞音合流了。

下面再转引雷曼《历史语言学导论》(Winfred P. Lehmann, *Historical Linguistics: an Introduction*) 99—100页的例子:

> 梵文和希腊文的既事式一般是重叠词干的第一个辅音(或复辅音),再加个元音,例如:梵文 da-dau, 希腊文 dé-dō-ka(比较拉丁文 de-di)是现

353

在式 dō "给"的既事式。

但是梵文和希腊文,把词干的送气辅音重叠以后,由重叠而产生的辅音则不再送气,例如:

> 梵文 ba-bhū-va "他变成了",希腊文 pé-phū-ka 是 phúō "发展"的既事式。
>
> 既然希腊文的 p 是个不送气的清塞音,而梵文的 b 是个不送气浊塞音,我们假设失落送气这个演变分别在梵文、希腊文里发生。按照重叠构词的模式,我们可以分别用梵文、希腊文本身的信息来拟构:梵文 * bha-bhū-va,希腊文 * phé-phū-ka。就像 da-dau、dé-dō-ka 所显示的模式这种完全不顾其他外在语言的方法,就叫"内部拟构"。

上面转引的两个例子说明,内部拟构要用在形态丰富的语言上才能显得出它的功用。过去治汉语的不怎么用这个方法,也许是因为汉语的形态比较贫乏,也可能是因为没有去注意汉语里形态音位交替的规则性和不规则性。本文讨论内部拟构在汉语研究里的运用,同时也会牵涉到汉语史中的音变构词法。

另外有一点需要说明,内部拟构在资料方面设了两个限制。第一,只限于一种语言,不牵涉到其他亲属语言。第二,在这个语言也只是限于某个阶段的共时资料,这个阶段可古可今,但是不能用两个或两个以上阶段的资料作为推论的出发点。有的学者似乎忽略了第二个限制,岑麒祥先生(1984:12—13)对于"内部重建法"的解释就是一例:

> ……一种语言哪怕完全没有亲属语言和它比较,也可以利用内部准则,即"内部重建法"(internal reconstruction)来确定它的发展。……
>
> 马尔姆贝格(Bertil Malmberg)曾举出一个瑞典语的例子来证明。他说,比方"给"这个词,瑞典语叫做 giva, g 念[j],而"礼物"叫做 gav,其中的 g 却念[g]。可见在瑞典语里,同一个[g]音,在 i 之前变成了[j],而在 a 之前却没有变。[j]显然是由[g]派生出来的。这样的例子在各种语言里可以举出许多来。例如汉语的"干"古读"古寒切",属"见"母"寒"韵

字,"艰"古读"古闲切",属"见"母"山"韵字,声母是相同的,都属"见"[k]母;可是"干"的声母"古"因与开口一等的"寒"韵相配,现在仍念[k],而"艰"的同一个声母因与开口二等的"山"韵相配,现在却变成了[tɕ],我们不需要和汉语的亲属语言或方言对比也可以断定现代汉语"艰"字的声母[tɕ]是由古代汉语的[k]变来的。这些都是可以利用"内部重建法"得来的事实。

岑先生说明,"干"、"艰"这两个字,中古都是见母,现在一个不颚化,一个颚化。资料是可靠的,结论也是对的。但这不是一般所谓"内部拟构"或"内部重建法"的例。理由很简单,要知道"干"、"艰"的中古反切和古读声母,非得要查韵书不可,这就超过了霍凯特先生所说的"某种语言在它某个发展阶段上的描写资料"的范围。至于为什么不举其他更合适的例呢?也许是一时手头无例。本文第一个例正好是讲北方官话舌根音声母的颚化,也算是岑文的一个补注。

壹

四音状词是普通话常用的拟声法,例如:[2]

劈里叭拉 pī·li pā lā　　乒拎乓啷 pīng·ling pāng lāng
劈里铺噜 pī·li pū lū　　叮拎当啷 dīng·ling dāng lāng
踢里塌拉 tī·li tā lā　　踢里秃噜 tī·li tū lū

这些例的规律是:(甲)第一、三字双声,第二、四字双声。(乙)第二、四字声母是 l-。(丙)第一、二字叠韵,第三、四字叠韵。(丁)第一、三、四字阴平声,第二字轻声。

上面没举含有舌根音声母的例,因为一碰上这种四音状词,声母就出现另一种配搭关系:

希里哗拉 xī·li huā lā [ɕi li xua la]　希里呼噜 xī·li hū lu [ɕi li xu lu]
叽里瓜拉 jī·li guā lā [tɕi li kua la]　叽里咕噜 jī·li gū lū [tɕi li ku lu]

355

这些例合乎(乙)、(丙)、(丁)这三条规律——虽然"哗、瓜"是合口，"拉"是开口。这里有个值得注意的不规律现象：第一、三字不是双声。

按照内部拟构的原则，可以推断 ɕi＜xi, tɕi＜ki；在这些四音状词最初形成时，第三字如果是舌根音声母，第一字也是这个舌根音声母；第一、三字双声。

这个结论可以用文献资料来证实。北方官话见晓系字在前高元音 i、y 之前颚化，这个演变一般认为在十六七世纪完成[③]——当然在不同的北方官话方言中，完成时期或早或晚。比方说，《老乞大谚解》、《朴通事谚解》里的一种朝鲜注音是中宗朝(1506—1544)崔世珍所作，这时后面带前高元音的舌根音声母还没有颚化（胡明扬 1963：190）：

 [ki] 饥机基箕鸡己几麂技妓寄既季纪记繫忌急吉戟击及极
 [khi] 欺稽奇骑其棋旗麒岂起启气弃器契乞
 [xi] 稀浠携喜戏系

此外元曲中隔字双声的四音状词用例相当多，其中也有舌根音声母隔字双声的，例如：

〔油葫芦〕便以画俺在潇湘水墨图。淋得俺湿漉漉，显那吉彪古堆波浪渣成渠。吸留忽刺水流乞留屈吕路，失留疏刺风摆奚留急了树，乞纽忽喉泥，匹彪扑答淤。急张拘住慢行早尺留出吕去，我子索滴留滴列整身躯。(孟汉卿《魔合罗》第一折；徐沁君 1980：414)

〔叨叨令〕我这里稳丕丕土坑上迷彪没腾的坐，那婆婆将粗刺刺陈米喜收希和的播，那蹇驴儿柳阴下舒着足乞留恶滥的卧，那汉子去脖项上婆婆没索的摸。(马致远《黄粱梦》第四折；《元曲选》，792)

〔货郎儿〕……我则待改乞留曲吕蚰蜒道，退稀溜合刺虼蜽皮。(朱有燉《悟真如》第二折；《奢摩他室曲丛》第二集，7)

朱有燉(明周宪王)的戏曲和孟汉卿《魔合罗》有十四五世纪的

刻本,④上引的例子出自以原刻本为蓝本的版本。十四五世纪,后面带着前高元音 i 的舌根音声母还没有颚化,例如上引的几个四音状词那时的声母是：

  [x- l- x- l-]： 吸留忽剌,稀溜合剌
  [kh- l- kh- l-]： 乞留屈吕,乞留曲吕
  [k- t- k- t-]： 吉彪古堆

这些例隔字双声,第一、三字是舌根音声母。文献上所见的例子完全支持用内部拟构得到的结论。

贰

上一节的结论——中古的 ki、khi、xi 变成普通话的 tɕi、tɕhi、ɕi——是以前已经知道的事实。我们只不过是换个角度,用内部拟构的方法来证明。现在要用内部拟构的手法来解决两个尚未完全解决的问题。

有两点需要申明。第一,本节的论证兼用内部拟构和比较拟构两种方法,内部拟构只是论证的一小部分。第二,内部拟构要靠形态的规律性,以规律性为背景,才能看到不规律的现象,进一步推论更早阶段的模式。上古汉语确实是有形态,但在语言演变的过程中,剩下的痕迹只保存在个别的同源词中。我们所要作的工作,有如想根据英语 blood "血"/ bleed "流血"、brood "一窝生的"/ breed "生育,繁殖"这些零星的同源词来拟构古英语的元音交替构词法。不过虽然在汉语资料方面受限制,我们还是要试用内部拟构的方法说明"黑"字最早的声母是 * sm-; * s-是前缀, * m- 是同源词"墨"的声母。

"墨"字中古明母,"黑"字晓母。明晓两母互谐是谐声字里常见的现象,例如：

| 明母 | 中古 | m- | 墨勿亡每尾瞀微滅 |
| 曉母 | 中古 | x- | 黑忽盍悔熴薨徽威 |

此外曉母还和疑母 ng- 互谐,泥母 n- 和透母 th- 互谐(李方桂 1980：10—20)。为了解释这些现象,李方桂先生(1980：19—20)假设上古音里有一套清鼻音：

$$*hm\text{-}>x\text{-} \quad *hn\text{-}>th\text{-} \quad *hng\text{-}>x\text{-}$$

但是远在 1960 年,苏联的雅洪托夫(Yakhontov)先生提出了另外一种假设：[5]

$$*sm\text{-}>x\text{-} \quad *sn\text{-}>th\text{-} \quad *sng\text{-}>x\text{-}$$

下面打算说明,李先生的清鼻音是过渡阶段的音值。换句话说,我们认为：*sm- > *hm- > x-, *sn- > *hn- > th-, *sng- > *hng- > x-。限于篇幅,只讨论 *sm- > *hm- > x-, *sng- > *hng- > x-。

雅洪托夫先生(1960)同时假设 *s- 是个前缀,可以在任何上古的单声母之前出现。更早,在 1896 年康拉第(A. Conrady)曾经指出,*s- 前缀在藏文里有使动化和名谓化(denominative)两种功用。使动化的功用,前人论述颇多(黄布凡 1981：3；Betty Chang 1971),这里不赘。所谓"名谓化",就是藏文 s- 加在名词前面,会把名词变成谓词,下面转引康拉第(1896：3)举的名谓化的例证：

名词		动词	
grib	影子,阴影	sgrib-pa	使黯,障蔽
gril	一卷,一团	sgril-ba	卷在一起
nyams	灵魂,思想	snyam-pa	想
nyod-pa	食物	snyod-pa	饲,供给饮食
nad	疾病	snad-pa	伤害
bam-po	搜集品	sbam-pa	集拢
gong-bu	丸形,圆块	sgong-ba	揉成圆形
dam	誓愿	sdom-pa, bsdams 等	约束,束缚

上古汉语的 *s- 前缀,也有名谓化的构词功用。现在来看两对上古汉语的同源词:⑥

		反切	声母			反切	声母
1	林 *C-rjəm＞ljəm	力寻	来	森 *srjəm＞sjəm	所今	生
2	墨 *mək＞mək	莫北	明	黑 *smək＞xək	呼北	晓

"林"字上古声母 *C-r-,"C"代表辅音,我们认为 *C-r->l- 是中古来母的主要来源,例如 (Li Fang-kuei 1976; Coblin 1986; Manomaivibool 1975):

	汉语	藏文	暹罗话
量	*g-rjang＞ljang	'grang-ba	rang A2
凉	*g-rjang＞ljang	grang-ba	
六	*d-rjəkw＞ljuk	drug	hok< *xr- DIS
蓝	*g-ram＞lâm	khraam< *gr- A2	
懒	*g-ranx＞lân	khraan< *gr- C2	
烙	*g-rak＞lâk	khlɔɔk< *gl D2L	

中古来母 l- 一般和藏文的 -r-、共同台语的 *-r- 对应,而藏文、共同台语 -r- 的前面另有个辅音前缀。见母 k- 的"禁"字以"林"为声符,"林"字上古声母可能是 *g-r。不管是否如此,上古"林"字 *-r- 前的 *C- 式 *g- 是个无意义的前缀。"森"字中古生母 s-;这个卷舌的 s- 上古的来源是 *sr-。据此,"林"、"森"这对同源词上古声母是 *C-r 和 *sr-,韵部相同,声调相同。换句话说,把 *s- 前缀加在"林"字的词干声母 *r- 之前,就能派生出"森"字。

"林"是名词;《说文》"森,多木貌","森"是状词;*s- 加在"林"前面起名谓化的构词功用。"墨"、"黑"之间的词性关系和"林"、"森"之间的关系平行。按照内部拟构的原则,"墨"、"黑"两个声母之间的关系也该和"林"、"森"两个声母的关系平行。按照李方桂先生拟构的上古音,"墨"*m-、"黑"*hm- 的两个声母并不是*C- 和 *sC-。我们可以推断更早的阶段,这两个同源词的声母该是:⑦

  2. 墨 *mək > mək   黑 *smək > *hmək > xək

这样,*s- 加在"墨"*mək 的前面,派生出"黑"*smək,也是名谓化的作用。

  现在再举些其他的例来说明 *s- 前缀在上古汉语里的名谓化功用。⑧

名词>形容词	3	條 *diəgw > dieu	徒聊定	修 *stjəgw > sjəu	息流心
	4	潭 *dəm > dâm	徒含定	深 *sthjəm > śjəm	式针书
	5	考 *khəgwx > khâu	苦浩溪	孝 *skhrəgwh > xau	呼教晓
	6	墟 *khjag > khjwo	去鱼溪	虚 *skhjag > xjwo	朽居晓
名词>动词	7	帚 *tjəgwx > tśjəu	之九章	扫 *stəgw > sâu	苏老心
	8	爪 *tsrəgwx > tsau	侧绞庄	搔 *s-tsəgw > sâu	苏遭心
	9	途塗 *dag > duo	同都定	徐 *sdjag > zjwo	似鱼邪
	10	術 *djət > dźjuet	食聿船	遂 *sdjədh > zjwi	徐醉邪
	11	臭 *khrjəgwh > tshjəu	尺救昌	嗅 *skhjəgwh > xjəu	许救晓
	12	虞 *ngjanh > ngjɐn	语堰疑	献 *sngjanh > xjɐn	许建晓

例 3《诗·汝坟》"伐其条枚",传"枝曰条"。《诗·椒聊》"远条且",传"条,长也"。《尔雅·释宫》"陕而修曲曰楼",注"修,长也"。4《广雅·释水》"潭,渊也"。王念孙《广雅疏证》"潭亦深也"。《管子·侈靡》"潭根之毋伐",注"潭,深也"。《汉书·扬雄传下》"潭思浑天",颜师古曰:"潭,深也"。5 殷周人称老年人为"考",特别是父亲。《说文》"考,老也",《尔雅·释亲》"父曰考,母曰妣"。金文"考"、"孝"通用,如《诗·六月》"张仲孝友",《𪭢鼎》"考友佳井";《诗·载

见》"以孝以享",《其旡句镬》"台享台考",《□姬鼎》"用孝用享"。至于 *skh- > x- 的音变,请参考包拟古(Bodman 1980:59 以下)。6《说文》"虚,大丘也。昆仑丘谓之昆仑虚"。段注:"海内西经曰:'海内昆仑之虚在西北,帝之下都',即《西山经》'昆仑之丘,实惟帝之下都也'。……按虚者,今之墟字。……虚本谓大丘,大则空旷,故引申之为空虚,为鲁少皞之虚……又引申之为凡不实之称。"7 "帚"是掃帚。《说文》"埽,棄也",《广雅·释诂》"埽,除也"。字亦作"掃"。8《说文》"叉,手足甲也",通作"爪"。《说文》"搔,括也"。《礼记·内则》"疾痛苛痒而敬抑搔之",注"搔,摩也"。这里给"搔"字声母拟构的 *s-ts- > s- 跟李方桂先生(1933:40)给藏文假设的 s-tsh- > s- 相似。9 甲骨文"途"字作"舍",从"止""余"声。《说文》"徐,安行也"。"徐"字从"彳","途"字从"辵","辵"、"彳"都和行走有关,也和"舍"字的"止"旁有关。朱骏声《说文通训定声》列"涂"、"塗"于"徐"字下,标明"转注",已经认为"徐"、"途"同源。10《说文》"術,邑中道也","遂,亡也"。"遂"也有道路的意思。《史记·苏秦传》"禽夫差于干遂",《索隐》"遂者,道也"。字又作"隧"。《诗·桑柔》"大风有隧",传"隧,道也",《左传》襄十八年"连大车以塞隧",《释文》"隧,道也"。11《易·系辞》上:"其臭如蘭",虞注"臭,气也"。《荀子·王霸》"鼻欲綦臭",注"臭,气也"。《广韵》"臭,凡气之总名"。《说文》"齅,以鼻就臭也",字亦作"嗅"。《论语·乡党》"三嗅而作",《玉篇》引作"三齅而作"。"臭"字昌母,跟它谐声的"糗"、"殠"是溪母 kh-,所以"臭"字的上古声母李方桂先生(1980:92)拟作 *khrj-。12《说文》"鬳,鬲属","甗,甑也"。"鬳"、"甗"是古今字,指一种炊器,下部是鬲,上部是透底的甑。用这种炊器当作礼器,上面装着犬、虎之类的牲品,供奉给神或祖宗,这种动作叫"獻",传注中多以"进"释"獻"。甲骨文已有"虗"字,从"虍"从"鬲",假为"獻"字,"鬲羌"谓所獻之羌人(李孝定 1965:3103)。金文"甗"、"獻"通用,例如"子邦父甗"是个甗的器名,写的是"子邦父獻",这是把动词"獻"用作名词,来指奉獻时用的礼器。"獻"字也指牲品,《说文》"獻,宗廟犬曰羹獻,犬肥者以獻之"。

上面例 12 用 *sng->x- 这种我们认为是合理的拟音。比较一下:

　　　　本文　　 　虘 *ngjanh>ngj-　　 獻 *sngjanh>xj-
　　　　李氏　　　　 *ngjanh>ngj-　　　　 *hngjanh>xj-

用李方桂先生的拟音,不能解释为什么"獻"是和名词"虘"同源的动词。按照本文的拟音,把 *s- 前缀加在名词"虘" *ngjanh 的前面,就派生出动词"獻" *sngjanh。在"帚/掃"、"爪/搔"、"臭/嗅"这几对同源词里,*s-前缀的功用相同,也是把名词变成动词。

上面推断"黑" *hm-< *sm- 是用内部拟构的方法,其结果可以用汉藏比较和汉台对音来证实(龚煌城 1980;Manomaiviboool 1975):

　　　　汉语　　　　　藏文　　　　 缅文　　　　　逞罗话
黑 *smək> *hmək>xək　smag"黑,黑暗"　hmang A"墨"　mĭk< *hm- DIS"黑"
墨 *mək 　> 　mək　　　　　　　　　 mang A"墨"　mĭk< *hm- DIS"墨"

藏文和汉语的对应,音义俱合。缅文 hmang A 的意义该是"黑",但因"黑"义被挤掉,所以 hmang A 和 mang A 都指"墨"。逞罗话却是 mĭk< *hm- DIS,原义是"黑",后来引申兼有"墨"义。把四种语言放在一起看,更可以证明汉语的演变是 *sm-> *hm->x-。

叁

隋唐中古音中"匣"、"群"、"喻三"三个声母在上古该怎样拟构

的问题,有许多家不同的说法,主要的原因是中古这三个声母出现的环境成为并不完全互补的状态:

一等　匣
二等　匣
三等　群(大部分是开口音)　喻三(大部分是合口音)
四等　匣

董同龢先生(1948:34—38)和王力先生(1957:65—66;1985:19)合"匣"、"喻三"为一,认为六世纪以前的音值是 ɣ-,上古也是 *ɣ-,群母另立,gh＜ *gh-;高本汉(Karlgren 1954:274—275)和周法高(1970:360—361)两位合"匣"、"群"为一;各有不同的证据。李方桂先生(1980:18)进一步把"匣"、"群"、"喻三"三音合而为一,并拟定以下的演变规律:

上古　*g+j-(三等)＞中古群母 g+j-
上古　*g+(一、二、四等韵母)-＞中古匣母 ɣ-
上古　*gw+j-＞中古喻三 jw-
上古　*gw+j+i-＞中古群母 g+j+w-
上古　*gw+(一、二、四等韵母)-＞中古匣母 ɣ+w-

这两派基本的差别在于第一派董、王两位认为"匣"、"喻三"上古的来源是个舌根浊擦音 *ɣ-,第二派李方桂先生等认为"匣"、"喻三"上古是个舌根浊塞音,李先生写作 *g-或 *gw-,高本汉写作 *gh-。本节打算说明,从上古某种构词法的模式去看,第一派 ɣ＜ *ɣ-的说法略有问题。

上古有一种由清浊声母交替而形成的构词法,清音声母是他动词,浊音声母是自动词或形容词,后者也有既事式的意味。例如"禁止攀折花木"的"折"读 zhé,中古、上古是清音声母;"铅笔折了"的"折"读 shé,中古、上古是浊音声母,"折 shé"表示已断。下面举例说明;"匣"母的拟音标出两套,"(1)"是第一派的上古拟音,

"(2)"是第二派的上古拟音。

		他动	自动	
*p-＞p-：	*b-＞b-	败补败切：	败薄迈切	
		别彼列切：	别皮列切	
*t-＞t-：	*d-＞d-	断都管切：	断徒管切	
*tj-＞tśj-：	*dj-＞źj-	折之舌切：	折市列切	
		属章玉切：	属时玉切	
*trj-＞ṭj-：	*drj-＞ḍj-	著陟略切：	著直略切	
		张陟良切：	长直良切	
*k-＞k-：	*g-＞g-	检居奄切：	俭巨险切	三等开口
*k-＞k-：(1)	*γ-＞γ-	合古沓切：	合侯阁切	一等开口
(2)	*g-＞γ-	解古买切：	解胡买切	二等开口
		降古巷切：	降户江切	
		夹古洽切：	狭侯夹切	
		皆古谐切：	谐户皆切	
		见古甸切：	现胡甸切	四等开口
		繋古诣切：	繋胡计切	
		会古外切：	会黄外切	一等合口
		坏音怪：	坏胡怪切	二等合口

这些同源词的出处,大部分周祖谟先生(1966:116—118)、周法高先生(1962:53—87)曾经论证过,下面转抄,稍有省略。1 败,坏也。自毁曰败,薄迈切。毁他曰败,音拜。案败有二音,亦起自晋宋以后,《经典释文》分析甚详。2 别,分也。离别音皮列切,分别音彼列切。案《易·简卦》王注云:"节之大者,莫若刚柔分,男女别也",《诗·关雎》传:"挚而有别",别并音彼列切。3 断,绝也,都管切。既绝曰断,徒管切。案前者为他动词,后者为自动词及形容词。即如《礼记·曲礼》"庶人齼之",郑注云:"不横断",《释文》"断

音短"端母。《周礼·司刑》"刖罪五百",郑注云:"刖,断足也",《释文》"断,丁管反"。至于"若司寇断狱",断者乃断绝之义,《释文》无音,是音徒管反也。4 折,屈折也。自折曰折,市列切。为物所折曰折,之舌切。案《礼记·曲礼下》云:"短折曰不禄",《祭法》云:"万物死皆曰折",折并读市列反。《易·丰卦》"君子以折狱致刑",《诗·将仲子》"无折我树杞",折者断也,伤害之也,并读之舌切。5 属,联也,章玉切入声照母。联而有所系曰属,时玉切入声禅母。案《礼记·经解》"属辞比事",《释文》"属音烛"照母。《仪礼·乡饮酒礼》"皆不属焉",《释文》如字禅母,是其例也。6 著,置也,陟略切入声知母。置定曰著,直略切入声澄母。案《周礼·疡医》注云:"注谓附著药刮",《释文》"著,猪略反"知母。又"烧之三日三夜,其煙上著",《释文》"著,直略反"。7 解,释也,古买切见母。既释曰解,胡买切匣母。案《易·解卦》、《释文》"解音蟹",孔疏云:"解有两音:一音古买反,一音胡买反。"解见母,谓解难之初;解匣母,谓既解之后。8 降,下也。下谓之降,古巷切去声见母。伏谓之降,户江切平声匣母。案降之读匣母,若《左传·僖十九年》"军三旬而不降",《释文》降音户江反,即其例也。伏谓之降的降字也有既下之义。9 见,视也,古甸切见母。既见曰见,一作现,胡甸切匣母。案《左传·昭十三年》"乃偏以璧见于群望曰",又杜注"微见璧纽,以为审识",《释文》"见于,贤遍反"匣母;下注"微见"同。案"微见"即"微现"。又《宣十二年》"公喜而后可知也",杜注"喜见于颜色",《释文》"喜见,贤遍反"。《论语·颜渊》"樊迟退,见子夏曰:乡也吾见于夫子而问知",《释文》"吾见,贤遍反"。案"见于"之"见",《释文》皆读"贤遍反"。10 繫,属也,古诣切去声见母。属而有所著曰繫,胡计切去声匣母。案幽繫、缚繫读见母,联繫字读匣母。11 会,合也。相合曰會,胡沛切匣母。聚合曰会,古外切见母。案大计曰会计,读见母。《周礼·小宰》"八曰听出入以要会",郑众曰"要会谓计最之簿书。月计曰要,岁计曰

365

会,《释文》云:"会古外反,凡要会会计之字枚此"。12 坏,毁也。自坏曰坏,户怪切去声匣母。毁之曰坏,音怪去声见母。案坏字有二音,盖起自晋吕忱《字林》。《尔雅·释诂》"坏,毁也",《释文》云"《字林》,坏自败也,下怪反"。《礼记·问丧》"如坏墙然",《释文》引《字林》云"坏音怪"是也。

另外有几个例证是我们补加的。13 张,紧张,扩张,陟良切知母。既张则长(cháng),直良切澄母,形容词。14 检,约束,制止,居奄切见母,他动词。如:自检,失检,《孟子·梁惠王上》:"狗彘食人食而不知检",字又作捡。俭,俭约,贫乏,巨俭切群母,自动词或形容词。如:克勤克俭,《魏书·韩麒麟传》"年丰多积,岁俭出赈"。15 合,合集,古沓切见母。合,合同,侯阁切匣母。宋贾昌朝《群经音辨》曰:牵和曰和,古盍切,《礼记·昏义》"将合二姓之好"。自和曰合,胡阁切,《礼记·郊特牲》"天地合而后万物兴焉"。16 夹,从东西的两边钳住,如:夹道,两山夹一水,古洽切见母,他动词。既夹则狭,侯夹切匣母,形容词。17 皆,俱词也;通"偕",俱也,并古谐切见母。谐,调和,合也,偶也,户皆切匣母。《书·舜典》"八音克谐,无相夺论",《书·尧典》"克谐以孝"(参看俞敏 1984:105)。

回来看上面例证的音韵,就会发现第一派 ɣ-< *ɣ-的拟音有问题。(甲)凡是唇音、舌尖音、舌尖塞擦音(tśj-< *tj-,źj-< *dj-)、舌上音(tj-< *trj-, dj-< *drj-),产生清浊别义时,只是清浊交替,发音方法不变,上古、中古都是按照这个规则,唯独碰到非三等字的舌根音声母,按照第一派的拟音,他动词上古是清塞音 *k-,自动词或形容词是浊擦音 *ɣ-,两者发音方法不同。按照语音学的原则,舌根音清浊相配该是:

k-(或 kh-):g-　　x-:ɣ-

各家的拟音,上古、中古都有清舌根擦音 x-。如果采取第一派 ɣ-< *ɣ- 的拟音,我们真不明白为什么 *x- 不和 *ɣ- 交替,*k- 不

和 *g- 交替,反而是 *k-和 *ɣ-交替。(乙)舌根音声母中,碰到三等开口字如"检/俭",也是清塞音 *k->k-和浊塞音 *g->g- 交替,不合规律的只是一、二、四等字。

看到了(甲)、(乙)两种不合规律的现象,我们可以用内部拟构的原则,假设在更早的阶段 ɣ-< *g-。这样,在更早的阶段,清浊别义用在舌根音声母也是发音方法不变,*k-和 *g- 交替。

应该说明一下,上面的内部拟构可以用中古音作为出发点,也可以用第一派的上古拟音作为出发点。上面看到凡是唇音、舌尖音、舌上音等,产生清浊别义时,只是清浊交替,发音方法不变,上古、中古都是如此。第一种论证方法是针对中古"见"母 k-/"匣"母 ɣ-发音方法不同的不合规律,第二种论证方法是针对第一派上古拟音中 *k-/*g- 发音方法不同的不合规律。结论都是 ɣ-< *g,*ɣw-< *gw-。两者不同之处在于前者是利用公认的"见"、"匣"两母中古的音值,后者是利用第一派拟构的"见"、"匣"两母上古的音值。这也就说明,我们的内部拟构,可以分别用中古音或某一派的上古音作为出发点,并不是同时利用两个不同阶段的资料。

以上的结论——中古的匣母和喻三是从上古 *g-、*gw- 变来的——也大致可以从汉藏比较的角度来证实,下面举例转抄龚煌城(Gong Hwang-cherng 1980)、柯蔚南(Coblin 1986),用李方桂先生(1980)的上古音。

		汉语	藏文	意义
一等开口	荷	*garx > ɣâ	'gel-ba, bkal, dgal khol	背荷、负载
	何	*gar > ɣâ	ga-na"何处", ga-nas ga-la"何以"	"自何处"
	含	*gəm > ɣəm	'gam-pa	含在口中
二等开口	巷	*grungh > ɣăng	grong	住宅、村落
	洽	*grəp > ɣăp	'grub-pa, grub	筹备完成

三等开口	傑 *gjiat＞gjät	gyad	同伴、健将
一等合口	户 *gwagx＞ɣwo	sgo	门
	護 *gwagh＞ɣwo	'gogs-pa	预防、避开
三等合口	局 *gjuk＞gjwok	'gug(s)-pa, bkug, dgug, khugs	弄弯;汉语"局"取弯曲义
	胃 *gwjadh＞jwei	grod-pa	胃,肚子
	友 *gwjəgx＞jə̌u	grogs	朋友,同伴
	違 *gwjəd＞jwei	'gol	分歧、失误

以上是采取李方桂先生的上古拟音,如果采取别家的拟音,结论也是一样。很明显的,和藏文 g- 对应的是中古汉语的 g 和 ɣ-(匣母一、二、四等,喻母三等,群母三等)。⑨就匣母和喻三而论,有两个可能:一个是给这类声母在共同汉藏语拟构个 *ɣ-,这样这个声母在汉语里不变,在藏语里变 g-。另一个是在共同汉藏语里拟构 *g-,这样这个音在藏语里不变,在汉语里部分变成中古的 ɣ-。g-＞ɣ- 是个常见的弱化音变,ɣ-＞g- 则是罕见。于是应该采取后一种假设:共同汉藏语的 *g-(*gw-)在藏语里不变,在汉语里部分变成中古的匣母 ɣ- 和喻三 ɣwj-＞jw-。这么说来在中古和共同汉藏语之间有个阶段,在这个阶段里六世纪的 ɣ-、ɣw- 是 *g-、*gw-。这就是汉语的上古时代。

我们还可以做进一步的推论。清浊别义只有在上古阶段 ɣ-＜*g-、ɣw-＜*gw- 的时候才是唇音、舌尖音、舌根音三种声母都是合乎规律的。这也就说明清浊别义这种构词法至晚在上古汉语已经存在。我(梅祖麟 1980)以前写过一篇文章,其中说四声别义中的去声别义这种构词法一直可以追溯到共同汉藏语。现在可以说,用清浊声母交替来分辨他动、自动这种构词法一直可以追溯到先秦。这里牵涉到一个断代的原则。东汉经师开始"读破",在音释中说明当某个方块字词性变化时,声调也跟着变化。六朝经师又注出清浊别义。不过我们要注意,文献里最早的纪录不等于所指的现象在语言里最早发生的时期。某种构词法在语言里活跃时,说这种母语的人看到了字形会自然而然地按着上下文说出合适的、不同的读音。反而在这种构词法僵化而逐渐消失的过程中,才需要在音释中注出"读破"。陆德明《经典释文》(583—589)是四声别义和清浊别义这两种"读破"的总汇。据此可知这两种构词法至晚在六朝时已趋灭亡。

我们在上面只是针对匣母、喻三上古音值的问题,提出一种新的证据来支持李方桂先生的说法。还有若干有关问题,以前有人提过,下面简略地讨论一下。

第一个问题是合口字里群母和喻三在上古的差别。李先生认为 *gwj- 变成中古喻三 jw-,*gwji- 变成中古群母 gjw-。这种说法的第一个困难是我们很难想象 *gwj-和 *gwji-(如下面举的"狂"/"王"、"倦"/"远"、"群"/"云"等例的上古音)在真正发音上有什么差别。此外丁邦新先生(Ting Pang-hsin 1978)曾经指出,李先生的理论在实践上也会出问题,下面转录丁氏举的几个例,尽量用李先生的解释方法;中古韵母以平赅上去:

(甲) 狂 *gwjiang＞gjwang　群母阳韵　　(丙) 群 *gwjiən＞gjwən　群母谆韵
　　 永 *gwjiangx＞jwɐng　云母庚韵　　　　云 *gwjən＞juən　云母谆韵
　　 王 *gwjang＞jwang　云母阳韵　　　　　窘 *gwjiən＞gjwěn　群母文韵
(乙) 倦 *gwjianh＞gjwän　群母仙韵　　　　陨 *gwjən＞jwěn　云母文韵
　　 院 *gwjanlı＞jwän　云母仙韵
　　 远 *gwjanx＞jwɐn　云母元韵

(甲)"狂"、"永"、"王"上古都属阳部。"永"字如果拟成 *gwjang,则和"王"字上古同音;如果如上拟成 *gwjiang,则和"狂"字上古同音。问题在于"永"字中古和"狂"字声母不同,和"王"字韵母不同。(乙)上面"倦"、"院"的上古拟音,是为了分辨后来的群母和喻三。结果是"院"、"远"上古同音不同调,不能解释为什么这两个字中古分属仙、元两韵。(丙)中古谆、文两个三等合口韵,上古同归文部。谆、文两韵都有群母和喻三的字。在李先生的系统里,无论怎样拟构,总会有上古的同音字中古变成不同。

第二个问题是中古群母 *g- 是否只有三等字。按照韵书群母只有三等,李方桂先生的音韵演变规律也是如此假设。但是参考方言,却不见得是这样。有若干匣母字在闽语读 k-,声调都是阳调(董同龢 1959:1017;丁邦新 1983:3),为了节省篇幅,下面只举厦门话的例:

糊(黏)	猴	厚	衔	行	寒	汗	懸(高)	縣
₌kɔ	₌kau	kau²	₌kā	₌kiā	₌kuā	kuā²	₌kuāi	kuāi²

这些字古闽语该拟构个 *g-,值得注意的是这些字都不是三等字。此外李荣先生(1965)曾经讨论过这些匣母字中的六个字"衔、寒、汗、猴、厚、懸",加上其他"攔、摜、鯁、鯇、𨈭、咬、环、怀"这七个字,认为从现代方言看来,在《切韵》时代属于群母的一、二、四等。

这种方言现象最适于用李方桂先生的上古音来解释。《切韵》本来就是以洛下、金陵方言为标准的韵书(周祖谟 1966:434—473),我们不必苛求它顾及隋唐之际所有汉语方言的读音。至于闽语匣母字大部分读阳调的 h-,少数如上所举的"猴、厚"等读阳调的 k-,我们可以这样解释:匣母 ɣ-、ɣw- 上古是 *g-、*gw-,在闽语最古老的层次中保持不变,在新的、和北方话看齐的层次中变成 *ɣ-、*ɣw-,以后浊音清化时就变成阳调的 h- 和 k-。其他方言依此类推。

第三个问题是上古的塞音声母是三分制还是四分制。以舌根音为例,中古的塞音声母是三分制,传统音韵学叫做全清、次清、全

370

浊。往上推，上古音也是三分制 k-＜＊k-、kh-＜＊kh-、g-＜＊g-。中古全浊的群母，李先生写作 g-＜＊g-，别人写作 gh-＜＊gh-，这只不过是写法不同。三分制的音系中，舌根浊塞音只占一个音位。

但是从闽语来看，上古的塞音可能是四分制：＊k-、＊kh-、＊g-、＊gh-。上面已经看到闽语有阳调的 k- 声母字，古闽语该拟构＊g-。除此以外，闽语还有 kh- 声母阳调的字(董同龢 1959；罗杰瑞(Norman) 1973:228)，古闽语该拟构＊gh-，和古闽语的＊g- 并存而对立，例如：

臼群	骑群	芹群	俭群	環匣	企溪(？站)
khu²	₋khia	₋khun	khiam²	₋khuan	khia²

中古群母在厦门话也有变成阳调的 k- 声母，例如：

桥	裙	穷	舅	近
₋kio	₋kun	₋king	ku²	kun²

上面的例最值得注意的是"俭"字。"检"见母，"俭"群母，是清浊交替的一对同源词，也是本文所举仅有的一对舌根声母的三等开口字。上面根据李方桂先生的系统给"俭"字拟构上古声母＊g-，参照闽语却该拟构＊gh-。至于上古塞音系统倒底是三分制还是四分制，这不止是舌根音的问题，要牵涉整个上古声母的音系，连带清浊交替来源的问题，远远超过本文的范围。

据上所述，我们认为李方桂先生的上古音不能完全解释群母和喻三在上古的差别；在三分制还是四分制方面，也不能全盘照顾闽语的发展。虽然如此，我们认为李先生 ɣ-＜＊g-，ɣw-＜＊gw- 这条规律还是目前最合理的说法，可以从清浊别义的构词法得到新的旁证。

肆

本文举了三个例子来说明内部拟构在汉语里的用法。第一节用普通话的四音状词来推断 tɕi＜ki、tɕhi＜khi、ɕi＜xi，然后再用元明杂剧的资料来证明这个结论。第二节用"林/森"、"寻/掃"等同源词来说明 *s- 前缀在上古汉语里有名谓化的构词功用，在这方面和藏文 s- 前缀的功用相同，然后用"墨/黑""虘/獻"这两对同源词来证明 *sm-> *hm-> x-，*sng-> *hng-> x-。第三节用清浊别义内部的规律来说明"见/现"、"繫(jì)/繫(xì)"、"解(jiě)/解(xiè)"这些同源词中次字的中古声母 ɣ-，在上古时代是 *g-。这节也设法说明，用清浊声母交替来分辨他动、自动的构词法，活跃时期至晚是在先秦。

上古音目前还有若干悬案。一部分原因是汉字不是拼音文字。虽然殷周时代的文字资料相当多，但所提供的音韵信息却不够拟构上古的整个音系。弥补的方法是在谐声字和先秦韵读以外再引入新的材料。汉语以外最重要成套的资料是汉藏比较、古汉台语、古汉越语等。汉语本身的以闽语为主，此外还有本文所用的上古构词法。上面看到，找出某种构词法的规律以后，其中不规律的现象就成为内部拟构的原料。

本文第二、第三两节也在探讨上古汉语的构词法。这个题目的重要性可以从几方面来看：(甲)藏缅语系的语言一般是形态相当丰富。在汉语和藏缅语同属一个语系的前提下，上古汉语也该有形态。目前知道得比较清楚的构词法有三种：后来变为去声的 *-s 后缀，有使动化和名谓化两种功用的 *s- 前缀，此外就是清浊声母交替。(乙)构词法是语法的一部分，也是派生同源词的手段，历史语法学家和训诂学家似乎也该注意这方面的研究。

在上古的范围内，构词法研究和音韵研究是相辅相成的。语言本来是个整体，语言学家为了方便，把语言现象分门别类，有的归入音韵，有的归入语法，有的归入语源。本文尝试把以往分开的部门合拢起来一起看。构词法是拟构上古音的资料之一。另一方面，当上古音研究有了进展,我们对上古构词法的了解也会有所增进。

王念孙《广雅疏证》自序认为他自己是在"就古音以求古义",这也是我们的目标。不过现在离段玉裁、王念孙有二百年,"古义"不单是个别语词的意义,也包括由形态产生的语法意义。至于"古音",该是有复辅音、有前后缀、更趋近藏文的上古音。本文用内部拟构的方法探讨了两个上古音的问题,同时也用上古音来观察上古两个构词法的内在规律。这当然只不过是个初步的尝试,不妥之处,希望读者指正。

附 注

① 霍凯特的书由索振羽、叶蜚声译成中文。北京大学出版社,1986出版。下面引译本时稍作修改。

② 郑锦全(C. C. Cheng 1973)曾经拿四音状词的资料,用内部拟构的方法来说明普通话一部分的 tɕi、tɕhi、ɕi 来自 ki、khi、xi。周法高(1953:274—281)在《中国语法札记》的第9节"近代语中的四音状词"里也作过同样的观察,并引用元明杂剧中四音状词的例。下面转抄,不再注出。

③ 王力(1957:121),郑锦全(1980)。

④ 孟汉卿《魔合罗》收在《元刊杂剧三十种》,是14世纪的刊本。朱有燉(1379—1439)的戏曲有宣德(1426—1435)宪藩原刻本,吴梅藏有22种,又从他处借了二种,依照24种的宪藩原刻本,刊入他的《奢摩他室曲丛》。

⑤ 见北大出版社出版的雅洪托夫著,唐作藩、胡双宝编选《汉语史论集》50页。

⑥ 本文上古音、中古音的写法,基本用李方桂《上古音研究》的系统。跟李先生不同之处,主要是几个复声母,在文中再作解释。

⑦ 王力先生《同源字典》(1982)253页也认为"墨"、"黑"是同源词。注音是"xək 黑:mək 墨",文中又说"按,'黑'的古音可能是 mxək,故与'墨'mək 同源"。王先生的说法值得商榷。第一,他在《汉语语音史》(1985)20页说:

董同龢提出,上古应该有个声母[m̥]([m]的清音),这是从谐声偏旁推测出来的。例如"悔"从每声,"墨"从黑声,"昏(昏)"从民声等。高本汉对于这一类字的声母则定为复辅音[xm]。上文说过,谐声偏旁不足为上古声母的

373

确证,所以我们不采用董说或高说。

在《同源字典》又说"黑"的古音可能是 mxək,似乎是部分采用了高说。但是整本书 mx 只有"黑"字一音。我们不懂为什么要写 mx,不写 xm;也不知道 mx 到底是怎么样的声母,汉藏语系中哪个语言有这样的复声母。第二,《广韵》"威,许劣切,减也"、"减,亡列切,尽也绝也","减"和"威"是同源词,中古声母和"墨"、"黑"一样,也是明晓两母(我们认为"威"是"减"加 *s- 前缀而产生的使动式),《同源字典》不载,还是需要解释。这书 18—20 页用双声、旁纽、邻纽的观念来分析同源词中声母的关系。如果说"墨"、"黑"(和"减"、"威")上古声母是 m-:x-,显然既不是双声,又不是旁纽,也不是邻纽。如果说是 m-:mx-,又违背王先生不信谐声偏旁,不信上古音有复声母的原则。

⑧ 本文所举的例,以前都有人说过是同源词。参看王力《同源字典》253 页"墨,黑",613 页"潭,深",234 页"帚,扫"、235 页"臭,嗅",238 页"爪,搔",460 页"术,遂";朱骏声《说文通训定声》"途、徐";李方桂《上古音研究》25 页"條、修";俞敏《中国语文学论文选》(1984)110—113 页"虚、墟"、"考、孝";刘熙《释名》"林、森";高本汉《汉文典》增订本(Karlgren, Grammata Serica Recensa (1957))"虒、獻"。我们只不过是用李方桂《上古音研究》88—90 页所拟的上古音,略加补正,来解释为什么这些同源词首字是名词,次字是动词或形容词。

⑨ 这里所说的中古是六世纪初喻三归匣的阶段。

参考文献

岑麒祥 1984:《法国语言学家梅耶和他的业绩》,《语言学论丛》12,3—13。

丁邦新 1977—1978: Ting, Pang-hsin, Archaic Chinese *g-, *gw-, *ɣ-, and *ɣw-(《上古汉语的 *g-、*gw-、*ɣ-和 *ɣw-》), Monumenta Serica 33. 171—179.

—— 1983:《从闽语论上古音中的 *g-》,《汉学研究》(台北,汉学资料及服务中心)1.1.1—8。

董同龢 1948:《上古音韵表稿》,《史语所集刊》18,1—249。

—— 1959:《四个闽南方言》,《史语所集刊》30,729—1042。

霍凯特 1986—87:索振羽、叶蜚声译《现代语言学教程》(原文 Charles

Hockett, A course in modern linguistics (1958))。

胡明扬 1963:《老乞大谚解和朴通事谚解中所见的汉语、朝鲜语的对音》,《中国语文》1963, 185—192。

黄布凡 1981:《古藏语动词的形态》,《民族语文》1981.3, 1—13。

李方桂 1933: Li, Fang-kuei, Certain phonetic influences of the Tibetan prefixes upon the root initial(《藏文前缀对语根声母的几种音韵影响》),《史语所集刊》4.135—157。

—— 1976: Sino-Thai(《汉台语》), Computational analyses of Asian and African Languages(Tokyo)3, 39—48.

—— 1980:《上古音研究》(北京,商务)。

—— 1984:《上古音》,《中国语文》1984.2, 136—144。

—— 1987:李方桂、李荣、俞敏、王力等《上古音学术讨论会上的发言》(附唐作藩、郑张尚芳等《书面发言》),《语言学论丛》14, 3—49。

李　荣 1965:《从现代方言论古群母有一、二、四等》,《中国语文》1965.5, 337—343, 又355。

李孝定 1965:《甲骨文字集释》(台北,中央研究院历史语言研究所)。

梅祖麟 1980:《四声别义中的时间层次》,《中国语文》1980.6, 427—443。

王　力 1957:《汉语史稿》(上)。

—— 1982:《同源字典》。

—— 1985:《汉语语音史》。

吴　梅 1928:《奢摩他室曲丛》。

徐沁君 1980:《新校元刊杂剧三十种》。

俞　敏 1984:《中国语文学论文选》(东京,光生馆)。

臧晋叔 (1616年序):《元曲选》(世界书局,1936)。

郑锦全 1973: C. C. Cheng, A synchronic phonology of Mandarin Chinese(《普通话共时音韵学》).

—— 1980:《明清韵书字母的介音与北音颚化源流的探讨》,《书目季刊》(台北,学生书局)14.2, 77—88。

周法高 1953:《中国语法札记》,《史语所集刊》24, 197—281。

—— 1962:《中国古代语法·构词篇》。

—— 1970:《论上古音和切韵音》,《香港中文大学中国文化研究所学报》3.2,321—457。

周祖谟 1966:《问学集》。

Bodman, N. 1980: Proto-Chinese and Sino-Tibetan (包拟古《原始汉语和共同汉藏语》)in F. van Coestem and L. Waugh eds., *Contributions to historical linguistics*.

Chang, Betty Shefts 1971: The Tibetan causative: phonology (张蓓蒂《藏语使动式:音韵篇》),《史语所集刊》42,623—75。

Coblin, W. S. 1986: *A Sinologist's handlist of Sino-Tibetan lexical comparisons* (柯蔚南《汉藏比较词汇手册》).

Conrady, A. 1896: *Eine indochinesische Causativ-Denominativ-Bildung und ihr Zusammenhang mit den Tonaccenten* (康拉第《汉藏语系中使动名谓式之构词法及其与四声别义之关系》).

Gong, Hwang-cherng 1980: A comparative study of the Chinese, Tibetan and Burmese vowel system (龚煌城《汉、藏、缅语元音的比较研究》),《史语所集刊》51,455—90。

Karlgren, B. 1954: Compendium of phonetics in Ancient and Archaic Chinese (高本汉《汉语上古音、中古音纲要》), *Bulletin of the Museum of Far Eastern Antiquities* 22.221—367.

—— 1956: Cognate words in the Chinese phonetic series (《谐声字里的同源词》), *BMFEA* 28. 1—18.

—— 1957: Grammata Serica Recensa (《汉文典》增订本).

Lehmann, Winfred 1962: *Historical linguistics: an introduction* (雷曼《历史语言学导论》).

Manomaivibool, P. 1975: A study of Sino-Thai lexical correspondences (《汉台字汇对应研究》),华盛顿州立大学博士论文。

Norman, J. 1973: Tonal development in Min (罗杰瑞《闽语的声调发展》), *Journal of Chinese Linguistics* 1.2.222—238.

Pulleyblank, E.G. 1973: Some new hypotheses concerning word families in Chinese (蒲立本《关于汉语词族的几个新假设》), *JCL* 1.111—125.

Yakhontov, S. E. 1960: Consonant combinations in Archaic Chinese (雅洪托夫《上古汉语里的复辅音》), *International Congress of Orientalists*, Moscow, 1960.

汉藏语的"歲、越"、"還(旋)、圜"及其相关问题[*]

提要 十多年前(1979)我写过一篇文章,其中说明"歲"、"越"同源,藏文的 skyod-pa "行走、逾越、时间的逝去"又和"歲"、"越"同源。[①] 这些话也曾在另一篇文章里(1980:435—436)说过。现在再来讨论这几个字,一则是上古音研究有了新的发展,"歲"、"越"的拟音需要修正,二则是"還(旋)"、"圜"这对字可以说明,上古汉语不仅有 *skwr-这样的复声母,还有跟它平行的 *sgwr-。此外本文还会讨论上古汉语的形态、王力先生的上古音。

一 缘 起

雅洪托夫(1986:53—77, 197—223)在六十年代提出两个理论,后来都被李方桂(1980)和其他学者(蒲立本 1962,包拟古 1980)采纳。第一是"古无合口";也就是说中古 w 或 u 这样的介音,上古没有。为了解释合口韵的来源,他们设立的假设之一是说上古有一套圆唇舌根音 *kw-、*khw-、*gw-等,下面用李方桂先生(1980)的上古、中古拟音,为了印刷方便,不写作 *k^w-、*kh^w-、g^w。([a]写作[ɑ]——编者)

(1) 国 *kwək＞kwək 弘 *gwəng＞ɣwəng 郭 *kwak＞kwak

"国"、"弘"、"郭"中古都是合口韵,上古圆唇成分 w 属于声母。元

---

[*] 本文原载《中国语文》1992 年第 5 期。

音不圆唇,也没有介音 u 或 w。第二,*s-词头可以在任何声母之前出现。与汉语有关系的藏缅语就很明显的有个 s-词头。

上古既然有一套圆唇舌根音声母 *kw-、*khw-、*gw-,词头 *s-又能在任何声母之前出现,于是从理论的观点来看,上古汉语应该有 *skw-、*skhw-、*sgw- 这样的复声母。

另一方面,有些合口韵的谐声字是中古的邪、心母和见、匣母互谐,例如:

(2) 心母 邪母 岁 sw- 宣 sw- 松 sw- 彗 zw- 旬 zw- 穗 zw-
    见系   劂 k-   桓 ɣ-   公 k-   慧 ɣ-   钧 k-   惠 ɣ-

有鉴于此,李方桂(1980:26,90—91)就假设了两条规律:

(3) *skw+j->sw-:岁、繐、宣、荀、恤、松
    *sgw+j->zw-:彗、穗、旬

上面提出两种理由来说明上古该有 *skw-、*sgw-这样的复声母。这两种理由都是假设。求证需要在藏缅语中找到跟 *skw-、*sgw-对应的复声母。这就是我以前(1979)所做的工作。

二　汉藏语的"岁"、"越"

2.1　首次论证

"岁"字甲骨文作 ,是用"戉(钺)"做假借字来写"岁"。金文"岁"作 ,是"戉"字上下加两"止"(徐中舒 1981:55;李孝定 1965:479—493)。"止"字象足,两个"止"字是"步"字,所以《说文》"岁"在"步"部。"岁"字从"步""戉"声,"越"字从"走""戉"声,"步"、"走"意义相近,而"岁"、"越"都从"戉"得声。

就声韵来看,"戉、岁、劂"三字谐声,"戉、越"两字是喻三声母,中古喻三归匣。

(4) 戉 ɣjw-　　歲 s-　　劌 k-

"歲"字的声符"戉"字和以"歲"为声符的"劌"都是舌根音声母,因此"歲"字本身在上古也有舌根音声母的成分。李方桂(1980:90)把"歲"的上古音拟作 *skwjadh。我们认为跟入声接触的去声字上古是 -ps、-ts、-ks(拙著 1980:432—434)。喻三根据李先生的拟音(1980:18)上古是 *gwj-。

(5) 越 *gwjat＞jwɐt　　歲 *skwjats＞sjwäi

两个字的差别在于"越"的 *gw- 是浊音声母,"歲"的 *kw- 是清音声母,此外"歲"字在词根的前后各加了一个 s。所以纯粹从汉语内部的资料来看,"歲"、"越"可能是同源字。正好东汉刘熙《释名》说过"歲,越也",我们认为这不但是声训而且是正确的义训。

现在来说明藏文的 skyod-pa "行走、逾越、时间之逝去"(Jaeschke 1965:32)是"歲"、"越"的同源字。skyod-pa 有三种意思,"行走"和"歲"、"越"的意符"步"、"走"相配,"逾越"和"越"字相配,"时间之逝去"和"歲"字相配。至于声韵,请比较一下:

(6) 汉:歲 *skwjats＞sjwäi　　藏:skyod-pa

共同汉藏语的 *a 元音,在藏文里受到 *kw-、*khw- 等圆唇成分的影响而变为 o 元音,在上古汉语中保持不变,这是一般通律(龚煌城:Gong 1980:482—484)。共同汉藏语的 *-s 在藏文里大致保留不变,但在 -n、-r、-l 后变成 -d 再失落,-ds 直接变成 -d(柯蔚南 Coblin 1976:61—62),所以藏文的 -d 也跟上古汉语的 -ts 对应。藏文的 skyod 和上古汉语的 *skwjats "歲"每个音都能对上号,这两个字显然是同源词。

此外在印欧语系里,表示"年、岁"的字,如英语的 year,德语的 Jahr,它们的来源是印欧语的词根 *yē-"to pass, 越过"、*ei-"to go,行,走"(Pokorny 1959:295ff; Buck 1949:1011—1012)。这种语义的演变正和汉藏语中的语义演变相同。

2.2 喻三上古归*gwrj-以及"歲"、"越"上古音的重订

龚煌城先生的两篇文章(1977,1990)使我觉得以上"歲"、"越"的拟音需要修正。

第一,龚先生(1977:220)指出:

(7) sgrod-pa"行,走";此词不常用,是'grod-pa的异体
skyod-pa 西部藏语"行,走"(敬语)

这两个字是同源词。龚氏整篇文章的目的是为了说明藏语在没有文字之前曾有分布均匀的介音 y,而这介音 y 曾有造敬语的功用。上引例(7)只是文章例证之一。龚氏认为,skyod 更早的形式是*skryod。当然,还有个可能是敬语中多 y 介音是古老的形式被用作敬语。

第二,最重要的,龚氏(1990)证明了喻三声母上古读*gwrj-。他举了两套例子。一套是匣母二等字。下面暂且沿用李方桂(1980)上古音的写法。

(8) 1. 汉:话 *gwrads＞ɣwai°   2. 汉:桦 *gwrars＞ɣwa°
      藏:gros 话,speech, talk   藏:gro 桦树

3. 汉:洽 *grəp＞ɣăp 和也
      藏:'grub 成就,完成

另外一套是喻三声母的字:

(9) 4. 汉:于 *gwjag＞°ju   5. 汉:芋 *gwjags＞ju°
      往 *gwjang＞°jwang   藏:gro-ma 西藏的甘薯
      藏:'gro 行,走   6. 汉:羽 *gwjag＞°ju
      缅:krwa 去,来   藏:sgro 翎翮

7. 汉:友 *gwjəg＞°jəu   8. 汉:胃 *gwjəds＞jwĕi°

藏:grogs 朋友,伴侣　　　　藏:grod 肚子,胃

9. 汉:援＊gwjan＞ɟwɐn 接援救助也(比较:缓＊gwan＞ɣuɑn 舒也)

藏:grol 解脱,解开

10. 汉:越＊gwjat＞ɟwɐt

藏:'grod 行,走;bgrod 行,走,越过(河流)

上面 4 到 7 的例子显示汉语喻三声母的字对应藏文 gro-。龚氏(1990)指出,其中有三点值得注意:一、汉语喻三所对应的藏语都是 g-,说明李方桂(1980:18)将喻三和群母相配是正确的。二、汉语喻三字所对应的藏语元音都作 -o-,无一例外,说明李先生所主张,喻三来自圆唇舌根音是正确的。具体地说,汉藏元音对应的规律是:

(10) 上古汉语 -wa-, -wə-:藏文 -o-

汉语的 -w- 是圆唇舌根音 kw-、khw-、gw- 等的圆唇成分(龚煌城:Gong 1980)。三、喻三字属于三等韵,有介音 -j-,即＊gwrj-,藏文的同源词没有跟 -j- 对应的介音。

龚氏既然证明了喻三上古是＊gwrj-,于是 4 到 10 的例都需要加上＊-r-,例如:"于"＊gwrjag、"往"＊gwrjang、"友"＊gwrjəg、"胃"＊gwrjəds、"援"＊gwrjan,等等。

再回来看"歲"、"越"两字。第一个需要修正的是"越"字的上古音。"越"字喻三声母,上古应作＊gwrjat。第二个需要修正的是"歲"的上古音,应该改作＊skwrjats。理由有二。一、上面说过"歲"、"越"同源,"越"既作＊gwrjat,"歲"的上古音中也该有＊-r-。二、"越"字和藏文 'grod 对应, 'grod 和 skyod、sgrod 同源,都有"行、走"的意思,skyod 更早的形式是＊skryod,跟它对应的"歲"字上古该是＊skwrjats。

综上所述,"歲"、"越"在藏文里的同源词是:

(11) 汉:越 * gwrjat＞jwɐt　　　汉:歲 * skwrjats＞sjwäi°

藏:'grod　　　　　　　　　　藏: * skryods＞skyod

共同汉藏语: * gwrjat　　　　共同汉藏语: * skwrjats

这个例子说明 * skwr+j-＞sjw-,以前李方桂先生(1980:26,90)假设的 * skwj-＞sjw-尚待证明。

三　汉藏语的"還(旋)"、"圜"

除了 * skwj-＞sjw-,李方桂先生还假设 * sgwj-＞zjw-。这项假设有没有汉藏同源词的例证?

"還"字《广韵》说:"反也,退也,顾也,复也。户关切,又音旋。"《广韵》又说:"檈,似宣切,圜案。""還"字匣母、邪母两读,"檈"字也是邪母。以"睘"为声符而有圆义的谐声字中古是舌根音声母喻三或匣母(见下)。这种谐声字里面声母的关系和"彗/慧"、"穗/惠"、"旬/钧"相同,也就是李先生用来假设 * sgwj-＞zjw-的例子:

(12) 還(旋) zjw-　檈 zjw-　彗 zjw-　穗 zjw-　旬 zjw-

　　 還 ɣ-　　 環 ɣ-　　慧 ɣ-　　 惠 ɣ-　　钧 k-

这就是为什么要讨论"還(旋)"、"圜"的原因。雅洪托夫(1986:57)也注意到这个例。

汉语有个词族,字形都是以"睘"为声符,基本义是"圆":

(13) 匣母二等: * gwran＞ɣwan 還、環(玉環)、鐶(指鐶)、圜(圜圐)

　　 喻母三等: * gwrjan＞₀jiwɐn 圜(天体)

　　 邪母三等:₀zjwän 還 檈(圜案)(比较《说文》:"镟,圜鑪也")

《易·说卦》"乾为天、为圜",《说文》,"圜,天体",段注,"依许则言天当作圜,言平圆当作圓,言浑圆当作圆"。"圜"的意思是圆,但是"圜"元部,"圆"文部。至于"還"字,旧注中常以"绕"、"转"释"還","還"字又与"環"字通用(参看王力 1982:398—399"還、環",510—511"圜、圆",580—581"旋、鏃"),"還"字的本义之一是绕了一圈回到起点,也就是古书上所说的"周而复始"、"物极必反"。这样看来,"還"跟"環"、"圜"、"鏃"是同源词。

藏文里有个词族,意思也是"圆"、"還返"、"回转",例如:

(14) 'khor circle, circumference 圆圈,圆周
  'khor-ba to turn round, to go around in a circle 旋转,绕圈
  skor circle, repetition 圆圈,周而复始
  skor-ba to surround, encircle, to return 转动,围绕,還返
  skyor-ba to repeat, enclosure, fence 還(反复),围场,围栏
  gor-gor round, circle 圆,圆圈
  gor-ma round, circle 圆,圆圈
  sgor to turn on a lathe 在陶器鏃床上旋转
  sgor-ma round, a circle, a globe 圆、圆圈、圜

这两个词族我们认为是同源。现在要把个别的字搭配起来。

第一,从汉语看,词根无论是喻三,还是匣二,上古反正是 *gwr-。藏文(14)的词族里没有介音-r-,词尾有-r。这是异化作用的结果:'khor< *'khror、gor< *gror、sgor< *sgror。平行的例子还有(柯蔚南 Coblin 1986:45, 139):

(15) 汉:板,版 *pran>pwan 汉:班 *pran>pwan 佈也(比较:播
  *pars>pwɑ
  藏:'phar(< *phrar)"板" 藏:'bor-ba"散播"

"板"、"班"说明藏文 'phar、'bor-ba 缺介音-r-是异化作用的结果,同时也说明有些上古汉语的 *-n 对应藏文-r-。第二,上面例(11)看到"歲 *skwrj->sjw-,依此类推可得 zjw-< *sgwrj-,也就是"還

(旋)"、"櫰"的上古声母。跟"還(旋)"对应的该是藏文 *sgror。第三，*sgror 去掉 *s-，剩下的藏文 *gror 跟汉语"圜"对应，其规律正好和例(9)的 4 至 10("于"、"芋"、"羽"等)一样。综上所述，可得：[2]

  (16) 汉：圜 *gwrjan＞ஜiwən   汉：還(旋) *sgwrjan＞ஜjwän
    還、圜、環 *gwran＞ஜyuan
    藏：gor-gor＜ *gror   藏：sgor＜ *sgror
    共同汉藏语：*gwrar＜ *gwrjar   共同汉藏语：*sgwrjar

我们最初想证明李方桂先生假设的 *skwj-＞sjw-和 *sgwj-＞zjw-，到现在还没有得到确实的例证。出乎意料地却证明了"還(旋)"字 *sgwrj-＞zjw-，这种音变完全和"歲"字 *skwrj-＞sjw-平行。

四 相关问题的讨论

4.1 上古汉语的 *s-词头

  汉语和藏缅语有亲属关系。藏缅语有个 s-词头，所以上古汉语也该有个 *s-词头，而且可以在任何不带 *s-的声母前面出现。以上基本是雅洪托夫(1986:204)、李方桂(1980:25)在六十年代提出的看法，对以后的上古音研究产生了深远的影响。

  上古汉语有 *s-词头的假设引出两类问题。第一，设若上古汉语有 *C_1、*C_2、*C_3 等不带 *s-的声母，在前面加上了 *s-词头，就产生 *sC_1-、*sC_2-、*sC_3-等复声母。这些复声母变成中古的哪些声母？演变规律如何？本文就是想解答其中的一个问题。因为我们找到了"越"字的藏文同源词，又找到了"歲"的藏文同源词，两相比较，可知"歲"的上古、中古声母是 *skwrj-＞sjw-，其中

＊s-是词头。"還(旋)"、"圜"又可以说明 ＊sgwrj->zjw-。其中 ＊gwrj-是"圜"(喻三)的上古声母,加上 ＊s-词头后,就变成"還(旋)"(邪母)的上古声母 ＊sgwrj-。

第二, ＊s-词头有什么样的构词功用?早在1896年,德国语言学家康拉第(Conrady)已经指出,藏文的 s-词头有使动化和名谓化(denominative)两种功用,也有人认为(白保罗1972:105)藏缅语的 s-词头还有方向化(directive)的功用。使动化的功用,前人论述颇多(黄布凡1981:3;张蓓蒂 Betty Chang 1971),这里不赘。所谓"名谓化",就是藏文 s-加在名词前面,会把名词变成谓词,拙著(1988:172—174)曾经转引康拉第举的藏文名谓化的例证,同时举例说明上古汉语 ＊s-词头也有名谓化功用:

(17) 不带 ＊s-　　　　　　带 ＊s-

1. 墨 ＊mək>mək　　　黑 ＊smək>xək
　　　　　　　　　　　藏文:smag "黑,黑暗"

2. 林 ＊rjəm>ljəm　　　森 ＊srjəm>˳sjəm
　 卢谢语 (Lushei):ram

3. 虐 ＊ngjans>ngjɐnº　　献 ＊sngjans>xjɐnº

4. 滅 ＊mjiat>mjät　　　威 ＊smjiat>xjwät

这里有两点值得注意。甲、"黑"在藏文里的同源词是 smag,可证"黑"字上古声母是 ＊sm-。"滅,威"这对同源词中古声母也是明母晓母,"威"是"滅"的使动词。

乙、最重要的,不带 ＊s-的"林"、"墨"、"虐"都是名词。这三个字分别加上 ＊s-以后所产生的派生词"森"、"黑"、"献"都不是名词。"森"是状词,《说文》"森,多木貌";"黑"是形容词,"献"是动词。这就说明"森"＊sr-、"黑"＊sm-、"献"＊sng-这三个字里的 ＊s-,构词功用是名谓化,跟藏文的 s-一样。

更早我们已经碰到过一个名谓化 *s-的实例：

(18:16)

汉：圜 *gwrjan>₀jiwɐn　　　汉：還(旋) *sgwrjan>zjwän

藏：gor-gor< *gror 圆,圆圈　　藏：sgor< *sgror 在陶器镟床上旋转

《易·说卦》"乾为天,为圜";《说文》"圜,天体";"圜"是个名词。《广韵》"還,反也,退也,顾也,复也。户关切,又音旋";读"旋"音的"還"字是个动词。可见"圜"字前面加上 *s-后产生读"旋"音的"還"字,名词就变成动词;这个 *s-的功用是名谓化。同样的,藏文 gor-gor 是个名词,加上名谓化 s-后所产生的 sgor 是个动词。

再看"越"、"歲"之间的构词关系：

(19:11)　　不带 *s-　　　　　带 *s-

汉：越 *gwrjat>jwɐt　　　汉：歲 *skwrjats>sjwäi°

藏：'grod 行,走　　　　　藏：skyod< *skryods 行走、逾越、
　　　　　　　　　　　　　　时间之逝去

"越"、"歲"上古音的差别在于"歲"字有 *s-词头, *-s 词尾,"越"字的 *gw-和"歲"字的 *kw-清浊不同。现在来讨论这些差别。

(20)　　藏文　　　　　　　　汉语

1. 'phul 给　　　　　　　　分 *pjən>₀pjuɐn

　 'bul 给　　　　　　　　　份 *bjəns>bjuɐn°

2. 'kham 放在嘴里　　　　　——

　 'gam 含在嘴里　　　　　　含 *gəm>₀ɣəm, *gəms>ɣəm°

3. tshang-ba 圆满,完善　　　臧 *tsang>₀tsang

　 bzang-po(< *dzang)　　　——
　 全善全美

(21) 不带 s-　　　　　　　　带 s-

1. 清音 'khon 穿上　　　　　skon

  浊音 gon 穿戴   ——
2. 清音 khal 重负   ——
  浊音——   sgal 把重担装在畜牲身上
3. 清音 'khor 圆圈   skor 转动,围绕
  浊音 gor-gor 圆圈 sgor 圆圈,旋转

(20)说明藏文往往一个词根有清浊两种形式,汉语跟它们对应的语词有时候清浊俱全,有时候只有清音,有时候只有浊音。(21)说明古藏语清浊两式的前面都可以加 s-,但在演变的过程中或存或亡。我们认为"越" * gw-和"岁"中 * kw-的清浊交替也是一个词根有清音声母和浊音声母两种形式。"岁" * skwrjats 和藏文 sky-od 的 s-词头,功用不明,可能是方向化(directive)的用法。至于为什么动词"越"是入声,名词"岁"是去声,拙著(1980)认为去声来自 * -s 词尾。加上了这个名词化词尾,就把动词"越"转换成名词"岁"。

4.2 王力先生的上古音

为了进一步说明上古音和上古构词法之间的关系,下面想简单地讨论一下王力先生的上古音。

王先生早年以脂微分部成名,后来(1957:63)又提出"同韵部的字上古必同元音"之说,这都是对上古音研究的重要贡献。他晚年又发表《汉语语音史》(1985),所主张的上古音还是五十年代的主张,[③]同时用自己的上古音写成《同源字典》(1982)。王先生是我的太老师,我非常尊敬的前辈学者。读了王先生八十年代的著作,不免觉得他忽略了六十年代以来各家对谐声字、汉藏比较所做的研究。"吾爱吾师,吾尤爱真理"。抱着这样的态度,下面想说明王先生的上古音基本是中古的格局,声母部分和韵尾部分都没有复辅音,所以不可能有 * s-词头、 * -s 词尾。《同源字典》不太可能包括由 * s-词头、 * -s 词尾以及其他词缀所派生的同源词。因此

他的上古音在某些方面不适于做汉藏比较的研究,也不能解释上古构词法中的一些基本现象。

王先生的上古音系统,最近郭锡良先生用来编成《汉字古音手册》(1986)。下面讨论王先生的上古音,就以郭书为准。

经过百余年的讨论,汉语和藏缅语的同源关系是语言学家一般公认的。藏缅语中最古老的文献是藏文。藏文和中古汉语的主要差别在于:

(一)在七、八世纪藏文形成的时代,藏语没有声调,汉语有平、上、去、入四个声调。

(二)藏文有 -s、-d 等词尾;汉语没有。

(三)藏文有 b- g- d- r- l- m- '- s- 等词头,汉语没有。

(四)因为藏文有词头、词尾,一个音节的开头和末尾部分就可能有复辅音;汉语没有。

在更古老的时代,汉语和藏语不该有这么大的差别,否则这两种语言不会同源。于是,从五十年代开始,汉藏比较研究中出现了若干重要的理论。其一是声调发生说。汉语去声来自 *-s 词尾是最重要的成果,目的是为了解释上面(一)、(二)两项的差别。其二是说上古汉语也有词头,也有复声母;目的是为了解释上面(三)、(四)两项的差别。

王力先生(1985:18)说:"有人引用汉藏语系各族语言的同源词来证明上古声母,这应该是比较可靠的办法。"可见他也是赞成汉藏比较研究的。汉藏比较的目的是比较汉语和藏文(以及其他藏缅语)的每个成分。藏文有种种复声母,如果上古汉语如王先生所说只有单声母,我们简直不知如何作比较。藏文也有音节末尾部分的复辅音,如果上古汉语如王先生所说没有后缀,没有末尾部分的复辅音(见下),我们也不知道如何作比较。要从中古的单声母系统走到上古兼有单复声母的系统,汉语本身的主要途径是谐声字。王先生又不相信这套资料,我们不免感到王先生在方法论上自相矛盾。

现在分别讨论词尾和词头。

王先生(1982:46)说:

> 汉语滋生词和欧洲语言的滋生词不同。欧洲语言的滋生词一般是原始词加后缀,往往是增加一个音节。汉字都是单音节的,因此,汉语滋生词不可能是原始词加后缀,只能在音节本身发生变化,或者仅仅在声调上发生变化,甚至只有字形不同。这是汉语滋生词的特点。

王先生的说法值得商榷。

第一,欧洲语言的滋生词,加了后缀以后会增加一个音节。这种说法基本上是对的。但是欧洲语言也有不自成音节的后缀。加在原始词的后面,不增加一个音节。例如英语名词化后缀 -th: long, length; broad, breadth; young, youth; slow, sloth; true, truth。又如名词化后缀 -t: high, height; weigh, weight; join, joint; fly, flight。

第二,藏文的字(词素 morpheme)也是单音节的。但是藏文有名词化的 -s 后缀,古藏文还有 -d 后缀(参看柯蔚南 Coblin 1976:50—56),加在原始词后,产生的滋生词仍是单音节的,并没有增加一个音节。例如拙著 1980:432—433 所举的例:

(22) 动词 lta-ba 看(睹,觑)   名词 ltas 奇迹,预兆
      spag-pa 蘸汤   spags 汤
      ɔbug-pa 穿孔,穿洞   spugs 洞,孔
      sem(s)-pa 想   sems 心(心)
      snyam-pa 想,思(恁)   nyams 灵魂,思想(念)

王先生的意思是说:任何一个单音节的语言,滋生词不可能是原始词加后缀——因为加了后缀以后,会增加一个音节。这种说法不符合藏文的事实。理论的前提既然不能成立,我们也不必相信王

先生"汉语滋生词不可能是原始词加后缀"之说。至于上古汉语是否真正有后缀，当然需要另作论证。

现在来讨论去声的来源和上古汉语的 *-s 后缀。

王先生(1957:65)对上古声调的看法是：

> 先秦的声调分为舒促两大类，但又细分为长短。舒而长的声调就是平声，舒而短的声调就是上声。促声不论长短，我们一律称为入声。长入到了中古变为去声(不再收 -p、-t、-k)，短入仍旧是入声。

这是 1957 年的说法，1985 年的《汉语语音史》79 页重复这种说法。

谐声字里，去声字和入声字的关系最密切。根据这件事实，段玉裁在《六书音均表》里就曾提倡"古无入声"之说。王先生的学说一部分承继段说，我们也承继段说。不同之处在于王先生认为去入之别是由于长短，我们认为与入声发生关系的去声字收 -ps、-ts、-ks，入声本身收 -p、-t、-k。我们不采取王先生的说法是由于三层考虑。

第一，不懂"舒声"、"促声"的定义。"舒声"和"促声"一般是按照阴、阳、入三种音节分的。入为促声，阴阳为舒声，也就是没有塞音韵尾的音节。下面举四对汉藏同源词(参看龚煌城：Gong Hwang-cherng 1980)：

(23) 汉 *pljag 膚(平)　*njəgw 揉(平)　*gwrjəg 友(上)　*kjag 举(上)
　　 藏 pags, plags　　 nyug　　　　 grogs　　　　 khyog, pf. khyag

例字中两个是平声，两个是上声。这四个字的藏文同源词都是有 -g、-gs 尾的闭音节。按照李方桂先生(1980)的拟音，这四个字在上古汉语里也有塞音韵尾，也是闭音节的。王先生认为平声字"膚、揉"、上声字"友、举"都是舒声字。我们不懂舒声是什么意思。

第二，王先生"长入变为去声，短入仍旧是入声"之说，唯一可以看到的理由是《汉语语音史》81 页，注二所说的："汉藏语系有些语言(如壮语)也有长入、短入的分别。这可以作为上古汉语有长入短入的旁证。"王先生的说法值得商榷。侗台语(包括壮语)是否是汉藏语系的一支,学术界还没有一致的看法(参看白保罗(Benedict) 1972)。下面转录李方桂先生《汉台语》(Fang-kuei Li 1976)的例:

(24) 汉语　*djəp 十　　*g-rjəkw 六　　*priat 八　　*prak 百
　　　暹罗话 sip< *s- DIS　hok< *xr- DIS　peet< *p- DIL　paak <*p- DIL

"十、六、八、百"是四个入声的数目字,在台语里"十、六"是短入(DIS),"八、百"是长入(DIL)。如果依靠台语的证据,只好说汉语的入声在上古可以是长入,也可以是短入;暹罗话"八、百"长入的长,可能是介音 -r- 失落时使元音变长。按照王先生的说法,早期借入台语的汉字应该是汉语入声对应台语短入,汉语去声对应台语长入。这种说法与台语的事实不合。

第三,拙著(1980:433)曾经举过汉藏同源词中双双成对的例:

(25)　　　　汉　　　　藏　　　　汉　　　　藏
动词:量(平) *rjang>ljang　'grang　名词:量(去) *rjangs>ljang　grangs
　　　织(入) *tjək>tśjək　'thag　　织(去) *tjəks>tśi　　　　thags

"量"字平去两读,口语中还保存着。"织"字两读,之翼切的入声字是动词;职吏切的去声字是名词,《广韵》去声七志"织,织文锦绮属"就是这个字。按照我们的看法,"量(平)"、"量(去)"在上古的区别是前者没 *-s,后者有 *-s,"织(入)"、"织(去)"的区别也是这样。"量(平)"、"量(去)"在藏文里的同源词,差别是动词没-s,名词有 -s;"织(入)"、"织(去)"在藏文里的同源词,它们的差别也是这样。等到汉语的 *-s 在中古变成去声,以前有 *-s 没 *-s 的差别就变成"量"字平去两读,"织"字入去两读。

按照王力先生的说法,这几个字应该写作:

(26) 动词:量(平) * liaŋ (舒而长)　名词:量(去) * liaŋ(?)
　　　织(入) * tiək (短入)　　　　织(去) * tiək(长入)

"量(平)"是"舒而长"。"量(去)"中古是去声,上古不是入声;我们不知道按照王先生的说法该是"促而长",还是"舒而长",还是"舒而短"。很明显的,王先生认为这几个字在上古音里应该有的差别,在藏文里得不到印证。藏文里有的差别,在王先生的系统里得不到印证。

总起来说,我们跟不少其他学者一样,认为上古汉语有词尾 *-s,跟藏文 -s 同源。汉语的 *-s 以后变成去声。上面把"歲"字的上古音拟成带 *-s 尾的 * skwrjats,就是根据这套理论。

现在再讨论王先生对谐声字和上古复声母的看法。上面说过,上古汉语有 * s-词头,至少有 * sC-型的复声母。我们论证所用的资料主要是谐声字、汉藏同源词以及藏文构词法。王先生的系统里没有复声母,也就不可能有 * s- 词头,原因之一是王先生怀疑谐声偏旁所提供的线索。

王先生(1985:17—18)讨论先秦音系时说:

> 关于声母方面,成绩就差多了。一般的根据是汉字的谐声偏旁,其次是异文。我们知道,声符和它所谐的字不一定完全同音。段玉裁说:"同声必同部。"这是指韵部说的。这只是一个原则,还容许有例外。如果我们说:"同声符者必同声母。"那就荒谬了。……从谐声偏旁推测上古声母,各人能有不同的结论,而这些结论往往是靠不住的。

以上是王先生对谐声字的一般看法,其中至少有两点值得商榷。第一,从《诗经》押韵和谐声偏旁推测上古韵母,各人也能有不同的结论;比方说,王先生的系统就跟李方桂先生的不尽相同,这是学术进展正常的现象,不是因为基本资料不可靠。至于用谐声字推测上古声母而目前得到不同的结论,最好的办法是添上汉藏比较的资料,继续研究,而不是怀疑谐声字的可靠性。第二,据我们所知,高本汉(1923,1927)、董同龢(1944)、李方桂(1980)等研究谐声字的前辈学者,谁也没有提倡过"凡同声符必同声母"之说。一般大家接受的原则是:

> (27)(一)上古声母完全相同的可以互谐。
> (二)上古发音部位相同的塞音可以互谐。塞音不常和发音部位相同的鼻音互谐。
> (三)上古的舌尖塞擦音或擦音互谐,不跟舌尖塞音相谐。

这是简单的说法,精密的说法请看李方桂(1980:10)。能够用这三条原则解释的,上古和中古的差别是由于介音 -r- 或 -j- 所引起的变化(李方桂 1980:11—12;雅洪托夫 1986:43—47),不能用这三条解释的"例外谐声",就要别寻途径。

上面讨论过若干"例外谐声"的现象,包括明晓互谐、疑晓互谐、来生互谐,合口韵中见系塞音(包括匣母和喻三)跟心母、邪母互谐。我们提出了几条演变规律:

> (28) *sm->*hm->x-;*sng->*hng->x-;*sr->s-;
> *skwrj->sjw-;*sgwrj->zjw-

现在把以前举过的例子写出来,以便和王先生的上古音做比较。

> (29:11、16、17)
> 1. 墨 *mək>mək　　　黑 *smək>xok
> 2. 灭 *mjiat>mjät　　威 *smjiat>xjwät
> 3. 林 *rjəm>ljəm　　森 *srjəm>sjəm
> 4. 彦 *ngjans>ngjɐn　　献 *sngjans>xjɐn
> 5. 圜 *gwrjan>jiwɐn　　還(旋) *sgwrjan>zjwän
> 　環、還、鐶 *gwran>ɣuan

393

6. 越、戉 * gwrjat>jwɐt　　　歲 * skwrjats>sjwäi
劌 * kwjiats>kjwäi

王先生的上古、中古拟音,按照郭锡良先生的《汉字古音手册》写出来,并注上郭书的页数。

(30) 王力先生的上古音

1. 墨(26) * mək>mək　　　　黑(131) * xək>xək
2. 滅(43) * miăt>mĭet　　　威(47) * xĭwăt>xĭwɐt
3. 林(238) * lĭəm>lĭəm　　　森(232) * ʃĭəm>ʃĭəm
4. 麒(200) * ŋian>ŋiɐn　　　獻(209) * xĭan>xĭɐn
5. 圜(217) * ɣĭwan>jĭwɐn　　還(旋)(225) * zĭwan>zĭwɐn
環、還、镮(217) * ɣoan>ɣwan
6. 越、戉(44) * ɣĭwăt>jiwɐt　　歲(148) * sĭwăt>sĭwɐi
劌(141) * kĭwăt>kĭwɐi

王先生拟测的上古声母有两个特点。第一,和中古声母很像。"黑"、"威"、"森"、"獻"、"還(旋)"、"歲"这几个字,按照王先生的说法,中古的声母就是上古的声母。第二,"墨,黑"、"林、森"等是一对一对的谐声字。顾名思义,想来是因为"音近",所以才谐声。看了王先生所拟的上古声母,我们实在不能了解为什么这些字声母"音近"。例如照王先生的说法,上古"墨、滅"是 m-,"黑、威"是 x-,一个是唇鼻音,一个是喉通音,看不出来有什么相同的地方。"劌"的声符是"歲",王先生分别拟作 k-、s-,也是令人费解。

按照我们的看法,"墨、黑"、"滅、威"、"林、森"、"麒、獻"、"圜、還(旋)"、"劌、歲"这六对谐声字上古声母的关系都是 * C-和 * sC-。"戉" * gwrj-、"歲" * skwrj-也是一对谐声字,属于同型,但是圆唇舌根声母有清浊之别。

谐声字的声母要遵守怎么样的原则?我们先讨论一下上古的

字(lexeme)的结构。举例而言，*skwrjats"岁"是上古汉语的一个字，这个字由三个词素(morpheme)形成：*s-是词头，*-s是词尾，剩下的*kwrjat是词干，词干的开端部分*kw-我们管它叫"单声母"。跟藏文一样，上古汉语往往一个词根有清浊两种形式(参看(21))，*gwrjat/*kwrjat 是一个词根的两种形式，浊音形式*gwrjat是"越"字，也是"越"字的词干；*kwrjat 就是*skwrjats"岁"的词干。"越"和"岁"这两个字的词干的单声母都是塞音，发音部位相同(而且都圆唇)。换句话说，谐声字的声母"音近"是从词头以后的单声母算起。因此，为了照顾复声母，我们要把上面(27)的三条谐声原则稍微修改，暂且写成：

(31) 两个声符相同的字，除去词头以后，它们的词干的两个单声母要遵守以下的原则：
(一)上古声母完全相同的可以互谐。
(二)上古发音部位相同的塞音可以互谐。塞音不常和发音部位相同的鼻音互谐。
(三)上古的舌尖塞擦音或擦音互谐，不跟舌尖塞音相谐。如果没有词头，(31)就简化成(27)的原样。

现在再讨论同源词中的声母关系。

同源词必须是同音或音近的字，这是大家都赞成的原则。至于怎样决定两个中古声母在上古时代是否"音近"，却是众说不一。可以想象，声母"音近"的标准在只有单声母的系统中和兼有单复声母的系统中，差别会相当大。

王先生(1982:18)的上古音一共有三十三个声母。

喉		影 o						
牙		见 k	溪 kh	群 g	疑 ng		晓 x	匣 γ
舌	舌头	端 t	透 th	定 d	泥 n	来 l		
	舌面	照 tj	穿 thj	神 dj	日 nj	喻 j	审 sj	禅 zj
齿	正齿	庄 tzh	初 tsh	牀 dzh			山 sh	俟 zh

齿头　精 tz　清 ts　從 dz　　　　心 s　邪 z
唇　　帮 p　滂 ph　並 b　明 m

按照这个声母系统,王先生(1982:18—20)立了六个声母"音近"的标准:

　　(一)同纽者为双声。例如见母双声:"刚"、"坚"。
　　(二)同类同直行,或舌齿同直行者为准双声。例如端照准双声:"著"、"彰"。
　　(三)同类同横行者为旁纽。例如见群旁纽:"劲"、"强"。
　　(四)同类不同横行者为准旁纽。例如透神准旁纽:"它"、"蛇"。
　　(五)喉与牙、舌与齿为邻纽。例如神邪邻纽:"顺"、"驯"。
　　(六)鼻音与鼻音、鼻音与边音,也算邻纽。如疑泥邻纽:"酽"、"釅";来明邻纽:"令"、"命"。

王先生的上古声母一共三十三个,比守温三十六字母少了三个,而且没有复声母,所以是中古的格局。至于王先生声母"音近"的标准,我们有若干意见。

第一,若干同源字,不能用王先生的标准来归类,例如(29)所举的"墨、黑"、"滅、烕"、"林、森"、"虜、獻"、"圜、還(旋)"、"越、歲"。其中"墨、黑"《同源字典》253页也认为是同源词,"'黑'的古音可能是 mxək 故与'墨'mək 同源",但是王先生在《汉语语音史》20页却反对董同龢给"黑"拟的上古[m]([m]的清音),高本汉给"黑"拟的复辅音[xm]。我们不懂王先生为什么给"黑"字拟构了自己声母系统里没有的 mx-。此外"车"字九鱼切、尺遮切两读,王先生上古音拟作 kiɑ、tˊia,李方桂先生(1980:59,92)拟作 *kjag＞kjwo、*khrjiag＞tśhja。九鱼切的"车"字和尺遮切的"车"字当然是同源字(参看拙著 1983:117)。按照王先生的说法,一是牙音,一是舌面音,也不符合他所立的声母"音近"的标准。

　　第二,若干字中古声母相同或相近,上古差别很远,用王先生的上古音,就会把不同源的字看作同源字。下面(32)(甲)列的是王先生《同源字典》里的拟音,(32)(乙)是我们的拟音。

(32)(甲) 349 页:xiang 享、饗:xian 獻(阳元通转)

350 页:xuang 荒 iuat 薉(穢)(晓影邻纽,阳月通转)

(乙) 饗 * skhjang＞°xjang　　獻 * sngjans＞xjɐn°

　　　荒 * smang＞ˌxwang　　穢(薉) * skwjats＞＞?jwai°

"卿"、"饗"、"鄉"甲文金文同字,析而为三以后属于同一谐声系列(李孝定 1965:2885;高本汉 1957:187—188;俞敏 1984:111;沈兼士《广韵声系》156)。"鄉"晓母,"卿"溪母;"機"影母,同声符的"劇"见母。包拟古(1980:59—60)认为跟溪母谐声的晓母上古是 * skh-,跟舌根塞音谐声的影母上古是 * sk-。我们对"饗"、"穢"上古声母的拟音不太有把握。但是"饗"、"獻"声调、韵母不同,上古声母可能不同;"荒"、"穢"也是如此。这两对看起来都不像是同源词。

第三,有些同源词的两个声母虽然可以用王先生的标准归类,上古时期的真相似乎没有说清楚。下面举两个例子说明。

《同源字典》329 页认为"命"、"令"是同源字,明来邻纽。俞敏先生(1984:117—120)指出,同型的还有"麥、来"、"卯、劉"。这些"明来邻纽"的字,我们认为是 * mr->m-/ * r->l-,理由有二:(一) * m-是名词化的词头。"来"、"令"、"劉"是动词;"麥"、"命"、"卯"是名词。"劉"当杀讲,"卯"是一种兵器的名字(俞敏 1984:119—120);《孟子·离娄》"既不能令,又不受命"说明"令"是动词,"命"是名词。藏文也有个 m-词头。(二)王先生的"明 m-来 l-邻纽"在音理上不好懂。m->l-和 l->m-都不太可能。

《同源字典》258 页"djiək 食:ziə 饲(飤)"、518 页"djiuən 顺:ziuən 驯",这两对同源字王先生都认为是神邪邻纽,我们认为基本

词是 *dj-,派生词是 *sdj-。

(33) 顺 *djəns＞dźjuĕn　　　驯 *sdjən＞zjuĕn

食 *djək＞dźjək　　　　　　饲 *sdjəks＞zi

*sdj-＞zj-这种拟音的理由请参考李方桂(1980:89—90)、龚煌城(Gong Hwang-cherng 1980:475)。"饲"的意思是"使食";"驯"的意思是"使顺"。使动化是 *s-词头的一种构词功用。拟成(33)的样式,就能解释为什么"驯"、"饲"分别是"顺"、"食"的使动式。

再回来讨论怎样决定两个中古声母在上古是否"音近"。

如果我们能拟测一套完整的上古声母,当然要用这套声母来给"音近"下定义。目前我们只知道上古有复声母。至于复声母有几种类型,各型复声母怎样演变成中古声母,还有很多问题尚待解决。用中古声母来讨论上古声母,就不免渗入主观意见;某甲认为上古"音近"的两个中古声母,某乙未必也认为如此。在这种青黄不接的状况下,我们想提出个暂行方案,其中有两个步骤:

第一,上古同源字的声母是否"音近",拿谐声字来做标准。

第二,再用谐声字和汉藏比较的资料来拟构上古的单声母和复声母,以便更进一步说明为什么"音近"。

自从段玉裁提出"同声必同部"之说,大家都知道谐声字所反映的韵母类别跟《诗经》押韵所反映的属于同一个时代。而且,用甲字来作乙字的声符,想来是甲、乙两字声母、韵母都相近。上面第一条是基于这两项理由。

第一条的涵义有两方面,一般的和个别的。1.李方桂先生(1980:19)指出:"如果我们以为鼻音可以跟塞音互谐的话,应该是泥母娘母跟定母澄母互谐,因为都是浊音,但是事实上这类的例子几乎没有。"果真如此,我们就不得不怀疑《同源字典》327页所举的例:"dyeng 定:nyeng 宁(甯)(定泥旁纽,叠韵)。"怀疑的原因是"定泥旁纽"不合谐声字所显示上古声母"音近"的一般规律。2.个别的字的上古声母由它所属的谐声系列决定。例如(32)讨论的"饗"字的晓母是跟溪母("卿")谐声的,"獻"的晓母是跟疑母("虡")谐声的。这两种晓母上古的来源不同,它们在上古不能算作"音近"。

五 结 语

本文所作的工作是:

(一) 说明汉语和藏语有两对同源词:

汉:越 * gwrjat > jwɐt　　汉:歲 * skwrjats > sjwäi

藏:ˈgrod 行,走 bgrod 越过　　藏: skyod < *skryods 走,逾越,时间的逝去

汉:圜 * gwrjan > jiwɐn　　汉:還(旋) * sgwrjan > zjwän

藏: gor-gor < * gror-gror 圆圈　藏: sgor < * sgror 旋转

(二) 介绍龚煌城先生的"喻三在上古是 * gwrj-"之说,以便说明"越"、"圜"上古的声母。

(三) 为了说明"還(旋)"中 * s-词头的功用是名谓化,4.1 节举例说明"墨、黑"、"林、森"、"虡、獻"这几对同源字的声母也是 * C-/ * sC-; * s- 的功用也是名谓化。

(四) 为了说明上古音和上古语源学之间的关系,4.2 节讨论王力先生的上古音和《同源字典》。结论是王先生的上古音没有词头、词尾,没有复声母;需要引进六十年代以来其他学者的成果,才能用来作同源字研究和汉藏比较研究。

王念孙《广雅疏证·自序》:"窃以诂训之旨,本于声音。故有声同字异,声近义同;虽或类聚群分,实亦同条共贯。……今则就古音以求古义,引申触类,不限形体。"这也是我们的目标。不过现在离段玉裁、王念孙有二百多年,"古义"不单是个别语词的意念,也

包括由形态产生的语法意义;"古音"该是有复辅音、有词头词尾、更趋近藏文的上古音。至于形体,谐声字所显示音近的条例,是同源词研究不可少的声韵框架。本文用 *C-/ *sC- 来解释"越、岁"、"圜、還(旋)"、"林、森"、"虩、獻"、"墨、黑"、"滅、威"、"顺、驯"、"食、飤",也算是力求"同条共贯"的一个尝试。

附　注

① 本文内容,1989 年在台湾的清华大学、师范大学讲过。写作期间受国科会和美国 ACLS 的资助。史语所二组的同行给我很多宝贵的意见。在此一并表示衷心的感谢。

② 柯蔚南(1986:153)认为藏文 'khor "圆圈"、'khor-ba "旋转、绕圈"的同源词是"归" * kwjəd、"圍" * gwjəd、"回" * gwəd。他还说:"T 'khor 'circle', 'khor-ba 'turn around, go in a circle', OT 'khord; cf. also OT 'khorte, indicating that the verbal root ended in -d"。最后一句"动词词干的韵尾是-d"最重要;如果 'khor-ba 的词干是'khord,我们就无法拿它来跟"還"、"圜"、"環"等来作比较。柯氏 1990 年 4 月 17 日回我的长信改变了他原来的主张。以前他认为'khor-ba 是单词干的动词,词干是 * khord。现在他认为'khor-ba 在古藏文里是个多词干的动词,有'khor-ba 和 'khord 两种词干。'khord 是完成式;-rd 来自 * -rs;* -s 是完成式词尾。理由是古藏文中目前所见的 'khord 从上下文可以断定是完成式。据此,我们暂且假定藏文的词干是 * khor,不是 * khord。

③ 王力先生 1985 年的上古音系统跟 1957 年的不尽相同,例如歌部原来拟作 a,现在拟作 ai。但是王先生对复辅音、古声调的看法一直没有改变。

参考文献

白保罗(P. Benedict)　1972: *Sino-Tibetan: A Conspectus*.

包拟古(N. Bodman)　1980: Proto-Chinese and Sino-Tibetan, in F. Van Coestem & L. Waugh eds., *Contributions to Historical Linguistics* (Leiden, E.J. Brill).

Buck, Carl 1949: *A Dictionary of Selected Synonyms in the Principle Indo-European Languages*.

张蓓蒂 (Betty Shefts Chang) 1971: The Tibetan causative: phonology, 《史语所集刊》42,623—75。

柯蔚南 (W. S. Coblin) 1976: Notes on Tibetan verbal morphology, T'oung Pao 62.45—70.

—— 1986: *Sino-Tibetan Lexical Comparisons* (Nettetal, Steyler Verlag).

康拉第 (A. Conrady) 1896: *Eine indochinesische Causativ-Denominativ-Bildung und ihr Zusammenhang mit den Tonaccenten* (Leipzig, Otto Harrassowitz).

董同龢 1944:《上古音韵表稿》。

龚煌城 1977:《古藏文的 y 及其相关问题》,《史语所集刊》48,205—227。

—— 1980: A comparative study of the Chinese, Tibetan, and Burmese vowel systems,《史语所集刊》51,455—90;中译本:龚煌城著,席嘉译《汉、藏、缅元音的比较》,《音韵学研究通讯》13 (1989),12—42。

—— 1990:《从汉藏语的比较看上古汉语若干声母的拟测》,《西藏研究论文集》第三辑(台北),1—18。

黄布凡 1981:《古藏语动词的形态》,《民族语文》1981.3,1—13。

黄 侃 1964:《黄侃论学杂著》(北京,中华书局)。

郭锡良 1986:《汉字古音手册》(北京,北京大学出版社)。

高本汉 (B. Karlgren) 1923: *Analytic Dictionary of Chinese and Sino-Japanese*.

—— 1957: *Grammata Serica Recensa*.

李方桂 1933 a: Fang-kuei Li, Certain phonetic influences of the Tibetan prefixes upon the root initials,《史语所集刊》4,135—157。

—— 1933 b: Ancient Chinese -ung, -uk, -uong, -uok, etc. in Archaic Chinese,《史语所集刊》3,375—414。

—— 1976: Sino-Tai, *Computational Analysis of Asian & African Languages* 3.39—48.

—— 1980:《上古音研究》(北京,商务印书馆)。

李孝定　1965：《甲骨文集释》(台北,中央研究院历史语言研究所)。

梅祖麟　1979：Tsu-Lin Mei, Sino-Tibetan "year", "month", "foot", and "vulva",《清华学报》新 12 卷,17—133 页。

—— 1980:《四声别义中的时间层次》,《中国语文》1980.6,427—443。

—— 1983:《跟见系谐声的照三系字》,《中国语言学报》1983.1,114—126。

—— 1988:《内部拟构汉语三例》,《中国语文》1988.3,169—178。

Pokorny, J. 1959：*Indogermanisches etymologisches Wörterbuch*.

蒲立本 (E. Pulleyblank) 1962：The consonantal system of Old Chinese, Part I, *Asia Major* 9.59—144。

王　力　1957:《汉语史稿》(上)(北京,科学出版社)。

—— 1980:《汉语史稿》(上)(修订本)(北京,中华书局)。

—— 1982:《同源字典》(北京,商务印书馆)。

—— 1985:《汉语语音史》(北京,中国社会科学出版社)。

徐中舒　1981:《汉语古文字字形表》(四川人民出版社)。

雅洪托夫 (S. E. Yakhontov)　1986:《汉语史论集》(北京,北京大学出版社)。

俞　敏　1984:《中国语文学论文选》(东京,光生馆)。

方言本字研究的两种方法*

壹

有些嘴里说的方言词,不知道怎么写。①遇到这种"有音无字"的情形,语言学家就会去寻找本字。

怎样算是找到本字?大致要符合三个条件。第一,要找到一个汉字 X。第二,要说出一套音韵演变规律,能使 X 的中古音或上古音在那个方言里变成方言词 Y 的现在语音。第三,X 和 Y 的意义要相同或相近。由于着重点不同,过去研究方言本字的方法可以分为两种。

第一种是增加历史词汇学的知识,也就是去查《广韵》、《集韵》、《玉篇》以及其他古文献。举例而言,苏州话[‿tɕhiy]"坏、恶劣、不正经"和[ɡɛ²]"倚、靠"最初不知道怎么写。后来在《广韵》里找到"怵,戾也,去秋切",又在《集韵》里找到"隑,巨代切,《博雅》陭也"(李荣1965:340;1980:138),我们才知道这两个方言词的本字。

第二种是增加方言音韵史的知识,这就要分辨方言中的音韵层次,在各个音韵层次中找出演变规律。比方说,闽南话的[‿thai]"杀,屠宰",俗写作"刣",罗杰瑞(1979)曾经证明本字是"治"。论证中最关键的环节是指出闽南话至少有两个音韵层次,

---

* 本文原载《中国东南方言比较研究丛书》第一辑,1995 年。

"治"在一个层次读[ti²]，在另一个层次读[ˬthai]。

这两种方法针对两个不同的问题。苏州话[ˬtɕhiy]、[gɛ²]之所以有音无字是因为我们不知道古书上曾有两个汉字专门写这两个方言词。一旦重新发现"㤤"、"隑"这两个方块字，本字的问题迎刃而解。论证过程固然也牵涉到苏州话的音韵史，但"㤤"、"隑"的音韵演变和苏州话大多数的语词一样，演变规律是现成的。相反的，闽南话[ˬthai]之所以有音无字倒不是因为我们不认识"治"字，而是因为最初不知道闽南话另有一套演变规律，能使"治"字变成[ˬthai]音。用个简单的说法，第一种情形的有音无字是因为"不知字"，不知道《广韵》、《集韵》有"㤤"、"隑"这两个字。第二种情形是因为"不知音"，不知道闽南话另有个音韵层次，其中澄母会变成[ˬth-]、之韵会变成[-ai]。因此，研究方言本字的方法也有"寻音"和"觅字"两种。

这里提出两种研究方言本字的方法，一则是虽然这两种方法以前都用过，但似乎还没有人讨论过这两种方法的理论前提。二则是我最近做了些吴语音韵史的研究，有一部分是关于上海话、苏州话若干语词的本字。资料用的是以下几本书里的：

《江苏省和上海市方言概况》(1960)
《汉语方音字汇》(第二版，1989)
袁家骅《汉语方言概要》第一版(1960)、第二版(1983)
许宝华、汤珍珠等《上海市区方言志》(1988)
钱乃荣《上海方言俚语》(1989)
叶祥苓《苏州方言志》(1988)

但所得的结论和李荣(1980)、张惠英(1980)相同，和袁、许、汤、钱几位不同。用同样的资料得到不同的结论可能是因为方法不同；袁、许几位用的是"觅字"法，我用的是"寻音"法。这个差别牵涉到怎样调查方言，怎样写方言志等问题，也想一并在这里讨论。

贰

我所得的结论相当简单：上海话有个音韵层次，其中见系晓母鱼语御韵的字读[-E]韵，例如"虚"[₋hE]、"锯"[kEº]、"居（居）"[₋kE]占有、"许"[ᶜhE]~愿、"许"[ᶜhE]那里。其他吴语方言也有这样的音韵层次，但是收集资料的过程却遇到不少困难。

先从上海话的[₋hE tsoŋº]说起。这个语词的意思是"浮肿"，[tsoŋº]的本字是"肿"。至于[₋hE]字，(甲)《汉语方言概要》第一版(1960)94页说："₋hE 颟。黄肿。《广韵》：面虚黄也"。字又作疢、颊；第二版(1983)93页说"₋hE 颟。黄肿"。(乙)《上海市区方言志》(1988)88页在[₋hE]下列举"＊颟五~六肿、面虚肿"；244页列举"颟₋hE(1)肿、浮肿；手浪~出一块(2)面虚而色黄"，同页又列"颟肿₋hE tsoŋº 浮肿"。(丙)钱乃荣《上海方言俚语》(1989)244页列"颟, he(1)肿；浮肿。(2)面虚而色黄：面孔~"，"颟肿, he zong 浮肿"。据上所述，可见从1960年的《汉语方言概要》开始，不少学者都认为上海话[₋hE]~肿的本字是"颟"。

上海话[₋hE]~肿的本字是不是"颟"字？有两种资料使我怀疑。第一，《上海市区方言志》103页给"颟"字做的注释说："[颟hEˇ]肿。五~六肿。《广韵》去声勘韵：'~, 面虚黄色, 呼绀切。'上海话今读阴平"。去声的"颟"字为什么在上海话会变成阴平不好解释。第二，1980年《方言》和《中国语文》发表两篇关于吴语本字的文章，其中都谈到浮肿义的"虚"字。第一篇是李荣《吴语本字举例》，文章末页注⑥说：

> 常熟、温岭两处"锯、去、渠、鱼、虚"五字读音，南昌"锯、去、渠、鱼、许"五字读音如下：

405

古声母	见	溪	群	疑	晓
例字	锯	去	渠	鱼	虚
常熟文	tɕiᵒ	tɕhiᵒ	₍dʑi 渠道	₍i	₍ɕi
常熟白	kɛᵒ	khɛᵒ	₍gɛ 他	₍ŋɛ	₍hɛ 浮肿
温岭文	kyᵒ	khyᵒ	₍gy 渠道	ŋ̍y	xy
温岭白	kieᵒ	khieᵒ	₍gie 他	ŋ̍	₍he
南昌文			₍tɕhy 渠道		许ᶜɕy
南昌白	kieᵒ	ᶜtɕhie	₍tɕhie 他	n̩ieᵒ	许ᶜhe 那,那么

第二篇是张惠英《吴语札记》。张文第一节《释"居"附释"虚"、"许"》前面一段征引古书,说明"居(㞳)"是表示占有、拥有的动词,接着说:

现在讨论一下"居"的音。"居"写作"该(赅)"可能作者的方言"居"和"该(赅)"音同,或者只是音相近,没有合适的字,就写作"该(赅)"。而从崇明方言看,"居"和"该(赅)"明显不同,属于不同的两个韵。

崇明话"居家当有家产,居男女有子女,居脚踏车有自行车,居千居万有很多家财"的"居",读[₍kei]。而且,和"居"同韵的,如"裾衣裾"读[₍kei]、"锯"读[keiᵒ]、"鱼"读[₍ɦŋei]。也就是说,鱼韵(举平声以包括上声去声)的见系声母字,有好些白读都是[ei]韵(文读为[y]或[i])。而"该(赅)"所属的咍韵字,则都读[ɛ]韵。

"居"字的音义明确以后,"虚"、"许"的音义也可随同得到明确。

崇明方言浮肿叫[₍hei],可单说,也可和"肿"相连为"[₍hei]肿"。如:"[₍hei]来肿得很"、"[₍hei]肿癞团肿得像癞蛤蟆"。其实,这就是"虚"字。虽然《广韵》"虚"字无肿意一解,但"虚肿"一词是书面和口语中所常用的。"虚肿"连用,"虚"即"肿"也。

崇明方言答应,许诺叫[ᶜhei]。如"[ᶜhei]你答应给你"、"[ᶜhei]

我一本书答应给我一本书"、"[ʰei]过答应过"。这就是允许、许愿、许诺的"许"字。

"虚"字既然常熟话有[ʰɛ]一读,崇明话有[ʰei]一读,上海话的[ʰE]~肿也可能是"虚"字。这里可以看到两种研究方法的差别:觅字派认为[ʰE]的本字是"颥",寻音派猜想本字是"虚"。寻音派的前提是假设吴语至少有两个音韵层次,"虚"字常熟话有[ɕi]、[ʰɛ]两读,上海话也可能有[ɕy]、[ʰE]两读。上海话"虚"字可以读[ɕy],如"[ɕy]心虚心",是众所皆知的,"虚"字是否另有[ʰE]一读正是目前问题的症结。

"虚"字朽居切,晓母鱼韵。晓母中古是个舌根音声母 x-。如果"虚"字上海话变成[ʰE],那么同一层次见系晓母鱼语御韵的字也会变成[-E]韵,分别读成[kE]、[khE]、[gE]、[ŋE]、[hE]。我们第一个步骤是考察上海话是否有音韵演变和"虚"读[ʰE]音平行的字。

《上海市区方言志》第三章是个同音字表。

kE˥　该赅~家当,拥有;~得来,否齰;言简意~赅 尴~尬监间奸姦
kE˩　改概溉盖丐钙橄~榄减碱裥拣鉴涧□~眼饭拨伊,从碗里分出
k'E˥　开堪戡龛舰铅
k'E˩　凯恺铠慨锴忾刊堪勘坎砍槛门~侃嵌□~坏脱,撞
gE˩　*隑~墙头,斜靠□打~,饱嗝
ŋE˩　呆皑癌碍艾岩颜眼衔~头
hE˥　*颥五~六肿,面虚肿□~两抄盐,舀
hF˩　海嗨
ɦE˩　孩骸还₁亥害骇咸衔~辣嘴里困姻陷馅限

以上是 88 页字表里舌根音声母[E]韵的字,其中有两个字值得注意,一个是[ʰE],字表认为本字是"颥",我们认为是"虚"。另一个是[kE],字表认为本字是"赅",按照上引张惠英的说法,本字是

407

"㞘(居)"。

除了"虚"、"㞘"以外,是否还有见系晓母鱼语御韵的字在上海话里读作[ɛ]韵?光看字表似乎没有。其实至少还有三个:

(1)《上海市区方言志》第陆章"分类词表"173页:"□子 kɛ ᐟ⊦ ts₁ ᐟ⊦ 锯子",这个意思是锯子的语词的本字就是"锯子","锯[kɛ°]"是阴去调。

(2)钱乃荣《上海方言俚语》124页讨论上海地名歇后语时说:"'踏板头浪写愿'——床许(上海,'许'读 he)。""he"是钱氏上海话拼音方案的写法,相当于国际音标的[ʰɛ]。由此可知"许愿"的"许"上海话说[ʰɛ]。

(3)《上海市区方言志》第柒章"语法"描写"辣海"、"海头"的用法,如440页"跪辣海哭",相当于普通话"跪着哭"、"跪在那儿哭";414页"小囡辣娘舅海头吃饭"(小孩在舅舅那儿吃饭)。宫田一郎、许宝华、钱乃荣编著《普通话对照上海话、苏州话》171、174页说明上海话也说"王先生辣海哦"(王先生在吗)。

"辣海"、"海头"的"海[ʰɛ]",本字是"许",意思是"那、那里"。上引李荣先生的文章说明,南昌话"许"字白读作[ʰe],意思是"那、那么"。此外用"许"作远指词的还有温州话[ʰi]以及闽语方言。

上面讨论了五个字,现在总结一下《上海市区方言志》同音字表88页处理这些字的方式。

	ʰɛ~肿	ɛkɛ~家当	kɛ°~子	ʰɛ~愿	ʰɛ 辣~,~头
本文	虚	㞘(居)	锯	许	许
方言志	顋	賖	不列	全书无	不列

这里有两个问题。第一,同音字表没有把书中别处记载的同音字都列进去,这是编辑问题。第二,《方言志》不把"虚"、"锯"、"许"这几个本字列在 hɛ、kɛ 条下,可能是由于另外一种原因。上海话既然"虚"读[ɕy]、"锯"读[tɕy°]、"许"读[ɕy](《方言志》81—82页),

如果这些字再分别读作[ˬhE]、[kEᵒ]、[ᶜhE],岂不是"违背了音韵演变规律"吗?②请注意,问这种问题的前提是假设"一条鞭"的演变规律观——从中古到现在只有一套演变规律。相信这种假设,"虚"、"锯"、"许"除了读[ˬɕy]、[tɕyᵒ]、[ᶜɕy]以外,不可能再有第二种读法。于是,遇到[kEᵒ ˬtsɿ]锯子,就不敢说上字的本字是"锯";遇到[laʔ ˬhE]在那儿,不会想到[ᶜhE]的本字是"许";遇到[ˬhEt soŋᵒ]浮肿,就想到字书里去找[ˬhE]的冷僻的本字。换句话说,觅字派的理论背景是一条鞭的音韵演变观。

叶祥苓先生的《苏州方言志》,跟《上海市区方言志》一样,也是个大型的方言调查报告,凡450页。苏州和常熟毗邻。上面看到常熟话"锯、去、渠他、鱼、虚"这五个字文白异读,白读作[ɛ]韵,苏州话可能有类似的现象。于是,第一步是去查《苏州方言志》的同音字表,以下是161页舌根音声母的[E]韵:

kE ˥	该尷<u>间</u>监<u>涧</u>奸强~该<u>畡</u>拥有。《广韵》平声哈韵古哀切:"~备也,兼也。"
kE ˩	改丐钙橄减碱拣裥百~裙。《广韵》上声产韵古限切:"~,裙襵。"
kE ˩	盖溉概锯
k'E ˥	开铅
k'E ˩	慨凯<u>槛</u>舰
k'E ˩	嵌
gE ˩	□吃饱后打噶嗌鞷。如:"~米囵饿煞。《集韵》去声代韵巨代切:"~,博雅:隑也。"
ŋE ˥	呆艾岩癌<u>衔</u>~头<u>颜</u>□ 鹅,即大雁。
ŋE ˩	硋眼
hE ˥	哈痞浮肿《广韵》平声哈韵呼来切:"~,病也。"
hE ˩	海
hE ˩	喊
ɦE ˥	孩卤咸闲啣还副词

409

ɦE˅　亥害骇限唤

中古舌根音声母的鱼韵字,字表只列白读的"锯 kEº"字。苏州话是否还有这类的字?答案是有的。

(1)"虚[̥hE]"~肿。字表作疳",并引《广韵》平声哈韵呼来切:"~,病也"。按:"疳"字字义与"[̥hE]肿"的[̥hE]不合。

(2)"居(宧)[̥kE]"。字表作"㾖"。

(3)"许[ᶜhE]"许诺。汪平《苏州方言的特殊词汇》(《方言》1987,69):"[hE˅海*]许诺:我真弗会~㑚勒我才不会给你什么许诺(即给你什么好处)哩"。《汉语方音字汇》第二版 136 页"许"字苏州文读[ᶜɕy],白读[ᶜhE]。

(4)"许ᶜhE"那、那里。苏州话也说"王先生阿辣海"(王先生在不在)。"辣海"的"海[ᶜhE]",本字是"许"。

上面的四个字,韵母白读作[E]韵,不圆唇。苏州以及苏州附近的话还有两个鱼韵的字,白读韵母不圆唇,但不是[E]韵。

(5)"去[tɕhiº]"。《汉语方音字汇》135 页"去"字苏州文读[tɕhyº],白读[tɕhiº]。《苏州方言志》170 页"去"字白读[tɕhiº]。

(6)"鱼[̥ŋəi]"。《苏州方言志》9、20 两页,"鱼"字苏州城区读[̥ŋ̍],洞庭东山读[̥ŋei],西山读[̥ŋi]。[̥ŋəi]和常熟"鱼"字白读音[̥ŋɛ]最相似。

叁

过去方言本字的研究可以分作三个阶段。

第一个阶段是章炳麟(1868—1936)《新方言》和黄侃(1886—1935)《蕲春语》(《黄侃论学杂著》410—441)。章氏的书有精辟的见解,如"乃,女〔汝〕也。今苏州谓女〔汝〕为乃,音如耐"(理由见第四节),又如"《三仓》'柿,札也。'今江南谓斫削木片为柿,关中谓之

410

札,或曰柿……今江浙称木片为木柿,音如费"。章书也有穿凿附会之说,例如:

> 《尔雅》"朕,我也"。今北方音转如䟆,俗作偺。偺即䟆字,本朕字耳。自秦以来,文字无敢称朕者,而语言不能禁也。

更早,朱骏声《说文通训定声》临部说过类似的话:"䟆,发声之词,今北方人称我为䟆,即此字之误,声亦转也"。吕叔湘先生《近代汉语指代词》83页指出:

> "偺"在元曲里多写作"咱"或"喒"。"喒"是"咱"的异体,《广韵》:"咱,于感切,姓也"。大约最初就是借用这个冷僻的姓氏来谐"咱们"合音,后来才加上"口"旁或"人"旁。

据此,"偺"是"咱们"的合音词,与"朕"字风马牛不相及。

在章炳麟时代,还没有详尽可靠的方言调查。我们不知道某个方言的演变规律,当章氏说这个方言里的X字的本字是Y,就无法审核这种说法对不对。另一个问题是章氏常用"一声之转"之说,如上面所引的"朕……北方音转如䟆"。至于"朕"怎么会转如"䟆",这种"一声之转"是常例还是孤例,章氏是采取"子不语"的态度。因此,第一阶段的方言本字研究还没上轨道,只不过是随便说说而已。

第二个阶段是有了全国方言调查,有了音韵演变规律这个观念以后。《方言》学报1979年创刊以后,发表了不少有价值的本字考的文章,大部分的理论观点都是认为一个方言只有一套演变规律,也就是本文所说的觅字派。

举例而言,施文涛先生《宁波方言本字考》(《方言》1979,161—170)文章一开始就说:

> 二、研究的方法
> 1. 初步摸清方言声、韵、调系统后,记完《方言调查字表》。

2. 从《方言调查字表》整理出宁波方言与中古音声韵调对应表(下文只列出方言与中古音声调对应表)。

3. 记录一定数量的方言词汇,初步弄清方言的变调规律。

在完成了上述三项工作以后,开始根据古今音对应关系考求本字。

施先生所说的方法,跟章炳麟的"一声之转"比较起来,显然有很大的进步。也可以说,第二阶段的方言本字考,已经上了科学化的轨道。

美中不足的是:施先生虽然提到文白异读,但没有进一步说明,古今音对应关系是只有一套,还是不止一套。读施文觉得他似乎假设只有一套。但读张琨先生《论吴语方言》(《史语所集刊》56、2,1985、215—260),可以看到宁波话跟其他吴语方言一样,若干韵类的变化都至少有两个时间层次,每个层次各有一套古今音对应关系。③

再举一例,《方言》1987年第1期刊登汪平《苏州方言的特殊词汇》。汪文举了两个饶有趣味的例。

[ᶜhE 海 ＊]许诺:我真弗会～倷勒我才不会给你什么许诺(即给你什么好处)哩。(69页)

[ᶜtsๅ 紫 ＊]白水煮(年糕块):～点年糕吃吃吧煮点年糕吃吧。(73页)

汪文说明,"字的右上角加'＊'号的是跟词义无关的同音字"。看了这两个例,一般读者会觉得第一个字是"许",第二个字"煮"。为什么汪氏不敢认这两个本字?我们猜想他假设苏州话只有一套演变规律。于是,既然"许"字有[ᶜɕy]一读,就不可能再有[ᶜhE]一读。汪文[ᶜtsๅ 紫 ＊]字下面列的是[tsʮᵒ 疰]、[ᶜtsʮ 主]。假如只有一套演变规律,那么"煮"字按照"主"、"疰"的演变规律,应该读[ᶜtsʮ],而苏州话确实有此一读。也许是由于这层考虑,汪氏只好把"煮"义的[ᶜtsʅ]字写作"紫*"。其实苏州话知章系声母鱼韵字读[ʅ]韵的还有[苧ᶜzʅ]、[鼠ᶜsʅ](叶祥苓1988:17,61)、[著(仔)tsʅᵒ]。[ᶜtsʅ]音的"煮"字属于那个层次,所以有此一读(参看张琨1985:222)。

总起来说,许宝华、汤珍珠等(1988)、叶祥苓(1988)、汪平(1987)都是第二阶段的代表作。第二阶段的长处是有了音韵演变规律的观念,短处是没有考虑到一个方言可能有两个或两个以上的时间层次,而每个层次各有一套音韵演变规律。

第三个阶段就是本文所称寻音派做的工作。现在先把第二节讨论的苏州、上海等方言中的"虚"、"许"等字排个字表。

	虚	锯	许许诺	许那,那里	居(屠)拥有	鱼
上海	ᶜhE	kEᵒ	ᶜhE	ᶜhE	ᶜkE	
崇明	ᶜhei	keiᵒ	ᶜhei	—	ᶜkei	ᶜɦŋei
常熟	ᶜhE	kEᵒ				ᶜŋE
苏州甲	ᶜhE	kEᵒ	ᶜhE	ᶜhE	ᶜkE	
苏州乙	ᶜȵy	tȵyᵒ	ᶜȵy	—	ᶜtȵy	ᶜɦy

苏州话列了两套读音,一般称为文白异读。在上海、崇明、常熟这几个方言,"虚"、"锯"等字也有两种读音。为了节省篇幅只列一种。

有人也许会质问:苏州话既已有[ᶜȵy、tȵyᵒ、ᶜȵy、ᶜtȵy]一套读法,是按照音韵演变规律的。现在另有一套[ᶜhE、kEᵒ、ᶜhE、ᶜkE]的读法,这岂不是开倒车,又回到章黄学派的"一声之转"吗?

当然不是。"一声之转"派认为音韵演变是没有规律的,爱怎么转就怎么转。我们认为音韵演变是有规律的,同时也认为一个方言可能有两套或两套以上的规律。具体地说,苏州话的情形是:

见系晓母鱼韵字:

规律一:[kE、khE、ɡE、hE]

规律二:[tȵy、tȵhy、dzy、ȵy]

此外在规律一的层次,见系晓母鱼韵字还有个吴语方言之间的对应关系：

上海[ɛ]　崇明[ei]　常熟[ɛ]　苏州[ɛ]

这就是寻音派方言本字研究的方法和前提。

第三阶段的方法看起来比较新颖,其实这种想法来之久矣。第一,治闽语的同行早就在用音韵层次的观念,例如罗杰瑞(1979)、杨秀芳(1982)的台大博士论文。第二,章炳麟在《新方言》的序里说过类似的话：

> 其语至常,其本字亦非僻隐不可知者,不晓音均〔韵〕变转之友纪,遽循其唇吻所宣以检字书,则弗能得。

第三,治吴语的李荣先生(1980)、张惠英先生(1980)也已经用过第三阶段的方法。李先生的《吴语本字举例》一共讨论了"㾗、擘、敲、怵、柿敷废反、渠"这六个字。"擘、敲、怵、柿"这四个字用的是觅字法,最后的"渠"他字用的是寻音法。本文第二节引的是李先生关于"渠他"的论证,目的是为了说明温岭[ˬgie]他是"渠"字,南昌[ˬtɕ'ie]他也是"渠"字。但是李先生没有更进一步说明这两种方法的前提不同,其他学者读了李文也没有想到吴语音系中可能有两个层次,以致一直停滞在第二阶段。由于这个原因,本文特别要比较一下觅字和寻音这两种方法的前提的异同。

肆

为什么要研究方言词的本字？如果动机只是想知道该用哪个方块字,寻音和觅字这两种方法的功效是半斤八两。觅字法能找出吴语"怵"、"隑"这两个本字,寻音法也能找出闽语"治"这个本字。但是寻音法有两个功能是觅字法没有的：分辨音韵层次,以及探索方言的语法史。

我在另一篇文章(待刊)里指出,吴语至少有两个音韵层次。第一个层次鱼虞相混,鱼虞两韵都是圆唇韵母;大多数的字属于这个层次。第二个层次鱼虞有别,只有少数的鱼韵字属于这个层次。本文讨论的"虚、锯、许、居(㞐)、鱼"是属于第二个层次的舌根音声母的鱼韵字。此外这个层次还有精系声母的"蛆、徐、絮",知系声母的"猪、苎、箸、著(仔)",庄系声母的"锄、梳",章系声母的"煮、鼠"。第二个层次的鱼韵字,在所有的吴语方言里都是不圆唇的韵母:[i、ɿ、ei、ɛ、e、ie、ə]。在第二个层次里的虞韵字,读音跟第一个层次中的虞韵字完全一样,除了少数由于晚起音变造成的例外,都是圆唇韵母。

吴语中鱼虞有别的层次,可以跟《切韵》序的几句话联系起来:"又支脂鱼虞,共为一韵;先仙尤侯,俱论是切"。颜之推(531—581)《颜氏家训》中又曾举例说明北人鱼虞相混,南人鱼虞有别。据此,我们暂且把吴语中鱼虞有别的层次的年代订在南北朝。至于鱼虞相混的层次,目前不能完全断定它的年代。宋代山阴人_{今浙江绍兴}陆游(1125—1210)《老学庵笔记》卷六说:"吴人讹鱼字,则一韵皆开口"。吴语中鱼虞相混层次中的鱼韵字是合口。如果陆游的话完全可靠,鱼虞相混的层次,年代要订在南宋以后。

从吴语有两个音韵层次这件事实,可以推论:(1)鱼虞有别是吴语原有的层次。(2)后来从北方来了一批人,带来了鱼虞相混的读音。(3)鱼韵保持不圆唇韵母的字,都是俚俗字,如"蛆、苎、猪、箸、锄、鼠",而且和农业生活有关。这就说明吴地老百姓(庶族)所说的话是原有的,鱼虞有别的。外地传来的鱼虞相混的层次可能是知识分子(士族)的读书音。

上面所说的是从语言推断社会史和移民史,这是寻音派方言本字研究的一种功用。

另一种功用是促进方言语法史的建立。众所周知，无论是共时的还是历时的研究，过去的方言学总是以音韵为重，语法为轻。这种偏差应该扭转过来。但是，一旦从事方言语法史的研究，立刻会碰到大量有音无字的虚词。虚词在各种语言里都特别保守，往往属于更深一层的音韵层次。为了寻求这些虚词的本字，以便和文献记载联系起来，又不得不从寻音派的本字研究着手。

举例而言，上面提到的吴语的现象可以说明三个虚词的本字。(1)苏州话"倷[nɐ²]"的本字是"汝"。章炳麟虽然猜对了，但是他没有说出理由，也说不出理由。"汝"和"锯、虚、许"等字都是鱼韵三等字。当-j-介音失落时，"汝"的日母变为泥母[n-]，韵母的演变和"虚、锯"等一样，变成[ɐ]。(2)"辣海"的"海"本字是"许[ᶜhɐ]"。闽语、赣语也用"许"字作远指示词。"许"字单用作为指示词最早出现在南朝乐府，可见吴、闽、赣三种方言的指示词"许"都是承继南北朝的古江南方言。(3)我早就说过，吴语"吃仔饭"的"仔"字，本字是"著"（拙著 1979，1989），但一直不能说明为什么"著"字在吴语里说[tsʅº]或[zʅº]。现在知道"著"字属于鱼虞有别的层次，韵母演变和苏州话[苧ᶜzʅ]、[煮ᶜtsʅ]、[鼠ᶜsʅ]这几个特字一样，也和 Edkins(1869)记录的老上海话[猪ᶜtsʅ]、[鼠ᶜsʅ]、[锄ᶜzʅ]这几个特字相同。

以上所说的苏州话[nɐ²汝]、[ᶜhɐ 许]、[tsʅº 著]都属于鱼虞有别的南朝层次。不知道这个层次中鱼韵字的演变规律，考订这几个虚词的本字是相当困难的。

考古学家苏秉琦先生说过"考古学不是金石学的发展"（《苏秉琦考古学论述选集》278、315 页）。我们也可以说，历史方言学——包括方言词的本字研究——不是训诂学的发展。

地层学和器物形态学是近代考古学的基本方法论；各个地层的器物有它特征性的形态。在碳十四应用以前，判断某个地层的年代主要是靠器物形态学,分辨两个区域的文化是同出一源还是各自独形成也是靠器物形态学。考古学最终的目的是了解中国文化的形成、中华民族的形成。发现商鼎周璧只是手段而已。金石学把古文物孤立起来,不去探索产生这些古文物的工业技术和社会组织,更不去了解这些工业技术和社会组织的自然资源以及历史文化背景,这就是现代考古学和金石学的分水岭。

方言本字研究长久以来是附属在《广韵》学、《尔雅》学、《说文》学底下的一门学科,也就是传统的训诂学。按照黄侃的主张,音韵训诂学要以《广韵》、《说文》为基础(《黄侃论学杂著》卷首张世禄先生的序,7—12页)。很明显的,觅字派导源于章黄学派的训诂学。他们主要关心的是两个问题:有音无字的方言词应该用哪个方块字来写?古代字书里的词汇有多少还保存在现代方言里?至于同一个古代的语词为什么在同一个现代方言里会有两三种语音,形成异读的社会、历史背景是什么——这些问题他们大致是采取不闻不问的态度。我们说历史方言学不是训诂学的发展,并不是反对大家去读《广韵》、《说文》、《集韵》、《玉篇》,而只是想说明,翻检字书去找僻隐的字,这种方法有它本身的局限性。

吴语和其他方言一样,是层层积累而形成的,在口语中保存着若干活的语言化石。本文讨论的"锯、虚、许"等字是六朝化石的一小部分。语言学中音韵层次的观念相当于考古学的地层学。考古学家用器物形态学来给地层断代,我们用音韵特征来给音韵现象断代;音韵演变规律是我们的利器。比方说,共同吴语中开口的鱼韵字属于南朝的鱼虞有别的层次,合口的鱼韵字属于较晚的鱼虞相混的层次。用上述规律一、规律二这样的标准可以把吴语音系分成两个层次。

历史语言学和考古学都是广义的历史学,目的也相似。历史方言学的目的是了解汉语各地方言是怎样形成的、是由哪几族和什么地方来的汉人在什么样的历史、文化背景下形成的。然后我们还希望透过各地方言的形成过程,去了解中华民族、中国文化的形成。

伍

最后讨论一下怎样调查方言,怎样写方言志。

罗杰瑞(1989:324—325)根据多年调查闽语的经验,说过一段值得我们深思的话:

> 方言分区的根据应该是方言口语中说的话而不是一套字表中汉字的读音。这种字表的读音,如果收的字相当多而且包括字的白读,可以说明某个方言音系的轮廓;但是总会漏收日常语言中的重要语词,其中有一些乍一看语源不明。这种以"字表"为主的调查方法,它的危险在于常常会使人忽略可以用作分区标准的重要语词。我觉得,研究汉语方言应该区分"白话音"和"俚俗音"(popular forms)。"白读"应该限于现在口语中流行的语词;"俚俗音"应该用来描写一个语词的历史地位。举例而言,北京话的 dé 得到是日常语言中常用的动词,因此可以叫做"得"的白读。但是从历史的角度来看,dé 是借自文读的形式。属于俚俗音层次更老的字——也就是一直在北京话里土生土长的——是 dǎi 捉着,逮捕("得"字,常写作"逮"字)。为了判断北京话在官话方言中的位置,dǎi 是更有用、更切题的形式。
>
> 闽语中"俚俗"和"白话"的区别更清楚。现在福州表示下雨、雨点的"白话"语词是 y^3。不过跟其他闽语方言的"雨"字比较——厦门 hɔ^6、潮州 hou^4、建阳 xy^5 等等——可知 y^3 不是"雨"字由汉人在古代带入闽地、在本地发展出来的形式,而是"雨"字的文读,在福州又经过一番"白话化"(比较"雨"字的文读:厦门 u^3、潮州 u^3)。有一项证据可以证实此说:福州话还保存着俚俗音的 hou^6 "雨",例如 tauŋ^6 hou^6(夏季落雨)、hou^6 lau$_2$ teik^7 "雨流滴"(屋檐滴水)。④

罗氏这段话把我要说的意思差不多都说了,下面简单地补充几句。

第一，给苏州人、上海人看《方言调查字表》中的"虚"字，他们发出来的音是[₋ɕy]。上海话、苏州话说"虚心"、"虚汗"、"一场虚惊"，"虚"的语音也是[₋ɕy]。过去调查方言都是用"字表"的方法，所以《汉语方言概要》第一版、第二版，《汉语方音字汇》第一版、第二版，《江苏省和上海市方言概要》、《上海市区方言志》、《苏州方言志》这几本书所记的上海音、苏州音，"虚"字都只有[₋ɕy]一读。

如果去听上海人、苏州人日常谈话所用的语言，就会听到[₋hE ʻtsoŋ]浮肿一词。这个语词乍一看语源不明。据上所述，本字是"虚肿"。

这种以"字表"为主的调查方法，张琨先生(1991:194)也批评过："因为过去方音调查不够深入，许多文白异读的细读的细节都没有认识清楚。"改良的方法是让发音合作人说故事或自由交谈，记录下长篇的语料再从语料中归纳这个方言的词汇和音系。董同龢先生(1959)描写四个闽南方言用的就是这种方法，值得借鉴。

第二，跟这个问题相关的是"同音字表"的意义和做法。请发音合作人根据《方言调查字表》念汉字，发出来是同音的汉字排成一张表，可以叫做某某方言的"同音字表"；"同音字表"的"字"指的是汉字。不过"字"还有另外一个意思，指的是语词或语词中的词素。要做"同音词表"，应该让发音合作人说故事或自由交谈，从语料中归纳出词素，再把同音的词素列成一个表。上面讨论《上海市区方言志》、《苏州方言志》这两本书的"同音字表"，是为了说明两个"字表"漏收了若干同音词，不能算是"同音词表"。现在在刊物上也常常看到以"某某方言同音字表"为标题的文章，不少这类的文章主要是"同音字表"，间或收入若干口语中有音无字的词素，所以也不能算是"同音词表"。

为什么要做同音词表？因为要靠同音词——尤其是俚俗音或白读音的同音词素——来归纳音韵演变规律，以便考订本字。

罗杰瑞、张琨两位的意思是希望大家深入调查方言，不要贪图便捷而光依赖"字表"。但是深入调查是很花时间的。我想，可以用个折衷的办法。方言分区的工作现在已有相当的基础，同一片的方言其实是大同小异。同一片可以选一两个方言做深入调查，广泛地记载日常生活中的语词以及语法的语料——尤其是有音无字的。其他同片的方言做个同音字表，能够看出它和其他方言的关系也就够了。目前的问题是平头主义。比方说，吴语个别方言的描写不下几十种，但根据深入调查写的报告顶多只有五六种。

第三，最后谈到方言词的本字研究。

调查方言和写方言志是为了告诉大家，某地的人说什么话、怎么说话。但是写方言调查报告需要把记录的语词按上汉字。于是，写报告的人就变成业余的方言本字的研究者。其实这两种职能是应该分开，也可以分开的。

过去在一条鞭的音韵演变观的影响下，把方言语词按上汉字的问题看得太简单了，以致产生了若干错误的本字，同时还有一些可以认出来的本字不敢认。

今后方言本字的研究，寻音派可以用的方法主要是两种。一种是利用方言之间的对应关系。李荣先生论证"渠"他字，罗杰瑞先生讨论"雨"字的两种语音，以及本文讨论苏州话、上海话"虚、许、锯"等字都是用这个方法。另一种是利用古音和方言的对应关系。用这两种方法的准备工作是把方言音系分辨出音韵层次。目前不知道吴语到底有几个音韵层次，每个层次中的演变规律如何，以致有不少日常语言中流行的语词，语源不明。

还有一点。描写某个方言和研究这个方言的历史，虽然是两种不同的工作，最理想的办法还是同一个人或同一组人同时做两种工作。深入调查过某个方言的人最有资格去研究这个方言的历史。反过来，研究过某个方言的历史，就会注意到关键性的语词、语音和语法结构(邻近的方言有这些成分,这个方言有没有呐?)。某个方言的方言志,应该是关于这个方言的知识的总汇,包括历史方面的。创办《中国东南方言比较研究丛书》的几位朋友多半都调查过方言,而且对方言史有兴趣。《丛书》应该是我们讨论方言音韵史、语法史的园地。积累了成果,将来一定会有更完善的方言志。

附 注

① 本文写作期间,潘悟云告知吴语"辣海"的"海"本字是"许",杨秀芳赠送《苏州方言志》影印本,何大安不时跟我讨论。谨此一并向几位先生表示衷心的感谢。

② 许宝华《评〈汉语方言词汇〉》(《中国语文》,1965:64)说:"我们查阅了几个方言点的词汇记音,发现了不少词语所记的音有不符合该方言的一般语音规律的情形。"

③ 例如张琨(1985:221—222)所引的宁波话:[主 tsɿ、处 tshɿ、住 dzɿ、书 sɿ、树 zɿ]、[煮 tsʅ、苎 dzʅ、dzi]。张先生给"苎、煮"这类字下的按语是:"有些鱼韵的字读得与虞韵的字不同;这些字都读不圆唇的元音 i 或者 ʅ。这表示鱼虞有别。"

④ 罗杰瑞原文注明 hou⁶ "雨"的出处是 Maclay, R. S. and C. C. Baldwin, *An alphabetic dictionary of the Chinese Language in the Foochow dialect* (1870, Foochow: Methodist Episcopal Mission Press), p. 1011;陈章太、李如龙《论闽方言的一致性》,《中国语言学报》1(1983),页 77,注 25。

参考文献

北京大学中文系　1989:《汉语方音字汇》第二版。
叶祥苓　1988:《苏州方言志》。
江苏省　1960:《江苏省和上海市方言概况》。
许宝华　1965:《评〈汉语方言词汇〉》,《中国语文》1965:59—64。
许宝华、汤珍珠　1988:《上海市区方言志》。
吕叔湘　1985:《近代汉语指代词》。

李　荣　1965:《从现代方言论古群母有一、二、四等》,《中国语文》1965,337—342。

——　1980:《吴语本字举例》,《方言》1980,137—140。

张　琨　1985:《论吴语方言》,《史语所集刊》56,2、215—260。

——　1991:《切韵与现代汉语方音》,《大陆杂志》82,5、193—199。

张惠英　1980:《吴语札记》,《中国语文》1980,420—426。

杨秀芳　1982:《闽南语文白系统的研究》,台湾大学中文所博士论文。

苏秉琦　1984:《苏秉琦考古学论述选集》。

罗杰瑞　1979:《闽语里的"治"字》,《方言》1979,268—273。

——　1989:Norman, Jerry, What is a Kèjiā dialect?《中央研究院第二届国际汉学论文集》语言与文字组(上册)324—344。

陈章太、李如龙　1983:《论闽方言的一致性》,《中国语言学报》1、25—81。

汪　平　1987:《苏州方言的特殊词汇》,《方言》1987,66—78。

施文涛　1979:《宁波方言本字考》,《方言》1979,161—170。

袁家骅　1960:《汉语方言概要》第一版(1960),第二版(1983)。

宫田一郎、许宝华、钱乃荣　1984:《普通话对照上海语苏州语》,东京:光生馆。

梅祖麟　1979:Mei, Tsu-Lin, The etymology of the aspect marker tsi in the Wu dialect, *Journal of Chinese Linguistics* 7.1.1—14。

——　1989:《汉语方言里虚词"著"字三种用法的来源》,《中国语言学报》3、193—216。

——　待刊:《苏州方言以及其他苏南吴语里的鱼虞之别》。

黄　侃　1964:《黄侃论学杂著》。

章炳麟　1915:《新方言》,收入《章氏丛书》(1917—1919)。

董同龢　1959:《四个闽南方言》,《史语所集刊》30、792—1042。

钱乃荣　1989:《上海方言俚语》。

Edkins, Joseph, 1869: *A vocabulary of the Shanghai dialect*. Shanghai: Pres by terian Mission Press.

Maclay, R. S. and C. C. Baldwin 1870: *An alphabetic dictionary of the Chinese language in the Foochow dialect*. Foochow: Methodist Episcopal Mission Press.

Tones and Prosody in Middle Chinese and the Origin of the Rising Tone[*]

The purpose of this paper is to show that the rising tone[①] developed through the loss of a final glottal stop, and to discuss two related topics: the phonetic features of the four tones in Middle Chinese and the criterion for the Level-Oblique distinction. A brief review of the current theories seems a convenient point at which to begin.

One of the statements often made about the Chinese language is that tonal distinctions are intrinsic to its morphemes. But "the Chinese language" is too inclusive a term, and the question naturally arises as to whether at every stage of its long history Chinese had a tonal system similar to those exemplified in its modern dialects. From Middle Chinese on, the answer is quite clear. All modern dialects have tones composed of pitch and contour. From the fact that in the seventh and eighth centuries tonal difference was utilized to simulate the length contrast in Sanskrit, and the additional fact that a ninth-century Buddhist work describes the four tones in terms of pitch and contour and length(see below), we know that the tones of

---

[*] 本文原載 Harvard Journal of Asiatic Studies, Volume 30, 1970 年。

Middle Chinese were composed of these three features. Old Chinese, however, poses a more serious problem. It is known that in the *Book of Odes* rhyming words show a strong tendency to belong to the same tone-category.[2] But this only tells us that Old Chinese words fall into three or four categories and that these categories are intimately related to the four tones of Middle Chinese; it tells us very little about the phonetic basis of these categories in Old Chinese. (Hence the non-committal term "tone-category.") If one makes the further assumption that tonal contrast is an intrinsic characteristic of the language, not derivable from any non-tonal contrast, one can of course conclude that tones are coeval with the Chinese language. Tung T'ung-ho, for example, has stated, "Ever since the beginning of the Chinese language, we not only distinguish tones, but [we find] a tonal system not much different from the four tones of Middle Chinese."[3]

This prevalent view was challenged in 1954 by Haudricourt.[4] He proposed that, as in Vietnamese, the Chinese tonal system developed in historical times through the loss of certain final consonants. The departing tone of Middle Chinese corresponds to the *hoi* and *nga* tones of Vietnamese, which, as Maspero has shown, are reflexes of an earlier *-h* representing an original *-s*.[5] Moreover, some Chinese words in the departing tone were borrowed into Vietnamese as early as the Han dynasty, at a time when the *hoi* and *nga* tones were presumably still represented by an *-s*: 义 * *ngia/ngjię*, Viet. *nghia* (*nga*); 墓 * *mâg/muo*, Viet. *ma* (*hoi*).[6] Arguing from this fact and from analogy, Haudricourt then interprets morphological derivation in Old Chinese involving the departing tone as alternation between a final -s and its absence. For example, he posits dâk 度 for the verbal form "to measure," and dâks for the nominal form "a measure"; âk 惡 for the adjectival form "bad," and âks for the transitive verbal form "to dislike." (The second member of these pairs is in the departing tone.) This idea was taken up by Forrest, who equates the reconstructed -s of Old Chinese with the -s suffix of Classical Tibetan, [7] and Pulleyblank in 1963 provides further evidence in the form of foreign words ending in -s whose Chinese transcriptions, dated the third century A. D., are in the departing tone— in his theory, -s < -ts. [8]

In the same 1963 paper, Pulleyblank proposes antecedents for two other tones: -ɦ and -δ for later level tone, and -ʔ for later rising tone. In his view, Old Chinese has no open syllables. And having reconstructed ɦ and δ as initial phonemes, he reasons that by symmetry they are also likely to occur in final position. Thus a level tone syllable, open in Middle Chinese, has -ɦ or -δ in Old Chinese depending on whether it shows contact with a velar or dental final consonant. Pulleyblank's reason for connecting -ʔ and later rising tone is mainly based upon analogy with Vietnamese. There is, he argues, a high degree of parallelism between the Vietnamese and Chinese tonal systems. The steady accumulation of evidence for the -s theory suggests that specific analogies may even be valid. Now, since the *sac* and *nang* tones of Vietnamese developed through the loss of an earlier -ʔ, it is quite likely that the Chinese rising tone was similarly derived. Pulleyblank also cites transcriptions of foreign words as evidence, but they are few in number and not uniformly convincing.

Argument from analogy is at best suggestive, and without testimony from more direct sources, the theory will remain as one of the many possibilities. Fortunately, three kinds of evidence can now be presented: modern dialects, Buddhist sources bearing upon Middle Chinese, and old Sino-Vietnamese loans.

Several dialects of the southeastern coastal area preserve a glottal stop in the rising tone, and the Buddhist sources indicate that the rising tone of Middle Chinese is high, short, and level. Our thesis, then, is that the final glottal stop of Old Chinese is retained intact in the coastal dialects and developed into a high and short syllable in Middle Chinese. We know from acoustic studies that a syllable is high and short if it ends in a voiceless stop, low and long if it ends in a voiced stop, and medium in pitch and duration if it is open.[9] It is also reasonable to assume that when a final stop is lost, the tonal features are retained as reflexes. Therefore, if the final glottal stop (which is voiceless) indeed existed in Old Chinese, its descendant should have precisely the features we said the rising tone did have in Middle Chinese.

The dialects that have a final glottal stop in the rising tone are: Wen-chou 温州 of Chekiang, P'u-ch'eng 浦城 and Chien-yang 建阳 of Fukien, Ting-an 定安 and Wen-ch'ang 文昌 of Hainan Island.[10] In Ting-an, the glottalization is so pronounced that the final nasals in this tone sound as if they are followed by a homorganic stop. As to the pitch level of the rising tones, Chien-yang and Ting-an are low (both being 21), Wen-ch'ang has a high one (*yang-shang*) and a low one (*yin-shang*), but P'u-ch'eng is high, and Wen-chou is high in the sense that both of its rising tones are higher than the other tones in the same register, thus:

	L	R	D	E		L	R	D	E
Wen-chou					P'u-ch'eng				
yin	44	45	42	23	yin	35	55	12	43
yang	31	24	11	12	yang	24	54	11	

P'u-ch'eng is adjacent to Chien-yang, both situated at the northwest corner of Fukien. Wen-chou is at the extreme southeast of Chekiang, about two hundred miles away from P'u-ch'eng. Since Hainan Island is small, this gives us altogether two or three non-adjacent areas. Except for Wen-chou, which has been classified as Wu, the others are Min dialects, and the generally accepted view that Min branched off directly from Old Chinese makes it easy to understand why the final glottal stop turns up in these dialects but hardly anywhere else.

I should now explain how the features of the rising tone in Middle Chinese are ascertained. Contrast in length is a phonetic feature of Sanskrit, and several Buddhist works, written between the seventh and ninth centuries, recommended ways to represent this contrast. In I-ching's *Nan-hai chi-kuei nei-fa chuan* 义净, 南海寄归内法传[11] the method suggested is as follows: "The twenty-five characters, 脚 etc., mentioned above and the eight characters following them—thirtythree characters altogether—are called the first group [*varga*]. They should all be read in the rising tone. Do not just look at the characters and pronounce them in the level, departing, and entering tones."[12] The fact that the thirty-three characters all represent Sanskrit short syllables(*ka*, *k'a*, *ga*, *g'a*, etc.) and that each of the four tones appears at least once in this set of characters makes I-ching's meaning clear: when representing Sanskrit short syllables, all characters are to be pronounced in the rising tone, irrespective of the tones they are originally in.

I-ching's statement is also corroborated by the transcriptional practice recorded half a century later but almost certainly used at the time of I-ching. Eight pairs of the Sanskrit basic syllabary—a, $\bar{a}$, i, $\bar{i}$, u, $\bar{u}$, $\underset{.}{r}$, $\underset{.}{\bar{r}}$, l, $\bar{l}$, e, $\bar{a}i$, o, $\bar{a}u$—show the most prominent contrast in length. But in several Buddhist texts, both members of a pair are represented by the same character, with the length contrast indicated by some other means. Of special interest to us are the texts which introduce subscripts to specify the desired tone. In all five texts that use this method, whenever the shortness of a Sanskrit syllable is simulated via a tone subscript, the subscript invariably consists of *shang* or *shang-sheng* "rising tone." The attached table, listing the transcriptions of the first four pairs of Sanskrit basic syllabary, will illustrate what I mean.

This table is adapted from Lo Ch'ang-p'ei 罗常培, 梵文颚音五母之藏汉对音研究, *CYYY* 3 (1931), after p. 276, which lists transcriptions in nineteen texts. Lo's table also appears in Chou Fa-kao, 中国语文论丛, after p. 22. Several of these texts are discussed in Mabuchi Kazuo (see citation in note 14 below), I, p. 36ff. The first two items, not directly relevant to our discussion, are included for the sake of comparison.

The conclusion to be drawn is that the rising tone of Middle Chinese, because of its shortness, is thought to be the most appropriate equivalent for the Sanskrit short syllable. Later, we shall return to consider why the above interpretation is more plausible than the one proposed by Chou Fa-kao, that is, the Level tone is long and the Oblique tones are short.[13]

	a	ā	i	ī	u	ū	r̥	r̥̄
1. 大般泥洹经 Taishō 376; A.D.417	短阿	长阿	短伊	长伊	短忧	长忧	厘	厘
2. 文殊师利问经 Taishō 468; A.D.502—556	阿	长阿	伊	长伊	忧	长忧	厘	长厘
3. 文殊问经(不空译) Taishō 469; A.D.746—774	阿上	阿引	伊上	伊引去	坞上	污引	呓	呓引上
4. 瑜伽金钢顶经释字母品(不空译) Taishō 880; A.D.746—774	阿上	阿引去	伊上	伊引去	坞	污引	哩	哩引去
5. 智广悉昙字记 Taishō 2132; A.D.780—804	短阿上声短呼	长阿依声长呼	短伊上声	长伊依字长呼	短瓯上声	长瓯长呼	纥里	纥梨
6. 慧琳一切经音义 Taishō 2127; A.D.788—810	榎去声兼引	啊	臀字上声	缢去声兼引	坞	污	乙上声	乙去声引
7. 空海悉昙字母释义 Taishō 2701; A.D.803—835	阿上声呼	阿去声长引呼	伊上声呼	伊去声长引呼	坞	污长声	哩弹舌呼	哩弹舌去声引呼

A second source of information on Middle Chinese tones is the *Hsi-t'an tsang* by the Japanese monk, Annen, written in the year 880 A.D.;[14] in fact it is the most valuable record now extant. Annen's work contains a description of the tones in four traditions successively brought back to Japan. The oldest of these, reflecting the pronunciation of the early eighth century, is most relevant for our purpose.

... Of the two readings that originally came to us in Japan, that of

Piao was as follows: the level tone was level and low, with both the light and the heavy [allotones]; the rising tone was level and high, with only the light but not the heavy; the departing tone was slightly drawn out, with no [distinction between] the light and the heavy; the entering tone stops abruptly, having neither the inner nor the outer; the level tone [carried by syllables] with nasal or lateral initials was indistinguishable from the heavy [allotone]; and the heavy [allotone] of the rising tone was no different from the departing tone.

Let me defer a more complete exegesis to a later section and for the present concentrate on what Annen says about the rising tone. The key phrases are 平声直低 ... 上声直昂, which I have translated as "the level tone is level and low ... the rising tone is level and high." *Chih*, literally "straight," can refer to a level contour or a rising contour with a constant slope. But *p'ing-sheng* means "level tone." Hence *chih* in the first phrase means "level" and should mean the same in the second phrase. *Ti* means "low" and *ang*, its antonym in this context, means "high."

Ti and *ang* also occur as antithetical terms in lines 38—39: 入有轻重, 重低轻昂. Later we shall see that *ch'ing* "light" means the allotone induced by voiceless initials, and *chung* "heavy," the allotone induced by voiced initials. In modern dialects such as Wu, the first is low and the second is high. The fact that *ti* and *ang* mean "low" and "high" in this context confirms the interpretation given in the last paragraph. On the other hand, even if *ang* means "rising" our theory still holds, since a rising contour can also be interpreted as the reflex of an earlier glottal stop.

Annen did not discuss the length of the rising tone in Piao's reading. But later when he went on to describe the pronunciation of Chin and Cheng (two traditions that came to Japan after Piao), he said something quite interesting. "The rising tone [in Cheng's pronunciation] has the light and heavy [allotones]; ... the heavy is like the heavy [allotone] of Chin's rising tone, without, however, the abrupt articulation (不突呼之)" (lines 30, 34, 35). The last phrase implies that the rising tone was short for Chin, but its heavy allotone did not have this feature for Cheng. In other words, Annen's account also tells us that the rising tone is short in a certain Chinese dialect, probably the Wu dialect corresponding to Go-on.

Our third source of information is the Japanese tradition of *bombai* 梵呗—Sanskrit psalmody transliterated into Chinese, and brought over in this form to Japan, probably during the T'ang dynasty. The tradition prescribes explicit rules for the pronunciation of the tones, although these rules are not always followed in actual recitation. Since the history of the transmission of *bombai* has not been traced as clearly as we might wish, this evidence needs to be handled with caution. On the other hand, the report on the rules of the Shingon sect, given in the *Hobogirin*, is the clearest and most complete description of a tonal system which may reflect the T'ang pronunciation.[15]

(1) The level tone is level and relatively low; words having this tone are chanted in the 1st, 2nd, 3rd (or 4th) degree; (2) the rising tone is the highest and the shortest; it is chanted in the 5th or 6th degree; (3) the departing tone is characterized by a prolonged rise of the voice, either from the 4th to the 5th degree or from the

5th to the 6th degree, (4) as for the entering tone for words ending in a consonant, it is short and forced and chanted with a drop, either from the 6th to the 5th degree or from the 5th to the 4th degree.

Some remarks about the reliability of these sources and their interrelationship are now in order. As we shall soon see, Annen describes several developments that are well authenticated by modern dialect data and other philological sources. His reliability is beyond reasonable doubt; the problem lies mainly in understanding his terminology. The equivalence between shortness and the rising tone, deduced from I-ching's statement and the five Buddhist texts, also seems to be on firm ground. And now, what we learned from these sources is confirmed by the *Hobogirin* statement: "The rising tone is the highest and shortest; it is chanted in the 5th or 6th degree," which further implies a level contour. In addition, the *Hobogirin* describes the level tone the same way that Annen did, low and level. Such convergence of evidence not only enhances our confidence in the *bombai* tradition, but also increases the likelihood that Annen and I-ching were talking about similar dialects.

In using Buddhist sources to argue for our thesis, we of course had to assume that the features of the MC rising tone thus ascertained are relevant, but this assumption needs to be examined. Let us consider the question of date. If the hypothesized glottal stop was lost early and the date of our sources is late, the case is unfavorable. For in that event, there would be ample time for the features of the rising tone to change—from the immediate reflexes of the lost glottal stop to those of a much later date. I-ching's work is 690—692

A. D. and Piao's reading is probably early eighth century, both fairly late for the study of tones in their primordial state. On the other hand, among the hypothesized final consonants, the glottal stop is the only one preserved in some modern dialects, and this fact seems to indicate that its disappearance from the other OC or MC dialects was of a relatively late date.

No matter how the problem of date may be eventually decided, it does not affect our argument based upon shortness. The fact that the length contrast is sub-phonemic in all modern dialects implies that this contrast tends to disappear in time; specifically, a long tone and a short tone, when left to themselves, would both gravitate towards a non-distinctive length. Hence, from the fact that the rising tone is short in the seventh century, we can infer that it has been short up to the presumed disappearance of the final glottal stop and beyond.

A third kind of evidence consists of old Sino-Vietnamese loans. In Sino-Vietnamese (Chinese words borrowed into Vietnamese during the T'ang dynasty), MC initials and tones uniquely determine the resultant Vietnamese tones in the following way.[16]

	level	rising	departing	entering
voiceless	bang	hoi	sac	sac
voiced	huyen	nang	nang	nang
nasals and laterals	bang	nga	nang	nang

This scheme, however, does not hold for the old Sino-Vietnamese loans (words borrowed into Vietnamese during the Han dynasty). Here the rising tone behaves as follows:

rising	
voiceless	sac
voiced	nang
nasals and laterals	sac

According to Haudricourt's theory, the *sac* and *nang* tones of Vietnamese originated from the loss of a final glottal stop. This is shown by the fact that the final glottal stop is still preserved in many dialects of the Palaung-Wa group.⑰

fish	*ka*ʔ(Khmu, Riang)	*ca* (VN, *sac* tone)
leaf	*hla*ʔ(Khmu) *la*ʔ(Riang)	*la* (VN, *sac* tone)
dog	*so*ʔ(Khmu, Riang)	*cho* (VN, *sac* tone)
rice	*rənko*ʔ(Khmu), *ko*ʔ(Riang)	*gao* (VN, *nang* tone)

He also points out that this could be deduced from internal evidence, since these two tones were the only ones noted for words which preserved the final stops -*c*, -*t*, -*p*.

Since the rising tone corresponds to the *sac* and *nang* tones in old Sino-Vietnamese loans and at the time of borrowing these two VN tones had a final glottal stop, it is reasonable to infer that the Chinese rising tone also had a final glottal stop at that time. The following list, whose Chinese entries are all in the rising tone, will illustrate what has been said in the last few paragraphs.

	S-V(*hoi*)	Old S-V(*sac*)		S-V(*hoi*)	Old S-V(*sac*)
软	tram	chem	点	diêm	châm
主	chu	chua	纸	chi	giây
卷	quyên	cuôn	府	dê	day
感	cam	cam	种	chung	giông
锦	câm	gâm			

S-V(*nang*)	Old S-V(*nang*)	S-V(*nga*)	Old S-V(*sac*)
簿 bô	ba	舞 vu	mua
市 thi	cho	藕 ngâu	ngo
舅 cyu(?, nga)	câu	瓦 ngoa	ngoi
		染 nhiêm	nhuôm

A further point to be noted is that the development of a tone from a final glottal stop is not an altogether uncommon phenomenon. The case for Vietnamese has just been summarized above. The high tone of Modern Burmese, which corresponds to -ʔ in Ching-p'o (景颇, also called Kachin), is probably derived in a similar manner.[18] In the Lolo dialect of Lahu (a branch of Lolo-Burmese), according to Matisoff, the "high rising tone" developed through glottal dissimilation, that is, first ʔ—— ʔ and then ʔ—— with a "high rising tone."[19] Closer to home, we may cite the fact that in many Chinese dialects -*p*, -*t*, -*k* first collapsed into -ʔ, and when -ʔ disappeared, it left behind a pitch-and-contour tone.

So far the following evidence has been presented to support the thesis that the rising tone developed through the loss of a final glottal stop. First, in five dialects of the southeastern coastal area, the rising tone has a final glottal stop. Especially noteworthy is the dialect of Ting-an, in which rising tone syllables end in a nasal sound as if they were followed by a homorganic stop—a fact not easily explained by the contrary hypothesis that the glottal stop was a secondary development. Secondly, Buddhist sources indicate that the rising tone in Middle Chinese had the features short and high, where high means either a level high pitch or a rising contour. We know from acoustic studies that a syllable is high and short if it ends in a voiceless stop. Thus, if the final glottal stop indeed existed in Old Chinese, its reflex should have precisely the features short and high in Middle Chinese. Thirdly, in old Sino-Vietnamese loans, the rising tone corresponds to the *sac* and *nang* tones, which, according to Haudricourt's theory, were derived from a final glottal stop. Finally, it was pointed out that the development of a tone from a glottal stop had occurred in several Southeast Asian languages.

The evidence from Min dialects and from old Sino-Vietnamese loans both point to the Han dynasty as the time when the final glottal stop was still preserved. The situation is, however, much less clear for the pre-Han period. According to Chang Jih-sheng, whenever the rhyming words in the *Book of Odes* belong to both the rising and entering tone categories, the rhyme-categories involved invariably end in a velar, specifically -ək, -əg, -ok, -uk in Karlgren's reconstruction (之入,之阴,宵入,侯入;Karlgren's Category 19, 20, 25, 30).[20] By this, Chang means that (a) the *Book of Odes* has rhymes predominantly in the entering tone category (-ək, -ok, or -uk) which also include words in the rising tone category (respectively -əg, -og, or -ug), and rhymes predominantly in the rising tone category (-əg) which also include words in the entering tone category (-ək), and (b) these rhyme categories are the only ones in which the rising and entering tone categories co-occur. Since -k is phonetically similar to -ʔ, it is tempting to regard Chang's observation as indicating that the rising tone had -ʔ during the *Shih ching* period. However, complication sets in because there is no general agreement on the tone of a character in OC, nor on the rhyme scheme of a given poem. A close examination of Chang's examples yields only eight clear-cut cases—too few to support our thesis.

The existence of -ʔ is even more uncertain in the case of Sino-Tibetan. On the one hand, studies in acoustic phonetics and Southeast Asian languages both seem to indicate that tones are developed from segmental features. On the other hand, we are as yet unable to establish correspondences for tones in the Sino-Tibetan family, nor can we find any final consonants in the Tibetan cognates of Chinese rising tone words, for example, " five ," OC ŋo 五, Written Tibetan *lŋa*; " nine," OC *kiŭg* 九, WT *dgu*; "bitter," OC *k'o* 苦, WT *k'a*. Hence in the absence of further evidence, it seems best to regard the existence of -ʔ in the pre-Han period as probable but not proven. The ultimate origin of -ʔ must be left open; it could have developed from some other consonant(s) or from prosodic features.

The next item on our agenda is to consider Annen's statement. I shall present the text and a translation first. The exegetical notes follow immediately after.

(安然悉昙藏卷五(大正新修大藏经卷八, 页四一四)

1 …我日本国元传二音：　　… Of the two readings that originally
　表则平声直低，　　　　　came to us in Japan, that of Piao was
　有轻有重；　　　　　　　as follows: the level tone was level and
　上声直昂，　　　　　　　low, with both the light and the heavy
5 有轻无重；　　　　　　　[allotones]; the rising tone was level
　去声稍引，　　　　　　　and high, with only the light [allo-
　无重无轻；　　　　　　　tone] but not the heavy; the departing
　入声径止，　　　　　　　tone was slightly drawn out, with no

437

无内无外；
10 平中怒声与重无别；
上中重音与去不分。

金则声势低昂
与表不殊，
但以上声之重
15 稍似相合
平声轻重，
始重终轻，
呼之为异，
唇舌之间，亦有差升。

20 承和之末，
正法师来；初习洛阳，
中听太原，
终学长安，
声势大奇。

[distinction between] the light and heavy [allotones]; the entering tone stopped abruptly, having neither the inner nor the outer; the level tone carried by syllables with nasal or lateral initials was indistinguishable from [one having] the heavy [allotone]; and the heavy [allotone] of the rising tone was no different from the departing tone.

The reading according to Chin did not differ from that of Piao with respect to pitch and contour. However, [Chin's] heavy [allotone] of the rising tone was somewhat like a combination of the light and heavy [allotones] of the level tone, beginning with the heavy and ending with the light. Enunciating them makes the difference. In the process of articulating [Chin's rising tone] there is also a differential rise.

At the end of the Ch'eng-ho era (847), the Reverend Cheng came, having first learned the Lo-yang dialect, then listened to the T'ai-yüan dialect, and finally studied the Ch'ang-an dialect. The pitch and contour have become quite strange. Each of the four tones has the light and heavy [allotones].

25　四声之中，各有轻重。
　　平有轻重,
　　轻亦轻重,
　　轻之重者,
　　金怒声也,
30　上有轻重。
　　轻似相合
　　金声平轻，上轻,
　　始平终上呼之；
　　重似金声上重,
35　不突呼之。
　　去有轻重,
　　重长轻短。
　　入有轻重,
　　重低轻昂。

The level tone has the light and heavy [allotones]. The light is further [distinguished into] the heavy and the light. The heavy of the light corresponds to the tone carried by the syllables with nasals and lateral initials in Chin's reading. The rising tone has the light and heavy [allotones]; the light [allotone] is like combining the light [allotone] of the level tone and the light [allotone] of the rising tone in Chin's reading, beginning with the level tone and ending with the rising tone; the heavy [allotone] is like the heavy [allotone] of Chin's rising tone, without, however, the abrupt articulation. The departing tone has the light and heavy [allotones]; the heavy is long and the light is short. The entering tone has the light and heavy [allotones]; the heavy is low and the light is high.

40　元庆之初,
　　聪法师来，久住长安,

In the beginning of the Yüan-ch'ing era (877), the Reverend Ts'ung

委搜进士,
亦游南北,
熟知风音。
45 四声皆有轻重著力。
平入轻重
同<u>正</u>和上。
上声之轻,
似<u>正</u>和上上声之重;

50 上声之重,
似<u>正</u>和上平轻之重。
平轻之重,
<u>金</u>怒声也,
但呼著力为今别也。
55 去之轻重,
似自上重;
但以角引为去声也。
音响之终,
妙有轻重;
60 直止为轻,
稍昂为重;
此中著力,亦怒声也。

came, having stayed long in Ch'ang-an, where he made wide acquaintance with men of learning, and also through his travels north and south, became familiar with the various dialects. All four tones have the variants distinguished by light versus heavy and forceful versus non-forceful. The level and entering tones, with respect to the light and heavy [allotones], are the same as those of Monk Cheng. The light [allotone] of the rising tone is similar to Monk Cheng's heavy [allotone] of the rising tone;

and the heavy [allotone] of the rising tone is like Monk Cheng's heavier light [allotone] of the level tone—the heavier light [allotone] of the level tone being the tone carried by syllables with nasal and lateral initials in Chin's reading, though the distinction is now made by a forceful enunciation. Both the light and heavy [allotones] of the departing tone sound as if they are derived from the heavy [allotone] of the rising tone, which is, however, prolonged to yield the departing tone.

There is a subtle distinction between the light and heavy [allotones of the departing tone] at the end of the syllable, the one stopping directly being the light and the one with a slight rise being the heavy. The more forceful variety in this [departing tone] is also the nasals and laterals.

The four transmitters of Chinese readings were referred to by their abbreviated names. Their identity, insofar as can be determined, is as follows. 表 is probably a corruption of 袁, the surname of Yüan Chin-ch'ing 袁晋卿, a Chinese savant of phonology who went to Japan in 735 at the age of eighteen or nineteen; 金 is probably Kim Ye-sin 金礼信, a Korean and transmitter of Go-on; 正 is Issei 惟正, whose itinerary of travel and date of return coincide remarkably with Ennin's, and hence he probably belonged to the same mission; 聪 is Chisō 智聪.[20] The text as punctuated in the *Taishō* differs from ours at two places: a full stop after 合 in line 15 and also after 平轻 of line 32. I have followed Mabuchi and others in making the emendations.

Whenever a modern dialect has both the voiced-voiceless distinction in the initials and the *yin-yang* (high-low) distinction in one or more of its tones, the voiced initials in general co-occur with the *yang* tone, and the voiceless initials with the *yin* tone. The nasal and lateral initials belong to the *yang* group for the level, departing, and entering tones; this is a fact true for all Chinese dialects. The behavior of these initials in the rising tone, however, varies from dialect to dialect; in some dialects they belong to the *yin* group (such as Mandarin), and in others (such as Cantonese and Wu), they belong to the *yang* group. The noteworthy exception is Kan-on, in which the nasal and lateral initials of *both* the rising and entering tones belong to the *yin* group.

With these facts as background, we can now turn to an examination of lines 10—11, which I have translated:"the level tone carried by syllables with nasal and lateral initials (平中怒声) was indistinguishable from [one having] the heavy [allotone]; and the heavy [allotone] of the rising tone was no different from the departing tone." The term *nu-sheng* was used by Annen in another place to refer to the two voiced series of Sanskrit: g, j, d, $ḍ$, b and gh, jh, dh, $ḍh$, bh. But in this context, as Arisaka has pointed out, it refers to the nasal and lateral initials of MC.[22] We know that Sanskrit voiced initials were transliterated by MC nasal initials. And since the dialect described here is Kan-on, Annen probably intended to call attention to the fact that whereas the nasal and lateral initials belong to the *yin* group for the rising and entering tones, these initials belong to the *yang* group for the level tone. Thus, his first statement describes the co-occurrence of voiced initials (including nasals and laterals) and the *yang* level tone. His second statement refers to the merger of the voiced rising tone with the departing tone—a fact we also know from the following sources: (1) in many modern dialects the same development has taken place, (2) words in these two tones sometimes rhyme in the poetry of Po Chü-i and Yüan Chen,[23] and (3) Li P'ei 李涪 complained at the end of the ninth century that the distinction between these two tones in the

Ch'ieh yün is based upon the peculiarities of the Wu dialects, the implication being that this distinction was no longer maintained in his standard Lo-yang dialect.[24]

Given a system in which the two contrasts voiced-voiceless and *yin-yang* (high-low) regularly co-occur, we can regard the first as the determining feature and the second as the determined feature. In other words, a tone is regarded as consisting of two allotones whose selective realization is conditioned by voicing. This explains why in the translation the word "allotone" is sometimes inserted after "light" or "heavy."

Annen's account is arranged according to the order of transmission of the four readings, which also seems to imply that the proliferation of tones follows a definite sequence: splitting occurs first in the level tone, then in the rising tone, and finally in all tones, thus yielding successively five tones for Piao, six for Chin, and eight for Cheng and Ts'ung. Upon closer analysis, this view is implausible, for once the voiced rising tone was merged with the departing tone (which Annen stated for the first reading, Piao's), the rising tone had no voiced initials and could no longer split into two allotones under the condition of voicing. A more plausible view is this: in the common ancestor of Piao's dialect and Chin's dialect, splitting took place in Piao's but not in Chin's; and as Annen implied by his repeated comparisons, the six tones of Chin developed successively into the eight tones of Cheng and Ts'ung.

The five-tone system of Piao, with two allotones in the level tone, is typical of Mandarin dialects before the disappearance of the entering tone; so is the merger of the voiced rising tone and the departing tone. The relation of the other three dialects described by Annen to modern dialects is less certain. The six-tone system of Chin is rarely encountered nowadays. The eight-tone system of Cheng and Ts'ung bears some resemblance to Cantonese and Proto-Hakka, but no positive identification can be made on the basis of our present knowledge.

In a recent article, Chou Fa-kao pointed out that the three entering tones of Cantonese can be explained in terms of two pairs of oppositions: voiced versus voiceless and *nei-chuan* 内转 versus *wai-chuan* 外转, which oppose short vowel against long vowel.[⑧] The voiced initials give rise to *yang-ju* (lower entering tone). For the *yin-ju*, developed from voiceless initials, the tone is *hsia yin-ju* (the lower of the upper entering tone) if the final belongs to *wai-chuan*, and *shang yin-ju* (the upper of the entering tone) if the final belongs to *nei-chuan*. This theory throws some light upon lines 8—9:入声径止,无内无外. What these lines say is that in Piao's dialect, the entering tone is short and the distinction between *nei* (short vowel) and *wai* (long vowel) is neutralized.

There are several terms and passages which resist my exegetical efforts. I shall list them with brief comments. Line 19 says either that the vowel is affected by the tone or that the rising contour extends all the way to the (initial) segment successively articulated by the lip and the tongue, whatever that means. Lines 14—17 and lines 31—33: these are statements that describe a tone, X, as a combination of tone Y and Z. The most plausible explanation is that Annen was trying to approximate these tones (X) with rising contour by specifying their end points; it is less plausible that tone X begins with a level contour (tone Y) and then jumps to another level contour (tone Z). If so, lines 14—17 and 31—33 show that Annen has a standard phraseology for contoured tones. Since he did not use it for Piao's rising tone, that tone is probably high and level, as we have argued. Lines 45, 54, 62: the meaning of the term 著力 is unclear. Line 57: the term 角引 can be explained in two ways. One, *yin* means "prolong, draw out" and *chiao* is its modifier; and here *chiao* is either a corruption or refers to a note in the musical scale. Two, *chiao yin* as an established compound, is a technical term borrowed from musical terminology.㉙ But in either case, the meaning cannot be determined with greater precision.

Let us now form a synthetic picture of the four tones, using Annen's account of Piao's reading as the primary source and the rest as supplementary evidence.

(1) Level tone: long, level, and low, with a higher and a lower allotone. The first feature is inferred from the tradition associated with the monk I-ching.

(2) Rising tone: short, level, and high, its lower allotone having merged with the departing tone.

(3) Departing tone: slightly drawn out and hence longish. This feature is described both by Annen and the *Hobogirin*.

(4) Entering tone: short.

The above summarizes what I think can be reasonably inferred from the evidence now available. It will be noted that I have not included the pitch and contour of either the departing tone or the entering tone, although the *Hobogirin* has something to say about both. The entering tone is high according to the *Hobogirin* and according to our theory that a voiceless final stop induces a high pitch. This is almost certainly true, reliable but until more evidence becomes available, it seems prudent to suspend our judgment. In the case of the departing tone, I should like to mention a plausible, if not conclusive, argument for believing that the *Hobogirin* is essentially right. If the rising tone and the departing tone are respectively 55 and 45 as the *Hobogirin* says, then under the assumption that a voiced initial lowers the pitch of the initial segment, say, from 5 to 4, the merger of the voiced rising tone into the departing tone immediately follows as a kind of phonetic corollary.

A word also needs to be said about the "drawn out" articulation of the departing tone. Four texts in the previously presented table—the earliest dated 746—774—have 引去, 去声长引, 去声兼引, "drawn out departing tone," "departing tone lengthily drawn out," "departing tone also drawn out" as subscripts for characters simulating Sanskrit long syllables. If the departing tone is intrinsically and unambiguously long, why is it necessary to add the redundant instruction "drawn out" or "lengthily drawn out"? The explanation we propose is that by mid or late eighth century, in some dialects and for some speakers, the departing tone had lost its longishness, and the subscripts are there to make sure that the departing tone is pronounced in the conservative fashion. There are other reasons for believing in this explanation: in Piao's pronunciation, the departing tone is described as "slightly drawn out" (Piao went to Japan in 735); the length contrast in Chinese tends to get neutralized; and if Old Chinese indeed has an -s, it may have left a long and contoured syllable as its reflex.

There are many other kinds of evidence that bear upon this problem, the most important being the data on modern dialects. But in the absence of a generally accepted theory that classifies and explains diachronic regularities of tone change, the comparative method cannot be applied, and consequently, the dialect data must be temporarily held in abeyance.[27] The second kind of evidence consists of the formulas in which scholars and monks from the T'ang dynasty on record their observed or inferred impressions of tones. The two earliest ones are of some value.[28]

平声哀而安,上声厉而举,去声清而远,入声直而促。

平声平道莫低昂,上声高呼猛烈强,去声分明哀远道,入声短促急收藏。

These two formulas confirm that the level tone is level, the rising tone is high, and the entering tone is short. The third kind of evidence sometimes used is the names of these four tones.[29] But clearly, these slippery terms can hardly lead us to any firm conclusions. It is also sometimes said that the Chinese phonetic terms tend to be their own exemplars, but that *shang* (rising tone, "up, high") is an exception. Hence the character should be read in the rising tone, and in this reading, it means "to go up, to rise."[30] Here the explanation could be that *shang* was originally in the rising tone, but because of its voiced initial (MC z-), later shifted to the departing tone. The fourth kind of evidence consists of *Kan-on syōmyō* 汉音声明, the Japanese tradition of reading the sutras in the Kan-on pronunciation (which is some-what different from *bombai*, chanting Sanskrit psalmody). Rai Tsutomu, who made a detailed study of this tradition, came to the conclusion that (a) since the tones are intertwined with the musical setting, their phonetic values cannot always be extracted, and (b) but insofar as the values can be determined, they coincide with what Annen said in the *Hsi-t'an tsang*.㉛

I shall now discuss, as promised, Chou Fa-kao's thesis that the Level tone is long and the Oblique tones are short (see note 13 above). The evidence, according to him, consists of the following three kinds. (1) In Hsüan-ying's 玄应 *I ch'ieh ching yin-i* 一切经音义 (ca. A.D. 649), seven pairs from the Sanskrit syllabary (*a*, *ā*, *i*, *ī*, etc.) are represented thus: long always corresponds to Level and short to Oblique; among the latter, three characters are rising (哀, 坞, 理) and one is entering (壹). (2) In I-ching's work, thirty-three short syllables are represented by Oblique tone characters. (This we discussed earlier, pointing out that all thirty-three are to be pronounced in the rising tone.) In addition, six pairs (*ka*, *kā*, *ki*, *kī*, etc.) are represented thus: long always corresponds to Level, and short to Oblique; of the latter, two characters are rising (枳, 矩), two are departing (计, 告), and one is entering (脚). (3) When the length contrast affects the meaning of a pair of Sanskrit words, it is reflected in Chinese transliterations by means of tonal differences. Four pairs are cited.

Long	Short
a. śāriputra 奢利富多啰	śarīra 舍梨子
b. śīla 尸罗	śila 试罗
c. puruṣāh 补噜沙	puruṣah 补噜洒
d. puruṣāh 布路沙	puruṣah 布路杀

The tones of the relevant characters are: level, 奢, 梨, 尸, 沙, all representing long syllables; rising, 洒, departing, 舍, 试, entering, 杀, are representing short syllables.

The issue is whether shortness is supposed to be represented by the rising tone only or by all Oblique tones. Thus an Oblique character not in the rising tone would count as a vote for Chou's thesis if it also represented a short syllable. I-ching's statement that "they should all be read in the rising tone..." disqualifies in one fell swoop all thirty-three characters as votes for Chou's thesis. The rest of Hsüan-ying and I-ching combined only yields four syllables that fulfill the above qualification, two each in the departing tone and the entering tone. Of these, three in I-ching's list are suspect; since the character 脚 appears in both the thirty-three character set and the six pair set, I-ching's statement almost certainly is meant to apply to all the characters concerned. As for (3), the *Kuang yün* has another reading for 舍 in the rising tone, and 洒 is in the rising tone anyway. This leaves only three votes for Chou's thesis.

While the evidence is insufficient, Chou's thesis may still be true, for in order to simulate the length contrast, the Oblique tones need not be short, but only shorter than the Level tone, and from the available evidence, this indeed seems to be the case. (Level is the longest; departing is the next longest; rising and entering are short.) Furthermore, the reason why the other Oblique tones are regarded as inappropriate simulators of the Sanskrit short syllable may be other than the fact that they are not short enough; the entering tone may have been disqualified by its final stop, and the departing tone by its dynamic contour. In other words, the only clear conclusion to be drawn from Chou's data is that the rising tone is short. The remaining issues will have to be left undecided for the present.

We are now drawn inexorably to a consideration of the Level-Oblique distinction in prosody. And my aim here is not so much to offer a solution but rather to delineate the issues and suggest some ways to approach them.

By the time of Shen Ch'üan-ch'i 沈佺期(650—ca. 715) and Sung Chih-wen 宋之问 (656—712), the Level-Oblique distinction is firmly established in prosodic practice. Earlier, Shen Yüeh(441—513) and his friends had theorized about the use of four tones in poetry, but it has yet to be shown that any of the Six Dynasty poets consistently applied the Level-Oblique distinction in their poetry. The period between 500 and 650 might then be conveniently regarded as the focal point of our problem.

In order to find out why and how the four tones became classified into two prosodic categories, we need to consider three questions: (1)How were the four tones pronounced at that time? This we do not know exactly, but Piao's reading (early eighth century) seems to be the only firm base for extrapolation. (2)Which phonetic features did the poets pay attention to? This is an important point, but one often neglected in discussions on prosody. (For example, the length contrast is present in modern English, but except for a few experimental poets, never used in poetry.) It is perhaps significant that in the key texts on literary criticism of this period, there is clear mention of the high-low contrast, but never, as far as I know, of the long-short contrast.[㉜] (3)What tonal patterns can we find in Proto-Recent Style poetry, that is, poems written between 500 and

650? In what follows, I shall suggest some questions that we can put to that yet unexplored corpus.

The Level-Oblique distinction is based either on length or on pitch; these two features are the leading candidates by common consensus. Poets around Shen Yüeh's time apparently operated with four prosodic categories, that is, the four tones. Later there are only two. The process of change may have been gradual or sudden. Thus, we have altogether four models to consider.

(1) Sudden change based upon long-short. The evidence against it are (a) the long-short contrast is not mentioned in literary criticism, and (b) the departing tone, by our extrapolation, must be fairly long around the sixth and seventh centuries.

(2) Sudden change based upon high-low. The stumbling block is our ignorance concerning the precise pitch and contour of the departing and entering tone. The *Hobogirin* has something to say about both, and our phonetic theory predicts that the entering tone should be high. But these considerations are too conjectural as the basis for further inference.

(3) Gradual change based upon long-short. There would be an intermediate stage where the level and departing tones are grouped together as long and the rising and entering tones as short. As the departing tone gradually loses its longishness, it migrates into the short (Oblique) category.

(4) Gradual change based upon high-low. The intermediate stage would consist of a low category, the level tone; a high category, the rising and departing tones; and a category consisting of the entering tone by itself.[33] Then, by fiat or by convention, the enter-

ing tone is included in the high category. The fact that the voiced rising tone and the departing tone have merged no later than Piao's time points to their similarity in pitch and contour. Since the rising tone is high, so is the departing tone; this seems to be the main consideration in favor of this model.

One of the functions of prosody is to define how the various slots are to be filled by prosodic categories, and what a study of Proto-Recent Style poetry can tell us is whether its prosodic categories consist of (L) and (R, D, E) as in (1) and (2), or (L, D) and (R, E) as in (3), or (L), (R, D), and (E) as in (4). My favorite model is (4), but at present this view is based upon nothing more reputable than a hunch.

The conclusions of this paper are these: on the basis of Annen's account, the tonal system of Middle Chinese around the eighth century is found to be (1) level tone: long, level, and low; (2) rising tone: short, level, and high; (3) departing tone: longishness about to be lost and probably high in pitch and rising in contour; and (4) entering tone: short, with uncertain pitch and contour. Annen also allows us to infer that the proliferation of tones under the condition of voicing follows a definite sequence, whose intermediate stages may represent the ancestors of several modern dialects; also that the merger of the voiced rising tone with the departing tone has already been accomplished by the late eighth century.

Reasons have been stated for the thesis that the rising tone of Middle Chinese developed through the loss of a final glottal stop: -ʔ is a feature in several coastal dialects, the rising tone of MC is short and high, and in old Sino-Vietnamese loans, the rising tone corresponds to the *sac* and *nang* tones, at a time when these tones presumably had -ʔ. It also seems probable that one reason why the Six Dynasty poets were so fascinated by the four tones was that the loss of final consonants, according to our conjecture, was not completed until a fairly late date—late enough so that those poets were excited by its novelty. (They could have been aware of this novelty if they had also known some dialects that still preserved the final consonants.) As the tonal system evolved further, it made possible the emergence of the Level-Oblique distinction, and the remaining problem is to find out how exactly that happened.㉞

附 注

① As we shall see, the so-called rising tone is high and level in Middle Chinese. A more appropriate term might be the "high tone." But I bow to convention and continue to use this self-incriminating expression.

② See 段玉裁"古四声说",《六书音韵表》;江有诰《唐韵四声正》;周祖谟《古音有无上去二声辨》,《问学集》(Peking, 1966), pp. 32—80; George Kennedy, "Tone in Archaic Chinese," in T. Y. Li, ed., *Selected Works of George Kennedy* (New Haven, 1964), pp. 135—150; Chang Jih-sheng 张日昇《试论上古四声》in *The Journal of the Institute of Chinese Studies of the Chinese University of Hong Kong* 1(1968).113—170. Chang computes, for each tone-category X, the ratio in the *Odes* between the occurrences of characters rhyming with characters also in X and the total occurrences of characters in X appearing as rhymes (the latter includes cases where characters in X rhyme with characters in non-X), thus: level 85%, rising 76%, departing 54%, entering 85%.

③ 董同龢《中国语音史》, p. 183.

④ A. G. Haudricourt, "Comment reconstruire le chinois archaïque," *Word* 10(1954).351—364, and "De l'origine des tons en Vietnamien," *JA* 242 (1954).68—82.

⑤ H. Maspero, "Études sur la phonétique historique de la langue annamite: les initiales," *BEFEO* 12(1916). 102.

⑥ Tone marks for Vietnamese are usually omitted; when necessary, VN tones are indicated by their names in parentheses.

⑦ R. A. D. Forrest, "Les occlusive finales en Chinois archaïque," *Bulletin de la Société de Linguistique de Paris* 55(1960). 228—239.

⑧ E. G. Pulleyblank, "The consonantal system of Old Chinese, Part Ⅱ," *AM* 9(1962). 206—265.

⑨ These facts are well established for English. See House and Fairbanks, "The influence of consonant environment upon the secondary acoustic characteristics of the vowels," and Peterson and Lehiste, "Duration of syllable nuclei in English," both in Ilse Lehiste, ed., *Readings in Acoustic Phonetics* (M. I. T. Press, 1967). Peterson and Lehiste noted that the postvocalic consonant has the greatest influence upon the duration of the preceding vowel, and the determining feature is the voiced-voiceless contrast. Recent studies seem to show, although not conclusively, that the correlations are linguistic universals. See Burckhard Mohr, "Intrinsic fundamental frequency variation: Ⅱ & Ⅲ," and Matthew Chen, "Vowel length variation as a function[± voice] of the following consonant," respectively in the June and July 1968 issues of the mimeographed *Monthly Internal Memorandum* of the Phonology Laboratory of the University of California, Berkeley.

⑩ Wen-chou is based upon 《汉语方言词汇》(Peking, 1964), p. 9, note 5; see also 郑张尚芳《温州音系》,《中国语文》1(1964). 28—60; Wen-ch'ang on Hashimoto Mantarō 桥本万太郎《海南語の聲調体系》,《东京支那学报》7 (1961). 35—52, and 梁猷刚《海南方言中的喉塞音》,《中国语文》6(1964). 463—465; Ting-an on Yamaji Enji 山路圓次 and Matsutani(?) Masa 松谷雅《海南島語会話》(Tokyo, 1931), p. 5; P'u-ch'eng and Chien-yang on Jerry Norman's field notes collected on Taiwan, which will be presented as part of his doctoral dissertation at the University of California, Berkeley.

⑪ The key passage cited below does not appear in the standard version, I-ching's *Nan-hai* ... (*Taishō*, No. 2125), but is quoted, with explicit mention of the title, by Annen in his *Hsi-t'an tsang* (*Taishō*, No. 2702, Vol. 84, p.

380a). I have followed Chou Fa-kao in assuming that the passage quoted by Annen was written by I-ching. For bibliographic details on Annen and Chou, see notes 13 and 14 below.

⑫ The text and its preceding context are as follows：脚佐伽呼俄者栋社縒嗒吒诧茶⊙ [Morohashi, No. 25043] 挈哆他柁但娜跛叵婆梵摩名五五二十五字名便缮....野啰捋婆舍洒娑诃蓝叉(末后二字不入其数)右脚等二十五字并下八字,总有三十三字名初章,皆须上声读之,不可看其字而为平去入也。

⑬ 周法高《说平仄》, *CYYY* 13(1948). 153—162, and《佛教东传对中国音韵学之影响》,《中国语文论丛》(Taipei, 1963), pp. 21—50, esp. pp. 22—24. Chou's view seems to have been accepted by Tamaki Ogawa 小川环树《唐诗概论》[= Yoshikawa and Ogawa, eds.,《中国诗人选集》17, Tokyo, 1958], p. 102, and by Pulleyblank, "The Chinese name for the Turks," *JAOS* 85(1965). 122, note 5.

⑭ 安然《悉昙藏》(*Taishō*, No. 2702), p. 414b. Scholars who have studied this passage include Arisaka Hideyo 有坂秀世《悉曇藏所傳の四聲について》,《国語音韵史の研究》(2nd edition, Tokyo, 1957), pp. 591—599; Iida Toshiyuki 饭田利行《日本に残存せる中国近世音の研究》(Tokyo, 1955), pp. 69—76; Mabuchi Kazuo 马渊利夫《日本韵學史 の研究》(Tokyo, 1962), p. 335ff., which lists other Japanese studies; Chou Tsu-mo 周祖谟《关于唐代方言中四声读法的一些资料》,《问学集》I (Peking, 1966), pp. 494—500. The text, a translation and exegetical notes are presented in a later section of this article. It will be apparent that I have benefited much from the Japanese scholars.

⑮ S. Levi, J. Takakusu, and P. Demiéville, eds., *Hobogirin*, fascicule I — II (Tokyo, 1929—1930), p. 107.

⑯ H. Maspero, *op. cit.*, p. 95.

⑰ Haudricourt, "De l'origine des tons en Vietnamien," *JA* 242 (1954). 80—81.

⑱ This was pointed out to me by Dr. La Raw Maran of M. I. T., a native speaker of Kachin.

⑲ James Matisoff, "Glottal dissimilation and the Lahu high-rising tone: a tonogenetic case-study," *JAOS* 90(1970). 13—44.

⑳　Chang Jih-sheng, the article cited in note 2.

㉑　Identification is based upon the works cited in note 14, especially Iida's study.

㉒　Arisaka, the article cited in note 14.

㉓　The example of Po Chü-i's "Ch'ang-hen ko" has been discussed in Chou Tsu-mo, *op. cit.*, p. 495 and in Wang Li 王力《汉语史稿》Ⅰ (Peking, 1957), p. 21. Hsü Shihying recently raised the question, rather inconclusively I think, whether such cases represent linguistic change or prosodic laxity. See 许世瑛《论长恨歌与琵琶行用韵》,《淡江学报》4(1965).1—12;《论元稹连昌宫词用韵》,《台湾大学文史哲学报》15(1966).397—406.

㉔　李涪《切韵刊误》, quoted in Chou Tsu-mo, *op. cit.*, p. 496.

㉕　周法高,《论切韵音》, *The Journal of the Institute of Chinese Studies of the Chinese University of Hong Kong*, 1(1968).89—112.

㉖　Li Shan's commentary to the *Wen-hsüan* cites 沈约《宋书》"控⊙" [Morohashi, No.12418] (vertical harp)宫引第一, 商引等二, 徵引第三, 羽引等四, 古有六引, 其宫引本第二, 角引本第四也。并无歌有弦笛存声不足故阙二曲。(*Wen-hsüan*, ch. 28, commentary under 谢灵运《会吟行》). Here *chiao yin* is clearly the name of a melody or tune. Chou Fa-kao, who cited this passage for a different purpose, also showed that a number of phonological or prosodic terms (such as 平调 and 侧调, later Level and Oblique) were first used in musical contexts (*CYYY* 13[1948].154—155).

㉗　Some promising work in developing feature analysis for tones and applying it to synchronic phonology has been done by William S. Y. Wang, "Phonological features of tones," *International Journal of American Linguistics* 33.2(1967).93—105, and by Cheng Chin-chüan 郑锦全《官话方言的声调征性跟连调变化》,《大陆杂志》33(1966).102—108.

㉘　The first is by Ch'u Chung 处忠 in《元和韵谱》(806—827), now lost, and the second by a monk of the Ming dynasty, Chen-k'ung 真空 in《玉钥匙歌诀》, both cited, among other places, in Wang Li, *Chung-kuo yin-yün hsüeh*, p. 100.

㉙　B. Karlgren, "Tones in Archaic Chinese," *BMFEA* 32(1960).113—142.

㉚ The earliest instance is probably a *fan-ch'ieh* spelling in the 《经典释文》(583—589) where under 象曰云上于天 (《易经·需卦》), we find 上时掌反,干宝云升也. The lower *fan-ch'ieh* character, 掌, is in the rising tone. The date for *Ching-tien shih-wen* is based upon Lin T'ao 林焘《陆德明的〈经典释文〉》,《中国语文》113 (February, 1962).132—136.

㉛ 赖惟勤《漢音の聲明もその聲調》,《言语研究》17—18(1951).1—46.

㉜ For high-low, I have in mind the famous statement in Shen Yüeh's 沈约《谢灵运传》:欲使宫羽相变,低昂互节,若前有浮声,则后须切响 (*Sung shu* 67.43a). As Arisaka has suggested, *ch'ing* and *chung* in the following statement probably also mean the high and low allotones:欲广文路,自可清浊皆通,若赏知音,即须轻重有异 (《切韵》序). What I have said about the absence of clear statements on long-short is of course subject to modification.

㉝ This hypothesis is in part motivated by the observation by Chou Fa-kao and others that the text of 维摩经讲经文, discovered at Tun-huang, bears the notations 平, 侧, 断, which could mean "Level (low)," "Oblique (high)," and "Cut-off (entering)." See Chou, *CYYY* 13(1948).154.

㉞ This paper was begun during 1967—1968, when I was with the Chinese Linguistics Project of Princeton University. I am especially indebted to Jerry Norman, Mantaro Hashimoto, and Bruce Brooks for their suggestions and encouragement.

中古汉语的声调、声律与上声的来源

这篇(1)介绍日僧安然《悉昙藏》所记唐代长安等地四声的调值。(2)因为《悉昙藏》说:"我日本国元传二音,表则平声直低……,上声直昂"等等,所以推测声律里平声的音征是低,仄声是高。(3)说明上声来自喉塞音韵尾-ʔ,理由是浙江温州、福建建阳、海南文昌等方言上声有喉塞音韵尾，中古上声调值短促。

关于平声和仄声在调值上有什么不同，文章里所说的平低仄高不能成立。平仄的对立最早出现于齐梁时代的建康，而本文用的却是唐代长安的调值。

上声来自喉塞音韵尾原来是罗杰瑞的创见，本文作了论证。我们知道去声来自-s，入声韵尾带-p、-t、-k。如果本文关于上声来源的说法能够成立，这就说明远古汉语没有由高低升降组成的声调。但是至今在藏缅语里还没有找到能跟汉语上声 * -ʔ 对应的音征，所以上声来自-ʔ目前还是个尚未证实的假设。

The Austroasiatics in Ancient South China: Some Lexical Evidence[*]

It is well known that ancient South China was almost exclusively populated by non-Chinese peoples whose identity and location, however, remain to be determined. The purpose of this paper is to contribute some lexical evidence towards the solution of this problem. In particular, we will try to show that the Austroasiatics inhabited the shores of the middle Yangtze and parts of the southeast coast during the first half of the first millennium B.C., and that the Chinese borrowed the name of the Yangtze from them. Other words indicating early contact between these two peoples will also be discussed.

The Austroasiatic (hereafter AA) family of languages includes the following groups: Munda in northeast India; Khasi in Assam; Palaung-Wa in Upper Burma and southern Yünnan; Mon-Khmer in Lower Burma and Cambodia, as well as in parts of Vietnam, Laos, and Thailand; and Vietnamese-Muong in Vietnam.[①] Here we accept Haudricourt's view that Vietnamese is a Mon-Khmer language which came under the influence of Tai and Chinese.[②] A recent study

---

[*] 本文与罗杰瑞(Jerry Norman)合著。原载 Monumenta Serica Vol. XXXII, 1976 年。

by Ruth Wilson shows that Muong occupies an intermediate position between Vietnamese and Mon-Khmer, thus lending support to Haudricourt's thesis.[3]

The present location of the AA languages is strictly to the south of China, with two possible exceptions. The Miao-Yao languages, whose tonal system is similar to that of Chinese, are usually classified as Tibeto-Burman. But according to Davies, Forrest, and Haudricourt Miao-Yao is AA.[4] The genetic affiliation of Tai remains a problem. Traditionally, Tai and Chinese were regarded as constituting a subfamily under Sino-Tibetan.[5] But Benedict proposed some thirty years ago that Thai, Kadai, and Indonesian belong together in an Austro-Thai family.[6] In a recent series of papers, Benedict has further suggested an AA sub-stratum in Austronesian, which he now calls Austro-Thai.[7] While the AA relationship to Miao-Yao and Thai are both still in dispute, there are other reasons for believing that AA once extended far into the present borders of China.

The evidence consists of loan words into Chinese. If the word in question is also a place word, then once the fact of borrowing has been established, it is possible to tell not only which two peoples were involved but also where the contact was made. Archaic loans between AA and Chinese have previously been proposed by Pulleyblank, Forrest, and Benedict.[8] We have in some cases incorporated their proposals and added philological and historical details. Another impetus to our endeavor is the recent publication of several studies in AA linguistics, particularly Pinnow's work on Kharia, the volume of the essays edited by Zide, and dictionaries on various modern languages.[9] In addition to supplying valuable information on many hitherto inaccessible AA languages, these studies also provide the means by which the time depth of an AA word may be estimated via its geographic distribution. Admittedly we are on rather shaky ground here, since we have no records of the AA languages which we believe were once spoken in South China. We must depend on modern AA evidence such as the forms contained in Pinnow and Zide, and the languages consulted are probably not the direct descendents of the source of the Chinese loans. Under these circumstances, it seems to us, we cannot expect too great a rigor in making phonetic equations; nonetheless, we have tried to avoid extravagant or totally unsupported claims. Obviously part of the difficulty is the inadequacy of the available reconstructions of Old Chinese (hereafter OC).

Before proceeding to discuss loan words, we wish to present some evidence for the fact that the Yüeh people was at least partly AA. The term Yüeh 越 has always had an intimate connection with the peoples of South China; Yüeh is the name of a state that flourished during the fifth and sixth century B. C. in Chekiang and Fukien; it is also part of the name Vietnam, anciently Nan-yüeh, whose territory then extended into Kwangtung and Kwangsi and included Hainan.[10] During the Ch'in and Han dynasties the term Pai-yüeh 百越 'the hundred Yüeh' was used to refer to the various " barbarians" inhabiting South China. Earlier, in the oracle bones and bronze inscriptions, the graph was simply the pictograph of an axe.[11] Here we may mention the fact that the rectangular axe and the shouldered axe were respectively associated with the Austronesians and the AA's.[12] The supposition that the Yüeh peoples were

461

Austronesian or AA is highly attractive, but no convincing proof has yet been offered. The only piece of linguistic evidence previously studied is the Yüeh song contained in Liu Hsiang's *Shuo-yüan*, which, according to Izui Hisanosuke, is in a language resembling Cham.⑬ But the Chinese translation accompanying the Yüeh original gives little indication as to which transliterated syllable corresponds to which Chinese word. Consequently, Izui's claim is difficult to evaluate. On the other hand, a number of Yüeh words were preserved in various ancient texts.⑭ In what follows, we will show that two items represent the AA words for "die" and "dog."

(1) 札 * * *tsɛt*⑮ 'to die'

In Cheng Hsüan's commentary on the *Chou-li*, the gloss 越人谓死为札 "The Yüeh people call 'to die' 札" occurs.⑯ Cheng Hsüan lived during the Eastern Han (127—200 A.D.) and there seem to be no grounds to doubt the authenticity of this gloss. According to Karlgren's *Grammata Serica Recensa* the OC reading of the character 札 was *tsăt. This is Karlgren's group Ⅱ. There is good reason to believe that his reconstruction is erroneous. Tuan Yü-ts'ai assigns this character to his group twelve, which corresponds most nearly to Karlgren's group Ⅴ.⑰ Chiang Yu-kao places it in his 脂 group which also corresponds most nearly to Karlgren's group Ⅴ.⑱ How do we explain this discrepancy? There are several ways to assign a given character to an OC rhyme group. It may be assigned on the basis of its occurrence in a rhymed text, but if it does not appear as a rhyme word, then there are only two alternative methods for determining its proper membership: a few Middle Chinese (hereafter MC) rhymes all go back to a single OC category; this is the case, for example, with the MC rhyme 唐 which derives from the OC 阳 group in its entirety. For such MC rhymes, the assignment to an OC rhyme category is mechanical. Frequently, however, a given MC rhyme has more than one OC origin. This, in fact, is true of the character in question. 札 belongs to the MC 黠 rhyme; this rhyme derives from three different OC rhyme categories: 祭, 微, and 脂 corresponding roughly to Karlgren's II, V, and X. The only way to determine which OC rhyme category such words as this belong to is to examine their *hsieh-sheng* connections. In the *Shuo-wen*, 札 is defined as follows: 札牒也, 从木乙声. In GSR 505 a reading *˙iɛt is given for 乙; this is Karlgren's group V. And in the *Shih-ming*, written by Liu Hsi, a younger contemporary of Cheng Hsüan, the sound gloss is 札, 櫛也 (櫛 *tsi̯ɛt, OC 脂 group).[19] Clearly 札 should belong to the same group as 乙; the proper reconstruction is *tsɛt and not tsăt as given in GSR 280b. Tung T'ung-ho does not give this character in his *Shang-ku yin-yün piao-kao*,[20] but it is simple enough to place it where it belongs—viz. on page 215 in Tung's 微 group; the proper form in Tung's system is *tsət.

There can be no doubt that this word represents the AA word for 'to die': VN *chêt*; Muong *chít*, *chét*; Chrau *chu't*, Bahnar *kɤcit*; Katu *chet*; Gua *test*; Hre *ko'chit*; Bonam *kachet*; Brou *kuchĕit*; Mon *chɒt*. More cognate forms can be found in Pinnow, p. 259, item K324f. The Proto-Mon-Khmer form has been reconstructed by Shorto as *kcət*,[21] which is extremely close to our OC form. There is even the possibility that Proto-MK *k- is reflected in the glottal initial of the phonetic 乙.

"To die" in other east and southeast Asian languages are: Chi-

463

nese 死 * si̯ər; Tib. * 'chi-ba, ši; Lolo-Burm * šei;⁽²²⁾Proto-Tai * tai;⁽²³⁾Proto-Miao * daih.⁽²⁴⁾ Here Chinese goes together with Tibeto-Burman, and Proto-Tai goes together with Proto-Miao. None of these forms has any resemblance to * tsɛt.

(2) 獀 * si̯ô(g) 'dog'

The *Shuo-wen* says 南越名犬獿獀 "Nan-yüeh calls ' dog' * nôg si̯ôg." This explanation occurs under the entry for 獀, which implies that the meaning "dog" is attached to this character. The first character of the compound probably represents a pre-syllable of some kind. Tuan Yü-ts'ai mentioned in his Commentary to the *Shuo-wen* that this word was still used in Kiangsu and Chekiang, but did not give any further detail.

Karlgren gives si̯ôg as the OC value for 獀 (*GSR* 109 7h). At the time of the *Shuo-wen* (121 A.D.), -g had probably already disappeared; in Eastern Han poetry, MC open syllables (OC -*b*, -*d*, -*g*) seldom rhyme with stopped syllables (OC -*p*, -*t*, -*k*); in old Chinese loan words in Tai (specifically, the names for twelve earth's branches 地支 *ti-chih*), probably reflecting Han dynasty pronunciation, Proto-Tai -*t* corresponds to OC -*d*, but no trace can be found for -*g*. The proper value for our purpose is therefore si̯ô.

This is the AA word for "dog," as the following list shows: "dog": VN *chó*; Palaung *shɔ:*; Khum, Wa *soʔ*, Riang *s'oʔ*; Kat, Suk, Aak, Niahon, Lave *có*; Boloben, Sedang *có*; Curu, Crau *ʃŏ*; Huei, Sue, Hin, Cor *sor*; Sakai *cho*; Semang *cû*, *co*; Kharia *sɔ'lɔʔ*, *ʃɔ'lɔʔ*; Ju *solok*; Gutob,

Pareng, Remo *guso*; Khasi *ksew*; Mon *klüw*; Old Mon *clüw*; Khmer *chkɛ*.

The forms after VN represent almost all the major groups spoken in the Indo-China and Malay Peninsulas, as well as the Palaung-Wa, Khmer, and Malakka groups. The proto-form for these languages appears to be *so?* or *co?*, preceded perhaps by *k*-(cf. Khasi, Gutob, etc.). On the basis of Mon, Haudricourt suggested that VN *ch*- < *kl*-.⑳ But there is another possibility, namely, VN *ch*- < *kc*-; "to die" * *kcət*, VN *chēt*, Kuy *kacet*, Kaseng *sit*. And even if VN *ch*- did come from *kl*-, this change must have occurred quite early, since in all the AA languages except Mon, the initial is either a sibilant fricative or affricate.

"Nan-yüeh" refers to North Vietnam and parts of Kwangtung and Kwangsi. With this piece of evidence, we know that the language spoken there in the second century A.D. was AA. This is also the earliest record of the language of Vietnam.

We now come to old AA loan words in Chinese.

(3) 江 * * *krong/kang/chiang* 'Yangtze River', 'river'

"river" in Mon-Khmer: VN *sông*; Bahnar, Sedang *krong*; Katu *karung*; Bru *klong*; Gar, Koho *rong*; La?ven *dakhom*; Biat *n'hong*; Hre *khroang*; Old Mon *krung*. Cf. Tib. *kluṅ* 'river'; Thai *khlɔ:ŋ* 'canal'.

Chiang has a Second Division final in MC, and according to the Yakhontov-Pulleyblank theory, this implies a medial -*r*- or -*l*- in OC.[28] The OC reading for this word in Li Fang-kuei's system is * *krung*.[27] Further evidence for -*r*- consists of the fact that some words with 工 as their phonetic have disyllabic doublets, whose first syllable has a velar initial and whose second syllable is *lung*: 空 = 窟 窿 'hole, empty,' 项 = 喉咙 'neck, throat,' 鸿 = 屈龙 'wild goose.'[28] The final has been reconstructed as -*ung* by Karlgren and Tung T'ung-ho, -*awng* by Pulleyblank, and -*ong* by Yakhontov.[29] In spite of these minor differences, it is clear that the final had a rounded back vowel in OC.

It is immediately clear that the Mon-Khmer forms are related to the Chinese form. What remains to be discussed is the direction of the loan.

There are several reasons for thinking that the Chinese borrowed this word from the AA's. OC has four common words for names of rivers: 水 *shui*, 川 *ch'uan*, 江 *chiang*, 河 *ho*. The first two are general words; the last two are proper names, *chiang* 'Yangtze River' and *ho* 'Yellow River.' On the other hand, *krong* etc. is a general word for 'river' in AA. In borrowing, a general word or a descriptive term often becomes a proper name in the receiving language; witness *Mississippi* and *Wisconsin*, 'big river' and 'big lake' in Algonquin, which became proper names in American English.

The two general words for 'water' and 'river' in OC, *shui* and *ch'uan*, occur in the oracle bones and can be traced to Sino-Tibetan: 'water' Tib. *ch'u*; Bara, Nago *dui*; Kuki-chin *tui*; Chinese 水 * *siwər/šwi/shui*, 川 * *t'iwen/tś'iwän/ch'uan*. The nasal final in *ch'uan* probably represents the vestigial form of a plural ending, and there is a phonological parallel in the sound gloss in the *Shuo-wen* 水, 准也 (准 *tńiwən*); *shui* and *ch'uan* are therefore cognates. OC 河 ɤa/*g'â* earlier * *g'al* or * *g'ār*, we suspect, is a borrowing from Altaic.㉚

Chiang is of relatively late origin. It did not occur in the oracle bones.㉛ The bronze inscriptions contain one occurrence of this word, and the *Book of Odes*, nine occurrences, in five poems. When the word *chiang* acquired the general meaning of 'river,' its use as names of rivers was limited to south of the Yangtze. Both these facts again suggest that *chiang* was a borrowed word.

Other etymologies for *chiang* are less plausible. Tibetan had *kluṅ* 'river.' But a Sino-Tibetan origin of *kluṅ/krong* is ruled out because *chiang* is a late word with a restricted geographic distribution, and because MC 2nd Division generally corresponds to Tib.-*r*- but not to -*l*-. Similarly, the basic word for 'river' and 'water' in Tai is *na:m*; *khlɔ:ŋ* is a secondary word restricted in its meaning to 'canal', with limited distribution in the Tai family; it is unlikely to be the source of Chinese * *krong*. The most plausible explanation is that both Tibetan and Thai also borrowed *kluṅ* and *khlɔ:ŋ* from AA.

We will now try to show that the Chinese first came into contact with the Yangtze in Hupei, anciently part of the Ch'u Kingdom. This must be the region where the Chinese first came into contact with AA's and borrowed *chiang* from them.

The Han River has its source in Shensi whence it passes through Honan and joins the Yangtze in Hupei. As the Chinese came down from their homeland in the Yellow River valleys, it was natural for them to follow the course of the Han River. This general conclusion is also supported by textual evidence. The word *chiang* 'Yangtze River' occurs in five poems in the *Book of Odes*. In Ode 9, 204, 262, and 263, *chiang* occurs in conjunction with *han* 'Han River,' either in the compound *chiang-han* or in an antithetical construction with *han* in the other part. The only poem containing *chiang* but not *han* is Ode 22. But this poem belongs to the section Chao-nan 召南, and this term is also what the Chou people used for the region which formerly belonged to Ch'u.[②] Moreover, according to several authorities, the term 江南 (literally 'south of the River') as used during the Han dynasty refers to Ch'ang-sha 长沙 and Yü-chang 豫章, in present Hunan and Kiangsi.[③] The implication is that *chiang* in *chiang-nan* refers to the middle section of the Yangtze and not the entire river.

The notion that the Chinese met the AA's in the Middle Yangtze region of course does not exclude their presence elsewhere; it just gives a precise indication of one of their habitats. It is perhaps pertinent to mention that the Vietnamese believed that their homeland once included the region around the Tung-t'ing Lake 洞庭湖 which is in that general area.[34] Another Vietnamese legend states that their forefather married the daughter of the dragon king of Tung-t'ing Lake.[35]

Textual and epigraphic evidence indicates that the word *chiang* came into the Chinese language between 500 and 1000 B.C. Mao Heng's Commentary to the *Odes* also assigned all poems celebrating the southern conquest to the reign of King Hsüan(827—781 B.C.). The first half of the first millennium B.C. can therefore be taken as a tentative date for the AA presence in the Middle Yangtze region. Recently, however, archaeologists are increasingly inclined to the view that contact between North China and South China occurred as early as the Shang dynasty: artifacts showing strong Shang and early Chou influence have been discovered in the lower Yangtze region, and according to some scholars, also in the Han River region.[36] If further investigations show that pre-Chou traffic between the North and the South was extensive and bi-directional, we may have to revise the date for *chiang* upward.

(4) 蜚 * * *riwəi/iwi/wei* ' fly'[37]

'fly' in Mon-Khmer: VN *ruôi*; Camb. *ruy*; Lawa *rue*; Mon *rùy*; Chaobon *rùuy*; Kuy *ʔuruəy*; Souci *ʔarɔɔy*; Bru *rùay*; Ngeʔ, Alak, Tampuon *rɔɔy*; Loven, Brao, Stieng *ruay*; Chong *rɔɔʔy*; Pear *roy*.

Cf. Proto-AA * *ruwaj* (Pinnow, p.268, item 356).

The word 蜹 *wei* 'fly, gnat' occurs in the Ch'u-yü 楚语 section of the *kuo-yü* 国语: "It is as if horses and cattle were placed in extreme heat, with many gnats and flies (on them) 虻蜹之既多, and yet they are unable to swish their tails." *GSR* 575 defines *wei* as 'gnat' and gives its OC value as * $d\underline{i}wər$. Karlgren's definition 'gnat' (or our 'fly') fits the above passage, the locus classicus of this word. It is further substantiated by old dictionaries; the *Kwang-ya* 广雅 defines 蜹 as 蜰, and the *Fang-yen* 方言 states that 羊(蜰) is a dialect form of 蝇 'fly.' Karlgren's OC value, however, requires revision.

The OC value of 蜹 can be ascertained via its phonetic 维 *wei*; the form of the character indicates that it is the name of an insect pronounced like 维. The initial of *wei* in MC is 喻四, the *yü* initial. Li Fang-kuei has argued convincingly that the OC value of *yü* Ⅳ is a flapped *r*- or *l*-, somewhat like the second consonant of *ladder* in American English; he writes it as * *r*-. 乌弋山离 'Alexandria,' a Han dynasty transcription, has 弋 MC $i\partial k$ (with a *yü* Ⅳ initial) matching -*lek*(*s*)-. The word 酉, one of the twelve earth's branches, has * *r*- in Proto-Tai, still attested in several modern dialects. Sino-Tibetan correspondences point to the same value, for example, 'leaf' Chinese 叶 * * *rap*/*i̯äp*/*yeh*; Tib. *lob-ma*, *ldeb* (* *dl*-).

The final of *wei* has been reconstructed as -*d* by Tung T'ung-ho and Li Fang-kuei, and as -*r* by Karlgren. These are values for the earlier stage of OC. By the time of the *Kuo-yü*, which is relatively late, -*d* or -*r* had probably already become -*i*.

The Mon-Khmer forms have a wide distribution. More cognate forms, including some in the Munda branch, can be found in Pinnow, p.268, item 356. VN *ruōi* etc., then, is a very old word in AA; it is also the general word for 'fly.' The standard word for 'fly' in OC is 蠅 **riəng, which was already attested in the *Odes*. The word 蜼 *wei* 'fly,' on the other hand, is a hapax legomenon. Clearly, *wei* 'fly' was borrowed from the AA's into the ancient Ch'u dialect.

In Li's system, the distinction between *ho-k'ou* and *k'ai-k'ou* (with or without -*u*-/-*w*-) is non-phonemic in OC, and the OC value of 維 in his system is *rəd. In terms of our problem, there are two possibilities. Either OC had no -*w*- at all, phonemic or non-phonemic, in which case the best the Chinese could do to approximate the AA form (which has a rounded back vowel) is *rəi < *rəd; or else, OC had a non-phonemic -*w*-, in which case the OC form is *rwəi. We have chosen the latter alternative.

The two loan words, *chiang* 'Yangtze River' and *wei* 'fly', suggest the following sequence of events. The Chinese came to the middle Yangtze between 1000 and 500 B.C., and there met the AA's. Subsequently, some of the AA's migrated toward the south, and some were absorbed into the Ch'u population. That is why this word shows up in the Ch'u-yü section of the *Kuo-yü* and nowhere else.

It seems appropriate to mention in this connection that the Ch'u people clearly contained non-Chinese elements. King Wu of Ch'u acknowledged that he was a southern barbarian; the poet Ch'ü Yüan lamented, "I was sad that the southern tribesmen could not understand me"; and the *Lü-shih ch'un-ch'iu* stated that "Ch'u was derived from the barbarians."[39] In view of what has just been said, we know that one of the ethnic groups constituting the Ch'u people was AA.

(5) 虎 'tiger' * * k'la(g)/χuo/hu

> 'tiger' in AA: * kala?; Munda ki'rɔ ?, kul, kula, kilo, etc.; Old Mon kla; Mon kla; Bahnar, Sedang kla; Sue kala; Brou klo; Old Khmer, klā; Khmer khla 'felines'; Khasi khla; VN khái; Muong k'al, k'lal, kanh, etc.

Pinnow reconstructs the Proto-Munda form as * kala (Pinnow, p. 142, item 281), and we propose an alternate Proto-AA form, * kala?. Let us now turn to the Chinese side.

虎 hu belongs to the OC 魚 yü group. According to Yakhontov, Pulleyblank, and Li, this group had -a as its main vowel. It may or may not have had a final voiced consonant of some sort in OC; Yakhontov has none, and Li would have -g. In Li's system 虎 MC χuo would derive from an OC * *χag. Now, 虎 serves as the phonetic in some words with MC l-initial: 盧 MC luo, 慮 MC li-

wo, etc.[40] Therefore, in Li's system, *hu* 'tiger' could be reconstructed as *χlag, since his OC medial -*l*- simply drops in MC; -*r*- on the other hand yields the Second Division vowels. Further, certain Western Min dialects have an initial aspirated *k'* in the word for tiger: Kienyang *k'o*³, Shaowu *k'u*³. This is not an isolated phenomenon in Min; for example, 许 Amoy *k'ɔ*³, but MC $x_{i}wo$; 火 Kienyang *k'ui*³, MC $\chi u\hat{a}$; 壑 Foochow *k'auʔ*⁷, MC $\chi u\hat{a}t$. From this we can see that MC *x*- (in some cases) may go back to a stop * *k'*-. Since 虎 is one of the words involved in this change, we are justified in reconstructing it as * **k'la(g)*. This form is very close to Pinnow's Proto-Munda reconstruction * *kala*.

Our reconstruction of the Proto-AA form as *kalaʔ is motivated by the fact that -*ʔ* is present in the word for tiger in several Munda languages. The Chinese word *hu* 'tiger' is in the rising tone, and one of the present authors has argued elsewhere that the MC rising tone derives from a final glottal stop.[41] If so, the correspondence between Proto-AA *kalaʔ and OC * **k'laʔ* is even closer.

Two other considerations may be offered. There is no plausible Tibeto-Burman etymology for 虎 *hu* 'tiger'; Tib. has *stag* 'tiger,' a totally unrelated word; Old Burmese has *kla*, but in all probability it was a loan from Mon. The present habitats of the tiger (*Panthera tigris*) in China are the Southwest, the Southeastern coastal area, the Yangtze valleys, and Manchuria, with South China as the area of highest concentration.[42] Appearances of the tiger in historical records coincide with the above, but also include northern

Hopei and Shansi. Skeletal remains of the tiger were also found at the site of An-yang, in Honan.⁴³ The distribution of the tiger is noteworthy in two respects: the heaviest concentration is in South China, presumably the habitats of the AA's, and the area of total absence includes the steppes and loessland of northwest China, the probable homeland of the Sino-Tibetan ancestors of the Chinese. From this perspective, it is easy to see why there is no word for tiger in Sino-Tibetan, or in the oldest stage of Chinese. To be sure, the word was attested as a pictograph in the oracle bones. What this means is that small bands of AA's occupied parts of the Yellow River basin before the arrival of the Chinese. The AA's had the word for tiger in their language and transmitted it to the Chinese.

It is possible that 虎 had a disyllabic doublet, derived from the same AA source. The *Tso-chuan* says 楚人謂乳穀，謂虎於菟 "The Ch'u people call 'to nurse' 穀, and 'tiger' 於菟". The initial of 於 has the value ʔ- in MC, but there is some reason to believe that its OC value is *k*- or *k'*-. 於 is a variant of 于, and the latter was used to transcribe "Khotan" in the *Shih-chi*: 于闐. 於菟 also has a variant 狗竇; Kuo P'u's 郭璞 commentary to the *Fang-yen* states under 於䖘 'tiger': 今江南山夷呼虎為䖘，音狗竇 "Nowadays the hill tribes in the south of the Yangtze call 'tiger' 䖘, pronounced as 狗竇 (MC *kəu-təu*)." The OC form of the Ch'u word for 'tiger' was therefore something like ***kat'a*.

The only difference between AA *kalaʔ and Chinese is -*l*- versus -*t'*- or -*t*-, which may conceivably be explained as follows.

Some AA forms have a dental stop: Pinnow regards Khmer *khla* 'felines' as a cognate of *dho* (*thom*) 'tiger royal,' and according to Kuhn, Karia *kiʈɔ* ʔ < *kil-dɔ*ʔ (Pinnow, p. 142). Kuiper has noted that there is a variation among Munda *d*, *t*, and *l* in initial position.[44] It may be that AA * *kala*ʔ had a dialect form *kata*ʔ, and the latter was represented by the Ch'u word for 'tiger.' The above two paragraphs were offered merely as a speculative conjecture, since much remains uncertain on both the Chinese and the AA side.

(6) 牙 * * *ngra* / *nga* / *ya* 'tooth, tusk, ivory'

AA: VN *ngà* 'ivory'; Proto-Mnong (Bahnar) * *ngo'la* 'tusk';[45] Proto-Tai * *nga*.

Chinese *ya* has a 2nd Division final in MC, which, according to the Yakhontov-Pulleyblank theory, calls for a medial -*r*- in OC. And it is our belief that OC * *ngra* was derived from an AA form similar to Proto-Mnong * *ngo'la*.

Our theory that Chinese *ya* was a loan is based upon the following considerations. (1) The oldest Chinese word for 'tooth' is *ch'ih* 齒, which once had an unrestricted range of application, including 'molar,' 'tusk,' and 'ivory.' (2) *Ya* is of relatively late origin. When it first appeared, it was only used for 'animal tooth' and 'tusk,' which was and still is the meaning in AA. (3) While North China once had elephants, they became quite rare during the Shang and Chou dynasties, and ivory had to be imported from the middle and lower Yangtze region. Imported items not infrequently bear their original names, and by our previous argument, the Yangtze valley was inhabited by the AA's during the first millennium B. C.

Ch'ih 齿 consists of a phonetic 止 and the remaining part as a signific. The latter is a pictograph showing the teeth in an open mouth. Ancestral forms of the pictograph occurred frequently in the oracle bones. Since adding a phonetic is a standard method for creating new graphs for old words, we can be reasonably certain that the oracle bone forms cited represented *ch'ih*. The graph of *ya*, however, has no identifiable occurrence in the oracle bones and only one probable occurrence in the bronze inscriptions. This statement is based upon the fact that *ya* is listed neither in Li Hsiao-ting's compendium of oracle bone graphs nor in Yung Keng's dictionary of bronze graphs.[46] Karlgren cited a bronze form for *ya* in *GSR* (37b). But Kuo Muo-jo marked this occurrence of *ya* as a proper name, which makes it impossible to ascertain the meaning further.[47]

There are reasons to believe that the absence of *ya* from early epigraphic records was not merely accidental. The oracle bones contained many records of prognosis concerning illness, and among them tooth-ache.[48] The graphs used were always ancestral forms of *ch'ih*. The oracle bones also contained a representative list of terms for parts of the body, including head, ear, eye, mouth, tongue, foot, and probably also elbow, heel, buttock, shank[49]. The absence of *ya* under such circumstances is quite conspicuous.

A graph must first exist before it can become a part of another graph, and the older a graph, the more chances it has to serve as part of other graphs. By this criterion, *ch'ih* is much older than *ya*. In the oracle bones, *ch'ih* occurs as the signific of three graphs. In the *Shuo-wen*, *ch'ih* occurs as the signific of forty-one graphs, all having something to do with tooth; *ya*, only two graphs, one of which has a variant form with *ch'ih* as the signific. The *Shuo-wen* also tells us that *ya* has a *ku-wen* form in which the graph for *ch'ih* appeared under the graph for *ya*. What this seems to indicate is that when 牙 first appeared, it was so unfamiliar that some scribes found it necessary to add the graph for *ch'ih* in order to remind themselves what *ya* was supposed to mean. 牙 also occurs as the phonetic of eight graphs (six according to Karlgren). But none of these graphs is older than 牙, and our conclusion is not affected.

The meaning of *ch'ih* in the oracle bones is primarily 'human tooth', including 'molar.' On one shell, there occurred the statement .... 允有来入齿 which has been interpreted, "Yün came to send a tribute of elephant's tusks."⁵⁰ But other interpretations are also possible. The use of *ch'ih* as 'tusk, ivory' is most clearly illustrated in Ode 299 憬彼淮夷, 来献其琛, 元龟象齿 "Far away are those Huai tribes, but they come to present their treasures, big tortoise, elephant's tusks"; and not quite so clearly in two passages in the 禹贡 "Yü kung," both of which listed 齿, 革, 羽, 毛 as items of tribute. Here *ch'ih* can mean either 'ivory' or 'bones and tusks of animals,' all used for carving. Lastly, *ch'ih* also applies to tooth of other animals, 相鼠有齿 "Look at the rat, it has its teeth" (Ode 52).

Beginning with the *Book of Odes* we have unambiguous evidence for the use of *ya*. But in the pre-Han texts *ya* still did not occur frequently, and an analysis of this small corpus reveals that *ya* was never used for human tooth. Hence the *Shuo-wen's* definition of *ya* as 牡齒, usually interpreted as 'molar,' seems to reflect a later, probably post-Ch'in, development.[50] The most frequent occurrence of *ya* in the sense of 'tooth' is in the compound 爪牙 'claw and tooth,' and there the reference to animal tooth is quite clear. The *Yi-ching* contains a line in which the meaning of *ya* was 'tusk': 豶豕之牙吉 'the tusk of a castrated hog: [the sign is] propitious.' The line in Ode 17 誰謂鼠無牙 probably means 'Who says the rat has no tusks?' but some scholars prefer to interpret *ya* simply as 'teeth (incisors).'

Elephants once existed in North China; remains of elephants have been unearthed in neolithic sites as well as in An-yang.[52] Ivory carving was also a highly developed craft during the Shang dynasty.[53] These facts, however, should not mislead us into thinking that elephants had always been common in ancient North China. Yang Chung-chien and Liu Tung-sheng made an analysis of over six thousand mammalian remains from the An-yang site and reported the following finding: over 100 individuals, dog, pig, deer, lamb, cow, etc.; between 10 and 100 individuals, tiger, rabbit, horse, bear, badger (獾) etc.; under 10 individuals, elephant, monkey, whale, fox, rhinoceros, etc.[54] The authors went on to say that rare species such as the whale, the rhinoceros, and the elephant were obviously imported from outside, and their uses were limited to that of display as items of curiosity. This view is also confirmed by literary sources. In the *Han Fei-tzu*, it is said that when King Chou of the Shang dynasty made ivory chopsticks, Chi Tzu, a loyal minister, became apprehensive—implying that when as rare an item as ivory was used for chopsticks, the king's other extravagances could be easily imagined.⁵⁵ Importation of ivory in the form of tribute was also reported in Ode 299 and in the "Yü-kung," both of which were cited above.

The history of *ya* and *ch'ih* can now be reconstructed as follows: The people of the Shang and Chou dynasties have always depended upon import for their supply of ivory. But during the early stage, ivory and other animal tusks and bones were designated by *ch'ih*, which was also the general word for 'tooth.' Items made of ivory were also indicated by adding a modifier 象 *hsiang* 'elephant' before the noun, for example 象揥, 象弭, 象箸 'ivory comb-pin,' 'ivory bow tip,' 'ivory chopsticks.'⁵⁶ Then *ya* came into the Chinese language in the sense of 'tusk.' Because a tusk is larger than other types of teeth, *ya* gradually acquired the meaning of 'big tooth, molar' by extension, thus encroaching upon the former domain of *ch'ih*. When later lexicographers defined *ya* as 'molar' and *ch'ih* as 'front tooth,' they are describing, though without clear awareness, the usage of the Han dynasty and thereafter. By further extension, *ya* also became the general word for 'tooth,' while retaining its special meaning of 'ivory.'

Some Min dialects still employ 齒 in the sense of tooth. The

479

common word for tooth in Amoy is simply $k'i^3$. Foochow has $nai3$ which is a fusion of $ŋa^2$ plus $k'i^3$, i.e. 牙齒. This strongly suggests that in Min the real old word for 'tooth' is 齒 as in Amoy, the implication being that this was still the colloquial word for 'tooth' well into Han when Fukien was first settled by the Chinese. The Japanese use 齒 as *kanji* to write *ha* 'tooth' in their language; 牙 rarely occurs. Both these facts provide supplementary evidence for the thesis that the use of *ya* as the general word for 'tooth' was a relatively late development.

In a note published in *BSOAS*, vol. 18, Walter Simon proposed that Tibetan *so* 'tooth' and Chinese *ya* 牙 (OC *ngå) are cognates, thus reviving a view once expressed by Sten Konow. Simon's entire argument was based upon historical phonology; he tried to show (a) OC had consonant clusters of the type *sng-* and *Cγ-*, (b) by reconstructing 牙 as *sngå* > *zngå* > *nga* and 邪 as *zγå* > *ziå*, one can affirm Hsü Shen's view that 邪 has 牙 as its phonetic, and (c) Chinese *sngå* can then be related to a Proto-Tibetan *sngwa and Burmese *swa:* > *θwa:*.

Our etymology for *ya* 'tooth' implies a rejection of Simon's view; if *ya* is borrowed from AA, then the question of Sino-Tibetan comparison simply does not arise. And even if our theory is not accepted, there is no reason to adopt Simon's analysis; *ya* is clearly a word of relatively late origin, and the fact that 邪 has 牙 as its phonetic can be explained by assuming that the *z-* of 邪 resulted from the palatalization of an earlier *g-*.[57]

(7) 弩 * *na/nuo/nu 'crossbow'

'crossbow' in AA: VN *ná*; Proto-Mnong *so'na*;⁵⁸ Proto-Tai *hnaa*.
Cf. Mon, Old Mon *tŋa*; Palaung *kaŋ³, kaŋa?*; Tibeto-Burman: Nung *the-na*; Moso *ta-na*.

The crossbow is at present widely used by the tribes in southwest China and Indo-China. The cover of *Mon-Khmer Studies*. II,⁵⁹ for example, shows a picture of the crossbow. Early references to the crossbow in Chinese texts also point to that general region as the place of origin. The *Han-shu* explicitly mentioned the crossbow as one of the weapons used by the tribes inhabiting Hainan Island, and implied that it was also used by other tribes farther south.⁶⁰ The *Shih-chi* stated that the crossbow produced in the state of Han 韩 was called "Hsi-tzu" 谿子, which is also the name of a southern tribe.⁶¹ Szechuan was famous for its crossbow. Both the *Hua-yang-kuo chih* 华阳国志 and the *Hou-han-shu* reported that when a white tiger roamed the area of Ch'in and neighboring states, a man from Pa (巴郡阆中人) had to be called in, and he killed the tiger with a crossbow made of white bamboo. King An-yang, a prince from Szechuan, is said to have brought along the crossbow as he entered Vietnam when Chao T'o tried to conquer Vietnam at the end of the Ch'in dynasty; he was for a time stymied by King An-yang's archers using crossbows.⁶²

The fact that the crossbow has a southern distribution, past and

481

present, suggests that it was acquired by the Chinese. Phonology provides another reason. The Tai and Vietnamese, because of their proximity to Chinese speaking peoples, were the most likely points of contact. The Tai form implies voiceless initial *$\overset{\circ}{n}$-. VN *ná* is in the *sǎc* tone, which comes from a voiceless initial. Proto-Mnong *so'na* indicates that perhaps the Proto-AA form should be *s-na*. Now, under the hypothesis that Chinese borrowed this word from AA, we only need to assume that *s- (or the voicelessness of the initial *n-) was lost in the process of borrowing. Under the contrary hypothesis that the loan was in the opposite direction, none of the AA or Thai forms can be easily explained.

The crossbow was widely used during the Han dynasty. The character 'crossbow' and the terms for the trigger of the crossbow (机栝, 发机) appeared in texts written during the Warring States Period, but not earlier.[63] The third and fourth century B.C. seems to be the time when the crossbow and the term for it were introduced into China.

The Japanese scholar Fujita Toyohachi believes that the Chinese crossbow came from India, on the strength of the Sanskrit word *dhanu* 'bow' and the fact that India already used the crossbow in warfare during the fourth century B.C.[64] The Sanskrit word may have something to do with Mon and Old Mon *tŋa*, Nung *thə-na*, Moso *ta-na*, but is unlikely to be the direct source of 弩; 弩 belongs to the MC 鱼 rhyme, and as Chou Fa-kao has shown, Sanskrit -*o* and -*u* were regularly transcribed before the T'ang dynasty by words belonging to 尤, 侯, 虞, 模 rhymes but seldom by words belonging to the 鱼 rhyme.[65] Whether the ultimate origin of the crossbow is to be sought in India or elsewhere is a question lying beyond the scope of this paper.

We would now like to consider the possibility of the survival of AA forms in some modern Chinese dialects spoken in areas occupied by the ancient Yüeh peoples.

The Min dialects spoken in Fukien and northeastern Kwangtung represent the most aberrant group of dialects in China. While most of the vocabulary found in these dialects can be traced back to early Chinese sources, there remains a residue of forms which cannot be explained in this way. A possible explanation of such words would be to consider them relic forms from the non-Chinese language spoken in this region before the Chinese began to settle there in the Han dynasty. The pre-Han inhabitants of Fukien were the Min Yüeh; they appear to have been a semi-civilized state which was finally destroyed by Han Wu Ti in 110 B.C.[66]

Above we have demonstrated that the language of the Nan Yüeh was most likely Austroasiatic. Might we not go one step further and suppose that all the various Yüeh peoples of ancient southeastern China were AA speaking? In other words, we would propose that the term Yüeh was essentially linguistic. If this supposition is correct, then the present day Min dialects have an AA substratum, and we should expect to find a certain number of relic words of AA origin in these dialects. We believe that this is indeed the case, and below we list and discuss such forms as we have been able to identify up until now.

It is noteworthy that the forms we discuss are best represented in Vietnamese. This is not surprising since the modern Vietnamese are the descendants of the ancient Yüeh and their present territory represents the AA-speaking region closest to Fukien and northeastern Kwangtung.

In discussing Min words we will give the forms in Foochow (FC hereafter) and Amoy (AM hereafter); other dialects will be cited where relevant. Dialect forms will be given in a broad IPA transcription; tones will be indicated by superscript numerals.⁶⁷

(8) FC $t\phi y\eta^2$/AM $ta\eta^2$ 'shaman, spirit healer, medium'

It is not entirely clear whether the word in question is basically a nominal or verbal root since it occurs in constructions of both types. Thus in FC dialect we have $t\phi y\eta^2$-tsi^3 'shaman,' $t\phi y\eta^2$-$si\eta^1$ 'id.,' $pha?^7$-$t\phi y\eta^2$ 'to shamanize,' $t\phi y\eta^2$-$thau^2$ 'shaman's assistant'; in Amoy we have $ta\eta^2$-ki^1 'id.,' $ta\eta^2$-sin^1 'id.,' tio^2-$ta\eta^2$ 'to dance under the influence of spirits,' $thiau^5$-$ta\eta^2$ 'id.' (note: both tio^2 and $thiau^5$ mean 'to leap, to dance'), the^5-$ta\eta^2$ 'the spirit leaves the shaman', $lia?^8$-$ta\eta^2$ 'to become possessed.' In the Kienyang dialect (northwest Fukien) we have $lo\eta^9$-si^1 'shaman' and $kye\eta^1$-$lo\eta^9$ 'to become possessed.' Yungan (Central Fukien) has $ti\mathrm{w}^5$-$tā\mathrm{w}^2$ 'to shamanize' ($ti\mathrm{w}^5$ 'to jump, to dance'), $tā\mathrm{w}^2$-$tsā^3$ 'shaman.' The common element in all these expressions is Foochow $t\phi y\eta^2$, Amoy $ta\eta^2$, Kienyang $lo\eta^9$, and Yungan $t\bar{a}w^2$; these forms point back to a Proto-Min * $do\eta$ in the tonal category corresponding to the classical *p'ing* tone. All of the dialects show lower register (*yang*) tones indicating that the protoform had a voiced initial. The word in question is sometimes written with the character 童 (MC *d'ung*) which means 'boy, lad, child'; but it is hard to see what relationship the two words have, since a shaman is always an adult and never a young boy.

In Vietnamese we find a word which both semantically and phonologically corresponds to the unexplained Min etymon perfectly: *đồng* 'to shamanize, to communicate with spirits,' *đồng cậu* 'male shamanistic spirit,' *đồng bóng* 'to shamanize, to communicate with spirits,' *bà đồng* 'shamaness,' *đồng cô* 'female shamanistic spirit,' *đồng cốt* 'shaman, sorcerer.'[68] This word is not confined to Vietnamese within Austroasiatic. In Written Mon the cognate is *doṅ* 'to dance (as if) under daemonic possession,' *dåṅ* 'trance or? shaman.'[69] In Modern Mon the corresponding form is *tòŋ* 'to leap with the feet together, to proceed by leaps, to dance while under daemonic possession, to climb'; Shorto also lists a derived meaning 'shaman(?).'[70] Further AA connections can be adduced: Shorto links the Written Mon form with Khasi *lyngdoh* 'priest'; to support this equation, one can cite similar examples of Mon final -ŋ corresponding to Khasi -*h*: Spoken Mon *pɜ̀ŋ*, Written Mon *buṅ* 'belly,' Khasi *kə-poh* 'id.' On the Munda side, there are at least three good cognates: Santali *doṅ* 'a kind of dance, drumming and singing connected with marriage'; Ho *dong* 'a wedding song'; Sora *toŋ* 'to dance.'⑪

(9) 囝 FC *kiaŋ*³/ AM *kiã*³ 'son, child'

This word like the preceding one is attested for all Min dialects. From the conservative dialects of northeastern Fukien, we can see that the word originally ended in *-n*: Fuan *kiɛŋ*³, Ningteh *kian*³. The Proto-Min form was probably something like *kian with the tone which corresponds to the classical *shang* or rising tone. This word is attested textually quite early. The T'ang poet Ku K'uang 顾况 (?725—?816) composed a poem when he was serving in Fukien in which he used the word in question. In the poet's own preface to the poem he explains the word 囝: " it is pronounced like the word 蹇 (MC *ki̯ɒn-ki̯än-shang* tone); in Fukien 'son' is called 囝 in the popular language."⑫ This word is clearly the same as the modern Min words for 'son, child.'

We would like to suggest that the Min word is related to the AA etymon represented by VN *con* 'child.' This etymon is very widely distributed throughout Austroasiatic: Khmer *koun*, Spoken Mon *kon*, Written Mon *kon*, *kwen*, Bru *kɔɔn*, Chong *kheen*, Wa *kɔn*, Khasi *khu:n*;⑬ it is also well represented in Munda: Kharia *kɔnɔn* 'small,' Santali *hɔn* 'son, child,' Ho *hon* 'child.'⑭ The Min form agrees with the AA forms which have mid back rounded vowels whereas the Min forms predominantly show low to mid unrounded vowels. The Min form of Kienyang *kyeŋ*³, however, has a rounded medial which may indicate that the Min forms derive from some type of earlier rounded vowel.

(10) AM tam^2/ Fuan tam^2 'damp, wet, moist'

These forms which are attested in most eastern Min dialects except Foochow can be related to VN đă̕m, đām 'wet, moist.'

(11) FC $siŋ^2$/ AM $tsim^2$ 'a type of crab'

These forms may bear some relationship to VN sam 'king crab.' The VN form is probably further related to Mon-Khmer forms such as Bahnar kɤtam, Written Mon khatham, etc.⑦

(12) FC $paiʔ^7$/ AM bat^7 'to know, to recognize'

AM b- generally corresponds to FC m-; the upper register tone with a voiced initial is also incongruous. Douglas gives a Tung-an form pat^7 for Southern Min, so we regard the AM form as irregular. We can compare all these forms with VN biēt 'to know, to recognize.'

(13) FC $p'uoʔ^8$/ AM $p'eʔ^8$, cf. Fuan $p'ut^8$ 'scum, froth'

Compare VN bọt 'scum, bubbles, froth.'

(14) FC $p'iu^2$/ AM $p'io^2$ 'duckweed'

This word is recorded in Kuo P'u's (AD 276—324) commentary to the *Erh-ya* where he states that *p'iao* was the *chiang-tung* (southeastern China south of the Yangtze) word for 'duckweed.'[76] VN *bèo* 'duckweed' is obviously related to all these forms. The VN form is probably further related to Spoken Mon *pè*, Written Mon *bew* 'to ride low in the water.'

(15) FC kie^2/ AM kue^2, cf. Kienyang ai^3 '(small) salted fish'

Baldwin and Maclay define the Foochow word as follows: "a kind of salted seafish; it is small varying from one to four or five inches in length." There is a VN word *kè* which is defined as a 'type of fish; it is small and resembles the gecko.' The primitive Yüeh etymon probably meant a small fish of some sort, and the specialization of meaning took place in the various languages later.

We will conclude with two general observations.

Until the 1950's, archaic loans into Chinese have not been seriously studied. Part of the reason is quite understandable. As alluded to before, the languages of China's neighbors and ethnic minorities were not sufficiently known, and without such knowledge, it was impossible to estimate the time-depth of a non-Chinese word suspected as the source of a loan, or to reconstruct its old form. But this handicap is rapidly being removed. There is, however, another reason —in fact, a prejudice—that is blocking progress in the field.

We have in mind the widely held belief that the Chinese culture was so superior that there was no need for her to borrow anything, linguistic elements included.⑰ When a Chinese word shows similarity to a non-Chinese word, it was automatically assumed that Chinese was the donor, and not the receiver. With the recent discovery of cereal grains and bronze artifacts at archaeological sites in Northern Thailand, we now know that Southeast Asia had a highly developed culture in remote antiquity, quite capable of serving as the originator and donor of cultural inventions. Leaving aside the question of relative cultural superiority—which can never be subject to precise scientific proof —it seems evident that when two peoples are in contact, borrowing is almost always a two-way street. Witness the large number of American Indian words in English and vice versa. A people may have given more than what she receives. But to assert that a certain people in principle cannot and need not receive anything seems to go against common sense and all known instances of cultural contact. The evidence presented above, we hope, will help to undermine that ancient myth whose downfall is long overdue.

Chinese is one of the major languages of the world without an adequate etymological dictionary,⑱ and we may take a moment to consider what sort of preparatory work is necessary to bring it into existence. Obviously one of the basic unresolved questions is the linguistic affiliation of Chinese. If Chinese is related to Tibetan or Tibeto-Burman, as most scholars believe to be the case, then the origin of a Chinese word is ascertained once its cognates in these languages are found. The same applies to Tai if Tai also turns out to be related to Chinese. Here already we encounter a problem, for the assumption is that we are dealing with an original Chinese word. How can we be sure? Phonological regularity provides one test. If, for example, a Chinese word and a Tibetan word in the same semantic range show regular phonological correspondence, then this fact provides strong evidence that both are derived from the proto-language. Even here there is the possibility that both words are loans from a third language, witness Chinese * * *krong* and Tibetan *klui*. Further, in the present state of Sino-Tibetan studies there is much uncertainty concerning phonological matters, and therefore this test has only limited application.

Another often followed procedure is to look up *GSR* and see if the word is included. This, we submit, is only the first step and not the last. The *GSR* includes words from the oracle bones up to texts written before the Ch'in dynasty, a period of over a thousand years, during which time many things could have happened to the lexicon. To ascertain whether a word is old, or new and therefore possibly a loan, we need to ask a number of questions. Is it attested in the oracle bones or bronze inscriptions? Does it have a skewed geographic distribution? Does it have many synonyms or few? Is its meaning unusually restricted, as loan words tend to be when first introduced into a language? Finally, there is always one way to show the relative recency of a word, that is, to establish the fact that it is a loan. In this sense, the study of loan words is complementary to the comparative reconstruction of words in the proto-language, and provides the peripheral vision without which no etymological work can proceed safely.

附 注

① We follow the scheme set forth by Norman Zide in his Introduction to Zide ed., *Studies in comparative Austroasiatic linguistics* (Hague, 1966), hereafter *SCAL*; H. J. Pinnow's *Versuch einer historischen Lautlehre der Kharia-Sprache* (Wiesbaden, 1959) has a convenient linguistic map of the AA languages, but he did not include Vietnamese-Muong.

② A. Haudricourt, "La place du vietnamien dans les langues austroasiatiques," *Bulletin de la Société de Linguistique* 49 (1953), 122—28, and "L'origine des tons vietnamiens," *JA* 242 (1954), 69—82.

③ Ruth Wilson, "Muong and some Mon-Khmer languages," in *SCAL*.

④ H. R. Davies, *Yun-nan, the link between India and the Yangtze* (Cambridge, 1909), p. 341; R. A. D. Forrest, *The Chinese language* (second edition, London, 1965), p. 95; A. Haudricourt, "Austroasiatic in the northeast," in *SCAL*, p. 54 ff.

⑤ A. Meillet and M. Cohen, *Les langues du monde*, 1st ed. (1924), K. Wulff, *Chinesisch und Tai* (Copenhagen, 1934).

⑥ Paul Benedict, "Thai, Kadai and Indonesian: a new alignment in Southeastern Asia," *Am. Anthr.* 44(1942), 576—601.

⑦ P. K. Benedict, "Austro-Thai studies," I, *Behavior Science Notes*, vol. 1, no. 4(1966); Ⅱ, *BSN*, vol. 2, no. 3(1967); Ⅲ, *BSN*, vol. 2, no. 4 (1967). See especially the 1966 article, pp. 258—259.

⑧ E. Pulleyblank, "Chinese and Indo-Europeans," *JRAS* (Great Britain & Ireland)(1966), 9—39; R. A. D. Forrest, *op. cit.*, p. 135; Benedict, especially the third article, "Austro-Thai studies, Ⅲ; Chinese and Austro-Thai."

⑨ Dictionaries such as H. L. Shorto's two Mon dictionaries; see notes 69, 70 below.

⑩ L. Aurousseau, "La première conquête chinoise de pays annamites," *BEFEO* 23 (1924), 137—266.

⑪ Lo Hsiang-lin 罗香林《百越文化与源流》(Taipei, 1955), p. 10; on the oracle bone form of *yüeh*: Yung Keng 容庚《鸟书考》, *Yen-ching Hsüeh-pao* 16(1934); on the bronze form of 戉(=越):Paul Serruys, "Five word studies on *Fang Yen* (second part)," *Monumenta Serica* 21(1962), p. 279, no. 35; Serruys thinks that *yüeh* was a stepped adze, but that may be going too far.

⑫ L. Finot, "L'Indochine préhistorique," *Bull. Comité Asie française*, Feb./July, 1919; also G. Coedès, *Les Peuples de la péninsule Indochine* (Paris, 1962), p. 32. Chang Kwang-chih, *Archaeology of Ancient China* (New Haven, 1963), p. 123, note 40, and p. 129.

⑬ Izui Hisanosuke 泉井久之助《劉向〈説苑〉巻十一の越歌について》 *Gengo Kenkyū* 22/23(1953), pp. 41—5.

⑭ Lo Hsiang-lin, *op. cit.*, pp. 151—172 has a convenient collection of such words.

⑮ The sign * * means our reconstruction of OC; * means Karlgren's OC reconstruction as given in *GSR*.

⑯ *Chou Li*, *SPTK* 4, 21a; Cheng's commentary is attached to 国凶札, 则无关门.

⑰ Tuan Yü-ts'ai 段玉裁《说文解字注》, Yi-wen reprint, Taipei(1965), p. 268.

⑱ Chiang Yu-kao 江有诰《谐声表》(in《音韵学丛书》, 二十一部, 11b).

⑲ N. Bodman, *A linguistic study of the Shih-ming* (Cambridge, Mass., 1954), p. 100, no. 779.

⑳ Tung T'ung-ho 董同龢《上古音韵表稿》, reprinted 1967, Academia Sinica.

㉑ H. L. Shorto, "Mon labial clusters," *BSOAS* 32, part 1 (1969), p. 8.

㉒ R. Burling, *Proto Lolo-Burmese* (= *International Journal of American Linguistics*, 33, no. 2, part Ⅱ, [April 1967]), p. 78.

㉓ Benedict, "Austro-Thai studies Ⅲ; Chinese and Austro-Thai," cited above.

㉔ A. Haudricourt, "Introduction à la phonologie historique des langues miaoyao," *BEFEO* 44 (1954), 2, p. 568, item no. 56.

㉕ A. Haudricourt, "Austroasiatics in the northeast," *SCAL*, p. 55.

㉖ S. E. Yakhontov, "Consonant combinations in Archaic Chinese," XXV *International Congress of Orientalists*, papers presented by the USSR delegation (Moscow, 1960); E. Pulleyblank, "The consonantal system of Old

Chinese," part 1, *Asia Major* (new series) 9 (1962), pp. 59—144.

㉗ Li Fang-kuei 李方桂《上古音研究》, *Tsing Hua Journal of Chinese Studies* (new series) 9.1 & 2 (1971), 1—61.

㉘ See Wen I-to 闻一多《闻一多全集》Ⅱ, p.206.

㉙ Tung T'ung-ho, *op. cit.*; E. Pulleyblank, "The consonantal system of Old Chinese," part 2, *Asia Major* 9 (1963), 206—65; S. E. Yakhontov, "Fonetika kitaiskogo yazyka I tysyacheletiya do n. e. (sistema finalei)" in two parts, *Problemy vostokovedeniya* 2 (1959), 137—47, (1960), 102—15, English translation by Jerry Norman in *Chilin* (Publication of the Chinese Linguistic Project, Princeton University), nos. 1 & 6.

㉚ Cf. Mongolian γool 'river'; but it may have some connection with Tibetan *rgal* 'a ford,' *rgal-ba* 'to cross, to ford.' In a future article we hope to set forth evidence for final-l in 歌部 of OC.

㉛ Li Hsiao-ting 李孝定《甲骨文字集释》, 16 volumes, Academia Sinica (Taipei, 1965). All subsequent reference to the oracle bones, unless otherwise noted, is to this work.

㉜ Fu Ssu-nien 傅斯年《周颂说》, *BIHP* 1 (1928), 107—108.

㉝ Tuan Yü-ts'ai《说文解字注》under 芈; Ch'ien Ta-hsin 钱大昕《十驾斋养新录》, *chüan* 11. For the opposite view, see Jao Tsung-yi 饶宗颐《楚辞地理考》(Shanghai, 1946), 78—83.

㉞ L. Aurrouseau, *op. cit.*, p. 263.

㉟ 《大越史记外纪全书》卷一《鸿庞记》。

㊱ Chang Kwang-chih, *op. cit.*, 249—255.

㊲ We are indebted to Professor Nicholas Bodman of Cornell University for pointing this out to us. The Mon-Khmer data is taken from Franklin Huffman, "An examination of lexical correspondences between Vietnamese and some other Mon-Khmer languages," a paper presented to the Cornell Linguistics Club, April, 1974 and also to the 8th Sino Tibetan Conference.

㊳ Li Fang-kuei, *op. cit.*, p. 10.

㊴ 《史记·楚世家》:"熊渠曰:'我蛮夷也,不与中国之号谥'";《楚辞·九章·涉江》:"哀南夷之莫吾知也";《吕氏春秋》:"楚变于蛮者也"。

㊵ We have presented more detailed arguments in Tsu-lin Mei and Jerry

Norman, "Cl- > s- in some Northern Min dialects," *Tsing-hua Journal of Chinese Studies* (new series) 9, 1 & 2(1971), 96—105.

㊶ Tsu-lin Mei, "Tones and prosody in Middle Chinese and the origin of the rising tone," *HJAS* 30 (1970), 86—110.

㊷ Shou Chen-huang 寿振黄主编《中国经济动物志·兽类》(Peking, 1962); G. M. Allen, *The Mammals of China and Mongolia* (New York, 1940).

㊸ Yang Chung-chien and Liu Tung-sheng 杨钟健, 刘东生《安阳殷墟之哺乳动物群补遗》,《考古学报》4 (1949), 145—153.

㊹ F. B. J. Kuiper, "Consonant variation in Munda," *Lingua* 14 (1964), 85—87.

㊺ Henry Blood, *A reconstruction of Proto-Mnong* (Summer Institute of Linguistics, 1966), p.9 & p. 72.

㊻ Li Hsiao-ting, *op. cit.*, Yung Keng 容庚《金文编》.

㊼ Kuo Muo-jo 郭沫若《两周金文大系考释》p. 196.

㊽ Chang Ping-ch'üan 张秉权《殷虚文字丙编》上辑 (二) (Academia Sinica, 1959), p. 132 ff.; Hu Hou-hsüan 胡厚宣《殷人疾病考》,《甲骨学商史论丛初集》(1944).

㊾ Chang Ping-ch'üan, *ibid.*

㊿ Li Hsiao-ting, *op. cit.*, p. 0625.

㊱ Tuan Yü-ts'ai, *op. cit.*, see Tuan's note under *ya*.

㊲ Hsü Chung-shu 徐中舒《殷人服象及象之南迁》, *BIHP* 2(1930), 60—75; Yang Chung-chien and Liu Tung-sheng, *op. cit.*

㊳ Kuo Pao-chün 郭宝钧《中国青铜器时代》(Peking, 1963), p.77.

㊴ Yang Chung-chien and Liu Tung-sheng, *op. cit.*

㊵ 《韩非子·喻老》:"昔者纣为象箸而箕子怖。"

㊶ 象揥 *Ode* No. 107, 象弭 *Ode* No.167, 象箸 *Han-fei-tzu*.

㊷ For example, S. E. Yakhontov, *Drevne-Kitaiskii Yazyk* [The Old Chinese language], (Moscow, 1965), pp. 30—31.

㊸ Henry Blood, *op. cit.*

㊹ *Mon-Khmer Studies* 2 (1966), Publications of the Linguistic Circle of Saigon.

⑥⓪ 《汉书·地理志》。

⑥① 《史记·苏秦传》。

⑥② 《旧唐书》卷四十一。

⑥③ See the quotations cited from *Mo-tzu*, *Chuang-tzu*, *Sun-tzu*, *Huai-nan-tzu* in Hsü Chung-shu 徐中舒《弋射与弩之渊源及关于此类名物之考释》, BIHP 4 (1934), p. 427. Hsü asserts that 𢎥 (a graphic variant of 弩) appeared in a Western Chou bronze vessel, 农卣, and goes on to argue that the crossbow already existed during that Western Chou. Without other supporting evidence, Hsü's case seems doubtful.

⑥④ Fujita Toyohachi 藤田丰八《支那石刻之由来》, Tōyō Gakuhō 16, 2 (1927), pp. 170—171.

⑥⑤ Chou Fa-kao 周法高《切韵鱼虞之音读及其演变》, BIHP 13 (1948), 119—152.

⑥⑥ Fan Wen-lan 范文澜《中国通史简编》(Peking, 1964), part Ⅱ, p. 90.

⑥⑦ Foochow forms are based on R. S. Maclay and C. C. Baldwin, *An alphabetic dictionary of the Chinese language in Foochow dialect* (Foochow, 1870); Amoy forms are taken from Carstairs Douglas, *Chinese-English dictionary of the vernacular or spoken language of Amoy* (London, 1899). Forms from other Min dialects are from J. Norman's field notes. For Proto-Min, see Jerry Norman, "Tonal development in Min," *Journal of Chinese Linguistics* 1.2 (1973), 222—238; and "The Initials of Proto-Min," *JCL* 2, 1 (1974), 27—36.

⑥⑧ VN forms are taken from Ho Ch'eng 何成 et al.,《越汉辞典》(Peking, 1966). Hereafter all VN forms will be cited from this source.

⑥⑨ H. L. Shorto, *A dictionary of the Mon inscriptions* (London, 1971), p. 200.

⑦⓪ H. L. Shorto, *A dictionary of modern spoken Mon* (London, 1962), p. 117.

⑦① Munda forms are taken from the following sources: Santali—P. O. Bodding, *A Santal dictionary* (Oslo, 1934); Ho—Lionel Burrows, *Ho grammar* (Calcutta, 1915); Sora—Rao Sahib G. V. Ramamurti, *Sora-English dic-*

495

tionary (Madras, 1938).

⑫ For the quotation from Ku K'uang, see The Institute of Literature of the Chinese Academy of Sciences,《中国文学史》(Peking, 1963), vol. Ⅱ, p. 414.

⑬ See Franklin Huffman, *op. cit.*

⑭ Pinnow, *op. cit.*, pp. 111—112.

⑮ Pinnow, *op. cit.*, p. 77.

⑯ This definition is discussed at length by Wang Nien-sun 王念孙 in his *Kuangya shu-cheng*《广雅疏证》, ch. 10a.

⑰ The latest example of this belief is found in Charles Li and Sandra Thompson, "An explanation of word order change SVO＞SOV," *Foundations of Language* 12:2 (1974), where it is stated that China had "the overwhelming dominance of civilization in pre-twentieth century Asia...." and "such cultural dominance precludes the possibility of an external influence on Chinese."

⑱ One way to measure the distance future etymological work has to advance is to examine the work by Tōdō Akiyasu 藤堂明保《汉字语源辞典》[An etymological dictionary of Chinese characters].

(罗杰瑞合著)古代江南的南亚民族

这篇用借词来说明,汉族渡江南下以前,长江以南的原住民是南亚民族。

最重要的证据是"江"字。"江"字上古音 * krong, 南亚语有它的同源词,如越南语 sông, Sedang krong, 古高棉文 krung 等等。这个字是汉语从南亚语借来的,因为(1)"江"最早是长江的专名,南亚语里的同源词一直是河流的通名;(2)"江"字在文献里晚出,甲骨文里没有,金文才有;(3)唐代孔颖达指正,只有江南的河流才用"江"做通名,江北的河流不用。这条证据说明,周朝以前,南亚民族曾经在长江的南岸居住。

本文还说明闽语的"囝"(小孩)、"薸"(浮萍)等字在汉语里找不到语源,是从南亚语借来的。《周礼》郑玄注:"越人谓死为札",南亚语有个"死"义"札"音的字,如越南语 chêt,孟语 chɛt。由此可见郑玄注里的"越人"是南亚民族。

The Sanskrit Origins of Recent Style Prosody[*]

The purpose of this paper is to show that the origins of the tonal patterns of Chinese Recent Style poetry are to be found in Sanskrit prosody and poetics. "Recent Style poetry" refers to the eight-line regulated verse and the four-line quatrain. Displayed below is the tonal prosody of one of the earliest examples of regulated verse, a poem written sometime before 551 by Yü Chien-wu (? —550), the father of the great poet Yü Hsin.

庾肩吾, 侍宴

沐道逢将圣	D D L L d	O A O B x_1	A = Deflected
飞觞属上贤	L L D D L	O B O A y (R)	B = Level
仁风开美景	L L L D r	O B O A x_2	O = Optional
瑞气动非烟	D D D L L	O A O B y (R)	R = Rhyme
秋树翻黄叶	L D L L e	O A O B x_3	x_1 = d = departing
			x_2 = r = rising
寒池堕黑莲	L L D D L	O B O A y (R)	x_3 = e = entering
			d, r, e are Deflected
承恩谢命浅	L L D D r	O B O A x_2	

---

[*] 本文与 Victor H. Mair 合著。原载 Contacts between Cultures (Eastern Asia: Literature and Humanities, Volume 3), 1992 年。

念报在身前 D D D L L　O A O B y (R)　　y = Level

The last four lines repeat the tonal patterns of the first four. This is the defining prosody of regulated verse. A quatrain would have the same tonal patterns as the first or last four lines. In this particular poem, B's and y's are level, A's and x's are deflected. In general, A's and B's are opposite with respect to the level / deflected distinction; so are x's and y's.

The tonal patterns of Recent Style poetry are constituted by individual tonal rules, which can be correlated with the tonal defects in the traditional list of "Eight Defects." In the *Bunkyō hifuron* (819) of Kūkai (774—835), there are detailed explanations of these defects as well as statements concerning tonal rules operative in Recent Style prosody not mentioned in the traditional list. Leaving out two of these rules in this account, we will list the rest according to their traditional names and their definitions given in the *Bunkyō hifuron*.

1. Level Head: O A O O O / O B O O O.

In five-syllable verse, the first and sixth syllables should not share the same tone, nor should the second and seventh syllables share the same tone.

2. Raised Tail: O O O O x / O O O O y.

In five-syllable verse, the fifth and tenth syllables should not be in the same tone.

3. Crane's Knee: O O O O x_1 / O O O O O / / O O O O x_2 / O O O O O.

In five-syllable verse, the fifth syllable should not be in the same tone as the fifteenth syllable. (We use different indices to indicate that x_1 and x_2 are different in tone).

4. "2—4 rule": For all five-syllable lines, O A O B O.

Moreover, if the second and fourth syllables are in the same tone, that also cannot be considered good. Although there is no name for it at present, it is more important than Wasp's Waist.

There are two features in the development of tonal prosody which led us to suspect that some outside influence was responsible. The first is the speed of the development. As is well known, Shen Yüeh (441—513) issued his famous manifesto on tonal prosody in 488, in the afterword to his biography of Hsieh Ling-yün. He and his followers then began experimenting with tonal prosody. By 551, when Emperor Chien-wen of Liang was murdered by Hou Ching's men, regulated verse had already emerged as a new prosodic form. Two types of evidence support this conclusion. First, there are three examples of regulated verse written before 551, and twenty-eight before the T'ang dynasty. Second, the Japanese scholar Takagi Masakazu has broken down the tonal patterns of Recent Style poetry into individual rules, and for each rule, determined the time of its emergence. He did this by sampling the poetry of the Six Dynasties in chronological order, and for each poet, analyzing the percentage of lines or couplets in his sample which conform to a particular rule. The conclusion he drew is that almost all the individual rules of Recent Style poetry had been established before 551. Putting these two types of evidence together we may say that some sixty years after Shen Yüeh issued his manifesto the development of Recent Style prosody was for all practical purposes complete. For such a major change, sixty years is a very short period of time indeed.

The second feature is the radical nature of the new prosody. Before the time of Shen Yüeh (441—513), and certainly by the fourth and fifth centuries, five-syllable verse was the dominant form of poetry. The prosodic requirements of this verse form are very simple: 1) every line has five syllables; and 2) place the rhyme at the end of even-numbered lines. By 551, five-syllable verse had acquired an intricate tonal prosody. Let us compare the two.

(1) *Before Shen Yüeh*   (2) *After Shen Yüeh*   (3) *New Features*

  O O O O O   O A O B x_1 O A O B x_1

  O O O O y (R)   O B O A y (R)   O B O A __

  O O O O O   O B O A x_2 O B O A x_2

  O O O O y (R)   O A O B y (R)   O A O B __

What is new in the emerging prosody? First, the most radical departure is the bifurcation of the four tones into two prosodic categories. Secondly, in the Chinese prosodic tradition up to the time of Shen Yüeh, nothing whatsoever was required of the internal syllables of a line. With the rise of tonal prosody, restrictions were placed upon the internal syllables of a line, and on the matching middle syllables belonging respectively to the two lines of a couplet and the two couplets of a quatrain. Therefore, if we define meter broadly as the obligatory, rhythmic repetition of prosodemic features across all syllables within a certain domain, then Recent Style poetry may in a sense be said to have meter or meter-like features. Thirdly, the tonal patterns were predetermined and defined over either four lines or eight lines. Four lines was the minimum for embodying a complete cycle of tonal rules. This is another meter-like feature of Recent Style prosody.

Radical change accomplished within a short time suggests that outside influence was operative. The Chinese were clever, but they were not so clever as to be able to invent something out of nothing. The most important foreign influence at work during the fifth and sixth centuries in Chien-k'ang, the capital of the Southern dynasties, was Buddhism. To be sure, the great Chinese historian Ch'en Yin-k'o (1934) called attention to a possible connection between the spread of Buddhism and the rise of tonal prosody, though he mistakenly placed the emphasis on the origin of the four tones. He pointed out that when tonal prosody was being invented, Shen Yüeh and his followers were in close contact with foreign monks gathered at Chien-k'ang. Many of these monks were Central Asians with native training in Sanskrit and Buddhist psalmody. We also know that slightly earlier, in the beginning of the fifth century, Kumārajīva (344—413) and his disciple Hui-jui had discussed the importance of using śloka and gātha in hymns praising the Buddha and the king. We suspect that one of the initial motives for developing tonal prosody, under the imperial patronage of the Buddhist kings of the Ch'i and Liang dynasties, was to enable the Chinese to sing praise to the Buddha and the king in metered chant—as it was done in Buddhist India.

It is at this juncture that the two authors of this paper joined forces. One of us, Tsu-Lin Mei, in the process of directing Richard Bodman's (1978) thesis on the *Bunkyō hifuron*, surmised that Sanskrit influence must somehow be responsible for the rise of Recent Style prosody. He then turned to Victor Mair, a specialist in Tunhuang literature, and expert in Buddhology and Sanskrit, and asked him to pinpoint the specific Sanskrit influences. A full presentation of our findings will be published in the *Harvard Journal of Asiatic Studies*.

The main results are these. First, the concept of poetic defect in the traditional formula "Four Tones and Eight Defects" (*ssu-sheng pa-ping*) came from Sanskrit poetics, specifically from the notion of *doṣa* (fault, vice, deficiency) and *yamaka* (repetition of words (or syllables, or sounds)). Secondly, Sanskrit meters are based on the opposition between long and short syllables, called *laghu* (light) and *guru* (heavy) for the purpose of prosody. Shen Yüeh used *ch'ing* (light) and *chung* (heavy) as translation loans in his famous statement "within a couplet, light and heavy sounds must be entirely distinct." This indicates that the bifurcation of the four tones into two prosodic categories was inspired by the opposition between light and heavy in Sanskrit prosody. Thirdly, in all the Sanskrit texts translated into Chinese between 450 and 550, the most common meter is the *śloka*, which in Sanskrit means "hymn of praise or glory." It is the *śloka* and other Sanskrit meters that stimulated the development of meter-like features in Recent Style prosody.

Now let us consider some of the specific arguments.

1. *The rise of meter-like features in Chinese prosody*. The basic scheme of the *śloka*, as set forth in Monier-Williams' *Sanskrit-English Dictionary*, is as follows:

Odd *pāda*: x x x x ∨ (−) (−) (∨)

Even *pāda*: x x x x ∨ − ∨ x

The *śloka* consists of four *pāda* or quarter verses of eight syllables

503

each, or two lines of sixteen syllables each, each line allowing great liberty except the fifth, thirteenth, fourteenth and fifteenth syllables, which should be unchangeble as in the above scheme, the x's denoting either long or short, the bars long, and the breve signs short.

The most important Indian gift Buddhism brought to China in this connection was the concept of meter, as exemplified in the *śloka*. That is, acquaintance with Sanskrit meters made the Chinese of the fifth and sixth centuries realize that it is possible to impose predetermined prosodic rules on the internal syllables of a line, for a predetermined number of lines. Other features of Recent Style prosody show a more direct connection with the *śloka*. They include the imposition of fewer restrictions at the beginning of a line, and the requirement of maintaining a balance in a line and in a couplet between the two prosodic categories. At higher levels of organization, the emergence of the quatrain as a basic module of composition may be mentioned as a feature due to the four-*pāda* structure of the *śloka*. To put the issue in historical perspective, we may say that all the various forms of Chinese verse prior to Shen Yüeh belong to the class of syllabic verse, with a fixed number of syllables within the line as the organizing principle. After contact with the Sanskrit tradition, Chinese verse acquired meters or meter-like features.

2. *The concept of poetic defect* (*wen-ping*). From the very beginning, Shen Yüeh and his associates talked about tonal prosody in terms of *ssu-sheng pa ping* (Four Tones and Eight Defects), for example, "Level Head," "Raised Tail," "Wasp's Waist," "Crane's Knee," "Major Rhyme," "Minor Rhyme," etc. In the *Bunkyō hi-*

furon, the original eight defects have been expanded into "Twenty-eight Defects in Poetry." There is no antecedent for the concept of poetic defect in the tradition of Chinese poetics prior to Shen Yüeh. So where did the concept come from? There is a long tradition in Sanskrit poetics which classifies and analyzes poetic defects, or *doṣa* (fault, vice, deficiency). Bechan Jha's *Concept of Poetic Blemishes in Sanskrit Poetics* (1965) is entirely devoted to this topic. The beginning of this tradition may be traced to the *Natyaśāstra* of Bharata, composed sometime between the first century BCE and the first century CE. Though the work as a whole is concerned with dramaturgy, it includes chapters generally recognized as representing the first systematic treatment of prosody. In the chapter on "Verbal Representation and Prosody," the author defines the concept of *yamaka* as "the repetition of words (or syllables or sounds) at the beginning of the feet and at other places," and proceeds to classify this poetic figure into ten types. This line of inquiry was further developed in the *Kāvyālaṅkāra* of Bhāmaha and the *Kāvyādarśa* of Daṇḍin, both seventh and eighth century works which relied heavily on earlier prosodists. It is our thesis that the famous "Eight Defects" of Shen Yüeh and the "Twenty-eight Defects" of the *Bunkyō hifuron* (819) were derived from Sanskrit treatises on poetics. In the longer version of our paper, we tried to show that some of the specific defects are identical in Chinese and in Sanskrit, the number and types of defects in the two traditions are comparable, and the presentation follows the same format of defining a specific defect and then citing examples to illustrate it.

3. *The bifurcation of the four tones into two prosodic cate-*

gories. There is a famous sentence near the end of Shen Yüeh's afterword to the biography of Hsieh Ling-yün, the passage in which he issued the manifesto on tonal prosody: "Within one line, initials and finals must be completely different; and within a couplet, light and heavy sounds must be entirely distinct. Only those who attain this subtle insight can begin to discuss literature."

The meaning of the sentence "within a couplet, light and heavy sounds must be entirely distinct" is clear enough. The sentence was paraphrased by Li Yen-shou (? —628) in the *Nan shih* and cited by the T'ang critic Yüan Ching (fl. 661) in a passage preserved in the *Bunkyō hifuron*. In the *Nan shih*, the paraphrase "within a couplet, *chiao* and *chen* are different" indicates that Li Yen-shou understood "light and heavy sounds" as terms referring to tones. In Yüan Ching's passage, the illustrative examples following the cited paragraph show that the author took "light and heavy sounds" as terms equivalent to level and deflected. Also, in a passage preserved in the *Bunkyō hifuron*, the T'ang poet Wang Ch'ang-ling (689—?) used *ch'ing* (light) and *chung* (heavy) to refer to the prosodic categories later called "level" and "deflected."

How did *ch'ing* and *chung* become technical terms referring to tones or prosodic categories? As noted above, Sanskrit meters are based on the opposition between long and short syllables, called *laghu* (light) and *guru* (heavy) for the purpose of prosody. In a passage from the *Vinaya* of Mahīśāsaka, often cited by Buddhologists in their discussion of the language of primitive Buddhism, *laghu* and *guru* were translated into Chinese as *ch'ing* and *chung* (*Taishō* 22:39c). The translation was done by Buddhajīva of Kashmir at Yangchou in 423—424, some sixty years before Shen Yüeh issued his manifesto. With a large contingent of foreign monks in Chien-k'ang, Shen Yüeh and his followers undoubtedly could have acquired basic facts about Sanskrit language and prosody by other avenues as well. It therefore seems clear that Shen Yüeh's "light and heavy sounds" is a translation loan from Sanskrit. Since *laghu* and *guru* refer to two prosodic categories in Sanskrit, we can now understand why *ch'ing* and *chung* eventually acquired a similar function in Chinese.

We have argued so far that the bifurcation of the four tones into two prosodic categories was inspired by the Sanskrit mode. But the particular method of bifurcation—with the level tone constituting one category by itself, and the other three tones constituting the other category—requires a separate explanation. Several factors are probably involved. First, the text frequency of level tone syllables is between forty and forty-four percent in Middle Chinese, that is, about half. Secondly, the majority of five-syllable poems of the fifth and sixth centuries rhyme in level-tone syllables. For such poems, when the rules prohibiting "Raised Tail" and "Crane's Knee" emerged before 551, there was a *de facto* opposition in the final syllables between the categories of level and deflected. Thirdly, the level tone, called "level," probably had an even contour and hence was prolongable. The other three tones, either contoured or checked, were not prolongable. The opposition between prolongable and non-prolongable seems to have corresponded to the opposition between long and short syllables in Sanskrit.

To conclude: under the influence of the Sanskrit theory of poetic defects, Shen Yüeh and his followers invented tonal prosody in an attempt to reproduce in Chinese the same euphonic effect achieved by meter in Sanskrit. Classical Sanskrit and Middle Chinese are typologically as different as two languages can be. It is all the more surprising, and significant, that the structural principles of Sanskrit meters could be transmitted from India to China via the vehicle of Buddhism.

(梅维恒合著)梵文诗律和诗病说对齐梁声律形成的影响

从沈约《宋书·谢灵运传论》(488)开始,到庾肩吾死去的550年,汉语诗律引入三个史无前例的演变:(1)四声两元化形成平仄。(2)以前的诗律只管句末的字,也就是押韵的字需要声调相同,而声病之说却兼顾句中的平仄,尤其是五言句里的第二字和第四字。(3)齐梁体有固定的句数,律诗四联八句,后来称为绝句的诗两联四句。

在短短的六十年间产生这样巨大的演变,很可能是受了外来因素的影响。陈寅恪《四声三问》(1934)已指出永明时代梵胡客僧聚集建康,和审音文士沈约、王融、谢朓等交往频繁。

(1) 婆罗多《舞论》(二世纪以前)已把诗病(dosa)分成十种。这个观念是沈约"四声八病"中"病"的来源。(2) 梵文中的长短音在诗律中叫"轻重音"(梵文 laghu"轻"、guru"重")。沈约"两句之中,轻重悉异"的"轻重"相当于后代的"平仄",来源是梵文诗律里的"轻重音"。(3) 齐梁时代的翻译佛经,原文中最常用的音律是

śloka，意译为"颂"，音译"首卢迦"，由四个音步（pāda）组成，每个音步八个音节，一共三十二个音节。这是律诗绝句句数的来源。

More on the Aspect Marker *tsɿ* in Wu Dialects[*]

1. Among William S-Y. Wang's many contributions is his penchant to instigate others to do research. As one of the beneficiaries, I am happy to return on the occasion of his sixtieth birthday to a problem he started me on many years ago.

In 1978, it occurred to me that the etymology of the Wu perfective-durative suffix *tsɿ* is 著. At the time the field of diachronic grammar of Chinese dialects did not exist, and I had no idea what to do with my discovery. Since William Wang and I both grew up in Shanghai, I thought a fellow Wu speaker would be interested in the etymology of one of the most frequently used particles. So I mentioned it to him in a letter. Back came a letter urging me to write an article. I did. The article was duly published in the 1979 (Vol. 7, No. 1) issue of the *Journal of Chinese Linguistics*. Since then, I have written another article (Mei 1989). Without his encouraging letter of 1978, none of this would have happened.

The results obtained so far may be summarized under two headings. (1) The same etymon 著 *zhù* is used differently as a grammatical particle in different dialects. As Mandarin *.zhe*, it is a durative suffix; as Wu *tsɿ* C1 or *zɿ* C2, it is a perfective-durative suffix;

---

[*] 本文原载 In Honor of William S-Y. Wang, 1994 年。

as Southern Min *ti* C2 or Fuzhou *tyɔʔ* D2, it is a post-verbal locative particle. (2) The word 著 *zhù* was originally a verb meaning "to attach to, to stick to" in Old Chinese (Wang Li, 1958:308). The pathway of its grammaticalization as a post-verbal constituent is as follows:

V + verb > V + locative particle > V + resultative complement > V + aspect marker

Hakka and some Southwestern Mandarin dialects use *tau* B1 到 or its cognate as aspect marker, resultative complement, and locative particle, illustrating the same pathway of grammaticalization (Lin Ying-chin, to appear).

2. Since I have already written two articles on this topic, why a third? The embarrassing truth is that it took me some time to realize that while the etymology of *tsɨ* is sound, it is not fully established. Looking back at my earlier efforts, I think the textual evidence is strong, and the explanation of grammatical development quite adequate. The problem lies in phonological derivation, especially the phonetic value of the final.

The *Qieyun* dictionary (601) (hereafter "QY") of Lu Fayan distinguishes a pair of rhyme categories 魚 and 虞, which Karlgren has reconstructed as -jwo and -ju. I will call the 魚 rhyme "FISH" and the 虞 rhyme "WORRY" and abbreviate them as "F" and "W". Following usual practice, I will also use the level tone rhymes F and W to refer to their respective counterparts in rising and departing tones.

The etymon 著 (hereafter ZHU) belongs to the F rhyme, and its Middle Chinese initial is ṭ- 知 (or ḍ- 澄). As a first step in determining its phonological history, let us examine how other words with the same MC final and similar initials are pronounced in Shanghai and Suzhou.

The word for 'pig' 猪 Mand. *zhū* has the same MC initial and final as ZHU. In some contexts the word for 'pig' is pronounced tsɣ Al in Shanghai, e.g. tsɣ nio? 猪肉 'pig meat, pork', tsɣ niɣ iang 猪牛羊 'pig, cattle, sheep'. There are however two Shanghai curse words, *tsɨ lu* 猪鲁 'pig' and *tsɨ døy sE* 猪头三 'obnoxious person, pest', in which the word for 'pig' is pronounced tsɨ. Since curse words and grammatical particles are both likely to belong to the vernacular stratum, the parallel development of tsɨ Al 'pig' and .tsɨ 'aspect marker' initially led me to propose the etymology.

Dialect surveys currently available present a confusing picture.

			Suzhou(1960)	Shanghai(1960)	Shanghai(Karlgren)
F	ZHU	aspect marker	tsɨ	tsɨ	
F	猪	pig	tsɣ	tsɨ	tsɣ, tsɨ
F	除	remove	zɣ	zɨ	dzɣ
F	著	prominent	tsɣ	tsɨ	
W	株	tree trunk	tsɣ	tsɨ	
W	厨	kitchen	zɣ	zɨ	dzɣ
W	住	reside	zɣ	zɨ	dzɣ

All these words have MC supradental initials (知彻澄). The first two columns are from Jiangsu Sheng (1960), whose values for Shanghai differ from those given in Karlgren (1948). If we trust Jiangsu Sheng (1960), we will have to conclude that (1) F and W have merged in Suzhou and Shanghai, and (2) the development from ZHU to *tsɨ* for the aspect marker is regular in Shanghai but irregular in Suzhou.

Could Suzhou have borrowed the aspect marker *tsɨ* from Shanghai? Unlikely. First, this aspect marker, written as 子 (*tsɨ*), had already appeared in the *Mountain Songs* (山歌 *Sange*), a collection of folk songs in the Wu dialect by the Suzhou writer Feng Menglong (1574—1645). Second, during the Ming and Qing dynasties, Suzhou was the prestige dialect for the lower Yangtze region. If borrowing was involved, the direction would have to be from Suzhou to Shanghai, but not the other way around. So the question remains, how did ZHU become tsɨ in Shanghai and Suzhou?

3. Yan Zhitui (531—591) said in the *Family Instruction of the Yan Clan* "northerners pronounce ˊsjwo 庶 (F) as śju 戍 (W) and ńźjwo 如 (F) as ńźju 儒 (W)", and again, "most northerners pronounce kjwo 举 (F) and kjwo 莒 (F) as kju 矩(W)". As stated in the Preface to the QY, Yan Zhitui was one of the eight scholars who gathered in 581 at the house of Lu Fayan to discuss phonology. Among the eight, Yan and two others were southerners speaking the Jinling (now Nanking) dialect of the southern capital; the rest were northerners speaking the Loyang dialect of the old northern capital. These scholars, representing the two prestige dialects of the time, met in 581 to discuss their differences in pronunciation in order to arrive at a common standard for rhyming. The QY was later compiled by Lu Fayan according to their recommendations.

The northern pronunciation Yan referred to was the Loyang dialect, which, as his statements indicate, lacked the F/W distinction. We know from Yan's statements and the rhyming practice of southern poets of the fifth and sixth centuries that the distinction was present around the Lake Tai region in southern Jiangsu (Luo Changpei, 1931). The F/W distinction is also present in the *fanqie* spellings in the *Yupian* 玉篇, compiled by Gu Yewang (519—581), a native of Suzhou (Cf. Malmqvist 1968: 70—71). As a speaker of the Jinling dialect, Yan was representing the Old Wu dialect for which the Jinling dialect of the capital served as the standard. Clearly, the F/W distinction in the QY was based upon the Old Wu dialect. The question then arises whether this distinction is still preserved in the same region. If so, it may throw some light on the phonological history of the aspect marker *tsi*.

The two most important southern cities during the fifth and sixth centuries were Jinling, also called "Jiankang" or "Jianye", and Suzhou, then called "Wu". Jinling was the capital of the Southern dynasties, and the language spoken then was a form of Old Wu. But the modern Nanking dialect is a form of lower Yangtze Mandarin. Suzhou is an ancient city on the northern shore of Lake Tai, with a history dating back to the Warring States Period. During the fifth and sixth centuries, members of the educated elite from Suzhou went to Jinling in large numbers to serve in the government (Liu Shufen, 1992:274 ff.) — a fact which suggests that dialects of Jinling and Suzhou were similar if not identical. Yan Zhitui, a native of Jinling, in the *Family Instructions* mentioned several distinctions peculiar to the Southern dialect. Every one of these distinctions can be found in the *fanqie* spellings in the *Yupian* of Gu Yewang, a native of Suzhou. With Nanking (earlier Jinling) so thoroughly transformed by Mandarin influence, Suzhou stands out as the Wu dialect most likely to show an affinity to the Old Wu dialect.

There are three book-length reports on Wu dialects in addition to Y. R. Chao's (1928) pioneering monograph: a survey of the dialects of Shanghai and Jiangsu Province (Jiangsu Sheng, 1960), a description of the Shanghai dialect (Xu Baohua *et al*. 1988), and a description of the Suzhou dialect (Ye Xiangling, 1988). There are also many articles on individual Wu dialects. When one reads this literature, two conclusions immediately come to mind. First, in all Wu dialects, the F and W rhymes have merged for the majority of words. Second, the F/W distinction has disappeared from the Wu dialects without a trace. The first conclusion is valid; there is a stratum in Wu, almost certainly of Northern origin, in which the F and W rhymes have merged. The second conclusion is more apparent than real. What these dialect reports have recorded are mostly reading pronunciation of individual characters. The inclusion of popular or colloquial forms is haphazard. When popular or colloquial forms are included, they are more often than not accompanied by misleading etymologies. The reason seems to be that many Chinese dialectologists specializing in Wu do not have the concept of phonological strata, although this concept is commonplace among linguists working on Min (Norman 1979; Yang Hsiu-fang 1982). Under the erroneous notion that a single set of phonological rules governs the derivation of modern Wu forms from Middle Chinese, the authors of these dialect surveys either fail to record doublets, or hide the older forms in some unlikely places in their reports.

There are however three notable exceptions. Li Rong (1980) and Zhang Huiying (1980a) respectively noted that words in the F rhyme with MC velar initials have doublets in Changshou and Wenling, and have unrounded vowels in Chongming. Chang Kun (1985:221—222) pointed out that the F/W distinction is preserved for some words with MC supradental and palatal initials in certain Wu dialects in southern Zhejiang. We will extend their results and show that there are at least two phonological strata in Wu, one in which F and W have merged, and the other in which F and W remain distinct.

The data will be presented in four tables, arranged according to classes of MC initials. Each table consists of two parts. The upper part contains words in both F and W; in that part the F words and the W words have the same modern finals. The lower part contains F words only; their modern finals are different from the modern finals of the F words (in the same dialect) in the upper part, although words from both parts have the same type of MC initials. Abbreviations of names of dialects are as follows: SZ, Suzhou; SH, Shanghai; CM, Chongming; JX, Jiaxing; CS, Changshou; NB, Ningbo; JH, Jinhua; WY, Wuyi; WL, Wenling; WZ, Wenzhou; PY, Pingyang; YX, Yinxian.

			SZ	SH	JX	NB	JH	WY	WL	WZ	PY
W	主	master	tsɿ	tsɿ	tsɿ	tsɿ	tśy	tśy	tśy	tsɿ	tśy, tsy
F	处	place	tshɿ	tshɿ	tshɿ	tshɿ	tśhy	tśhy	tśhy	tshɿ	tśhy, tshy
W	住	reside	dzɿ	dzɿ	dzɿ	dzɿ	dźy	dźy	dźy	dzɿ	dźy, dzy
F	书	book	sɿ	sɿ	sɿ	sɿ	śy	śy	śy	sɿ	śy, sy
W	树	tree	zɿ	zɿ	zɿ	zɿ	źy	źy	źy	sɿ	źy, zy

续表

			SZ	SH	JX	NB	JH	WY	WL	WZ	PY
F	猪	pig		tsɨ	tsɨ			tśi	tsɨ	tsei	tśi, tsi
F	煮	boil	tsɨ	tsɨ		tsɨ	tsɨ	tśi	tsɨ	tsei	tśi, tsi
F	鼠	rat	sɨ	tshɨ		tshɨ				tsei	tśhi, tshi
F	苎	hemp	zɨ	zɨ		dzɨ		dźi	dzɨ	dzei	dźi, dzi
F	箸	chopsticks							dzɨ	dzei	dźi, dzi

Table 1

			SZ	SH	JX	YX	JH	WY	WL	WZ	PY
W	趋	approach	tshi / tshy	tshy	tśhy	tshɤ				tshɨ	
W	需	need	si / si	sy / sy	śy / śy	sɤ / sɤ	sy		śy	sɨ / sɨ	śy, sy / śy, sy
W	须	beard	səu	su			su				
W	娶	marry	tshi	tshy	tśhy	tshɤ	tśhy	tśhy	tshɨ	tśhy	
W	趣	fun	tshi	tshy	tśhy	tshɤ	tśhy	tśhy	tshɨ	tśhy	
F	序	order	zi	zy	dźy	zɤ	źy	źy		zɨ	źy, zy
W	聚	gather	zi	zy	dźy	zɤ	źy	źy	źy	zɨ	źy, zy
F	絮	fluff	si	si	dźy	sɤ	si, śy		sɨ	sɨ	śy, sy
F	蛆	maggot	tshi	tshi	tśhi			tshei / tshɨ			
F	徐	surname	zi	zi	dźi	zi	zi, źy			zei	źi, zi

Table 2

			SC	SH	CS	NB	JH	WL	WZ	PY
F	助	help	zəu	zu	dzɤɯ	dzu	zu		zəu	zu
F	初	first	tshəu	tshu	tshɤɯ	tshu	tshu	tshu	tshəu	tshu
F	楚	surname	tshəu	tshu	tshɤɯ	tshu	tshu		tshəu	tshu

517

续表

			SC	SH	CS	NB	JH	WL	WZ	PY
W	数	count	səu	su	sɤɯ	su	su		sɿ, səu	su(N), sy(V)
F	梳	comb	sɿ	sɿ	sɿ	sɿ	su		sɿ	sɿ
F	锄	hoe	zɿ	zɿ	zɿ	zɿ	zɿ	zɿ	zɿ	zu

Table 3

			SC	SH	CM	CS	NB	JH	WL	WZ	PY
W	具	prepare	dźy	dźy	dźy	dźy	dźy		gy	dźy	dźy
W	驱	drive	tśhy	tśhy	tśhy	tśhy	tśhy	tśhy		tśhy	tśhy
F	据	occupy	tśy	tśy	tśy	tśy	tśy		ky	tśy	
F	举	raise	tśy	tśy	tśy	tśy	tśy	tśy	ky	tśy	tśy
F	渠	gutter	dźy	dźy	dźy	dźy			gý	dźy	dźy
F	拒	resist	dźy	dźy	dźy	dźy		dźy	gy	dźy	dźy
W	句	sentence	tśy	tśy	tśy	tśy	tśy		ky	tśy	tśy
F	锯	a saw	kE	kE	kei	kɛ			kie		
F	去	go	tśhi	tśhi	khi	khɛ	tśhi	khə	kie	khei	khi
F	渠(他)	he		ɦi	ɦi	gɛ	dźi	gə	gie	gi	gi
F	鱼	fish	ŋ	ŋ	ɦiŋei	ŋɛ	ŋ		ŋ	ŋ	
F	虚	hollow	hE	hE	hei	hɛ		he			
F	许	promise	hE	hE				xə			
F	许	that there	hE	hE					hi		

Table 4

The tables show that there are two phonological strata in Wu dialects. The one which kept F and W distinct is the earlier stratum inherited from Old Wu; the one in which F and W have merged is

518

the later stratum. These two strata can be correlated with two waves of migration, both from the north. Philological sources indicate that the date of the earlier stratum must be before the end of the sixth century. The date of the later stratum is uncertain.

Our study of the F/W distinction in Wu dialects is part of a larger project whose aim is to reclassify Chinese dialects and to reconstruct Old Wu. I will now briefly describe the work in progress and relate it to previous scholarship.

Karlgren (1954: 212) assumed that Middle Chinese — the Tang koine — is the ancestor of all the modern dialects. Insofar as he also assumed that no dialects existed before Tang, his view is directly contradicted by the Preface to the *Qieyun* and other philological sources. The alternative is to reconstruct at least two Middle Chinese dialects, and to derive modern dialects, not from the all-encompassing Middle Chinese, but from these MC dialects. The first step in that direction has already taken by Pulleyblank (1984). In his book, Middle Chinese is divided into two periods; Late Middle Chinese is essentially the Chang'an dialect of the eighth and ninth century; Early Middle Chinese corresponds to the *Qieyun*. Within Early Middle Chinese, there are two dialects, northern and southern. The southern dialect is what we have called "Old Wu". In reconstructing the southern dialect of EMC, Pulleyblank used evidence from colloquial Min and Old Sino-Vietnamese. But there is reason to believe that Old Wu features are also preserved in other dialects, for example in the earlier stratum of Modern Wu. The question then arises as to which dialects contain reflexes of Old Wu as one of the phonological strata.

The first step is to characterize Old Wu on the basis of the *Yupian* and other philological data. The F/W distinction is one of the characteristic features of Old Wu; there are others which I will not try to describe here. The next step is to take this blueprint of Old Wu and compare it with phonological features of modern dialects. By this procedure it is possible to classify modern dialects into two groups, those with an Old Wu stratum and those without.

With Old Wu stratums: Wu, Min, Northern Gan, Old Xiang

Without Old Wu stratum: Mandarin, Yue, Kejia

The geographic distribution of the dialects with an Old Wu stratum coincides remarkably well with the territory of the Southern Dynasties. Jinling — or Jianye — was for more than two centuries the capital of the Southern dynasties and the political and culture center of South China. Evidently the Old Wu dialect, for which the capital dialect of Jinling served as the standard, spread westward along the Yangtze River to present day Jiangxi and Hunan and southward to the coastal plains of Fujian.

Yue and Kejia, according to this analysis, are descendants of Late Middle Chinese. These dialects came to their present locations as the result of Late Tang or post-Tang migrations from the north.

In describing a dialect, it seems desirable to include information such as how many strata there are in that dialect, and the characteristics of each stratum. Such a format would bring descriptive dialectology closer to historical dialectology.

Old Wu should be reconstructed on the basis of all available data. But that will have to wait until the completion of a chronological stratification of Wu, Min, Old Xiang, and Northern Gan.

4. Let us now return to the problem of deriving the aspect marker *tsɿ* from ZHU in Suzhou.

Table 1 includes the following F words in Suzhou with final ɿ. Below I give both the literary and colloquial pronunciation of these words, cite the sources for the colloquial forms, and add ZHU to the list.

		literary	colloquial	sources
F 苧	hemp		zɿ	Yuan Jiahua, 1983:72
F 煮	boil	tsʮ	tsɿ	Wang Ping 1987:73
F 鼠	rat	tshʮ	sɿ	Ye Xiangling 1988:17, 61
F ZHU	aspect marker	tsʮ	tsɿ	

Table 5: Suzhou F words with MC supradental and palatal initials

It is immediately apparent that in the colloquial stratum, the development of *tsɿ* 'aspect marker' from ZHU follows the same rule as the words for 'hemp', 'boil' and 'rat', and is regular in that sense. It is also clear that the notion of "regular development" should be indexed to phonological strata. ZHU > *tsɿ* is irregular in the later, literary stratum but perfectly regular in the earlier, colloquial stratum.

In a study of Suzhou tone sandhi, Xie Zili (1982:252) has shown that the tone sandhi behavior of *tsɿ* 'durative-perfective aspect marker' is exactly like that of another aspect marker *kəu* Cl 过. This implies that the tone of *tsɿ* is Cl, which is what one would expect from ZHU 著, a departing word in MC with voiceless initial.

Turning now to the Shanghai case, we are faced with a different problem. For F words with MC supradental and palatal initials, all Wu dialects except Shanghai have two strata, one in which F and W have merged, and the other in which F and W remain distinct (see Table 1). Shanghai has only one stratum, in which F and W have merged, and in that stratum the development of *tsɿ* from ZHU is regular. Why is Shanghai exceptional among Wu dialects?

The answer lies in older descriptions of the Shanghai dialect. Especially valuable are Joseph Edkins, *A vocabulary of the Shanghai dialect* (1869) and *Grammar of colloquial Chinese, as exhibited in the Shanghai dialect* (1868). There is also J. A. Silsby, *Complete Shanghai syllabary* (1907), incorporated in the "Word list of Chinese dialects" of Karlgren's *Études* (1915—26); below I cite from the Chinese translation (1948) of Karlgren's *Études*.

			Edkins (1869)	Karlgren (1915—26)	Jiangsu Sheng (1960)
W	主	master	tsy	tsy	tsɿ
F	居	place	tshy	tshy	tshɿ
W	住	reside	dzy	dzy	zɿ
F	书	book	sy	sy	sɿ
W	树	tree	zy		sɿ
F	猪	pig	tsɿ	tsɿ, tsy	tsɿ
F	鼠	rat	sɿ, sy	sɿ, tshɿ, tshy	tshɿ
F	ZHU	aspect marker	tsɿ		tsɿ

In 1869, Shanghai was like any other Wu dialect, with two phonological strata, an earlier one in which F words are pronounced ɿ and a later one in which F words are pronounced y. Then came the Suzhou influence, which brought the y pronunciation for earlier ɿ

522

words; the change as recorded in Karlgren (1915—1926) was by lexical diffusion. My own Shanghai dialect acquired during the 40's is of that variety. Finally, the uniform i̵ pronunciation as recorded in Jiangsu Sheng (1960) is a post-1949 innovation. As Xu Baohua (1982: 268) has noted, for northern immigrants who came to Shanghai in large numbers after 1949, the vowel y̵ [ɥ] is difficult to pronounce; substituting i̵ [ɿ] for y̵ made things easier. That is why in terms of the post-1949 Shanghai pronunciation, ZHU > tsi̵ 'aspect marker' looks perfectly regular. But this is just a mirage. ZHU tsi̵ had occurred long ago in the Shanghai dialect, as a relic of the Old Wu dialect; it was only when other words "caught up" with this phonological change that Shanghai became an exception among Wu dialects.

References

Beijing daxue 1989: *Hanyu fangyin zihui*. Second edition.

Chao, Yuen Ren 1928: *Xiandai Wuyu de yanjiu*.

Chang, Kun 1985: Lun Wuyu fangyan. *Bulletin of the institute of history and philology* 56.2.215—260.

Chen, Chengrong 1979: Pingyang fangyan jilüe. *Fangyan* 47—74.

Chen, Zhongmin 1990: Yinxian gangyan tongyin zihui. *Fangyan* 32—41.

Edkins, Joseph 1868: *Grammar of colloquial Chinese, as exhibited in the Shanghai dialect*.

—— 1869: *A vocabulary of the Shanghai dialect*.

Feng, Menglong *Sange* (*Mountain Songs*). Beijing: Zhonghua shuju, 1962.

Fu, Guotong 1984: Wuyi fangyan de liandu biandiao. *Fangyan* 109—127.

Jiangsu Sheng 1960: *Jiangsusheng he Shanghaishi fangyan gaikuang*.

Karlgren, Bernhard 1915—1926: *Étude sur la phonologie chinoise*.

—— 1948: *Zhongguo yinyunxue yanjiu*. Chinese translation of Karlgren 1915—26 by Y.R. Chao, F.K. Li, and Luo Changpei.

—— 1954: Compendium of phonetics in ancient and archaic Chinese. *Bulletin of the museum of far eastern antiquities* 26.211—367.

Li, Rong 1966: Wenling fangyan yuyin fenxi. *Zhongguo yuwen*. 1966. 1—9.

—— 1978: Wenling fangyan de bianyin. *Zhongguo yuwen*. 1978.96—103.

—— 1979: Wenling fangyan de liandu biandiao. *Fangyan* 1—29.

—— 1980: Wuyu benzi juli. *Fangyan* 137—140.

Lin, Ying-Chin to appear. Keyu donghou zhuci *dau* (Bl) de yufa gongneng. (probably in) the *Bulletin of the institute of history and philology*.

Liu, Shufen 1992: *Liuchao de chengshi yu shehui*.

Luo, Changpei 1931: *Qieyun* yuyu (鱼虞) zhi yinzhi ji qi suo ju fangyan kao. *Bulletin of the institute of history and philology* 2.358—385.

Malmqvist, Göran 1968: Chou Tsu-mo on the Ch'ieh-yün. *Bulletin of the museum of far eastern antiquities* 40.33—78. Translation of Zhou 1966.

Mei, Tsu-Lin 1979: The etymology of the aspect marker *tsɿ* in the Wu dialect. *Journal of Chinese linguistics* 7.1—14.

—— 1989: Hanyu fangyanli xuci *zhu-*zi sanzhong yongfa de laiyuan. *Zhongguo yuyan xuebao* 3.193—216.

Norman, Jerry 1979: Chronological strata in the Min dialects. *Fangyan* 268—274.

Pulleyblank, E.G. 1984: *Middle Chinese: a study in historical phonology*.

Silsby, J.A. 1907: *Complete Shanghai syllabary*.

Wang, Li 1958: *Hanyu shigao* (Vol. 2).

Wang, Ping 1987: Suzhou fangyan de teshu cihui. *Fangyan* 66—78.

—— 1988: Changzhou fangyan de liandu biandiao. *Fangyan* 177—194.

Xie, Zili 1982: Suzhou fangyan liangzizu de liandu biandiao. *Fangyan*

245—263.

Xu, Baohua et al. 1982: Shanghai fangyan de gongshi chayi. *Zhongguo yuwen* 1982. 265—272.

Xu, Baohua et al. 1988: *Shanghai shiqu fangyanzhi*.

Yang, Hsiu-Fang 1982: *Minnanyu wenbai xitong de yanjiu*. Ph.D. dissertation. National Taiwan University.

Ye, Xiangling 1988: *Suzhou fangyanzhi*.

Yu, Guangzhong 1988: Jiaxing fangyan tongyin zihui. *Fangyan* 195—208.

Yuan, Jiahua 1983: *Hanyu fangyan gaiyao*. Second edition.

Yue Zhai 1958: Jinhua fangyan he Beijing yuyin de duizhao. *Fangyan yu putonghua jikan* 5.25—98.

Zhang, Huiyin 1979: Chongming fangyan de liandu biandiao. *Fangyan* 284—302.

—— 1980a: Wuyu zhaji. *Zhongguo yuwen* 1980.420—426.

—— 1980b: Chongming fangyan sanzizu de liandu biandiao. *Fangyan* 15—34.

Zhou, Zumo 1966: *Qieyun* de xingzhi he tade yinxi jichu. (In his book by the title of) *Wenxue ji*. 434—73.

再论吴语态貌词尾"仔"字

这篇主要是从吴语音韵史的观点说明,"著"字怎么会在苏州话、上海话里变成态貌词尾"仔"字。

(1) 苏州、上海、崇明、金华、宁波、温岭、温州等吴方言都有两个时间层次,一个鱼虞相混,一个鱼虞有别。(2) 在鱼虞有别的层次里,苏州话有四个知章系声母的鱼韵字今音韵母说-ı：猪、煮 tsı、鼠 sı、苎 zı。(3) "著"是知系声母的鱼韵字,按照这四个字的演变规律,在苏州话里也会变成 tsʅ"仔"音。(4)现在的上海话,知章系声母的鱼韵字跟知章系声母的虞韵字韵母没有区别。但艾约瑟1869年记的上海音,知章系声母的鱼虞韵字还能看出有两个层次,鱼虞相混的层次元音说-ɥ,鱼虞有别的层次元音说-ʅ,如"猪"tsʅ,"鼠"sʅ,完成貌词尾 tsʅ。

本文还提到两点。第一,现代吴语鱼虞有别的层次是承继南朝的江东方言。第二,现代汉语方言可以分成两大类。南朝的江东方言保存在闽语、吴语、北部赣语里。官话、客家话、广东话的前身是唐代北方话,这三种方言里大概没有江东方言的成分。

访梅祖麟教授[*]

石　锋　孙朝奋

梅祖麟教授简介

　　梅祖麟先生 1933 年生于中国北京。1954 年在俄亥俄州欧伯林学院获数学学士学位。1955 年在哈佛大学获数学硕士学位。1962 年在耶鲁大学获哲学博士学位。

　　1962 年到 1964 年梅先生在耶鲁大学任哲学讲师。1964 年到哈佛大学任汉语助教授、副教授。在此期间于 1967 年到 1968 年在普林斯顿大学中国语言学计划做研究员。1971 年以后，梅先生应聘在康奈尔大学任中国文学和哲学副教授，1979 年任教授至今。在此期间还曾主持亚洲学术研究会以及中日研究项目的工作。

　　梅先生努力于促进中国语言学的发展，曾到北京大学和台湾清华大学做访问教授进行讲学交流，并且应邀到中国社科院语言研究所以及法国巴黎东亚语言研究中心进行研究工作和学术交流。梅先生曾先后担任过汉语教师学会理事会、亚洲研究学会理事会和国际教育交流委员会中国项目常务委员会成员等学术工

---

　　[*] 本文原载《汉语研究在海外》，1995 年。
　　这次访问是以通讯方式进行的。由石锋和孙朝奋二人列出问题，请梅先生逐一以笔作答，写成此文。梅先生来信讲到："写的时候想念我的几位老师，大部分都故去了，到现在才有机会谈到我受他们的教诲。"令人深为感动。

作,并且是《中国语言学报》副主编。

多年来,梅先生以广博的学识为基础,从事汉语语法史和汉藏语言比较研究工作,成果卓著。特别对于汉语声调史和闽方言历史情况的分析论证,颇多建树。梅先生以学风严谨、功底坚实著称,深得学术界的尊重。

问:梅先生一开始学的不是语言学,现在成为著名的语言学家,能不能给我们讲一讲您是怎么走上语言学道路的?

答:我在大学念的是数学,研究院硕士也是数学,主要兴趣在数理逻辑。这类问题牵涉到哲学问题,而且在哈佛念数学念得不顺,就转到耶鲁去念哲学。

当时语言哲学是哲学中的热门题目,其中又可以分几支。一支是从罗素(Bertrand Russell)、卡纳普(Rudolph Carnap)来的。早在第二次大战以前,逻辑学家已经把命题中的逻辑关系分析成 &(and) ∨(or) ⊃(imply) 种种观念。可以用形式逻辑的方式演算。后来希望能把日常语言中的观念都用形式逻辑的方式表达出来,Montague grammar 即承继这种精神。另一支大本营设在牛津大学,所谓 ordinary language philosophy,维根斯坦(Ludwig Wittgenstein)认为人与人之间的对话都是语言游戏,但不同的语言游戏有不同的游戏规则。传统的哲学家误用规则,张冠李戴,结果堕入陷阱,不能自拔。再发展下去就是近年来所说的(西洋)哲学破产,哲学的结束。这有点像禅宗"如桶子底脱"的悟。我在研究院时受维根斯坦的影响很深,觉悟到哲学家争论的是不可解决的假问题。既如此,就想找机会放弃哲学再改行。

我博士论文的题目是"语法理论的逻辑基础";其实选这个题目是由于偶然的机遇。我对语言哲学有兴趣,就觉得学点语言学总是应该的。1956 年考完预考就去听勃劳克(Bernard Bloch)为语言系研究生开的语言学导论和语言结构两门课。在乔姆斯基(Noam Chomsky)兴起以前,勃劳克是结构主义学派的大师,布龙菲尔德(Leonard Bloomfield)的传人。上了他的课才知道语言学中别有一番天地。比如说,怎样知道一个东西是同一个东西是柏拉图以来哲学家一直争论不休的问题;所谓同中有异,异中有同。上勃劳克的课就学到"音位"这个基本观念:phonetic similarity and complementary distribution。两个音如果音韵性质类似而出现范围互补就算同一个音位。这样从语言学的观点就能说明两个不完全相同的音在什么情况下算是同一音位。勃劳克的课我1962—1963年在耶鲁哲学系当讲师时又听了一遍,那时扩充到"双份课",占语言系研究生第一年课程的一半时间。我总共上了勃劳克六门课,比哲学系的每个老师都要多。

对语言学发生兴趣另一个因素是教中文。夏天为了要赚钱谋生,就在耶鲁教中文。一连几个夏天都是如此。美国中文教学制度是一两个教授讲语法和音韵,负责一门课的整个教程。另外请一批中国人带学生练习发音、句式、会话;上课不许讲英文。我做的就是这种"操练教师"。但我也去旁听语法的课,记得第一回听到动补结构的分析,"打破"、"没打破"、"打得破"、"打不破"。哦!汉语里还有这样的语法规律,有意思极了。

教了几个夏天的中文,对现代汉语语法粗具知识。看到几个英国哲学家讨论主语和谓语的差别,还有尝试动词和成就动词的差别。他们举例用英文,却认为英文里的差别是一般性的,是逻辑关系在语言中的体现。我读后大不以为然,就撰文(1961a,1961b)指出汉语语法在这方面跟英文不同。这两篇文章以后扩允就成为我的博士论文。

1956—1957年听勃劳克教授的课,学年终了他提到乔姆斯基《变换语法理论》(Chomsky:*Syntactic structure*(1957),中文是王士元、陆孝栋译的。原书著者被译为杭斯基。香港大学出版社，1966）。他说："有这么一本书，作者是杭（hom）斯基，仓姆（chom）斯基，反正是什么斯基。你们有兴趣不妨去看看，不看也可以。"我一看那本书，简直是出神了。里面问的问题是勃劳克课上没听过的，解答更是没听过的。50年代结构主义的精神是描写。"什么"是可以问的，"为什么"是不可以问的。乔姆斯基打破这个禁区。为什么人类能用有限的语法规律造出无限的合乎语法的句子？为什么叙述句和询问句单复数的限制相同？用什么样的最简单的方式才能把叙述句变换成询问句？这都是《变换语法理论》提出的新问题。1957年是语法理论研究的分水岭。1957年以前是耶鲁结构学派的天下，1957年以后乔姆斯基取而代之。

勃劳克跟我们这批学生提到《变换语法理论》时，我觉得有嗤之以鼻的口气。本来嘛，乔姆斯基一派兴起把老的结构主义打倒，老的一派不愿意被打倒，看不起新兴的一派，也是人之常情。过了若干年，勃劳克故去后，美国语言学会庆祝60年成立纪念，William Bright 有篇文章提到勃劳克，我才知道是我误解勃劳克对乔姆斯基的看法。

五六十年代勃劳克是《语言》学报的主编。后来柏来特（William Bright）接任主编的职位，就接收了《语言》编辑部的档案，其中有 Robert Lees 关于《变换语法理论》的书评，登在《语言》学报上。当时这篇书评是鼓吹变换语法理论极有影响力的文章。勃劳克做的卡片上说："第一流的文章，非常重要。"眼见别人站在跟自己相反的立场，还能如此欣赏，这是勃劳克老师的器量。

1961—1962年我在麻省剑桥写博士论文，同时到麻省理工学院去听乔姆斯基的课。课上认识了马提索夫（James Matisoff），他那时大概是在念法国文学，也去旁听，下课后就搭他的车回家。

1962年夏天在剑桥开第九届国际语言学家会议。汉语方面出席的有赵元任、李方桂、董同龢、蒲立本(E. G. Pulleyblank)、包拟古(Nicholas Bodman，我后来的同事)、王士元几位。我那时还在治西洋哲学，汉语语言学什么都不懂，只是去凑热闹。会后跟王士元在哈佛广场的咖啡铺喝咖啡畅谈。王士元在会上发表的文章是用变换语法理论的观点，分析现代汉语语法，也是乔姆斯基学派在汉语领域中的第一篇文章。那时赵元任先生的《汉语口语语法》有几章已经成稿，王士元和我谈到那本书，记得他说："赵先生的书都要(用变换语法理论的观点)重写！"

我五六十年代对语言学的兴趣是变换语法理论。其实我对汉语本身并没有很大的兴趣，只是想把变换语法理论用在汉语身上。1964年到哈佛远东系去教书。1965—1966年麻省理工学院的John Ross和哈佛的George Lakoff合教一门语法理论的课，两校语言系的师生都去听，差不多有两百人，真是轰动一时。我也去听。那一阵子乔姆斯基和麻省理工学派的语法理论变动很快，过三五年就有一套新理论出现，我渐渐觉得跟着人家跑有疲于奔命之感。同时我也试做变换理论的汉语分析，不久发现做了一些基本句法(phrase structure)，再做一些变换公式，固然可以衍生合乎语法的句子，可是不合乎语法的句子也源源不绝地产生。久而久之，这种困惑让我走到汉语语言史的领域来。

问：在汉语史领域中您认为哪些学者对您的影响最大？这些影响包括哪些方面？

答：在汉语史方面影响我最多的是董同龢先生、罗杰瑞(Jerry Norman)和李方桂先生。

我入哈佛研究院的那年(1954)，董同龢先生也到哈佛去当访问学者，前后一共两年。其中半年赵元任先生也在剑桥，住在女儿赵如兰教授的家。董先生台大的两个高足高友工和张光直也是1954年入哈佛，1955—1956年董先生和高、张同住在牧人街的一个楼里。在卞赵如兰家里和牧人街,我认识了董先生。

我去卞家和牧人街其实是因为嘴馋。学校宿舍的洋饭吃腻了,就五六点钟到卞家、牧人街走一趟,说不定有人会留我吃饭。赵如兰跟高友工都把我当小弟弟看待,那两年不知吃了他们多少顿饭。

饭后董先生就在他的房间里跟我们聊天。记得有一回高友工、张光直说,中国传统尊师。老师错了学生不敢驳正,结果中国学术进步不快。董先生生气了:"你们该去看看段玉裁、王念孙给江有诰论古音的信。江有诰是晚辈,改正了段、王的错。以当时段、王的学术地位,他们给江有诰写信,一点没摆前辈的架子,以事论事,江有诰说他们错了,他们就承认自己错了。"过了若干年,我才知道王力先生的《汉语音韵学》是在清华授课时,用董先生的听课笔记编写成的。后来又读王先生的《中国语言学史》,也谈到段、王和江有诰两代论学的佳话。于是恍然大悟,董先生1956年跟我们说的话最初是在王力先生堂上听到的!

我认识董先生时他才40出头。当时的感觉是汉语音韵史中该知道的他都知道,而且他的学习以及研究都是国内做的。到美国来以前,只曾到日本、泰国做过短期的访问。董先生在清华大学跟王力先生学汉语音韵史。入历史语言研究所后,先是跟赵元任先生做方言调查,抗战时期跟李方桂先生研究上古音,来哈佛前刚出版了《汉语音韵史》。

董先生给我还有个印象是做学问认真。当时高本汉的《汉文典》修正本(Karlgren, *Grammata Serica Recensa*)刚出版,董先生一个字一个字地去检讨他拟的上古音,有时也发牢骚:"怎么李先生跟我已经纠正的他还拟成老样子。"同时他又在哈佛旁听机器翻译和印欧语言史的课。跟我们晚辈聊天碰到学术问题总是认真地讨论,一点都不放松。还有对学生辈的关切,我第一篇文章发表后寄给董先生，董先生特别回信夸奖，说是"学人的文章，不是文人的文章"。

因为我仰慕董先生的为人，就想学他那套学问。自己开始读《汉语音韵史》觉得吃力，就想找个机会按部就班地学。1962年在剑桥见到董先生，印第安纳州立大学有意思要聘董先生，同时也想邀我去。我就问董先生"您去不去印第安纳？您去我也去，您不去我也不去"，意思是想利用在同一学校教书的机会好好地跟董先生念汉语音韵史。董先生说："台湾还摆着一堆摊子（有研究工作要做，有学生要带），总得要收了摊子才能来。"不料董先生回台湾后不到一年，带学生调查高山族语言，在山上胃病突发，下山后入医院动手术，就此与世长别。

我虽然没有上过董先生一堂课，但因为许过愿要做董先生的学生，我自己一直也把自己当做董先生的学生。若干年后，我研究中古明母、晓母谐声的问题(1989b)，想到"墨"、"黑"这类谐声音在上古的音韵关系，是抗战时期董先生和李方桂先生最初研究出来的。当时住在四川李庄，食不果腹，还有日本飞机来轰炸。40多年以后我又研究这个问题。如果董先生还在世，当面跟他讨论一番，多有意思！想到那里，不禁热泪夺眶。

罗杰瑞是第二个在汉语史方面影响我的，也是影响力最大的人。1967—1968年我哈佛休假，到普林斯顿大学去做一年Chinese Linguistic Project 的访问学者。本来计划是去跟高友工合写一本唐诗批评的书的，结果遇见了杰瑞。跟他学了一年汉语音韵史和方言学，合写了两篇文章(1970b, 1971b)，跟高友工合作的计划反而搁下了。

罗杰瑞那年刚从台湾作了闽语调查回来，正在写博士论文，用比较拟构的方法重建共同闽语。他比我小3岁，当时是研究生。我是助教授。但在上古音、闽语史、汉语音韵史方面他都是我的教师。他在加州伯克利分校的三个老师,一个是赵元任先生,一个是 Malkiel,罗曼斯语言学(拉丁语系的意大利、法兰西、西班牙等语言)的大师,另一个是 Murray Emeneau,达罗毗荼(Dravidian)语言学的大师(梵文里有好多字在印欧语系的欧洲语言中找不到同源词,是从印度土著语言 Dravidian 借来的),杰瑞跟他学越南语和南亚语言学。我从来没好好学过欧洲语言史,跟杰瑞闲谈时学了不少,此其一。杰瑞同时介绍我读苏联雅洪托夫(Yakhontov)、法国奥德里古(Haudricourt)、加拿大蒲立本(Pulleyblank)这几位学者关于上古音的著作。我们谈的最多的是上古汉语中的词头、词尾(后来我 1980a, 1989b 都写过文章),上古音和闽语之间的关系。在杰瑞口中,语言事实都变活了;一个音怎样变成另一个音,闽语里的词汇是怎么来的,都是我们聊天的话题,不知不觉地我学了不少汉语音韵史,此其二。从杰瑞那里我学到用现代语言学的方法去研究借词和同源词,每个字的每个音都要用历史的方法拟构,然后再去考察每个字的历史。这种方法和传统训诂学的"一音之转"大不相同,此其三。

杰瑞为人又是极厚道极慷慨的。我在 1970 年发表了一篇文章(1970a),其中一部分论证汉语上声来自-ʔ,更早汉语根本没有高低升降形成的声调。这一部分论点是杰瑞提出的,主要证据也是他收集的。文章发表后,人家问我对"我"的上声来自-ʔ说的看法,我自己有时信心动摇,但杰瑞一直坚信不疑,因为此说本来就是他的。文中有一部分是用古汉越语中汉语和越南语声调对应关系论证。我最近又在搞古汉越语。清音和浊音声母的字,声调对应关系奥德里古早就说清楚了,次浊声母(鼻音和边音)没说。我想弄清楚才能判断哪个字是唐代以后借去的汉越语,哪个字是唐代以前借去的古汉越语。自己懒得做,就去查前人写的文章,结果在自己的文章里找到了!怎么自己不知道自己文章里说什么?因为那段是杰瑞写的,我照抄发表了20年还不知道里面究竟说了些什么。

杰瑞给我最大的影响是改变了我的语言观。乔姆斯基一派最注重的是语言中抽象的、逻辑性的语法现象。跟罗杰瑞接触后深深地感到语言是人类社会在历史过程中发展出来的,词汇有底层(substratum),也有上加层(superstratum)。音韵演变固然我们希望能够找出绝无例外的规律,但字汇层层积累就会打破这种只能应用到属于同一历史阶段的演变规律。反正碰到人的事情就不会像物理或数学那样有机械性的规律。而且语言到底是可以观察的事实,依时依地依语言种类有所不同。把语言理论弄得太抽象了,研究者就无法弄清楚这种理论能否成立。60年代末期,最早追随乔姆斯基学派的,如王士元、马提索夫、拉波夫(William Labov),都纷纷脱队,我也是其中的一个。

问: 一般认为汉语语法史是比较困难的方面,我们想知道您是怎样选择了汉语语法史的研究?

答: 对汉语史发生兴趣以后下一步是要决定做哪一方面的研究。罗杰瑞的音韵史和汉语方言学我一辈子也赶不上。在哈佛1968—1970年跟郑锦全同事,办公室相邻,常互相切磋,有一年还合教了一门汉语音韵史,难的部分如"重纽"就请他讲。锦全那时已经往计算语言学方向走,但音韵史知道得很多。记得有回跟他谈中古音,几个关键字的《广韵》反切他不加思索都背得出来,我则要查半天书才能弄清楚中古音值。似乎董先生教过的学生都有这样的本事,我是望尘莫及。

汉语语法史是唯一我觉得还可能做出成绩来的领域。那时(以及现在)只有三本书可读:吕叔湘《汉语语法论文集》、太田辰夫《中国语历史文法》、王力《汉语史稿》(中)。尤其是吕先生的书,开创了这门学问,其中论证之细密,引征资料之丰富,看后都使人爱不释手。于是就按照太田和吕两位列举的书目一本一本去读语法史的基本资料。

从 1968 到 1978 我读了十年基本资料，只写出了一篇文章(1980b；1975 年写的，因为种种原因，到 1980 年才出版)，觉得非常苦恼。

在这段时期我还写了一篇文章。在《中国语言学报》(Journal of Chinese Linguistics)创刊期上看到邓守信的一篇文章，按照当时流行的"衍生语义学(generative semantics)"，他认为"吃了$_1$饭了$_2$"应该分析为$\{[(吃饭)了_1]了_2\}$。结构是：吃饭这件事已经完结(了$_1$)；完成(了$_1$)吃饭这件事是个新情况(了$_2$)。我看后觉得这样说也行。不过总该有点别的证据，要不然谁都可以发明一套深层结构。

所以我想在历史文献中找证据。如果"〔(吃饭)了〕"这种分析法是正确的，文献上该有"吃饭了"(相当于现在的"吃了$_1$饭"，不相当于现在的"吃饭了$_2$")。那么多的文献，在哪个时期去找？于是我想到吕先生的文章中提到唐代有"归家不得"之类的句子。"～不得"和"～了"按照乔姆斯基的说法都属于 Aux 一类(也就是光杆动宾以外加油加酱的成分)。"动—宾不得"("归家不得")既然出现在唐代，"动—宾了"("吃饭了")也应该出现在唐代。翻检《敦煌变文集》，果然有一大堆"动—宾了"，而且"动了宾"非常少。整理好资料，写成文稿，发现张洪年做同样的题目也写了一篇文章，结论跟我一样，自己的文章只好搁下不发表。

我重提旧事是因为我是用推理的方式推出来某种句型的年代，而且居然在文献中证实了我的推论。自己觉得有点摸着了句型演变规律的脾气。

1975—1976 年我在日本京都休假，主要时间花在读《祖堂集》。除了敦煌变文以外，《祖堂集》(952 年序)，要算是晚唐五代最重要的白话文献。同时我也参加了花园大学入矢、柳田两位先生的《祖堂集》会读。会读是个很好的日本制度:大家聚起来细读一本书。入矢义高先生是早期白话的专家,柳田圣山先生是禅宗史专家。班上还有京都大学的教师和研究生,有治唐史的,有治佛学的,有治宗教制度史的。大家聚起来,每周一次两小时,轮流翻译讲解,碰到读不懂的地方就停下来讨论。据说我参加那年,已是《祖堂集》会读的第十年。

我日文勉强能读,听却几乎完全听不懂,所以上课既跟不上,也没法参加。但是下课以后,入矢义高先生总是请我上咖啡铺去喝咖啡,算是补习班。柳田圣山先生只会日语,无法跟他交谈。入矢先生汉语英语都行,却愿意跟我说英语。我问他的问题以资料的年代为主,譬如《敦煌变文集》有几篇可以断定是在唐代以前写成的?《洞山语录》、《庞居士语录》作于何时,能否当唐代语法基本资料使用?入矢先生总是跟我耐心地讲解断代的困难,同时也告诉我还有些什么资料值得注意。宋代的《碧岩录》、《大慧书》就是那年读的。

问:梅先生长期在美国,请谈一谈在当今语言学理论和方法中,您认为有哪些对研究汉语是重要的?在层出不穷的学派中,哪一派比较适合于汉语的研究?

答:至于有些什么语言学的方法和理论可以用来研究汉语,我认为有四个观念在历时语言学方面是比较重要的。

一、结构

汉语上古有上古的音节结构,中古有中古的音节结构。在语法和句型方面,我想各时代也有它的典型结构,虽然我们在这方面知道得少些。

对我来说,语言有结构是天经地义,不用结构的观念去研究语言,结果一定会像串不起来的散钱,七零八落。勃劳克老师指定教科书只有两本。布龙菲尔德《语言》(Bloomfield, *Language*)以及霍凯特《现代语言学教程》(索振羽、叶蜚声译, 1986) (Charles Hockett, *A Course in Modern Linguistics*)。

二、比较拟构

比较拟构和"音韵演变规律没有例外"无法分开。正是因为音韵演变规律没有例外,所以一个祖语在各语言(或方言)里不同的演变都是遵守规律的,可以求得出它们之间的对应关系,再做比较拟构。

据我所知,用比较拟构的学者不少,例如李方桂先生的共同台语,丁邦新先生拟构的高山族古卑南语,龚煌城先生共同汉藏语的元音系统,还有罗杰瑞先生的共同闽语。这里中国籍的也有,美国籍的也有;用在汉语身上的也有,用在非汉语身上的也有。不知为什么,唯独缺的是大陆学者做的比较拟构工作。

三、衍生(generative)

这个观念在乔姆斯基提出以后才被重视。在共时的领域,人类怎样用有限规律,造出无限的、非常复杂的句子,这是个引人入胜的问题。同样地,怎样用音韵变化规律来产生汉语某些方言中复杂的变调也是个问题。

在历时的领域也是如此。我们想知道各方言为什么音系不同,新的句型或语法结构是怎样产生的,旧的为什么被淘汰。作为历史家,无论是研究社会、经济政治或语言,最终目的总是想找出因果关系——知其不可而为之。乔姆斯基早年提出"描写的充分性"和"解释的充分性",就是告诉我们不但要知其然还要知其所以然。

四、微观历时语言学和社会语言学

研究汉语史其实是研究宏观历时语言学,跟它相配合的是微观历时语言学。我们知道历史上的演变——能用规律描写的——

是积累若干小变化而形成的。研究短时期之间的小变化就是微观历时语言学。

王士元先生的词汇扩散理论国内国外都非常有名,不必我作介绍。还有拉波夫(William Labov)的社会语言学,两者息息相关。拉氏指出任何方言——尤其是大都市的方言——都可以分成若干小方言,在互相影响下演变。而这些小方言又跟社会背景有关,如纽约城的黑人和白人,费城的中等阶级中年妇女和其他人。这些小方言有的走在前头,有的在后面赶,甚至于矫枉过正,于是诸小方言是参差不齐地演变。他们两位共同之点在于都精于运用统计方法。同音的字,在有的人口中已经变了,有的人口中还没有变。在同一个人的口中,同音字也会有的在变,有的还没有变。

安东尼·克劳克(Anthony Kroch)最近在 Language Variation and Change 1(1989)发表一篇文章,用统计方法研究语法演变,值得我们效法。

上面谈到的四个理论,两个是老牌的:结构和比较拟构;两个是新兴的:衍生和微观演变。我觉得都不是"学派",而是从事语言工作的学者应该知道的方法。

结构和结构主义不同。结构主义是个学派,"耶鲁"结构主义的特征是只谈形式结构,不谈语义。这是它的偏差。搞语法史的总会看到一种情况:同样的语法意义,在不同时期或不同方言用不同的语法手段表现,这就牵涉到语法中的语义问题。衍生和早期的乔姆斯基学派不同。早期的乔姆斯基用变换语法理论来解释衍生的现象。现在乔姆斯基自己已经不谈变换(transformation)了,但是衍生这个观念还有它的永久价值。

现在美国流行的各种学派是否能应用在汉语研究身上? 这个问题不容易回答。譬方说麻省理工学院学派,就先要说明是哪年的,70年代流行的与80年代不同,80年代初期流行的跟晚期不同。据说美国西部流行功能语法学派,这也不容易弄清楚到底在说什么,什么是真牌的功能语法,什么是冒牌的功能语法。

另一方面,我觉得所有新的理论都值得试一试,不试不知道是否合乎汉语的个性。对乔姆斯基最近的"支配和约束理论"(theory of government and binding)我也采取同样的态度,希望黄正德教授和其他人继续做下去,看看是否能解释、描写现代汉语语法。但是乔姆斯基一直注重的是一般性语法(universal grammar),汉语也是用这么几个原理,英语也是用这几个原理。先秦语法和唐宋语法也都是一般性语法的体现。那么我们搞语法史的不禁要问:既然都是一般性语法,先秦和唐宋之间的差别怎样解释?换言之,一个成功的语法体系总该能把历时演变放在一个适当的位置。如果不能,不但是我们研究汉语的不能接受,任何研究语言史的——日耳曼、罗曼斯、印欧——都不能接受。

另外我常想,有些早晚应该做的工作先做,不管是搜集资料,断定某种句型的出现年代,还是比较拟构。可能是徒劳无功的研究放在后面——虽然用的是最时髦的理论。

问:梅先生在汉语的历时研究中做了很多重要工作,请您把已经做过的研究工作给我们讲一讲。

答:我做的研究分几个方面,往往同一个题目在不同的时期发表相关的文章。

(1) 声调史

其中有两个主要问题。一、汉语的声调是怎样产生的?二、产生由高低升降组成的声调以后,调值是怎样演变的?

1970a 说上声来自 -ʔ, 1980a 说去声来自 -s, 都是针对第一个问题。1980a 还想说明去声别义可能分成两个时间层次,最古老的层次非去声的字是动词,去声的字是名词。这部分不太成功。去声来自 -s 之说在这篇文章之前已由其他学者证明。我用了另一种论证方法。藏文加上-s能把动词变成名词,汉语把非去声的字变成去声同时也把动词变成名词。藏文有-s没有去声,中古汉语有去声没有-s。去声和-s功用相同,分布互补,所以汉语的去声来自-s。

因为我们不知道调值变化的规律,所以我采取的步骤是去找文献上对某个时代某个地区的调值系统的记载,先后写了1970a、1977、1982a三篇文章。本来是希望弄清楚同一个方言先后两个时期的调值,再去推断其中演变规律。可惜一直没有成功。

(2) 闽语史

1976a说闽语有南亚语的底层,1971b说闽语有 cl- 型(现在要说 cr- 型)复声母的遗迹,1988a说闽语排除式和包括式的区别来自南亚语或南岛语的底层。这都是跟罗杰瑞合作的成果。我独自写的文章中,1979a、1983b说脱落 -r- 介音是早期闽语的一个音韵特征,1989a说闽南语"坐著椅顶"的"著"这种方位介词用法是承继南北朝的用法。最近我又在研究闽语语法史。

自从跟罗杰瑞合写1976a开始,我对语源学(etymology)一直有兴趣,后来又在两方面做过研究。一方面是汉藏比较,另一方面是方言虚词。我研究方言语法史,出发点就是找到几个方言虚词的本字,再进一步研究这些虚词怎么会在某些方言中有如此这般的用法。

(3) 汉藏比较

(甲) 1979b 说明"岁"(上古音)*skwjats 和"越"(上古音)*gwjat 同源,这两个字又和藏文 skyod 同源;这些话又在 1980a 里说过。*skw->sw- 最早是雅洪托夫 1960 年提出的。李方桂先生 1971 年的《上古音研究》拟构了 *skwj->sw-, *sgwj->zw-, 还有 *skj->tś, *skhj->tśh-, *sgj->dź-,1976 的《几个上古声母问题》又取消了最后三种演变规律的假设。70年代 *sk 型的复声母是个热门题目。我 1979b 那篇文章证明上古汉语确实有 *skwj-这样的复声母,同时也说明 *s-是个词头。1989 年龚煌城

541

先生告诉我汉语"越"字的藏文同源词是'grod"行,走",bgrod"行,越过(河流)";喻三的上古音是 * gwrj-。现在拟构"岁""越"这个例该写作"岁" * skwrjats,藏语 * skryod;"越" * gwrjat,藏语'grod。

(乙)雅洪托夫和李方桂两位都认为 * s-是上古汉语的词头。我 1989b 那篇文章指出,* s-词头在上古汉语里不但有使动化功用,还有名谓化的功用,其中"墨" * m->m-"黑" * sm->x-;"林" * r->l-森 * sr->s-这两个例比较可靠,其他例虽然用的是李方桂拟构的复声母,但其中问题重重,还需要重新考虑。

(4)汉语语法史

我做了三种工作:

(甲)参加《近代汉语语法资料汇编》(刘坚、蒋绍愚主编)的编辑工作。

(乙)方言虚词往往是有音无字(其实是知其音,知其用法,而不知其本字),文献上所见的虚字又不知道是否在某些方言里流传下来。我做的工作是把方言虚词和文献上的虚字配上对。1979a 说明吴语"吃仔饭哉"的"仔"的本字是"著",又在《朱子语类》、《大慧书》等宋代白话文献中找到这种完成貌词尾"著"的用例。后来发现闽南话"坐 ti² 椅顶"的 ti² 就是《世说新语》"坐著膝前"的"著",又写了 1989a 那篇文章,把"著"字方位介词、持续貌词尾、完成貌词尾这三种用法在方言里的用法联起来看,寻求它们的源流关系。最近悟出闽南话的"开 a"是"开也","写 liau a"是"写了也",又写了 1991a,把闽南话的"V 也"、"V 了也"和《祖堂集》里的"V 也"、"V 了也"联结起来。

(丙)文献上所见的语法史

1978a 用结构主义的观点来看选择问句法的来源,后来朱德熙、张敏两位也研究这个题目,又把方言中的差别和历史语法联结起来,当然比我看得更深更远。其他几篇如 1981d、1986b、1987、1988a、1988c、1990a、1991b 只能当做专题的习作,选语法史中比较重要的题目整理资料,想法说出一个演变的历程。但 1981d 认为"动+结果补语+宾语"是"动+了+宾"的前身,1991a 已经更正;前身是"动+状态补语+宾"。1990a 论唐宋处置式的来源也太着重处置式承继唐代以前的发展,没有突出处置式出现的创新意义,都是把事实看偏了。

问:今天梅先生在研究工作方面还有什么想法和打算,可以谈一谈吗?

答:我以后想做的工作是继续研究方言语法史,写一部《汉语语法史要略》,行有余力,想用英文再写一遍。但其中有重要问题尚待解决,提笔写时往往有力不从心之感。

早期白话在晚唐兴起的社会背景,是我多年来关心的问题,但我不是历史家,知道问题的重要,不知道怎样去研究。钱大昕"古无轻唇"、"古无舌上"之说比格里木定律(Grimm's law)还要早,其实是"音韵演变遵守规律"最早的例证。假吾以年,倒想了解一下钱大昕怎样会"无中生有"地发现音韵演变规律这么一个观念。

问:梅先生曾到大陆讲学、开会和研究工作,请谈一谈对国内语言研究的看法。

答:至于国内的汉语研究,有非常精彩的,如裘锡圭的甲骨文金文,朱德熙的现代语法,郑张尚芳的吴语,曹广顺的晚唐五代语法,张敏的反复问句的历时、方言研究,周祖谟的两汉魏晋南北朝韵部演变等等。这几位学者的研究都是实事求是,寓理论于事实。读他们的作品,不怎么觉得他们是在用国外哪一派的理论,好像事实就是如此。但他们"叙述"事实的字里行间,却含有理论原则。接受了他们对事实的叙述,等于就接受了他们的理论。

还有一些作品,读起来往往有"躐等"的感觉。王士元"词汇扩散理论"之所以重要，是因为修改了"音韵演变没有例外"的理论。有些人乐意谈词汇扩散理论，却没有做过音韵对应或比较拟构的工作，对"音韵演变没有例外"理论的力量却没有体会，他们的文章读起来就有躐等的感觉。同样地，乔姆斯基现在的"支配和约束理论"以及其他1957年以来的研究，都是结构主义的延伸。有些研究语法的，把乔姆斯基80年代的理论背得滚瓜烂熟，似乎没有精读过布龙菲尔德和索绪尔(de Saussure)他们的作品，读起来同样有躐等的感觉。

此外国内语言学的科目似乎分得太细。研究方言音韵的有的不理会历史音韵，治历史语法的不治历史音韵，搞甲骨文金文的不懂上古音，研究上古音的不理会汉藏比较。比方说，我读过国内讨论方言分类、方言分区的文章，第一个问题倒不是这篇文章说得对不对，而是说对了又怎么样。也就是说，用来作为分类或分区的音韵标准如果不能跟历史上的音韵演变联结起来，我真不懂为什么要如此区分。

汉语史是中国历史的一部分，治汉语史的当然希望把语言史和历史的其他部分联结起来。汉藏比较牵涉到汉族和藏缅族在远古时代的关系。北方的汉语方言多受阿尔泰语的影响，南方的多受南亚语和泰语的影响。方言的形成和民族迁移史息息相关。建业(建康)作为南朝的首都影响到《切韵》的韵部分类，唐代的长安使北方官话变为全国的标准语。以后辽、金、元、明又使北京话变成新的标准语。这都是治汉语史的常识。

总起来说，把汉语史看得全，把汉语史跟中国历史的其他方面放在一起看，是研究汉语史过去的方向，也是今后的方向。

梅 祖 麟
1991年8月20日写毕

附：梅祖麟先生论著目录

1961a. Subject and Predicate: A Grammatical Preliminary, *Philosophical Review* 52.153—175.
1961b. Chinese Grammar and the Linguistic Movement in Philosophy, *Review of Metaphysics* 14.463—492.
1963. The Logic of Depth Grammar, *Philosophy and Phenomenological Research* 24.98—109.
1968a.《文法与诗中的模棱》,《史语所集刊》39.83—124。
1968b. (with Yu-kung Kao) Tu Fu's "Autumn Meditations": An Exercise in Linguistic Criticism, *Harvard Journal of Asiatic Studies* 28.44—80.
1970a. Tones and Prosody in Middle Chinese and the Origin of the Rising Tone, HJAS 30.86—110.
1970b. (with Jerry Norman) The Numeral "Six" in Old Chinese, in R. Jakobson and Kawamoto eds., *Studies in General and Oriental Linguistics Presented to Shiro Hattori*, 451—458.
1971a. (with Yu-kung Kao) Syntax, Diction, and Imagery in T'ang Poetry, HJAS 31.51—136.
1971b. (与罗杰瑞(Jerry Norman)合作)《试论几个闽北方言中的来母 s-声字》,《清华学报》9.96—105。
1976a. (with Jerry Norman) Austroasiatics in Ancient South China: some Lexical Evidence, *Monumenta Serica* 32.274—301.
1976b. (with Yu-kung Kao) Ending lines in Wang Shih-chen's "ch'i-chüeh", in Christian Murck ed., *Artists and Traditions* (Princeton University Press, 1976), 131—144.
1977. Tones and Tone Sandhi in 16th Century Mandarin, *Journal of Chinese Linguistics* 5.237—260.

1978a. 《现代汉语选择问句法的来源》,《史语所集刊》49.15—36。

1978b. (with Yu-kung Kao) Meaning, Metaphor and Allusion in T'ang Poetry, HJAS 38. 281—355.

1979a. The etymology of the Aspect Marker *tsi* in the Wu Dialect, *Journal of Chinese Linguistics* 7.1—14.

1979b. Sino-Tibetan "year", "month", "foot", and "vulva", *Tsinghua Journal of Chinese Studies* 12.117—133.

1980a. 《四声别义中的时间层次》,《中国语文》1980.427—433。

1980b. 《〈三朝北盟会编〉里的白话资料》,《中国书目季刊》14.2.27—52。

1981a. 《明代宁波话的"来"字和现代汉语的"了"字》,《方言》1981.66。

1981b. 《古代楚方言中"夕(茶)"字的词义和语源》,《方言》1981.215—218。

1981c. 《高本汉和汉语的因缘》,《传记文学》39.2.102。

1981d. 《现代汉语完成貌句式和词尾的来源》,《语言研究》1.65—77。

1981e. A common etymon for *chih* 之 and *ch'i* 其 and related problems in Old Chinese phonology, *Proceedings of the International Conference on Sinology* (Section on Linguistics and Paleography), 185—212.

1982a. 《说上声》,《清华学报》14.1—2.233—241。

1982b. 《从诗律和语法来看〈焦仲卿妻〉的写作年代》,《史语所集刊》53.2.227—249。

1983a. 《敦煌变文里的"熠没"和"乩(举)"字》,《中国语文》1983.1.44—50。

1983b. 《跟见系谐声的照三系字》,《中国语言学报》1.114—126。

1983c. (与张惠英合作)《说"屙"和"恶"》,《中国语文》1983.3.219—220。

1984a. 《从语言史看几本元杂剧宾白的写作时期》,《语言学论丛》13.111—153。

1984b. The second annual meeting of the Linguistic Society of China, *Journal of Chinese Linguistics* 12.1.199—207.

1986a. In memoriam: Professor Wang Li, *Journal of Chinese Linguistics* 14.2.333—336.

1986b. 《关于近代汉语指代词——读吕著〈近代汉语指代词〉》,《中国语文》1986.6.401—412。

1987. 《唐、五代"这、那"不单用作主语》,《中国语文》1987.3.205—207。

1988a. 《北方方言中第一人称代词复数包括式和排除式对立的来源》,《语言学论丛》15.141—145。
1988b.《内部拟构汉语三例》,《中国语文》1988.3.169—181。
1988c.《词尾"底"、"的"的来源》,《史语所集刊》59.1.141—172。
1989a.《汉语方言里虚词"著"字三种用法的来源》,《中国语言学报》3.193—216。
1989b. The causative and denominative functions of the *s- prefix in Old Chinese, *Proceedings of the Second International Conference on Sinology* (Section on Linguistics and Paleography), 33—52.
1990a.《唐宋处置式的来源》,《中国语文》1990.3.191—206。
1990b.(刘坚、蒋绍愚主编)《近代汉语语法资料汇编》(唐五代卷)序,1—5。
1990c.《纪念台湾话研究的前驱者王育德先生》,《台湾风物》40.1.139—145。
1991a.《唐代、宋代共同语的语法和现代方言的语法》,《第二届中国境内语言暨语言学国际研讨会论文集》(台北,中央研究院),35—61。
1991b.《从汉代的"动、杀"、"动、死"来看动补结构的发展》,《语言学论丛》16.112—136。
1991c. (with Victor Mair) The Sanskrit Origins of Recent Style Prosody, HJAS 51.2.375—470.
1992a.《汉藏语的"岁、越","還(旋)、圜"及其相关问题》,《中国语文》1992.5.325—338。
1992b.《上古音对谈录》,《中国境内语言暨语言学》1.665—715。
1992c. (with Victor Mair) The Sanskrit Origins of Recent Style Prosody, in Luk, Bernard Hung-Kay and Barry D. Steben eds., *Contacts between Cultures* (East Asia: Literature and Humanities volume 3), 220—225.
1994a. More on the aspect marker *tsi* in Wu Dialects, in Chen, Mathew Y. and Ovid Tzeng eds., *In Honor of William S-Y Wang*, 323—332.
1994b. Notes on the morphology of ideas in Ancient China, in Peterson, Willard et al. eds., *The Power of Culture*, 37—46.
1994c.《唐代、宋代共同语的语法和现代方言的语法》,《中国境内语言暨语言学》2.61—97。
1994d. 罗杰瑞著、梅祖麟译《闽语词汇的时间层次》,《大陆杂志》88.2.1—4。
1995a.(与杨秀芳合作)《几个闽语语法成分的时间层次》,《史语所集刊》66.

  1.1—21。
1995b.《方言本字研究的两种方法》,《吴语和闽语的比较研究》(中国东南方言比较研究丛书(第一辑)),1—12。
1995c. 石锋、孙朝奋《访梅祖麟教授》,石锋编《汉语研究在海外》,143—162。
1997a.《汉语七个类型特征的来源》,《中国境内语言暨语言学》4.81—103。
1997b.《"哥"字的来源补证》,余霭芹、远藤光晓共编《桥本万太郎纪念 中国语学论集》,97—102。
1997c.《台湾闽南话几个常用词的来源》,《训诂论丛》第三辑 21—42。
1997d. 刘跃进《在语言与古代文学之间徜徉——访美国康奈尔大学东亚系梅祖麟教授》,《文学遗产》1997.3.118—124。